KB096630

설득과 영업 초고수 실행노트

PERSUATION SECRET

설득술 '25기법'

마음을 얻으면 천하를 얻는다.

"탄탄한 이론적 근거에 기반한 실전 노하우"

"두고 두고 참고할 만한 설득과 영업의 실전 실행노트"

닥터브리

설득과 영업 초고수 실행노트

설득술
25기법
마음을 얻으면 천하를 얻는다

닥터브리

설득술 25기법

1판 1쇄 인쇄 2024년 2월 20일
1판 1쇄 발행 2024년 2월 20일

지은이 ｜ 닥터브리
발행인 ｜ 정병현
발행처 ｜ NPBR COMPANY
등 록 ｜ 제2023000117호
주 소 ｜ 07547 서울 강서구 양천로 583
전 화 ｜ 1644-5086
팩 스 ｜ 0505-415-4424
e-Mail ｜ bh0527@empal.com
홈페이지 ｜ http://www.drbriany.com
인스타그램 ｜ @DRbriany365
페이스북 ｜ DRBriany
ISBN 979-11-985360-3-7

* NPBR COMPANY는 독자 여러분의 소중한 아이디어와 피드백을 기다립니다.

Copyright © 2024 by NPBR COMPANY
All rights reserved including the right of reproduction in whole or in part in any form.

| 지은이 |

닥터브리 (Dr. Brian)

중학생시절까지 오줌싸개였고, 몸도 외소하고 잔병치레도 많았으며 소심하고 말수도 적고 내성적이었던 그가 여러 부정의 굴레를 극복하자 대기업, 외국계기업, 벤처기업을 거쳐 고가의 S/W, H/W에서부터, 유 무형상품에 이르기까지 다양한 형태의 기술영업, 대면영업의 현장에서 마음을 얻는 법을 현장에서 터득하고 누적 1000억원 매출을 넘어서는 영업의 전문인이 되었다. 1000명이 넘는 1:1 영업 및 설득 코칭 경험이 있고 이 중 90% 이상 실직적인 영업성과를 기록했다. 마음을 열고 지갑을 열게 하는 기법에 관한 영업교육 및 세미나 300회 이상 경험을 보유하고 있다. 제품별 영업멘트, TM멘트를 직접 설계했고 이를 토대로 교육했다. 현장에서 부딪힌 여러 문제들을 극복한 문제해결 경험들과 학문적 배경들을 더해 MBA와 경영학박사학위를 취득하고 영업과 설득, 협상의 현장에서 어려움을 겪는 이들을 돕고 격려하며 세우는 일에 주력하고 있다.

| 홈페이지 | drbriany.com
| 블로그 | https://blog.naver.com/drbriany
| 티스토리 | https://drbriany.tistory.com/
| 인스타그램 | @DRbriany365
| 페이스북 | DRBriany
| 유튜브 | https://www.youtube.com/@DRbriany365
| 이메일 | bh0527@empal.com

| 서문 |

"단순한 무용담도 설명서도 아닙니다"

"실전 노하우와 탄탄한 이론적 근거로
하나 하나 정성껏 곱씹고 글로 옮겼습니다"

"두고 두고 참고할 만한 설득과 영업의 실전 실행노트입니다"

"용어 및 참고문헌에 관해 보다 명확하고 풍부한 해석과 전달을 위해
영문도 함께 표기 한 점을 양해 부탁 드립니다."

목차

프롤로그

* 이런 분들에 도움이 됩니다.

오랜 영업의 현장에서 실패를 겪은 분들이 실패 속에서
보석을 발견하고 재도약하는데 도움이 됩니다.
영업직에서 탁월한 성과가 간절하신 분에게 도움이 됩니다.
이미 성과를 내지만 더 크고 진일보하여 큰 영업인이
되고 싶은 분에게 깊은 통찰력을 제공합니다.
대면영업, 매장영업, 기술영업, 보험영업, 교육영업, 자동차영업,
법인영업, 특수영업 모든 영역에서 도움이 됩니다.
B2B, B2C, 온.오프라인, SNS영업, 팀영업에서 도움이 됩니다.
증원, 교육과 양육, 코칭, 컨설팅을 통해 영업조직을
단단하고 탁월하게 육성하고 싶은 리더에게 도움이 됩니다.
상담과 협상의 자리에서 노련미, 숙련도를 탑재하고
고급스런 소통의 달인을 꿈꾸는 분들에게 도움이 됩니다.
사람과의 대화와 소통에 어려움을 겪는 분들에게 도움이 됩니다.
사람 자체를 이해하고 싶고 그 속을 들여다 보고 싶은 분들에게 도움이 됩니다.
나에 대한 진지한 탐구와 묵상을 통해 성찰하고자 하는 분들에게 도움이 됩니다.
부부, 자녀, 가족구성원 간에 소통을 풍성히 하고자 하는 분들에게
도움이 됩니다.

추천사

"본 서를 읽다 보면 대인관계에서 비롯되는 염려와 직면하는 두려움에서 자연스럽게 벗어나게 된다. 동시에 자신 있게 나아가는 힘을 얻고 할 수 있다는 신념을 갖게 된다. 자연스레 긍정적인 자아로 변화되는 자신을 발견하게 된다. 본 서는 개념들을 쉽게 적용하도록 이끌어 주는 실천서이자 친절한 안내자이다. 저자의 전문성과 현장에서의 경험, 사람에 대한 사랑으로 비롯된 영업 성과 노하우를 여실히 보여 주면서 독자의 눈높이에 맞추어 바로 적용할 수 있는 솔루션을 제시한다. 설득과 영업 25가지의 다양한 조합으로 무한대의 기법을 만들어 내는 마법서로서 모든 독자에게 다가가지만, 개인에 대하여 1:1 맞춤 멘토서이다. 그래서 신비한 책이다."

숭실대학교 이선영 교수

"이 책은 비즈니스 현장에서 많은 사람들이 고민했을 법한 화두들을 빠짐없이 담고 있는 설득과 영업에 관한 사전이자 실전사례가 곁들여진 가이드이다. 영업 초보자에게는 영업의 교본이자 시행착오를 최소화 시켜주는 지침서가 될 것이고, 영업고수에게는 자신이 가지고 있는 자신만의 영업노하우를 마치 도서관처럼 잘 분류하여 자신의 머리 속에 체계화 시켜줄 수 있는 길을 발견하게 만들어 줄 것으로 확신한다."

(주)소프트자이온 이준호 대표

"예수님은 인류 최고의 영업 초고수이시다!
성경과 이 책을 함께 읽으면 그 이유를 알 수 있을 것이다."

FGC파트너스 대표이사 이정림

"설득과 영업에 대한 키워드를 25가지로 정리한 것이 인상적이다. 평범 속에 진리가 있다고 다 아는 내용인듯한데, 하나 하나 들여다 보니 생각나는 것이 많다. 이제 25가지면 설득하는 것과 영업하는 방법으로는 충분 할 듯하다. 성경의 지혜들이 새롭게 느껴진다."

(주)케이알컨설팅 이강락 대표

"맹자가 '득천하유도(得天下有道) 득기민(得其民), 사득천하의(斯得天下矣), 천하를 얻는 데는 방법이 있다. 백성을 얻으면 바로 천하를 얻는 것이다.' 라고 하였다. 이 말은 천하를 얻기 위해서는 먼저 백성의 마음을 얻어야 한다는 뜻이다. 설득과 영업의 핵심도 바로 상대방의 마음을 얻는 것이다. 이 책은 상대방의 마음을 얻을 수 있는 설득과 영업에 대한 이론과 사례와 적용이 잘 정리되어 있어서 읽고 적용하면 반드시 좋은 열매를 맺게 될 것이다."

드림스드림 이사장 임채종

"영업 활동의 중요성에도 불구하고 이론적 기반보다는 실무가 강조되며 그간 개인의 노하우를 기반으로 실행되는 영역으로 여겨지고 있었다. 본 서는 공감에서 시작되어 질문의 기술을 얻기까지의 영업의 25개 프로세스를 제시하며 영업 성과 도출의 노하우를 구체화하여 제시하고 있다."

서울과학종합대학원대학교 고영희 교수

제 1 장

공감(Empathy)

"공감은 천하를 얻는 첫 단추이다."
닥터 브라이언(Dr. Brian)

공감(Empathy)

■ 개념

공감은 타인의 감정을 이해하고 동질적으로 함께 느끼는 능력이다. 개인간의 동질감감, 신뢰, 효과적인 의사소통을 높이는데 중요한 역할을 하기도 한다. 공감에는 인지요소, 감정적 요소 두 가지 모두 필요하다. 인지적으로는 다른 사람의 시각과 감정을 정확하게 이해하는 능력이고 감정적으로는 상대의 감정에 공감을 느끼는 것이다. 높은 수준의 공감은 상대의 공격적인[1] 반대급부의 에너지를 감소시키고 적대적 행동에 대한 완화장치로서 순기능적 역할도 한다. 공감은 단순히 동정의 개념을 넘어 오감의 영역으로 확대되어 상대의 감정을 이해하고 동일하게 느끼며 나누는 것을 포함한다.

설득의 맥락에서 공감은 결정과 태도에 지대한 영향을 미치는 설득도구이다. 누군가 내가 우려하는 것, 고민하는 것을 이해하고 관심을 갖고 있다고 느낄 때 마음이 열리고 수용하게 되고 제시된 안을 선택할 가능성이 높아진다. 공감적 의사소통은 상대를 설득하는 것뿐 아니라 지속적인 관계를 구축하고 협업을 촉진하는데도 중요하다. 설득하는 메시지를 상대의 감정, 관심, 가치에 일치시키게 되어 설득자에 대한 신뢰도를 높이고 효과적인 설득효과를 거두게 된다. 긍정적 감정은 공감을 통해 감정전염[2]이 이루어지고 이를 경험한 소비자는 제품을 긍정적으로 평가하는 경향이 있다. 소비자의 공감은 정보적 공감과 표현적

---

[1] "The Role of Empathy in Interpersonal Aggression" by C. Daniel Batson and Nadia Ahmad

[2] "Empathy and Emotional Contagion as a Source of Product Evaluation" by Jennifer S. Lerner and Dacher Keltner

공감[3]으로 구분될 수 있는데, 양쪽 모든 공감이 브랜드를 인식하고 평가하는데 긍정적인 영향을 미친다. 감정적 공감은 참여 지표 증가, 동의율 증가, 브랜드 충성도 강화를 통해 정량화 될 수 있다.

"당신은 다른 사람의 관점에서 그의 피부 안에 들어가보지 않고는
진정으로 한 사람을 이해하지 못한다."
Harper Lee

■ 핵심 요소

적극적 경청

적극적 경청은 공감의 기초이다. 이는 상대방의 말을 방해하거나 반론을 제기하지 않고 전적으로 주의를 기울이는 것을 의미한다. 영업사원은 고객의 요구 사항, 우려 사항 및 욕구에 주의 깊게 귀를 기울여 고객이 영업 전략을 맞춤화하는 방법에 대한 귀중한 통찰력을 얻을 수 있도록 해야 한다.

고객 요구 사항 이해

공감력이[4] 있는 영업사원은 고객의 고유한 요구 사항과 문제점을 이해하려고 노력한다. 이는 표면 수준을 넘어 고객이 직면하고 있는 근본

---

[3] "The Power of Empathy: How Informational and Expressive Empathy Influence Evaluation of Human Brands" by Iris Vermeir and Patrick De Pelsmacker
[4] "Empathy: Why It Matters, and How to Get It" by Roman Krznaric

적인 동기와 과제를 이해하기 위해 더 깊이 파고드는 작업을 포함한다.

관계 구축

관계 구축은 신뢰와 연결을 구축하는 데 중요하다. 공감은 진심으로 고객의 행복에 관심을 갖고 있으며 고객이 해결책을 찾도록 돕는 데 관심이 있다는 것을 고객에게 보여줌으로써 중요한 역할을 한다.

비언어적 의사소통

공감은 말하는 내용뿐만 아니라 말하는 방식에도 영향을 미친다. 표정, 몸짓, 목소리 톤 등 비언어적 요소로 공감을 전달할 수 있다. 눈을 맞추고, 따뜻한 미소를 짓고, 차분한 어조를 사용하는 것은 모두 고객이 자신의 의견을 듣고 존중 받는다는 느낌을 받는 데 도움이 될 수 있다.

전달 내용의 맞춤화

공감력이 있는 설득자나 영업사원은 일률적인 접근 방식이 거의 효과적이지 않았다는 것을 알고 있다. 대신 각 고객의 특정 요구 사항과 선호도에 맞춰 전달하는 내용을 맞춤화한다. 이를 위해서는 민감함과 필요에 따라 맞춰가는 순발력과 감각이 요구된다.

이의 제기 및 우려 사항 해결

공감에는 고객이 제기한 우려 사항이나 반대 사항을 이해하고 인정하는 것이 포함된다. 공감하는 영업사원은 이러한 우려를 무시하는 대신 이러한 우려 사항을 진지하게 받아들이고 고객과 협력하여 해결책을 찾거나 고객의 의구심을 해소하려고 한다.

제품이 아닌 솔루션 제공

공감적 설득은 단순히 제품이나 서비스를 강요하는 것이 아니라 문제에 대한 솔루션을 제시하는 데 중점을 둔다. 자신이 제공하는 제품이 어떻게 고객의 요구 사항을 직접적으로 해결하는지 입증할 수 있는 영업사원이 성공할 가능성이 더 높다.

감성 지능

자기 인식과 감정 관리 능력을 포함하는 감성 지능은 공감과 밀접한 관련이 있다. 높은 감성 지능을 갖춘 영업사원은 감정적으로 고조된 상황을 헤쳐나가고 고객의 감정에 공감적으로 반응할 수 있는 능력을 더 잘 갖추고 있다.

후속 조치 및 관계 구축

공감은 판매로 끝나지 않는다. 고객과의 지속적인 관계를 유지하고 고객의 변화하는 요구 사항을 지속적으로 이해하고 해결하는 것은 판매에 있어서 공감의 핵심 요소이다. 이는 반복적인 거래와 추천으로 이어질 수 있다.

윤리적 고려 사항

판매에 있어서 윤리적 공감이란 진심으로 고객의 유익에 관심을 갖고 판매를 확보하기 위해 조작적인 기교에 의지하지 않는 것을 의미한다. 공감하는 영업사원은 고객의 자율성을 존중하고 고객의 최선의 이익을 위해 행동한다.

요약

설득과 판매에 있어 공감은 단순한 소프트 스킬이 아니다. 이는 보다 성공적인 결과로 이어질 수 있는 전략적 접근 방식이다. 영업사원은 고객을 진정으로 이해하고 공감함으로써 더 깊은 관계를 구축하고 신뢰를 구축하며 궁극적으로 양측 모두에게 이익이 되는 방식으로 결정에 영향을 미칠 수 있다.

"공감은 다른 사람의 메아리를 자신 안에서 찾는 것에 관한 것이다."

Mohsin Hamid

■ 공감의 우수한 사례

✧ Warby Parker's "Buy a Pair, Give a Pair"

개요

2010년에 설립된 혁신적인 안경 회사인 Warby Parker는 세련되고 저렴한 안경을 제공하는 동시에 세상에 긍정적인 영향을 미치면서 안경 산업을 변화시키기 시작했다. 비즈니스 모델의 핵심 기둥 중 하나는 "안경 1쌍구매시 1쌍 기부" 프로그램이다.

Warby Parker는 고객에게 판매된 모든 안경에 대해 비영리 파트너를 통해 도움이 필요한 사람에게 안경을 기부하기로 약속한다. 이 계획은 안경을 구할 수 없는 전 세계 소외된 지역 사회의 사람들이 직면한 어려움에 대한 깊은 이해에서 탄생했다.

회사 창립자인 Neil Blumenthal, Dave Gilboa, Andrew Hunt 및 Jeffrey Raider는 대학 여행 중 안경이 사람들의 삶에서 중요한 역할을 하고 있다는 경험으로 영감을 받았다. 그들은 안경을 살 여유가 없는 사람들을 만났고, 이는 그들의 삶의 질에 큰 영향을 미쳤다. 이 경험은 그들에게 깊은 반향을 불러일으켰고 모든 사람에게 저렴한 안경을 제공하려는 사명에 힘을 실었다.

실제 요구 사항 해결

Warby Parker의 이니셔티브는 실제 요구 사항을 해결함으로써 깊은 공감을 보여준다. 그들은 시력 저하가 전 세계적으로 널리 퍼져 있는 문제이며 많은 사람들이 필요한 안경을 구입할 여유가 없다는 사실을 인식했다. 판매된 모든 안경마다 그 만큼 안경을 기부하겠다고 약속함으로써 어려움을 직접적으로 해결하고 수많은 개인의 삶을 개선했다.

사회적 영향

이 계획은 단순한 수익 창출을 뛰어넘는다. 긍정적인 사회적 영향을 통해 공감을 구현한다. Warby Parker는 많은 사람들에게 명확한 비전이 단순한 편의의 문제가 아니라 일상 생활의 근본적인 측면이며 교육, 고용 및 전반적인 복지에 영향을 미친다는 것을 알았다. 도움이 필요한 사람들에게 안경을 제공함으로써 교육 기회, 경제적 역량 강화 및 수혜자의 삶의 질 향상에 기여했다.

고객과 동질감

Warby Parker의 공감 중심 접근 방식은 고객의 공감을 불러일으켰다. 소비자는 Warby Parker에서 안경을 구매할 때 자신의 구매가 자신의 필요를 충족시킬 뿐만 아니라 다른 사람에게도 도움이 된다는 것을 알고 있다. 이는 공유된 공감과 목적의식을 형성하여 브랜드와 고객 간의 동질감을 깊게 했다.

브랜드 차별화

경쟁이 치열한 업계에서 Warby Parker의 "안경 1쌍 구매시 1쌍 기부"운동은 경쟁사와 차별화된다. 이는 사회적 책임과 공감에 대한 의지를 가시적으로 표현하는 것이며, 사회적 의식이 있는 소비자를 동참하게 했다.

긍정적인 대중 인식

이 계획은 언론의 긍정적인 관심과 입소문 마케팅을 얻었다. 사람들은 세계에서 좋은 일을 하고 있는 브랜드의 이야기를 기꺼이 공유했고, 이러한 긍정적인 인식은 시장에서 Warby Parker의 명성과 호의를 강화했다.

장기 지속 가능성

Warby Parker는 소외된 지역 사회의 안경 요구 사항을 해결함으로써 장기적인 순기능적 지속 가능성이 가능하도록 했다. 이러한 지역사회의 사람들이 명확하게 볼 수 있는 시력으로 생산적인 삶을 영위하고, 지역사회에 기여하며, 빈곤의 악순환을 끊을 수 있는 능력을 더 갖추게 되었다.

타인을 위한 영감

Warby Parker의 공감적 운동은 다른 회사들이 다양한 산업 분야에서 유사한 "사회환원" 모델을 채택하도록 영감을 주었다. 이러한 파급 효과는 공감 중심의 운동 단일 조직을 넘어 어떻게 긍정적인 변화를 촉진할 수 있는지 보여주었다.

시사점

Warby Parker의 "안경 1쌍구매시 1쌍 기부"운동은 공감이 어떻게 의미 있는 사회적 영향을 미치며 성공적인 비즈니스 모델을 추진할 수 있는지 보여주는 좋은 예이다. 이는 다른 사람들이 직면한 요구와 과제에 대한 깊은 이해가 비즈니스를 성공시킬 뿐만 아니라 세상을 더 나은 곳으로 만드는 방법을 보여준다 Warby Parker는 공감이 단순한 가치가 아니라 비즈니스 세계의 변화와 혁신을 위한 강력한 힘임을 보여주었다.

✧ 파타고니아 Worn Wear 프로그램(Patagonia's Worn Wear Program)

아웃도어 의류 및 장비 기업인 파타고니아(Patagonia)는 고객이 중고 파타고니아 제품을 구매하고 의류를 수선 및 재활용하도록 장려하기 위해 'Worn Wear' 프로그램을 시작했다. 이 프로그램은 지속 가능성을 촉진하고 환경에 미치는 영향을 줄인다는 Patagonia의 사명에 부합했다.

환경 의식

파타고니아(Patagonia)의 "Worn Wear" 프로그램은 환경 지속 가능성에 대한 관심이 높아지면서 공감이 표출 되었다. 고객이 중고품을 구매하고 의류의 수명을 연장하도록 장려함으로써 파타고니아는 목표 시장의 친환경 가치를 다루고 있다.

품질 및 수명

일회용 패션이 아닌 오래 지속되는 고품질 제품을 지속적으로 활용한다는 아이디어였다.. Patagonia는 내구성이 뛰어나고 오래 지속되는 의류와 장비를 찾는 고객의 욕구에 공감했다.

수선 서비스

파타고니아는 자사 제품에 대해 무료 수리를 제공하며, 구매한 제품의 수명을 중요하게 생각하는 고객에게 더욱 공감을 표했다. 이 서비스는 고객이 브랜드에 대한 신뢰와 품질에 대한 약속을 유지하는 데 도움이 되었다.

중고 시장 촉진

중고 파타고니아 품목 판매를 승인함으로써 회사는 새 품목을 구입할 여력이 없는 예산에 민감한 소비자를 이해하고 공감했다.

교육 및 인식

Patagonia는 패션 산업이 환경에 미치는 영향과 책임 있는 소비를 통해 폐기물을 줄이는 이점에 대해 고객에게 교육하기 위해 이 프로그램을 사용했다. 이러한 공감적 접근 방식은 사회적으로 의식이 있는 소비자의 가치와 일치되는 것이었다.

충성도 및 지지

"Worn Wear" 프로그램에 참여하는 고객은 Patagonia의 지속 가능성 노력에 대한 옹호자가 되었다. 이는 해당 브랜드에서 계속 구매할 뿐만 아니라 다른 사람들에게도 메시지를 전파하는 충성도 높은 고객 기반을 형성했다.

순환 경제

이 프로그램은 제품을 재사용, 수리, 재활용하여 의류 생산의 전반적인 환경 오염을 줄이는 순환 경제 발전에 기여했다.

시사점

파타고니아의 "Worn Wear" 프로그램은 목표 시장의 가치와 관심사에 맞춰 공감이 어떻게 성공적인 판매와 설득을 이끌어낼 수 있는지를 보여준다. 지속 가능성과 책임 있는 소비를 장려함으로써 파타고니아는 고객과 강력한 정서적 연결을 형성하고 브랜드 충성도를 높이는 동시에 환경에 긍정적인 영향을 미친다. 이러한 접근 방식은 비즈니스, 특히 윤리적, 환경적 고려 사항이 가장 중요한 산업 분야에서 공감의 힘을 보여준다.

"판매는 판매원의 태도에 달려 있으며, 잠재 고객의 태도에 달려 있지 않았다."
W. Clement Stone

■ 공감의 오용된 사례

❖ 퍼듀 파마와 오피오이드 위기(Purdue Pharma and the Opioid Crisis)

옥시콘틴(OxyContin)을 제조하는 퍼듀 파마(Purdue Pharma)는 이 진통제를 만성 통증에 안전하고 효과적인 약물이라며 공격적인 마케팅 했다. 영업 담당자들은 통증으로 고통 받는 환자들의 어려움에 대해 의사들을 공감해 주도록 교육을 받았으며, 옥시콘틴의 '장점'을 강조하고 위험성을 경시했다.

공감은 의료 전문가와 소통하기 위한 도구로 사용되었다. 영업 담당자는 "고통에 시달리는 환자를 보는 것이 얼마나 힘든지 잘 알고 있으며, 옥시콘틴이 해결책이 될 수 있다고 믿는다."와 같은 표현을 사용했다. 이를 통해 신뢰를 쌓고 의사들 자신들이 이해와 지지를 받고 있다고 느끼게 하려는 의도였다.

그러나 퍼듀 파마는 이 약물의 중독 및 과다 복용 가능성이 높다는 사실을 알고 있었고 이러한 위험성을 적절히 알리지 않았다는 사실이 나중에 밝혀졌다. 그 결과 옥시콘틴은 미국 내 오피오이드 유행의 주요 원인 중 하나가 되었고, 수많은 중독자와 과다 복용으로 인한 사망자가 발생했다.

시사점

윤리적 및 법적 영향(Ethical and Legal Repercussions): 이러한 맥락에서 공감의 오용은 윤리적으로 심각한 문제였다. 이익에 대한 욕구가 환자의 진정한 복지를 덮어버렸기 때문이다. 퍼듀 파마는 수많은 소송에 직면했고 결국 2019년에 파산 신청을 했다.

신뢰 상실(Loss of Trust): 이미 논란의 여지가 있는 대형 제약사에 대한 신뢰가 큰 타격을 입었다. 의료 전문가들은 특히 오남용 가능성이 있는 약품에 대한 판매 제안에 더욱 회의적이 되었다.

규제 변화(Regulatory Changes): 오피오이드 위기로 인해 마약, 특히 오피오이드의 판매 및 처방 방식에 대한 규제가 더욱 엄격해졌다.

대중의 인식(Public Awareness): 일반 대중이 처방약의 위험성에 대해 더 많이 인식하게 되면서 업계에서 보다 투명하고 윤리적인 관행을 요구하게 되었다.

시사점 : 공감이 판매와 설득을 위한 조작 도구로 오용될 때, 특히 공중 보건과 안전이 걸려 있을 때 발생할 수 있는 잠재적 위험을 보여준다. 진정한 공감은 개인 또는 상대의 실제 복지와 최선의 이익에 부합해야 한다.

✧ 서브프라임 모기지 위기(The Subprime Mortgage Crisis)

2000년대 초 주택 붐이 일었을 때 모기지 중개인과 대출 기관은 신용이 낮거나 소득이 충분하지 않아 전통적으로 대출 자격이 없는 개인을 적극적으로 공략했다. 이러한 전문가들은 공감을 잠재적 대출자와 연결하기 위한 도구로 사용했다. 이들은 종종 "우리는 귀하와 귀하의 가족에게 주택 소유가 얼마나 중요한지 잘 알고 있으며, 귀하가 그 꿈을 이루도록 돕고 싶다."와 같은 메시지를 전달했다.

이러한 대출 기관은 높은 위험성을 알고 있었음에도 불구하고 모기지를 감당할 수 없는 많은 개인에게 모기지를 승인했다. 대출자의 재정적 안녕에 대한 진정한 관심이 아니라 판매를 위한 겉치레에 불과한 '공감'이었다. 주택 시장이 붕괴되자 수많은 개인이 주택 압류에 직면했고, 이는 글로벌 금융 시스템 전체에 도미노 효과를 가져왔다.

시사점

경제 붕괴(Economic Meltdown): 서브프라임 모기지 위기의 여파는 막대했고, 대공황 이후 가장 심각한 글로벌 경기 침체로 이어졌다.

신뢰 상실(Loss of Trust): 금융 기관에 대한 신뢰가 크게 약화되었다. 사람들은 은행, 대출 기관 및 전체 금융 시스템에 대해 회의적인 시각을 갖게 되었고, 이에 따라 규제가 급증했다.

규제 개혁(Regulatory Reforms): 이 위기에 대응하여 미국에서는 향후 유사한 위기를 예방하기 위해 도드-프랭크 월스트리트 개혁 및 소비자 보호법과 같은 규제가 제정되었다.

장기적으로 지속되는 사회적 영향(Long-lasting Social Impacts): 수백만 명이 집과 일자리, 생활비를 잃었다. 또한 이 위기로 인해 빈부 격차가 확대되어 중산층의 많은 사람들이 심각한 재정적 어려움에 직면했다.

시사점 : 단기적인 이익을 위해 공감을 가장하거나 조작할 때 어떤 결과가 초래되는지를 극명하게 보여준다. 진정한 공감은 상대방의 장기적인 복지와 안녕을 고려한다. 특히 금융과 같이 중요한 영역에서 공감을 오용하면 치명적인 결과를 초래할 수 있다.

"공감은 다른 사람의 입장에서 서서
그 사람의 마음으로 느끼고 그 사람의 눈으로 보는 것이다 ."
다니엘 H. 핑크(Daniel H. Pink)

■ 공감을 효과적으로 활용한 대면 영업 사례

✧ 공감하는 자동차 영업사원

두 아이의 싱글맘인 고객은 빠듯한 예산과 가족의 필요에 맞는 차량을 구매하기 위해 자동차 대리점을 찾았다. 이전에 여러 대리점을 방문했던 고객은 영업 사원들이 고급 모델을 권유하거나 추가 기능을 업셀링하는 데만 관심이 있다고 느꼈다. 이 특정 대리점에서 영업 사원인 M은 다른 접근 방식을 취했다.

바로 차를 보여주거나 가격에 대해 이야기하는 대신 먼저 고객의 필요사항, 자녀, 일상에 대해 질문했다. 매일 출퇴근길, 자녀의 학교 활동, 주말 나들이에 대해 설명했다. 안전, 예산, 공간에 대한 고객의 우려에 대해 진심으로 경청하고 이해를 표했다.

그런 다음 고객이 원하는 가격대일 뿐만 아니라 안전 등급이 우수하고 가족을 위한 충분한 공간을 갖춘 모델을 소개했다. 또한 미처 알지 못했던 한 부모를 위한 특별 금융 옵션도 강조했다.

고객은 이해 받고 있다는 느낌을 받았다. 공감을 바탕으로 형성된 유대감 덕분에 추천한 제안을 신뢰하게 되었다. 결국 차를 구매했고 친구와 가족에게도 같은 딜러를 추천했다.

신뢰 구축(Building Trust): 공감은 고객과의 관계를 형성하는 데 도움이 된다. 고객이 진정으로 이해 받고 있다고 느끼면 영업사원의 제안과 조언을 신뢰할 가능성이 높아진다.

장기적인 고객 관계(Long-term Customer Relationship): 단순히 자동차를 구매한 것이 아니라 충성도가 높은 고객이 되었다. 이러한 충성도는 재구매와 추천으로 이어질 수 있으며, 이는 매출에 매우 중요한 요소이다.

윈윈 상황(Win-Win Situation): 요구 사항을 진정으로 이해하고 해결함으로써 판매를 성사시켰을 뿐만 아니라 고객이 만족하고 떠날 수 있도록 하여 서로 윈윈하는 시나리오를 만들었다.

평판 관리(Reputation Management): 입소문은 특히 자동차 판매와 같은 현지화된 비즈니스 부문에서 강력한 힘을 발휘한다. 한 사람이 좋은 경험을 하면 추천을 통한 비즈니스 증가로 이어질 수 있다.

시사점 : 대면 영업에서 진정한 공감의 가치를 극대화 한다. 영업사원은 고객의 요구 사항을 진정으로 이해하고 해결함으로써 신뢰를 쌓고 장기적인 관계를 구축하며 비즈니스 성장을 촉진할 수 있다.

✦ 신발 가게 체험

한 고객은 첫 마라톤을 준비하고 있었다. 러닝화 전문 매장에 들어섰고, 다양한 종류의 신발에 놀랐다. 온라인에서 몇 가지 조사를 해봤지만 어떤 신발이 자신에게 가장 적합한지 아직 확신이 서지 않았다. 판매 직원 A는 고객이 망설이는 것을 알아차리고 다가갔다.

바로 최신 모델이나 가장 비싼 모델을 추천하는 대신 고객의 러닝 경험, 과거 부상 여부, 훈련 방식, 마라톤을 통해 달성하고자 하는 목표에 대해 먼저 물었다. 고객은 과거 발목 부상에 대한 우려와 완주 기록에 너무 집중하지 않고 마라톤을 완주하겠다는 목표를 공유했다.

이 정보를 바탕으로 고객에게 필요한 발목 지지력을 제공하는 몇 가지 신발 모델을 추천해 주었다. 그리고 매장 내 러닝머신에서 직접 신어보게 하면서 달리는 자세를 관찰하고 팁도 알려주었다.

인내심과 공감하는 태도에 감명을 받은 고객은 운동화를 구입하고 추천 러닝 액세서리도 구입했다. 자신의 선택에 자신감을 갖고 맞춤형 조언에 감사하며 매장을 나섰다.

시사점

판매 그 이상(Beyond The Sale): 고객에 대한 접근 방식은 매장이 단순히 판매에만 신경 쓰는 것이 아니라 고객의 목표와 행복에도 관심을 기울이고 있음을 보여주었다.

전문성과 공감의 조합(Expertise & Empathy Combo): 제품 지식과 공감을 결합하여 귀중한 조언을 제공함으로써 전문성을 갖춘 매장의 평판을 공고히 했다.

브랜드 지지자 구축(Building Brand Advocates): 긍정적인 경험을 통해 향후 구매를 위해 매장을 재방문하고 동료에게 추천할 가능성이 높아졌으며, 고객을 브랜드 충성고객으로 만들었다.

개인화된 경험(Personalized Experience): 온라인 쇼핑이 대세인 디지털 시대에 개인화되고 공감할 수 있는 매장 경험을 제공하면 오프라인 매장과 온라인 매장을 차별화할 수 있다.

시사점 : 대면 판매 상황에서 공감과 전문성을 결합하는 것의 힘을 다시 한 번 강조한다. 개인의 필요와 관심사에 맞춰 판매 경험을 맞춤화하면 지속적인 인상을 남기고 고객 충성도와 긍정적인 입소문을 유

도할 수 있다.

━━━━━━━━━⟨◆⟩━━━━━━━━━

"사람을 대할 때 논리의 생물이 아니라
감정의 생물을 상대한다는 점을 기억하라."
데일 카네기(Dale Carnegie)

■ 공감을 오용하고 부정적으로 이용한 대면 영업 사례

✧ 오해의 소지가 있는 부동산 중개인

첫 아이를 앞둔 젊은 부부는 첫 집을 구하기 위해 부동산 중개업소를 찾았다. 큰돈을 투자해야 하는 만큼 기대도 컸지만 당연히 긴장도 많이 했다. 노련한 부동산 중개인 이 씨를 만났을 때 부부는 처음엔 안심했다. 그는 수많은 젊은 가족들의 첫 집 마련을 도왔다는 점을 강조하며 이들의 고민을 깊이 이해한다고 말했다.

젊은 아버지로서 자신의 경험을 이야기하며 안전의 중요성, 좋은 학교와의 근접성, 부동산 가치 상승의 잠재력을 강조했다. 예산보다 약간 높은 가격이지만 미래 가치가 초기 가격을 보상할 수 있을 것이라고 주장했다.

진심에 감동했고 예산을 늘려 집을 구입했다. 하지만 얼마 지나지 않아 부동산에 대한 여러 가지 공개되지 않은 문제를 발견하고 인근 학교의 순위가 하락하고 있다는 사실을 알게 되었다. 부동산 가격 상승으로 인해 수수료도 높게 지불해야 했고 기존 집주인과의 개인적인 친분도 작용 했었다는 사실을 알게 되자 배신감을 느꼈다.

깨진 신뢰(Broken Trust): 공감을 오용하면 심각한 신뢰 위반으로 이어질 수 있다. 부동산과 같이 추천과 재거래가 중요한 업계에서는 이는 치명적인 결과를 초래할 수 있다.

평판 손상(Reputation Damage): 소셜 미디어 및 온라인 리뷰 사이트와 같은 플랫폼에서는 한 번의 부정적인 경험이 널리 공유되어 전문가의 향후 비즈니스 기회에 영향을 미칠 수 있다.

윤리적 문제(Ethical Concerns): 전문가는 고객에 대한 윤리적 의무가 있다. 개인적인 이익을 위해 공감을 오용하면 잠재적인 법적 조치나 라이선스 취소 등 직업적 불이익을 초래할 수 있다.

단기적 이득을 위한 장기적 손실(Long-Term Loss for Short-Term Gain): 이 씨는 단기적으로는 더 높은 수수료를 받았을지 모르지만, 부정적인 입소문과 잠재적인 고객 손실로 인한 장기적인 손실이 당장의 이익보다 더 클 수 있다.

시사점 : 대면 영업에서 진정한 공감과 윤리적 고려의 중요성을 강조한다. 공감은 신뢰를 구축할 수 있지만, 잘못 사용하면 신뢰를 깨뜨릴 수 있으며, 이는 종종 장기적으로 부정적인 영향을 미친다.

✧ 보험설계사의 오용

최근 남편과 사별한 고객은 슬픔 속에서 여러 가지 재정적 설계에 대해 고민하고 있었다. 고객의 사별 소식을 들은 보험설계사 C는 미래를 보장해줄 수 있는 솔루션을 제시하겠다며 다가갔다. 애도를 표하고 자신의 힘들었던 이야기를 나누며 서로 신뢰하고 경험을 공유하는 분위기를 조성했다.

미래에 대한 두려움에 공감하면서 상당 규모의 재정적 안정을 제공할 수 있는 보험 패키지를 강력하게 제안했다. 공감에 감동했고 저축액의 상당 부분을 보험에 투자했다.

하지만 시간이 지나면서 보험 패키지가 자신의 상황에 도움이 되지 않는 조항들로 가득 차 있다는 것을 깨달았다. 시중에 나와 있는 비슷한 보험보다 보험료가 더 비쌌고 보장 범위도 적었다. 업계에 종사하는 다른 사람들에게 조언을 구한 결과, 자신의 상황에 가장 적합한 보험이 아닌 설계사에게 가장 높은 수수료를 받는 패키지를 판매했다는 사실을 알게 되었다.

직업적 청렴성 상실(Loss of Professional Integrity): 고객의 요구보다 자신의 이익을 우선시하여 신뢰와 직업적 청렴성을 심각하게 상실했다.

부정적인 파급 효과(Negative Ripple Effect): 이러한 부정적인 경험은 종종 커뮤니티 내에서 공유되어 상담원 개인뿐만 아니라 잠재적으로 회사 또는 업계 전체의 평판에 영향을 미친다.

감정적 착취(Emotional Exploitation:): 특히 개인적인 상실이나 비극적인 상황에서 공감을 오용하는 것은 도덕적으로 비난 받을 수 있으며, 불만을 제기한 당사자에게 심각한 정서적 고통을 초래할 수 있다.

재정적 영향(Financial Repercussions): 자신의 지위를 오용하는 전문가는 특히 보험과 같은 규제 산업에서 법적 처벌을 받을 수 있다.

장기적인 비즈니스 영향(Long-Term Business Impact): 단기적으로는 더 높은 수수료로 이익을 얻었을지 모르지만, 장기적으로는 부정적인 여론과 불신으로 인한 잠재적 고객 손실이 훨씬 더 큰 피해를 줄 수 있다.

시사점 : 정서적으로 취약한 상황에서 공감을 오용하면 심각한 신뢰 위반으로 이어질 수 있다. 영업 전문가는 진정성을 가지고 공감에 접근해야 하며 항상 고객의 행복을 최우선으로 생각해야 한다.

"즐거워하는 자들과 함께 즐거워하고 우는 자들과 함께 울라"
로마서 12:15

■ 공감을 효과적으로 활용하기 위한 10가지 방법

액티브 리스닝(Active Listening)

수동적으로 메시지를 듣는 것이 아니라 상대방의 말에 완전히 집중하고 이해하고 반응하는 것을 의미한다. 신뢰를 쌓고 영업사원이 고객의 요구에 맞게 프레젠테이션을 조정할 수 있다.

예시: 자동차 전시장에서 영업사원이 안전과 넓은 공간에 대한 가족의 요구 사항을 주의 깊게 경청한 후 가족에게 적합한 특정 모델을 추천한다.

개인 맞춤형 솔루션(Personalized Solutions)

개별 고객의 니즈에 맞춘 솔루션 제공한다. 제품/서비스가 고객에게 고유하게 유익하다는 고객의 믿음을 강화한다.

예시: 피트니스 트레이너가 개인의 건강 목표와 제약 조건에 따라 운동 요법을 고안한다.

경험 나눔(Shared Experiences)

공통의 경험이나 감정을 통한 유대감이다. 영업 사원과 고객 사이에 더 깊은 유대감을 형성한다.

예시: 부동산 중개인이 자신의 첫 주택 구매 경험을 첫 주택을 찾는 젊은 커플과 나눈다.

요구 사항 예측(Anticipate Needs)

초기 상호작용을 기반으로 고객이 필요로 하거나 느낄 수 있는 것을 예측하는 것이다. 고객에 대한 관련된 충분한 지식과 진심 어린 관심을 보여준다.

예시: 호텔이 체크인하는 가족에게 어린이 친화적인 프로그램을 상세히 설명하고 추천한다.

감정 체크(Validation of Feelings)

고객의 감정이나 우려 사항을 인정하고 확인하는 것이다. 고객이 자신의 의견을 듣고 이해 받고 있다고 느끼도록 한다.

예시: 반복되는 소프트웨어 문제를 해결할 때 기술 지원 상담원이 "얼마나 답답하실지 이해한다"라고 말한다.

공감하는 언어 사용(Using Empathetic Language)

이해와 연민을 나타내는 문구를 사용하는 것이다. 열린 소통과 신뢰를 촉진한다.

예시: 재무 컨설턴트가 "부담스러울 수 있다는 것을 알지만 함께 해결해 봅시다."라고 완곡한 표현으로 대화를 풀어간다.

감정 호응(Mirror Emotions)

고객의 감정을 반영하여 같은 생각을 하고 있음을 보여준다. 일체감과 이해감을 조성한다.

예시: 예비 신부가 "드레스"를 찾았을 때 웨딩숍 도우미가 기대감과 놀라움으로 흥분한 모습을 보인다.

개방형 질문하기(Ask Open-ended Questions)

폭넓은 답변이 가능한 질문을 통해 고객의 생각을 더 깊이 이해할 수 있다. 고객의 필요와 욕구에 대한 진정한 관심을 보여준다.

예시: 여행사 직원이 "이번 휴가에서 어떤 경험을 원하시나요?"라고 확장된 생각으로 하도록 질문한다.

세심한 후속 조치(Follow Up with Care)

구매 후 고객이 만족할 수 있도록 확인하는 것이다. 판매 이후에도 고객 만족을 위한 비즈니스의 노력을 보여준다.

예시: 가구점에서 배송된 소파가 고객의 거실에 잘 맞는지 전화로 묻고 살핀다.

실수를 인정하고 사과하기(Acknowledge Mistakes and Apologize)

실수가 있었을 때 이를 인정하고 진심으로 사과하는 것이다. 영업 프로세스를 인간화하여 신뢰를 회복한다.

예시: 레스토랑 매니저가 예약에 대한 오류를 인정하고 사과의 의미로 무료 식사를 제공한다.

**"그러므로 무엇이든지 남에게 대접을 받고자 하는 대로
너희도 남을 대접하라"**
마태복음 7:12

☞ **공감(Empathy) 멘트**

"모든 요구 사항을 충족하는 상품을 찾는 것이 얼마나 어려운 일인지 잘 알고 있습니다. 그렇기 때문에 다양한 옵션을 안내해 드리고자 한다."
고객의 어려움에 대한 이해를 보여준다.

"많은 고객들이 비슷한 문제에 직면했고, 저희 솔루션이 매우 효과적이라는 것을 알게 되었습니다. 여러분에게도 효과가 있을 것이라고 확신한다."
고객의 상황에 공감하여 공감을 표시한다.

"이 결정이 고객님께 얼마나 중요한지 잘 알고 있으며, 저희 제품이 고객의 특정 요구 사항을 완벽하게 충족하도록 설계되었음을 확신한다."
고객의 결정이 중요하다는 것을 인정한다.

"이러한 비효율성을 처리하는 것은 분명 실망스러운 일입니다. 저희 서비스는 이러한 프로세스를 간소화하기 위해 특별히 맞춤화되었습니다."
솔루션을 제시함으로 고객의 불만을 해결한다.

"예산이 걱정이라는 말씀 잘 알고 있습니다. 저희의 요금제가 제공하는 품질에 비해 얼마나 큰 가치를 제공하는지 보여드리겠습니다."
예산 문제에 대해 공감적으로 대응한다.

"얼마나 바쁘신지 잘 알고 있으니 저희 제품이 어떻게 시간을 절약할 수 있는지 빠르게 보여드리겠습니다."
고객의 시간적 제약을 인식하고 존중한다.

"친환경 옵션에 대한 고객의 열망은 칭찬할 만 한다. 저희 제품은 귀사의 지속 가능성 목표에 완벽하게 부합한다."
고객의 가치를 검증하고 이에 부합한다.

"저도 고객님의 입장이 되어봤는데, 이런 선택을 하기가 쉽지 않습니다. 장단점을 함께 살펴보고 고객님에게 가장 적합한 것을 찾아보시죠."
개인적인 경험을 공유하고 도움을 제공함으로써 공감을 표시한다.

"올바른 선택을 하는 것이 얼마나 중요한지 잘 알고 있습니다. 전담 지원팀이 모든 단계에서 여러분을 도와드리겠습니다."
고객지원에 대한 필요성에 대한 이해를 강조한다.

"신뢰할 수 있는 솔루션을 찾고 계신 것 같습니다. 많은 고객들께서 저희 제품의 신뢰성에 대해 칭찬해 주셨고, 고객님도 그렇게 생각하실 것입니다."

사회적 증거를 통해 신뢰성에 대한 고객의 욕구를 해결한다.

■　요약

공감은 타인의 감정을 이해하고 동질적으로 느끼는 능력이다.
우려와 고민을 이해하고 관심을 갖고 있다고 느낄 때 마음이 열리고 수용하고 제시한 것을 선택할 가능성이 높다.
공감을 통해 긍정적 감정에 대한 감정전이가 이루어지고 참여 증가, 동의율 증가, 충성도 증가로 나타난다.

■　핵심키워드

공감, 공감언어, 완화장치, 오감, 감성지능, 수용, 감정전이, 경험 공유, 적극적 경청, 관계구축, 충성도, 세심한 후속 조치

■　적용 질문

공감이 설득과 영업에 있어서 중요한 특징은 무엇인가?
공감으로 설득과 영업에 있어서 거둘 수 있는 기대효과는 무엇인가?
공감을 설득과 영업에 있어서 효과적으로 활용하기 위한 좋은 10가지 방법은 무엇이고, 나에게 있어 강화해야 할 요소는 무엇인가?

제 2 장

칭찬(Praise)

"진심 어린 칭찬은 얼어붙은 마음의 빗장을 연다."
닥터 브라이언(Dr. Brian)

칭찬(Praise)

■ 개념

칭찬은 상대방에게 칭찬하거나 아부하여 그들의 자존심을 끌어올리고 마음을 얻는 설득기법이다. 이 기법은 상대방의 호감을 사는데 유용하다. 칭찬은 상대에게 좋은 기분을 줄 수 있어, 설득자의 메시지에 대해 마음을 열도록 만들 수 있다. 영업에서는 고객이나 클라이언트가 소중하거나 특별하다고 느끼게 함으로써 유리한 환경을 조성하는데 사용될 수 있다. 또한, 상대방에게서 얻을 수 있는 이익이나 혜택을 강조하여 설득력을 높일 수 있다. 상대방과의 관계를 개선하고, 상대방이 긍정적으로 받아들일 수 있는 정보를 전달하는 데 도움을 준다.

진실한 칭찬은 실제 품질, 성취, 또는 속성을 기반으로 한 진실한 인정이나 감탄이다. 진실한 칭찬은 신뢰와 관계를 구축한다. 클라이언트의 성취나 제품의 품질을 진실하게 칭찬하는 것은 긍정적인 환경을 조성할 수 있다. 영업에서는 진정한 감사의 표현이 고객들에게 진정으로 소중하게 느끼게 해, 그들의 충성도를 강화하고 성공적인 거래의 가능성을 높일 수 있다. 진심 어린 칭찬은 제품에 대한 선호도가 높을 경우 구매 의도와 해당 매장 충성도[5]에 더욱 긍정적인 영향을 준다. 진심 어린 칭찬은 정보 공유를 증가시키고 성실하지 않고 부정직[6]한 아첨은 호감과 협력을 감소시킨다.

---

[5] "The Effects of Complimenting Customers on Purchase Intentions and Store Loyalty: An Examination of Different Moderators", Ju-Yeon Lee

[6] "Flattery Will Get You Somewhere: How Compliments and Dishonesty Impact Information Seeking and Liking", Paul A. M. Van Lange

고객이나 클라이언트가 칭찬을 진실하게 받아들인다면, 그들은 상대를 더 신뢰할 가능성이 높다. 이는 장기적인 관계, 반복 비즈니스, 긍정적인 입소문을 포함한 결과를 가져올 수 있다. 처음에는 모두 상대에게 좋은 기분을 줄 수 있지만, 시간이 지나면 사람들은 대체로 진실한 칭찬과 아첨 사이를 구분하게 된다. 진정성의 유무는 설득자나 판매자의 장기적인 평판에 큰 영향을 미칠 수 있다. 고객이 브랜드에 익숙[7]할 때에는 브랜드 태도에 더욱 긍정적인 영향을 미치기도 한다. 또한, 아첨과 양보[8]를 함께 사용하게 되는 경우, 두 기술 중 하나만 사용할 때보다 준수와 수용에 대한 비율이 더 높게 나타나기도 한다. 조직 정체성[9]과 결합된 아첨은 특히 자존감이 높은 개인의 경우 설득력을 향상시키는 것으로 연구되었다.

하지만, 지나치게 아부하거나 부적절한 칭찬은 오히려 상대방의 불신이나 불쾌감을 유발할 수 있으므로 적당한 선에서 사용해야 한다. 비성실하다고 인식되면 아첨[10]은 역효과를 낼 수 있으며, 불신을 유발하거나 부정적인 인상을 만들 수 있다. 아첨에 과도하게[11] 의존하는 것은 설득자나 영업사원의 신뢰성을 해칠 수 있다. 칭찬을 사용할 때는 상대방이 중요하게 생각하는 가치나 성격, 장점 등에 대한 칭찬을 해야 한다. 과도하게 사용하면 효과가 떨어질 수 있으므로 다양한 설득기법을 조합하여 사용하는 것이 좋다. 아첨은 때때로 단기적인 이익을 가

---

[7] "The Persuasive Effects of Flattery and Goodwill in Corporate Sponsorship: A Study of the Moderating Role of Brand Familiarity", Kevin K. Byon

[8] "The Influence of Flattery and Concession on Compliance: A Replication and Extension", H. Patrick Swearingen

[9] "Influence of Flattery and Group Identity on Persuasion: The Moderating Role of Self-esteem", Yan Rui

[10] "The Art of Seduction", Robert Greene

[11] "Persuasion: Convincing Others When Facts Don't Seem to Matter", Lee Hartley Carter

져올 수 있지만, 진실되지 않았다고 인식될 위험이 있다.

요약하면, 진실한[12] 칭찬은 설득과 영업 맥락에서 긍정적이고 장기적인 결과를 가져올 가능성을 더 높인다. 반면, 초기에 일부 즉각적인 이득을 가져올 수 있지만, 일관되지 못하거나 성실하지 못하다고 인식되면 장기적인 결과에 위험을 초래할 수 있다.

"사람 속에서 최고의 것을 개발하는 방법은 인정과 격려이다."
찰스 슈와브(Charles Schwab)

■ 칭찬(Praise)의 핵심 특징

신뢰와 관계 구축(Building Trust and Rapport)

진실한 칭찬은 신뢰와 상호 존중의 감정을 촉진할 수 있다. 고객이나 잠재 고객이 진정으로 인정받고 인식된다고 느낄 때, 그들은 설득자나 영업사원을 더 신뢰하고 개방적으로 대응하기 쉽다.

자아존중감과 자신감 강화(Enhancing Self-Esteem and Confidence)

칭찬은 개인의 자아존중감을 강화할 수 있다. 소중하게 여겨지는 사람은 협상이나 토론에서 더 긍정적으로 참여하게 되며, 이로 인해 판매나 설득 과정이 더 원활해질 수 있다.

---

[12] "How to Win Friends and Influence People", Dale Carnegie

동기 부여와 참여(Motivation and Engagement)

사람들은 칭찬을 받으면 종종 더 동기가 부여된다. 고객의 현명한 선택이나 통찰력에 칭찬을 하면, 더 크게 집중시키고 성공적인 결과를 얻을 확률이 높아진다.

상호성(Reciprocity)

상호성의 원칙에 따르면, 누군가 다른 사람을 위해 무언가를 하면, 상대는 내부적으로 그것에 상응하는 행위를 하려는 압력을 느낍니다. 칭찬의 맥락에서 고객은 긍정적인 제스처에 상응하려는 경향이 있을 수 있으며, 거래나 제안에 동의하는 것 등의 방법으로 이러한 경향을 나타낼 수 있다.

과도한 사용과 진정성(Overuse and Authenticity)

칭찬은 강력하지만 신중하게 사용해야 한다. 칭찬을 과도하게 사용하거나 진실되지 않은 칭찬을 할 경우 역효과를 낼 수 있다. 고객들은 대체로 진실한 칭찬과 비성실한 칭찬을 구분할 수 있다. 그들이 아첨을 감지하면, 그것은 신뢰성과 신뢰를 해칠 수 있다.

문화적 민감성(Cultural Sensitivity)

다른 문화는 칭찬을 다양한 방식으로 인식하고 받아들이는 것이다. 어떤 문화에서는 예의 바른 칭찬이 다른 문화에서는 과도하거나 비성실하게 여겨질 수 있다. 칭찬이 적절하고 효과적인지 확인하기 위해 문화적 뉘앙스를 인식하는 것이 중요하다.

원하는 행동 촉진(Reinforcement of Desired Behavior)

영업 교육이나 팀 빌딩 상황에서 원하는 행동에 대한 칭찬은 그 행동을 촉진할 수 있다. 올바른 행동이나 전략을 인식하고 칭찬함으로써, 장기적으로 그것들의 반복 사용을 유도하여 결과를 최적화할 수 있다.

피드백과 개선(Feedback and Improvement)

칭찬을 건설적인 피드백과 결합하면, 피드백이 더 쉽게 받아들여질 수 있다. 칭찬으로 시작하여 ("이 프로젝트에 얼마나 헌신적인지 진심으로 감사 드립니다") 그 후 피드백을 제공하는 것 ("우리의 접근 방식을 개선할 수 있을 것 같다...")은 더 수용적이고 실행 가능한 대화를 이끌어낼 수 있다.

"좋은 칭찬은 두 달 동안 살 수 있는 식량이다."
마크 트웨인(Mark Twain)

■ 칭찬(Praise)의 대표적인 사례들

성공적으로 적용된 3가지 사건이다.

오바마 대통령과 하버드 졸업생: 오바마 대통령은 2012년 하버드 대학교 졸업식에서 연설을 진행했다. 그는 연설 중 졸업생들에게 "당신들은 지금까지 세계에서 가장 뛰어난 대학 중 하나인 하버드 대학교에서 졸업을 했다"라는 말로 치켜세워 주었다. 이는 졸업생들의 자존감을 높이고 긍정적인 인식을 심어준 것으로, 오바마 대통령이 연설을 성공적으로 마무리할 수 있도록 도왔다.

새로운 사원 면접에서 채용: 면접에서 면접관은 지원자에게 "저희 회사에서는 가장 재능 있는 인재들을 찾고 있다. 하지만 지금까지 본 지원자 중에서 가장 뛰어난 분은 바로 당신이다." 라고 하였다. 이는 지원자의 자신감을 높여 긍정적인 인식을 심어주어 면접에서 성공적으로 뽑힐 수 있도록 도왔다.

뷰티 유튜버와 스폰서 광고: 뷰티 유튜버는 자신이 사용한 제품을 소개하는 광고를 진행하며, "이 제품을 사용하면 제 피부가 정말 빛나요"라고 말했다. 이는 제품의 판매량을 높이고 브랜드 인식을 증가시키는데 효과적으로 사용된다.

부정적으로 적용된 사례 세 가지이다.

D신문 발행인 채용 부정처리 사건: 2004년 D신문에서 발생한 채용 부정처리 사건에서, 신입 기자 채용 과정에서 특정 지원자에게 아첨을 통해 유리한 지위를 안겨주었다는 의혹이 제기되었다. 이 사건은 D신문사의 신뢰도와 공정성에 대한 신뢰를 해칠 뿐만 아니라, 기자 윤리적인 문제와 업계의 부정적인 이미지를 낳게 되었다.

교육부 발간 교과서 표절 사건: 2019년 교육부에서 발간한 교과서에서, 특정 출판사가 다른 출판사의 교재를 표절한 것이 발각되었다. 이 출판사는 다른 출판사의 교재 저자에게 아첨을 통해 협력을 요청하였으며, 그 결과 표절 사실이 밝혀졌다. 이 사건은 교육부의 공정성과 신뢰도에 대한 신뢰를 해치게 되었다.

M은행 설계연구실장 부정처리 사건: 2009년 M은행 설계연구실장 선발 과정에서, 특정 지원자가 실무 경험이 부족하다는 것을 숨기고 아

첨을 통해 지위를 취득했다는 의혹이 제기되었다. 이 사건은 M은행의 인사 공정성과 신뢰도에 대한 의문을 제기하게 되었다.

"칭찬의 말 한 마디는 상처에 연고와 같다."
속담(Proverb)

■ 칭찬(Praise)을 효과적을 활용한 대면영업 사례

✧ 사무용 의자 판매

J는 고급 사무용 가구 매장의 영업 담당자였다. 어느 날, 회사의 CEO 인 고객이 자신의 집용 사무실을 위한 편안한 의자를 찾아 매장에 들 어왔다. 여러 제품의 솜씨에 대해 섬세한 댓글을 남기면서 디자인에 대한 지식이 있는 것처럼 보였다.

가장 비싼 제품을 즉시 추천하는 대신 "품질과 디자인에 대한 뛰어난 안목을 가지고 계신 것 같네요. 선생님처럼 세세한 부분을 주목하는 사람은 많지 않아요."라고 말했다. 이 칭찬에 미소를 지으며 더 편안해 보였다. 그들은 디자인 미학과 인체 공학적 이점에 대한 토론에 참여 했으며, 고객의 통찰력을 진심으로 중요하게 생각하며 많은 부분을 경 청했다.

나중에 디자인 선호와 인체 공학적 요구를 적절히 결합한 의자를 소개 했다. 그들이 구축한 관계로 추천을 신뢰하게 만들었다. 의자를 구매하 는 것뿐만 아니라 상응하는 책상도 주문했다. 떠나면서 "내 의견에 대

한 존중을 보여준 것에 감사 드립니다. 정말 기분이 좋습니다."라고 말했다.

고객의 전문성 인정(Acknowledge the Customer's Expertise): 고객의 지식과 주의 깊게 살펴보는 눈을 진심으로 칭찬하며 가치 있고 유능하다는 느낌을 주었고, 상호 관계에 긍정적인 기조를 설정했다.

진정한 관계 구축(Build Genuine Rapport): 판매 모드로 바로 들어가지 않고 고객과 동질감을 형성하는 시간을 가졌다. 이러한 진정한 소통은 어떤 판매 스크립트보다 더 가치 있을 수 있다.

적극적인 경청(Active Listening): 의견을 진심으로 듣게 되면서, 제품에 대한 추천을 더 정확하게 맞출 수 있었고, 판매 과정이 개인적 친분관계처럼 편안하게 느껴지도록 만들었다.

진정한 칭찬의 힘(The Power of Authentic Praise): 진정한 칭찬은 장벽을 붕괴시키고, 편안한 분위기를 조성하고, 신뢰를 촉진할 수 있다. 그러나 칭찬은 진실되게, 그리고 단순히 판매 전략이 아닌 형태로 사용되어야 한다.

장기적인 관계 구축(Long-Term Relationship Building): 빠르게 판매를 하려는 것이 아니라 진정한 동질감을 구축하는 데 중점을 둠으로써, 향후에 다시 매장을 방문하거나 동료에게 추천할 가능성이 높아졌을 것이다.

시사점 : 대면 영업에서는 인간 간의 연결이 중요하다. 칭찬을 신중하게 그리고 진정성 있게 활용할 때, 그것은 신뢰와 관계를 구축하고, 결국 성공적인 판매 결과를 이끌어낼 수 있는 강력한 도구가 될 수 있다.

✧ 아트 갤러리의 구매

타는 고급 아트 갤러리의 영업 컨설턴트였다. 어느 날 오후, 50대 후반의 고객이 들어와 현대미술 작품에 명백한 관심을 보였다. 가장 비싼 작품을 바로 보여주는 대신 그에게 다가가, 특히 관심을 보이는 작품에 대한 대화를 시작했다.

"이 작품을 꽤 오랫동안 감상하고 계신 것 같아요. 현대미술에 대한 깊은 감상 눈을 가지신 것 같네요."라고 말했다.

고객은 미소를 지으며 대답했다. "나는 항상 미술에 대한 열정을 가지고 있었지만, 그저 아마추어일 뿐이지요. 제대로 된 교육은 받아본 적이 없어요."

진심으로 말했다. "제대로 된 교육만이 미술에 대한 이해의 척도는 아닙니다. 당신의 세세한 주의와 작품과의 교감하는 방식이 많은 것을 말해주는 걸요."

두 사람은 계속해서 여러 작품에 대해 이야기하며, 주의 깊게 들었고 고객의 통찰을 칭찬했다. 결국, 처음에 감상했던 작품뿐만 아니라 두 개의 다른 작품도 구매했다. 그가 떠날 때, "오늘은 정말 특별한 경험이었어요. 오늘 진정한 미술 애호가처럼 느껴졌어요." 라고 말했다.

고객의 경험 인정(Validate the Customer's Experience): 고객의 미술에 대한 열정을 인정하고 확인함으로써, 선택에 대한 편안함과 자신감을 주었다.

진심 어린 상호작용(Sincere Interaction): 칭찬을 도구로만 사용하지 않았다. 고객과 진심으로 교감하며 진정한 동질감을 구축했다.

탐색 장려(Encourage Exploration): 자연스럽게 더 많은 작품을 탐색하는 계기로 이어졌고, 이로 인해 추가 판매가 이루어졌다.

감정적 가치 강조(Emphasizing Emotional Value): 진정한 미술 애호가로 만들어주면서, 그의 구매에 감정적 가치를 더하며 그것을 더 기억에 남게 했다.

시사점 : 칭찬이 진정성 있게 사용될 때, 판매를 촉진하는 것뿐만 아니라 고객과 지속적이고 의미 있는 연결을 만들 수 있다.

"친절한 말 한 마디는 세 개월의 겨울을 따뜻하게 할 수 있다."
일본 속담(Japanese Proverb)

■ 칭찬(Praise)을 오용한 부정적 대면영업 사례

✧ 과한 열심의 보석 판매원

고객은 외국 도시에서 휴가 중이었고, 그곳의 뛰어난 보석으로 유명한 현지 시장을 방문하기로 결정했다. 둘러보고 있을 때, 판매원인 M이 다가왔다. 고객의 선호나 예산을 이해하려는 시도도 하지 않고, 바로 칭찬을 쏟아냈다.

"당신은 인생에서 가장 좋은 것들을 평가하는 분의 아우라를 가지고 계신 것 같아요."라며 시작했다. "이 목걸이,"라며 화려한 목걸이를 들어울렸다, " 당신처럼 우아하고 세련됐지요. 당신의 사회적 지위에도 어울리는 제품이에요."

압박 받는 느낌과 약간의 회의감을 느낀 고객은 그 가격을 물어봤고, 그것은 상당히 비쌌다. 고객의 망설임에도 불구하고 칭찬을 계속하며, "명확한 안목"을 가진 사람이 가격을 걱정하지 않아도 된다고 말했다.

불편함을 느낀 고객은 서둘러 감사를 표하고 구매하지 않고 가게를 떠났다. 과도한 칭찬이 불성실하며 판매를 확보하기 위한 것이라고 느꼈다.

진정성 부족(Lack of Authenticity): 칭찬을 과도하게 사용하면, 특히 진실된 관찰이나 상호 작용에 기반하지 않을 경우, 불성실하게 느껴질 수 있다. 고객들은 대개 진실된 칭찬과 판매 전략으로 사용되는 칭찬을 구별할 수 있다.

압박적인 판매 기법(Pressure Sales Technique): 칭찬을 가면으로 한 과도한 판매 접근법은 고객들에게 불편함을 줄 수 있으며 역효과를 낼 수 있다.

고객 이해 실패(Failure to Understand the Customer): 판매에 너무 열중하여 고객의 선호도나 예산을 이해하지 않고 접근함으로써, 진정으로 도움을 주면서 거둘 수 있는 판매의 기회를 놓쳤다. 효과적인 판매원은 먼저 경청하고 해결책을 제안한다.

신뢰 손실(Trust Erosion:): 칭찬을 오용하면 신뢰가 훼손될 수 있다. 고객이 칭찬이 단순한 전략이라고 느끼면, 판매원의 다른 발언, 제품의 품질이나 가치를 포함하여, 그 진정성을 의심할 수 있다.

시사점 : 판매 상호작용에서 칭찬을 오용하면 단기적, 장기적으로 부정적인 영향을 미칠 수 있다. 진정한 칭찬은 관계와 신뢰를 구축할 수 있지만, 불성실한 아첨은 잠재적인 고객을 밀어내고 사업의 명성을 손상시킬 수 있다.

✧ 고압적인 자동차 판매

고객은 새 차를 사려고 했다. 나름대로 분석을 마쳤고, 특정 모델을 염두에 두고 지역 딜러에 방문했다. 둘러보고 있을 때, 판매원인 D가 다가왔다. 고객의 필요나 선호에 대해 묻지 않고, 곧바로 바로 칭찬을 시작했다.

"당신처럼 스타일리시한 분이 그런 우아함에 어울리는 차가 필요해요." 라고 하면서, 쇼룸에서 가장 비싼 차를 가리키며 말했다. "이 차는 정교한 매력을 뽐고 있어요, 당신처럼요."

처음에는 대화에 개방적이었지만, 점차 과장된 칭찬으로 인해 조심스러워졌다. 알아본 모델에 대한 대화로 주제를 돌리려고 시도했지만, 계속해서 더 비싼 모델로 시선을 돌렸고 칭찬을 끊임없이 했다.

"당신처럼 신중한 분에게는 최고의 차가 제격이죠. 이 차는 부티가 나며, 당신 같은 분에게 적합한 클래스입니다." 라고 주장했다.

압박을 느끼게 되고 점점 불편해지는 기분을 느낀 고객은 그만 대화하기로 하고, 다시는 그곳을 방문하지 않겠다고 다짐했다.

경계 침범(Overstepping Boundaries): 요청되지 않은 과장된 칭찬은 고객이 개인적인 경계와 선이 침범되고 있다고 느끼게 할 수 있어, 불편함을 초래할 수 있다.

불신(Distrust): 신뢰를 구축하는 대신, 과도하거나 불성실한 칭찬은 불신을 낳을 수 있다. 고객들은 판매원이 판매를 위해 너무 열심히 노력하는 것이 아닌지, 진정으로 그들을 돕기 위한 것이 아닌지 의심할 수 있다.

잠재적 판매 손실(Loss of Potential Sale): 칭찬을 오용하면 고객을 밀어내게 될 수 있다. 이 경우, 차량 구매에 대해 논의할 준비가 되어 있었지만, 칭찬의 오용으로 딜러를 완전히 떠났다.

명성 위험(Reputation Risk): 이러한 경험은 부정적인 입소문을 초래할 수 있으며, 고객들이 그들의 경험에 대해 친구나 가족에게 경고할 수 있다. 이는 장기적으로 사업의 명성에 해를 끼칠 수 있다.

시사점 : 대면 판매에서 칭찬의 오용은 해로울 수 있다. 긍정적인 상호작용과 잠재적인 판매를 촉진하는 대신, 그것은 반대의 효과를 가져와 고객을 밀어내고 사업의 명성을 손상시킬 수 있다. 고객의 필요를 이해하고 진정한 교감이 중요하다.

"거짓말 하는 자는 자기가 해한 자를 미워하고
아첨하는 입은 패망을 일으키느니라"
잠언 26:28

■ 칭찬(Praise)을 효과적으로 활용하는 10가지 방법

맞춤형 칭찬(Tailored Praise)

칭찬이 개인에게 특화되도록 하여, 더 진정성 있고 개인화된 느낌을 준다. 일반화된 또는 일반적인 칭찬은 불성실하게 느껴질 수 있다. 맞춤형 칭찬은 더 큰 영향을 미치며 고객과의 래포를 강화할 수 있다.

예시: "이것이 어울립니다"라고 말하는 대신 "이 셔츠의 파란색이 당신의 눈을 정말 잘 선명하게 보이게 하네요"라고 말한다.

적시의 칭찬(Timely Praise)

긍정적인 행동이나 결정을 강화하기 위해 적절한 순간에 칭찬을 한다. 적절한 시간에 주어진 칭찬은 고객의 선택을 확인시켜주어, 그들이 결정에 대해 더 자신감을 갖게 한다.

예시: 고객이 고민 끝에 제품을 선택하면, "좋은 선택이네요. 이것은 우리의 베스트셀러 중 하나입니다"라고 말한다.

세심한 칭찬(Subtle Praise)

과장된 아첨을 피하고, 은은하고 섬세한 칭찬을 사용한다. 과도한 칭찬은 부담스러울 수 있으며, 판매원이 불성실하다고 여겨질 수 있다.

예시: 고객의 안목을 지나치게 칭찬하는 대신 "당신은 품질을 잘 알아보는 눈이 있네요"라고 말한다.

지식과 결정에 대한 칭찬(Praise Knowledge and Decision-Making)

고객의 전문성이나 정보에 기반한 선택을 인정하고 평가한다. 이것은 상호 존중을 구축하고 고객을 권한 있는 위치에 둠으로써 그들을 소중하게 여기게 한다.

예시: "연구를 많이 하신 것 같네요; 이 기능에 대해 아는 사람이 많지 않아요."

진정한 칭찬(Authentic Praise)

칭찬이 진정하게 되도록 하고, 진정한 관찰을 기반으로 한다. 진정성은 신뢰를 구축한다. 가짜 또는 강요된 칭찬은 반대의 효과를 낼 수 있다.

예시: 고객이 통찰력 있는 질문을 하면, "당신의 생각 깊은 질문에 감사 드립니다. 정말 통찰력 있어요."라고 말한다.

결과가 아닌 노력에 대한 칭찬(Praise Effort, Not Just Outcome)

결과나 결정이 아닌 노력과 과정을 인정한다. 이것은 고객의 여정과 생각 과정을 소중하게 여기는 것을 보여준다.

예시: "제품의 세부 사항을 이해하기 위해 투자한 시간과 노력에 박수를 드립니다."

재구매에 대한 칭찬(Praise Loyalty)

고객의 충성심과 브랜드나 서비스에 대한 지속적인 관심을 인정한다. 충성심에 대한 평가를 느끼는 고객은 앞으로도 계속 구매할 가능성이 높아진다.

예시: "다시 우리를 선택해 주셔서 감사해요. 오랜 인연을 맺은 고객 분들이 정말로 소중하다고 생각합니다."

추천에 대한 칭찬(Praise Referrals)

고객이 친구나 동료를 회사에 소개할 때 그것을 인정하고 감사를 표한다. 추천을 장려하고 인정함으로써, 더 많은 입소문 추천이 생겨날 수 있다.

예시: "친구를 소개해 주셔서 감사합니다. 추천해 주셔서 큰 영광입니다."

피드백에 대한 칭찬(Praise Feedback)

긍정적인 피드백뿐만 아니라 건설적인 비평에도 감사를 표한다. 이것은 고객의 의견을 소중히 여긴다는 것을 보여주며, 신뢰와 개방적인 의사 소통을 촉진한다.

예시: "그런 측면을 지적해 주셔서 감사합니다; 이것은 개선하는 데 도움이 됩니다."

인내심이나 이해에 대한 칭찬(Praise Patience or Understand ing)

특히 그들이 기다려야 했거나 실수가 있었을 때 고객의 인내심을 인정하고 감사를 표한다. 이것은 당신이 고객이 경험한 불편함을 인정한다는 것을 보여준다.

예시: "그 문제를 해결하는데 기다려주시는 동안 이해를 해 주셔서 감사한다."

"공개적으로 칭찬하고, 비밀리에 비판하라."
속담(Proverb)

☞ 칭찬(Praise) 멘트

"통찰력 있는 질문에 감탄할 수 밖에 없네요. 이 결정의 중요성을 잘 이해하고 있는 것 같습니다."
고객의 잠재 능력을 칭찬하고 결정에 이르도록 자연스럽게 초대한다.

"제가 본 것 중 가장 혁신적인 팀 중 하나입니다. 이러한 창의성을 강화 하는데 저희에게도 도움이 될 수 있습니다."
고객의 팀을 칭찬하고 고객의 강점에 맞게 제품을 조정한다.

"얼마나 많은 연구를 했는지 인상적입니다. 이렇게 정보를 잘 알고 있는 사람과 함께 일할 수 있어서 정말 좋습니다."
고객의 노력과 헌신을 인정한다.

"갖고 계신 비전은 정말 고무적이며, 저희 서비스는 그 목표와 완벽하게 일치하네요.
상대의 비전을 칭찬하여 공유 가치와 목적에 대한 공감대를 형성한다.

"훌륭한 지적을 해주셨습니다. 저희 제품이 찾고 계신 것과 어떻게 일치하는지 보여드리겠습니다."
고객의 관점에 공감하며 제품이 어떻게 적합한지 설명한다.

"품질에 중점을 두시는 점에 박수를 드리며, 이것이 바로 저희 제품이 적합한 이유입니다."
고객의 기준을 칭찬하고 그에 맞게 제품을 조정한다.

"디테일에 대한 예리한 안목을 가지고 계시네요, 저희 제품을 경험하시면서 장인 정신을 느낄 수 있을 것입니다."
상대방의 안목을 칭찬하며 제품의 품질을 높이 평가할 것임을 암시한다.

"[특정 과제]에 대한 접근 방식이 인상적이며, 저희 솔루션이 갖고 계신 전략을 효과적으로 보완할 수 있습니다."
상대방의 전략을 인정하고 솔루션이 어떻게 가치를 더하는지 보여준다.

"귀사의 비전이 얼마나 미래 지향적인지 존경스럽네요. 저희 제품은 이런 진보적인 기업을 위해 설계되었습니다."
상대방의 진취적인 장점을 제품과 연계하여 칭찬한다.

"효율성을 위해 최선을 다하고 계시네요. 저희 서비스는 더 많은 시간과 리소스를 절약할 수 있도록 설계되었습니다."
효율성에 대한 고객의 노력을 인정하고 제공하려는 서비스를 효율성 향상을 위한 수단으로 포지셔닝한다.

■ 요약

상대에게 좋은 기분을 주고 마음을 열도록 하고 소중하고 특별하다고 느끼게 하는 기법이다.

진실한 인정, 감탄으로 진정한 감사의 표현들이 충성도를 강화하고 성공적인 거래의 가능성을 높인다.

상대방이 중요하게 생각하는 가치, 성격, 장점 등에 과도하지 않고 진실되고 진심 어린 칭찬이 효과적이다.

■ 핵심키워드

칭찬, 아부, 인정, 자아존중, 감탄, 진심, 진실, 성실, 진정성, 상호성, 맞춤형, 적시성, 세심성, 구체성

■ 적용 질문

칭찬이 영업과 설득에서 어떤 특징들이 있는가?

칭찬으로 영업과 설득에서 거둘 수 있는 기대요소는 무엇인가?

칭찬을 효과적으로 활용하는 10가지 방법이 무엇이고 나에게 있어 강화해야 할 요소는 무엇인가?

제 3 장

희소성(Scarcity)

"설득은 상대를 안달 나게 하는 것이다."
닥터 브라이언(Dr. Brian)

희소성(Scarcity)

■ 개념

희소성은 결핍의 심리학과 경제학의 개념이 녹아 들어가 결핍이 인간의 인지와 행동 등에 관한 집중력, 결정력, 충동 조절 능력 외 다양한 측면에 영향을 미치는 힘이다.

희소성은 동기부여가 될 수 있기 때문에 설득에 중요하다. 사람들이 무언가가 부족하거나 공급이 제한적이라는 것을 인식할 때, 그들은 FOMO (Fear of Missing Out : 잃을 것에 대한 두려움)을 느끼고 행동에 더 동기부여를 받을 수 있다. 제한된 가용성[13]을 강조하는 것으로 제품의 인지된 가치를 한층 높여 수요를 촉진시킬 수 있다. 또한 희소성 기술은 제품이나 서비스에 대한 가치 인식을 만들어낼 수 있는데, 사람들은 어떤 것이 한정된 공급 상태에 있거나 한정된 시간 동안만 이용할 수 있는 경우에 더 가치가 있다고 인식할 수 있기 때문이다. 단순히 희귀하다는 이유만으로 제품이 더 가치 있게 보이게 만들어 때로는 비합리적 결정으로 이어지기도 한다. 희소성 기법을 효과적으로 사용함으로써 사람들이 신속하게 행동하고 결정을 내리도록 설득할 수 있고, 이는 매출과 전환을 증가시킬 수 있다. 내부 공급 요인에서 보다 외부 수요로 인해 양이 줄어들 때 더 가치 있다고 평가되고 더 선호[14] 되는 것으로 나타나기도 한다. 반복 불가능한 구매를 처리할 때 수량 제한 보다 시간 제한[15]에서 더 많은 희소성 전략 효과 있는 연구도 있

---

[13] "Influence: The Psychology of Persuasion", Robert B. Cialdini

[14] "The Scarcity Principle in Marketing: Effects on Consumer Choice Behavior", Stephen Worchel, Jerry Lee, and Akanbi Adewole

[15] "When Is Scarcity Profitable?", Xavier Drèze, Joseph C. Nunes, & Kent

다.

도래할 미래에 제품 부족을 예상하고 초기 구매 결정을 내리거나 과잉[16] 구매를 하게 될 수 있지만, 지나치게 강조하면 추후 보다 폭넓은 구매의 다양성 감소로 인해 자신의 결정을 후회하게 될 수 있어서 재구매율에 영향을 미친다.

희소 제품의 매력 뒤에 숨은 심층적인 메커니즘과 구매에 관한 신경과학을 이해하면 구매 결정을 촉발하는 다양한 요인을 자극하게 되는 형태를 구성하여 영업 및 마케팅 담당자가 더욱 효과적으로 캠페인을 설계 할 수 있다. 희소성의 원리는 판매를 위한 기술적 전략일 뿐만 아니라 구매 결정부터 더 넓은 삶의 선택에 이르기까지 다양한 영역에 걸쳐 널리 펴져 있는 힘이다. 품목의 가치를 증가시키지만, 모든 희소성이 동일 한 것이 아니다. 단지 마케팅 전략으로 인한 원인을 포함한 여러 요인에 의해 그 강도가 완화[17]되기도 한다.

<hr>

**"희소성을 가진 것에 대한 열망은
풍족한 것에 대한 열망보다 강하다."**
장-자크 루소(Jean-Jacques Rousseau)

■　**핵심 특징**

Grayson
[16] "The Effect of Purchase Quantity and Timing on Variety-Seeking Behavior", Itamar Simonson & Aimee Drolet
[17] "Scarcity effects on value: A quantitative review of the commodity theory literature", Michael Lynn

긴급함과 즉각적인 조치(Urgency and Prompt Action): 희소성은 긴급함을 느끼게 하며 개인들에게 즉각적인 조치를 취하도록 유도한다. 이는 특히 판매와 마케팅에서 가속화된 결정과 전환이 가능하게 한다. 이것은 기업들이 효과적으로 희소성 전략을 활용함으로써 판매를 늘릴 수 있다는 시사점이다.

인식된 가치 향상(Enhanced Perceived Value): 희소성은 제품이나 제안의 인식된 가치를 높인다. 무언가가 희귀하면 사람들은 자연스럽게 그것에 더 큰 가치를 부여한다. 이것은 기업들이 희소성을 활용하여 제품을 더욱 더 갖기 원하는 것으로 위치시킬 수 있다는 시사점이다.

경쟁 우위(Competitive Edge): 경쟁적인 시장에서 희소성은 경쟁 우위를 제공할 수 있다. 소비자들이 어떤 제품이 한정된 공급 또는 높은 수요를 가지고 있다고 인식하면 그것은 한 브랜드를 다른 것보다 더 유리하게 만들 수 있다. 기업들은 효과적으로 희소성을 전달함으로써 이점을 얻을 수 있다.

심리적 트리거(Psychological Triggers): 희소성은 높은 영향력을 가진 심리적 트리거를 활용한다. FOMO(놓치기 싫어함)와 독점성에 대한 욕망과 같은 강력한 심리적 효과를 인식하면 기업들은 이러한 감정과 공감대를 형성하기 위해 그들의 마케팅 전략을 맞춤화할 수 있다는 의미이다. 이것은 그들의 설득력을 높일 수 있다.

전환율 향상(Improved Conversion Rates): 희소성은 종종 전환율을 향상시킵니다. 사람들이 제한된 시간 제공이나 희귀한 제품을 놓칠 수도 있다고 믿을 때, 그들은 구매하거나 원하는 조치를 취할 가능성이 높아진다. 이것은 기업들이 희소성 전술을 활용하여 그들의 전환 전략을 최적화할 수 있다는 시사점이다.

고객 충성도와 브랜드 신뢰도(Customer Loyalty and Brand Trust): 적절하게 사용할 경우 희소성은 고객 충성도와 브랜드에 대한 신뢰를 향상시킬 수 있다. 희귀하지만 가치 있는 제안과 긍정적인 경험을 한 고객들은 브랜드를 더 신뢰하고 반복적인 고객이 될 가능성이 높다.

윤리적 고려사항(Ethical Considerations): 희소성과 관련된 윤리적 고려사항이 있다. 희소성을 과용하거나 잘못 표현하면 고객들 사이에서 신뢰를 떨어뜨릴 수 있다. 이것은 기업들이 희소성을 정직하고 투명하게 사용하여 고객 기반을 구축하고 유지하기 위해 노력해야 한다는 시사점이다.

장기 계획(Long-Term Planning): 희소성은 강력한 단기적인 도구일 수 있지만 장기적인 영향도 고려해야 한다. 희소성에 과도하게 의존하는 것은 지속 가능하지 않을 수 있으며 장기적인 고객 관계를 촉진하지 않을 수 있다. 따라서 희소성과 다른 마케팅 전략 사이의 균형을 유지하는 것이 지속 가능한 성공을 위해 중요하다.

디지털 시대의 적응(Adaptation to Digital Age): 디지털 시대에서 희소성은 제한된 기간 제안, 카운트다운 타이머, 독점적인 온라인 판매와 같은 기술을 통해 온라인으로 구현될 수 있다. 디지털 환경에서 희소성을 효과적으로 적용하는 방법을 이해하는 것은 현대 기업에게 중요하다.

문화적 차이(Cultural Variations): 희소성의 영향은 문화에 따라 다를 수 있다. 어떤 문화는 다른 문화보다 희소성 전술에 더 반응적일 수 있다. 따라서 다양한 시장에서 활동하는 기업들은 희소성을 사용할 때 문화적 뉘앙스를 고려해야 한다.

시사점 : 설득과 영업에서 희소성의 시사점은 다양하다. 이것은 긴급함을 유도하고, 인식된 가치를 향상시키며, 경쟁 우위를 제공하며, 전환율을 향상시키며, 고객 충성도와 브랜드 신뢰를 향상시킬 수 있다. 그러나 기업은 희소성을 윤리적으로 사용하고 장기적 영향을 고려하며 디지털 시대에 적용하고 효과가 문화적으로 다를 수 있다는 점을 고려해야 한다.

<hr />

"희소성은 가치를 창출한다."
미상(Unknown)

■ 희소성(Scarcity) 대표적인 사례들

테슬라의 사이버 트럭: 2019년 11월 테슬라는 곧바로 양극화 현상을 보이는 미래형 전기 픽업 트럭인 사이버 트럭을 공개했다. 엇갈린 평가에도 불구하고, 테슬라는 희소성 기술을 사용하여 사람들이 사이버 트럭을 구매하기 위해 자리를 예약하도록 설득했다. 일론 머스크는 트위터를 통해 사이버 트럭의 사전 주문이 이미 20만대에 달했다고 밝히면서 이 독특한 차량을 놓치지 않으려는 잠재적 구매자들 사이에 긴박감을 조성했다.

COVID-19 백신: 코로나19 범유행이 전 세계를 휩쓸자 제약사들은 앞다퉈 백신을 개발했다. 일단 백신이 승인되면 제한적으로 공급받을 수 있었고, 많은 사람들이 가능한 한 빨리 백신을 맞기를 원했다. 각국 정부와 보건단체들은 희소성 기법을 이용해 접종 가능성이 제한적이고 바이러스가 더 변이하기 전에 접종하는 것이 중요하다는 점을 강조해 백신 접종을 설득했다.

Apple iPhone: 2007년, 애플은 스마트폰 시장을 영원히 바꾼 혁명적인 기기인 첫 번째 아이폰을 공개했다. 희소성 기술을 사용하여 초기 출시 기간 동안 아이폰의 가용성을 제한함으로써 제품에 대한 수요를 창출했다. 사람들은 한정된 수의 아이폰 중 하나를 손에 넣기 위해 출시일 전 며칠 동안 매장 밖에서 야영을 했다. 이러한 희소성은 아이폰이 하나의 문화적 현상이 되는 배타성과 절박성을 만들어냈다.

기름 유출을 정화하기 위한 모금 운동을 운영하고 있는 비영리 환경 단체 : 기름 유출이 어떻게 빠르게 퍼지고 있는지, 그리고 그것이 지역 야생동물과 생태계에 영향을 미치기 전에 그것을 청소하기 위해 시계가 똑딱거리는 것을 설명함으로써 희소성 기술을 사용한다. 또한 일정 금액을 기부하는 사람들에게 맞춤 티셔츠를 제공함으로써 기부에 대한 인센티브를 제공한다.

특정 후보에게 투표하도록 사람들을 설득하는 정치 캠페인 : 선거일 전에 제한된 시간만 있고 모든 투표가 중요하다는 것을 지적함으로써 희소성 기법을 사용한다. 또한 선거일에 투표장에 나타나는 사람들에게 무료 추첨과 경품을 제공함으로써 인센티브를 제공한다.

투자자와 자금을 확보하기 위해 노력하는 스타트업 기업 : 사업을 시작하는 데 필요한 자금과 자원을 얻는 데 제한된 시간밖에 없다는 것을 강조함으로써 희소성 기법을 사용한다. 또한 일정한 기간 내에 회사에 헌신하는 투자자들에게 할인된 주식을 제공함으로써 인센티브를 제공한다.

"무엇이든 적을수록 가치가 높아진다.."
미상(Unknown)

■ 희소성(Scarcity)을 활용한 대면영업 사례들

✧ 독점적 이벤트에서의 고급 시계 판매

고급 시계 브랜드가 시계 애호가들을 위한 독점적인 이벤트를 개최했다. 이 이벤트에는 한정판 고급 시계 컬렉션과 드문 한정판 모델을 포함한 제한된 수의 고급 시계가 소개되었다. 브랜드는 잠재적 구매자들이 시계를 만나보고 착용해볼 수 있는 환경을 조성했다.

한정판(Limited Edition): 이 이벤트의 핵심은 전 세계적으로 50대만 생산된 한정판 시계였다. 브랜드는 특별한 모델의 독점성과 희소성을 강조했다.

카운트다운 타이머(Countdown Timer): 이 이벤트에서는 디지털 카운트다운 타이머가 한정판 시계를 구매할 수 있는 남은 시간을 표시했다. 이것은 긴급함을 느끼게 했다.

맞춤형 경험(Personalized Experience): 판매 대표들은 고객과 개별적으로 상호작용하여 각 시계의 특징과 혜택을 설명했다. 그들은 한정판 시계가 이미 많은 국가에서 매진되었다고 강조했다.

판매 증가(Increased Sales): 희소성 전술은 이 이벤트 중에 특히 한정판 시계에 대한 판매 급증을 이끌었다. 고객들은 놓치지 않고 싶어하는 심리가 작동되어 즉시 구매하게 되었다.

브랜드 이미지 향상(Enhanced Brand Image): 희소성 전술의 성공적인 사용은 이 브랜드를 고급 시계 제조업체로서의 이미지를 향상시켰다. 고객들은 한정판 시계를 가치 있는 독점적인 아이템으로 인식했다.

고객 참여(Customer Engagement): 판매 대표들의 맞춤형 접근은 고객과 더 강력한 관계를 구축하는 데 도움이 되었다. 이벤트 중에 구매하지 않은 고객들도 향후 제안에 관심을 표했다.

구전 마케팅(Word-of-Mouth Marketing): 한정판 시계를 구입한 고객들은 브랜드를 대변하며 긍정적인 입소문을 퍼뜨리고 향후 이벤트에 대한 기대감을 조성했다.

장기 전략(Long-Term Strategy): 이벤트는 즉각적인 판매에 초점을 맞추었지만, 브랜드는 희소성과 장기적인 고객 관계 사이의 균형을 유지하는 중요성을 인식했다. 그들은 독점적인 이벤트와 제안을 통해 계속해서 고객들과 상호작용했다.

시사점 : 희소성의 효과적인 활용은 판매 증가, 브랜드 이미지 향상, 강화된 고객 참여 및 긍정적인 워드 오브 마우스 마케팅을 이끌었다. 이것은 희소성이 신중하고 진실되게 활용될 때 판매와 마케팅에서 결과를 얻는 강력한 도구로 작용함을 보여주었다.

✦ 아트 갤러리 전시회

한 아트 갤러리가 유명한 화가의 작품을 소개하는 독점적인 전시회를 개최했다. 이 전시회에는 제한된 수의 그림을 포함한 작품 컬렉션이 전시되었으며, 그 중에서도 특별히 인기 있는 몇 개의 작품이 포함되었다. 갤러리는 독점성의 분위기를 조성하고 아트 애호가와 컬렉터들을 초대했다.

한정판 작품(Limited Edition Prints): 일부 그림은 한정판으로 제공되었으며, 각 작품에 대한 한정된 부수만 제작되었다.

작품 교체(Artwork Rotation): 갤러리는 전시되는 그림을 매주 교체하기로 결정하여, 방문객들이 특정 작품을 보는데 제한된 시간이 있다는 느낌을 조성했다. 이것은 긴급함을 불러일으켰다.

비공개 시연 이벤트(Private Viewing Event): 갤러리는 공식 개장 하루 전에 진행된 비공개 시연 이벤트를 개최하여, 진지한 컬렉터들에게 작품을 구매할 첫 번째 기회를 제공했다.

작품 판매(Artwork Sales): 한정판과 작품 교체 전략은 작품 판매 증가로 이어졌다. 컬렉터들은 자신이 좋아하는 작품을 확보하기 위해 구매하게 되었다.

컬렉터 네트워크(Collectors' Network): 비공개 시연 이벤트는 컬렉터들이 서로 갤러리와 네트워킹 할 수 있도록 했으며, 아트 커뮤니티와의 친분을 강화했다.

대중 참여(Public Engagement): 작품 교체는 대중 사이에서 기대감을 유발하고 전시회 기간 동안 더 많은 방문객을 갤러리로 끌어냈다.

아트 감상(Art Appreciation): 희소성은 방문객들에게 그림을 한정된 전시 기간 동안 곰곰이 생각하고 감상하도록 격려했다.

갤러리 평판(Gallery Reputation): 희소성 전술의 성공적인 사용은 갤러리를 독점적이고 인기 있는 아트 허브로 인식되게 하여 평판을 향상시켰다.

시사점 : 아트 갤러리가 작품 판매를 촉진하고 컬렉터들과 상호작용

하며 아트 커뮤니티 내에서 평판을 높이는 데 희소성을 효과적으로 활용한 사례를 보여준다. 희소성은 이벤트 주변에 화제를 불러일으키고 잠재적 구매자들이 조치를 취하도록 격려하는 가치 있는 전략으로, 대면 영업 시나리오에서 유용한 전략임을 보여준다.

"우물이 말라버렸을 때, 물의 가치를 알게 된다."
벤자민 프랭클린(Benjamin Franklin)

■ 희소성(Scarcity)을 오용한 대면영업 사례들

❖ 한정판 게임 콘솔

인기 있는 게임 콘솔 제조업체가 최신 게임 콘솔 모델의 한정판 출시를 발표했다. 이것을 매우 독점적인 아이템이라고 광고하면서 구매 가능한 수량이 매우 제한되어 있다고 밝혔다.

인위적인 희소성(Artificial Scarcity): 제조업체는 수요에 비해 훨씬 적은 수의 콘솔을 생산함으로써 인위적으로 공급을 제한했다. 이는 고객들이 한 대의 콘솔을 손에 넣기가 굉장히 어렵다는 인위적인 상황을 만들었다.

잘못된 광고(Misleading Advertising): 마케팅 캠페인은 희소성을 과장하며 단 몇 대의 콘솔만 남아 있다는 주장을 하면서 극도의 희소성을 강조했다.

높은 가격(High Pricing): 희소성을 인식하여 제조업체는 한정판 콘솔의 가격을 지나치게 인상했다.

고객의 불만(Customer Frustration): 희소성 전술은 잠재적 구매자들 사이에서 큰 불만을 일으켰다. 많은 고객들은 거짓된 희소성 주장과 높은 가격 때문에 속았다고 느꼈다.

부정적인 브랜드 이미지(Negative Brand Image): 희소성의 오용은 브랜드 평판을 손상시켰다. 고객들은 제조업체가 자신들의 충성심을 이용하려는 것으로 느꼈다.

신뢰 상실(Lost Trust): 오랜 기간 동안의 고객들은 브랜드에 대한 신뢰를 잃었고, 향후 한정판 출시에 참여하거나 회사의 마케팅 주장을 그대로 받아들일 가능성이 줄었다.

소셜 미디어에서의 반발(Backlash on Social Media): 고객들의 부정적인 경험이 빠르게 소셜 미디어 플랫폼에 퍼져 제조업체에 대한 홍보 위기를 초래했다.

판매되지 않은 재고(Backlash on Social Media): 인위적으로 만들어진 희소성은 너무 극단적이어서 일부 콘솔은 판매되지 않아 재정적 손실을 야기했다.

시사점: 희소성의 부적절한 사용이 역효과를 낼 수 있고 심각한 결과를 초래할 수 있다는 점을 보여준다. 희소성이 과장되거나 고객을 속이기 위해 조작될 때, 이는 고객의 불만, 브랜드 평판의 손상 및 신뢰 상실을 초래할 수 있다. 기업은 희소성 전술을 진실되고 책임감 있게 사용하여 고객이 가치를 인식하고 속이거나 악용 당하지 않도록 하는 것이 중요하다.

✧ 고급 핸드백 부티크

한 고급 핸드백 부티크는 독점적인 핸드백 컬렉션 중 하나에 대한 인위적인 희소성을 조성하기로 결정했다.

인위적으로 제한된 공급(Artificially Limited Supply): 부티크는 이 독점적인 핸드백 중 몇 개만 남았다고 주장하여 고객들 사이에 긴박감을 조성했다.

거짓된 마감 기한(False Deadline): 부티크는 고객들이 신속한 결정을 내리도록 압박하기 위해 일정 기간 동안만 유효한 특별 제공을 홍보했다. 고객들에게는 이 특별 제공이 24시간 내로 만료될 것이라고 알렸다.

과도한 가격(Inflated Prices): 이 핸드백의 지갑 가치를 과장하고자 부티크는 가격을 현저하게 인상했다.

고객 속임수(Customer Deception): 많은 고객들은 부티크가 이 마감 기한 이후로도 똑같은 핸드백을 여러 주 동안 제공하고 있다는 사실을 깨달았을 때 속았다고 느꼈다.

신뢰의 상실(Loss of Trust): 희소성 전술의 오용은 부티크에 대한 신뢰를 훼손시키고, 고객들은 향후의 주장을 믿기 꺼려졌다.

부정적인 평판(Negative Reputation): 실망한 고객들이 경험을 공유하면서 부티크의 평판에 손상을 입히고 부정적인 입소문을 냈다.

판매 둔화(Slow Sales): 장기적으로 고객들이 부티크의 마케팅 전술에 의심을 품게 되어 긍정적인 판매 결과를 가져오지 못했다.

시사점 : 대면 영업에서 희소성을 정직하고 투명하게 사용하는 중요성을 강조한다. 거짓 주장과 인위적 긴박함으로 고객들을 속이는 것은 단기적인 이익을 가져올 수 있지만, 결국은 신뢰와 브랜드 평판을 훼손할 수 있다. 기업은 장기적인 고객 관계를 유지하기 위해 판매 전략에서 정직성과 신뢰성을 유지하는 것이 중요하다.

"희소 하다면, 그 가치는 높아진다."
찰스 휠런(Charles Wheelan)

■ **희소성(Scarcity)을 활용하기 위한 좋은 10가지 방법**

제한된 시간 제공(Limited-Time Offers)

제한된 시간 동안 할인 혹은 프로모션을 제공하여 긴급성을 불러일으킨다. 긴급성은 고객들이 빠른 결정을 내리도록 돕는다.
예시: 전자상거래 사이트에서 24시간 동안 할인된 플래시 세일을 제공한다.

한정된 수량 강조(Limited Quantity)

특정 상품에 한정된 재고 가용성을 강조한다. 고객들은 상품이 매진될 것을 두려워하며 더 빨리 구매할 가능성이 높아진다.
예시: 레스토랑이 그 날을 위한 특별 요리의 한정 수량을 광고한다.

독점적인 접근 권한 제공(Exclusive Access)

일부 고객들에게 독점적인 접근 권한 또는 일찍 접근할 수 있는 기회를 제공한다. 충성 고객을 유치하고 반복 비즈니스를 장려한다.
예시: 스트리밍 서비스가 프리미엄 구독자에게 미리 접근할 수 있는 기회를 제공한다.

유니크한 상품 강조(One-of-a-Kind Items)

독특하거나 유일한 상품을 홍보한다. 고객들은 다른 곳에서 찾을 수 없는 독점적인 상품에 끌릴 수 있다.
예시: 아트 갤러리에서 희소한 원작을 판매한다.

계절적 가용성(Seasonal Availability)

제품을 특정 계절에만 이용 가능하다고 마케팅 한다. 그 기간 동안 구매를 독려한다.
예시: 패션 브랜드를 겨울 시즌에 한정된 겨울 컬렉션으로 판매한다.

VIP 멤버십 제공(VIP Memberships)

VIP 또는 충성 멤버십을 통해 독점적인 혜택을 제공한다. 충성 고객을 보상하고 이탈을 방지한다.
예시: 항공사가 VIP 단골 서비스(frequent-flyer) 제공한다.

한정판 제품 제작(Limited Editions)

상품의 한정된 수량을 생산한다. 희소성과 수집 가치를 느끼게 한다.

예시: 장난감 회사가 한정판 액션 피규어를 출시한다.

대기 명단 운영(Waitlists)

고수요 상품에 대한 대기 명단을 운영한다. 고객들이 명단에 가입하여 수요의 높음을 인식하게 한다.
예시: 기술 회사가 새로운 스마트폰 출시를 위한 대기 명단을 만든다.

카운트다운 타이머 사용(Countdown Timers)

웹 사이트에 제품 출시나 세일을 위한 카운트다운 타이머를 사용한다. 희소성을 시각적으로 표현한다.
예시: 온라인 상점이 제품 출시를 위한 카운트다운 타이머를 표시한다.

품절 통보 표시(Sold-Out Notifications)

제품이 품절된 경우 통보를 표시한다. 수요가 높음을 나타내고 고객들에게 재확인을 유도한다.
예시: 온라인 티켓 판매 플랫폼이 이벤트 티켓이 매진되었을 때 "품절"을 표시한다.

"천국은 마치 밭에 감추인 보화와 같으니 사람이 이를 발견한 후 숨겨 두고 기뻐하며 돌아가서 자기의 소유를 다 팔아 그 밭을 사느니라"
마태복음 13:44

☞ 희소성 멘트

"이 혜택은 한정된 기간 동안만 제공되며, 재고가 소진되는 동안에만 사용할 수 있어요."
제안의 긴급성과 독점성을 강조한다.

"요청이 많아 수량이 얼마 남지 않았습니다."
긴박감과 경쟁의식을 조성한다.

"이 한정판은 다른 곳에서는 구할 수 없습니다."
한정성과 희소성을 강조한다.

"다시 나오기 힘든 구성입니다. 기회를 놓치지 마세요."
기회의 최종성과 긴급성을 강조한다.

"소수 고객 분들을 위해 특별히 제작된 단 한 번의 기회입니다."
독점적이고 특별한 지위에 있다는 느낌을 준다.

"선착순 10명의 고객에게만 이 특별 할인을 제공하고자 합니다."
시간 및 경쟁과의 경쟁을 암시한다.

"이 한정판 버전에는 다른 모델에서는 볼 수 없는 독특한 기능이 있습니다."
희소성과 독창성을 강조한다.

"프리미엄 혜택을 누리는 특별한 패키지를 가입하고 누리세요"
특권층에 속해 있다는 소속감을 암시한다.

"이 제품은 계절적 특성으로 인해 짧은 기간 동안만 사용할 수 있습니

다."
구매 가능 기간을 한정된 기간과 연결하여 희소성을 강조한다.

"일반 고객층에게 공개되기 전에 지금 구매를 확정하세요."
조기 선점의 필요성 및 독점성을 제공한다.

■ 요약

결핍의 심리학과 경제학의 개념이 녹아 들어가 결핍이 인간의 의지와 행동에 영향을 미치는 힘이다.
무언가 부족하거나 공급이 제한적이라고 인식할 때 FOMO를 느끼고 행동에 동기부여를 받는다.
희소 뒤에 숨은 심층적인 메커니즘과 신경과학을 이해하면 구매 결정을 촉발하는 다양한 요인을 자극하게 된다.

■ 핵심키워드

결핍, FOMO, 제한된 가용성, 한정성, 한시성, 희귀성, 독점성, 독창성, 구매신경과학, 긴급함, 심리적 트리거, 한정판, 대기명단, 카운트다운, 품절

■ 적용 질문

희소성이 영업과 설득에서 어떤 특징들이 있는가?
희소성으로 영업과 설득에서 거둘 수 있는 기대요소는 무엇인가?
희소성을 효과적으로 활용하는 10가지 방법이 무엇이고 나에게 있어 강화해야 할 요소는 무엇인가?

제 **4** 장

유머(Humor)

"유머는 설득을 가속화시키는 가속페달이다."
닥터 브라이언(Dr. Brian)

유머(Humor)

■ 개념

설득기법 중에서 유머는 매우 효과적인 전략 중 하나이다. 상대의 감정적인 상태를 바꾸어 주어 긴장을 풀어주고, 관심을 끌어내며, 상대방으로부터 호감도를 높일 수 있다. 또한, 유머는 상대와의 거리를 가깝게 만들어주어 상대방과의 관계를 개선시키는 효과도 있다. 유머는 기억에 남고[18], 메시지에 대한 태도와 구매의도에 긍정적인 영향을 주는 요소이다. 상대의 참여를 유도하고 영향을 미치기 위해 웃음과 즐거움을 활용함으로써 설득과 판매에 중요한 역할을 한다. 여기에는 긍정적인 감정적 반응을 만들기 위해 농담, 재치, 장난스러운 언어와 같은 희극적인 요소를 사용하는 것이 포함된다. 설득에 있어서 유머의 개념은 사람들이 긍정적인 감정을 불러일으키는 메시지를 더 잘 받아들인다는 생각에 뿌리를 두고 있다. 유머를 효과적으로 사용하면 주의를 끌고, 메시지 기억력을 향상시키며, 메시지나 제품에 대한 호의적인 태도를 조성할 수 있다.

유머를 사용한 설득 기법은 크게 세 가지로 나눌 수 있다. 첫 번째는 웃음 자체가 목적인 것으로, 즐거움과 웃음을 선사함으로써 상대방의 호감도와 긍정적인 인상을 높이는 방식이다. 두 번째는 웃음을 이용하여 주제에 대한 관심을 높이고, 상대방이 참여하도록 유도하는 방식이다. 세 번째는 웃음을 이용하여 상대방이 받아들이기 어려운 주장을 부드럽게 전달하는 방식이다.

하지만, 유머를 사용한 설득 기법은 주의해야 할 점도 있다. 웃음을 유

---

[18] "The Role of Humor in Advertising Effectiveness", David M. Allen and David L. Gotcher

발시키는 것은 간단하지만, 그것이 상대에게 욕설, 비하, 차별 등을 담은 것이라면 상대방의 호감도를 떨어뜨릴 수 있으며, 설득 상대가 심각한 문제에 대해 웃음을 유발시키는 것은 비합리적인 행동으로 인식될 수 있다.

따라서, 유머를 사용한 설득 기법을 적용할 때에는 상대를 잘 파악하고, 상황에 맞는 적절한 웃음을 사용해야 한다. 또한, 상대방의 감정을 해치지 않는 선에서 사용해야 하며, 웃음을 이용한 설득은 항상 주제와 상황에 맞는 적절한 사용이 필요하다.

설득에 유머를 사용하는 주요 근거는 심리적 장벽을 무너뜨리고 저항을 줄이며 메시지와 상대 사이의 관련성[19]을 조성하는 능력에 있다. 웃음을 불러일으키는 유머는 브랜드와 긍정적인 관계를 형성하여 브랜드를 더욱 기억에 남게 만들고 메시지와의 더 깊은 연결을 촉진할 수 있다. 또한 유머는 사회적 결속 메커니즘 역할을 하여 경험 공유를 장려하고 호감도를 높일 수 있다.

설득에 유머를 사용하는 핵심 본질은 상대의 선호도, 문화적 맥락, 홍보되는 제품이나 메시지를 신중하게 고려하는 것이다. 유머의 유형[20]이나 강도 혹은 다른 설득 요소와의 상호작용에 따라 메시지를 보완하기도 하고 반대로 손상시키기도 한다. 적당한 유머 강도와 높은 메시지 관련성이 결합이 되면 설득 효과에 가장 긍정적으로 영향을 미친다. 효과적인 유머는 의사소통의 전반적인 어조와 목표에 부합해야 하며, 관련성과 적절성을 유지해야 한다. 하지만 과도하거나 부적절한 유머

---

[19] "The Influence of Humor Strength and Humor Message Relatedness on Advertising Effectiveness", Eva A. van Reijmersdal, Peter C. Neijens, and Edith G. Smit

[20] "Humorous Appeals and Persuasion: The Differential Impact of Product Involvement and Humor Type", Charles S. Gulas and Marc G. Weinberger

는 의도한 메시지를 가리거나 브랜드의 신뢰도를 손상시킬 수 있으므로 균형을 맞추는 것이 중요하다.

연구에 따르면 유머는 메시지 이해력을 높이고 정보 보유력을 높이며 구매 의도에 긍정적인 영향을 미칠 수 있다. 더욱이, 유머러스한 메시지는 소셜 미디어 플랫폼에서 더 자주 공유되는 경향이 있어 그 도달 범위와 영향력이 증폭된다. 제품 카테고리[21]의 유형에 따라 유머러스한 호소력의 효과가 다를 수 있기 때문에 유머의 유형도 다르게 구사하는 것이 바람직하다. 인지적, 정서적 과정에 영향을 주고 메시지에 대한 주의력[22], 이해력, 선호도를 높여 설득력을 강화할 수 있다. 설득에 유머를 성공적으로 포함시키려면 상대의 감성에 대한 미묘한 이해와 유머가 긍정적인 감정적 반응을 조성하는 동시에 핵심 메시지를 강화하도록 하는 전략적 접근이 필요하다.

성공적으로 적용된 3가지 사건은 아래와 같다.

첫 번째로, 오바마 대통령의 2015년 화이트하우스 코런트 쇼에서의 연설이다. 오바마 대통령은 "아빠 농담"이라는 유머를 적극 활용하여 대중들과의 감성적인 연결고리를 형성하고, 코미디언 마크 마론과의 인터뷰에서 이를 깊게 논의하면서 더욱 더 큰 호응을 얻었다.

두 번째로, 인터넷 서비스 제공업체 GoDaddy의 2013년 슈퍼볼 광고이다. 이 광고는 섹시한 모델과 함께 유머와 사치스러움을 결합하여 매우 화제를 모았다. 이 광고를 통해 GoDaddy는 브랜드 인식도를 높이고, 새로운 고객들을 확보하는 데에 성공했다.

---

[21] "The Effects of Humor on Attention in Magazine Advertising", Marcel Zeelenberg and Rik Pieters
[22] "Humor and Persuasion", Melanie Dempsey and Andrew J. Mitchell

세 번째로, 비디오 게임 개발사 Blizzard Entertainment의 2016년 "오버워치" 게임 발매를 앞두고 진행된 마케팅 캠페인이다. 이 캠페인에서 Blizzard는 굉장히 유머러스한 광고를 제작하여 이를 통해 게임 발매를 알리고, 이후 게임의 대대적인 성공에 큰 도움을 주었다.

유머(Humor)가 부정적으로 적용된 사례는 아래와 같다.

첫 번째로, 2018년 광고에서 일어난 삼성 노트북의 유머 부정적 적용 사례로 2018년 삼성 노트북 광고에서는 노트북이 살아 숨쉬는 듯한 인상을 주기 위해 노트북이 귀여운 동물과 대화하는 내용을 담았다. 하지만 이 광고는 동물을 악용하고 유머의 수준이 낮아서 일부 상대들로부터 부정적인 반응을 받았다.

두 번째로, 트위터에서 일어난 사례로 2013년, 한 남성이 여자들에게 선물로 어떤 것을 선물해야 하는지 물어보는 트위터 글에, 다수의 사용자들이 유머를 섞어 답변하였다. 이 중 일부 사용자들은 여성의 몸을 농담으로 이용하였고, 이는 사회적으로 부적절하다는 비난을 받았다.

세 번째로, 유튜브에서 일어난 사례로 2018년, 유튜버 로간 폴이 일본에서 촬영한 비디오에서 유머를 이용해 자살을 범한 사람의 시신을 촬영한 내용이 포함되어 있었다. 이 내용은 매우 논란이 되었고, 이후 이 내용으로 유튜브에서 정지 처리를 받았다.

> **"웃음은 순식간에 편안함을 준다."**
> 밀턴 버를(Milton Berle)

■ 핵심 특징

참여 증대(Enhances Engagement): 유머는 순수한 정보나 진지한 메시지보다 사람들의 관심을 더 효과적으로 끌어들일 수 있다. 유머를 사용하면 상대가 귀를 기울일 가능성이 높으며, 이는 영업 또는 설득 논쟁에서 메시지에 더 많이 참여할 수 있음을 의미한다.

화목감 구축(Builds Rapport): 유머는 상대와 연결을 확립하는 데 도움이 될 수 있다. 함께 하는 웃음은 동료간 화목감을 형성하며, 상대가 더 편안하고 메시지에 개방적으로 반응하게 만들 수 있다.

기억력 향상(Boosts Memory): 사람들은 웃음 포인트를 순수한 사실적 정보보다 더 쉽게 기억한다. 만약 영업 또는 설득 논쟁에서 유머를 사용한다면, 상대가 주요 포인트를 기억할 가능성이 높아진다.

저항력 감소(Reduces Resistance): 유머는 심리적으로 무장을 해제하는 방식으로 작용할 수 있다. 사람들이 웃으면 자신의 방어태세를 줄일 수 있으며, 아이디어나 영업 제안에 대한 저항력이 감소할 수 있다.

메시지를 인간적으로(Humanizes the Message): 유머는 영업인 또는 설득자로서 상대를 인간적으로 만들 수 있다. 이는 당신을 무모한 제안을 하는 기계가 아니라 상대와 공감할 수 있는 사람으로 보여주며,

편안하게 만들고 개방적으로 만들 수 있는 데 유용할 수 있다.

소통을 원활하게(Facilitates Communication): 유머는 소통 장벽을 허물 수 있다. 유머를 사용하면 상대의 주의를 끌고 유지할 가능성이 높아져 메시지가 효과적으로 전달된다.

메시지를 차별화(Differentiates Your Message): 유머는 당신을 경쟁 업체와 구별할 수 있다. 혼잡한 시장에서 유머적인 접근은 메시지를 돋보이게 만들 수 있다.

긴장을 완화(Eases Tension): 영업 상황에서는 종종 긴장이나 압박감이 따를 수 있다. 유머는 훌륭한 긴장 해소제로 작용하여 상대방이 편안해지도록 돕는다.

지각된 능력 향상(Improves Perceived Competence): 적절하게 사용할 때, 유머는 당신의 지각된 능력을 향상시킬 수 있다. 이는 당신이 자신감 있게 유머를 효과적으로 활용할 수 있다는 것을 보여주며 유용한다.

상대에 적응(Adapt to Your Audience): 유머는 주관적이다. 한 사람에게 재미있는 것이 다른 사람에게 그렇지 않을 수 있다. 따라서 당신의 유머를 상대 상대의 선호도와 감각에 맞게 조절하는 것이 중요하다.

그러나, 유머는 가지고 있는 주의사항도 있다:

부적절한 유머(Inappropriate Humor): 무례하거나 부적절한 유머를 사용하면 역효과를 낼 수 있으며, 당신의 평판을 손상시키고 상대를 소외시킬 수 있다.

과도한 사용(Overuse): 너무 많은 유머는 당신의 메시지를 가려버릴 수 있다. 주요 메시지가 명확하게 전달되도록 균형을 유지하는 것이 중요하다.

예측 오류(Misjudgment): 모든 사람이 같은 감각의 유머를 공유하지 않는다. 상대의 유머 감각을 오인할 경우 해로운 결과를 초래할 수 있다.

> "인류에게 정말 효과적인 무기는 단 하나, 바로 웃음이다."
>
> 마크 트웨인(Mark Twain)

■ 유머(Humor)를 효과적으로 활용한 대면영업 사례

✦ 사무용품 판매 미팅에서의 유머

A는 사무용품 회사의 영업 대표로, 큰 기업 사무실과 중요한 판매 미팅이 예정되어 있었다. 기업 고객은 종종 엄중하고 공식적인 미팅을 가지곤 했기 때문에 미팅을 기억에 남게 하기 위해 유머를 가미했다.

"비즈니스 생존 키트"라고 적힌 것을 선물하면서 회의를 시작했다. 사무용품으로 가득 찬 서류 가방을 열며 "회사라는 정글에서 살아남으려면 상사가 계속 말을 걸 때 생각을 정리할 수 있는 메모지 한 팩과 같은 필수품이 필요하지요."라고 말했다.

이러한 유머를 예상하지 못했기 때문에 미팅이 시작되자마자 웃음을 터뜨렸다. 프레젠테이션 도중에도 미소 짓게 하면서 업무에서의 일상적인 도전과 사무실 업무에 대한 유머로 가득한 프레젠테이션을 이어갔다. 분위기는 밝게 유지되었고 모두 참여적이며 수용적이었다.

얼음을 깨라(Break the Ice): 유머는 얼음을 깨고 공식적인 미팅에서도 더욱 편안한 분위기를 조성하는데 도움이 된다.

참여 촉진(Enhance Engagement): 유머는 상대를 참여시키고 주목을 끌어, 프레젠테이션을 더 효과적으로 만든다.

기억에 남음(Memorability): 유머를 사용하면 프레젠테이션을 더 기억하기 쉽게 만들어, 메시지가 고객에게 남을 가능성을 높인다.

개인적인 친화(Connect on a Personal Level): 유머는 고객과 개인적인 친밀감을 형성하는 데 도움이 되어, 더욱 단단한 끈으로 연결된다.

적절한 유머(Appropriate Humor): 유머를 사용할 때는 항상 상대의 선호도와 감수성을 고려하여야 한다.

시사점 : 유머를 효과적으로 활용한 예시, "비즈니스 생존 키트"를 제시한 것은 분위기를 유쾌하게 만들 뿐만 아니라 그의 프레젠테이션을 기억에 남게 만들었다. 이는 고객 팀과 개인적으로 연결되어 성공적인 결과를 이끈 원인 중 하나였다.

✧ 차량 판매에서의 유머

A는 차량 판매원으로서 큰 거래가 예정된 자리에 있었으며, 매우 직설적인 태도로 유명한 잠재적인 자동차 구매자와의 미팅을 가졌다. 웃음을 웃을 수 있도록 만드는 것이 거래를 성사시키는 열쇠일 수 있다는 것을 이해했다.

"자세히 설명하기 전에 제가 일반적인 자동차 영업사원이 아니라는 점을 말씀 드리고 싶네요. 오늘은 '중고차 세일즈맨'이라는 진부한 표현을 사용하지 않겠다고 약속하겠다."라고 말했다. 그런 다음 자동차 세일즈맨으로서의 경험에 대한 농담을 던지며 프레젠테이션을 이어갔다.

유머적인 접근에 대해 웃음을 터뜨렸고, 분위기는 즉시 부드러워졌다. 미팅 전반에 걸쳐 유머를 사용하여 더 편안하게 느끼도록 하고 긍정적인 관계를 형성했다. 미팅이 끝나고 자동차만 구매하는 것뿐만 아니라 웃으면서 함께 나갔다.

관계 구축(Building Rapport): 유머를 사용하면 고객과 관계를 형성하기 쉽다. 그들이 더 편안해 질 수 있도록 도와준다.

저항 극복(Overcoming Resistance): 유머 사용은 저항과 회의감을 극복하고 잠재적인 구매자를 설득하기 쉽게 만들 수 있다.

긍정적인 경험 창출(Creating Positive Experiences): 긍정적이고 기억에 남는 경험은 성공적인 판매와 반복 비즈니스로 이어질 수 있다.

맞춤형 유머(Customized Humor): 최상의 결과를 위해 유머를 고객의 성격과 선호도에 맞게 맞춘다.

시사점 : 차량 판매에 대한 위트 있고 즐거운 접근법은 즐거운 경험을 제공했으며, 결과적으로 성공적인 판매로 이어졌다. 유머는 고객과 연결하고 잠재적인 이의제기를 극복하는 데 도움이 되었다.

> "다른 사람들을 웃게 할 수 있는 사람들이
> 지구 상에서 가장 설득력 있는 사람들이다."
> 존 H. 존슨(John H. Johnson)

■ 유머(Humor)를 오용하여 부정적으로 이용된 대면영업 사례

✧ 금융 분야에서의 실패한 유머

A는 기술 회사의 영업 대표로서 금융 분야의 보수적인 기관과의 프레젠테이션을 가졌다. 프레젠테이션을 기억에 남게 만들기 위해 유머를 과도하게 활용했다.

주제와 관련이 없는 일련의 농담과 웃긴 이야기로 프레젠테이션을 시작했다. 유머 관련 표현과 어색한 상황에서의 웃음을 사용했는데, 이는 금융 산업의 엄숙한 성격과 어울리지 않았다. 그의 농담은 상대를 끌어들이는 대신 혼란과 어색함을 초래했다.

고객은 부적절한 유머에 감동받지 않았으며 오히려 불쾌함을 느꼈다. 프레젠테이션을 진지하게 받아들이기 어려웠고, 분위기는 불편해졌다. 미팅은 고객으로부터의 관심을 충분히 끌지 못하고 종료되었다.

상대 상대 파악(Know Your Audience): 유머를 사용할 때 상대의 선호도와 회의의 맥락을 이해하는 것이 중요하다. 이 경우, 금융 산업의 보수적인 성격과 일치하지 않았다.

적당한 사용(Moderation is Key): 유머는 효과적일 수 있지만 적당하게 사용하고 주제와 관련이 있어야 한다. 과도하거나 관련 없는 유머는 역효과를 낼 수 있다.

환경 존중(Respect the Environment): 전문적인 환경에서는 존중하고 적절한 분위기를 유지하는 것이 중요하다. 부적절한 유머는 신뢰도에 해를 입힐 수 있다.

피드백과 적응(Feedback and Adaptation): 유머가 상대와 어울리지 않는다고 느끼면 적응하고 더 적합한 접근 방식으로 전환할 준비가 필요하다.

시사점 : 주제와 무관하며 부적절한 유머 사용은 판매 프레젠테이션에 부정적인 영향을 미쳤다. 이는 판매에서 유머를 분별하여 사용하고 상대 및 맥락에 맞게 조절해야 함을 상기시키는 사례이다.

✧　**실패한 유머 영업 프레젠테이션**

A는 기술 회사의 영업 대표로서 중요한 클라이언트와의 회의를 가졌다.

이 클라이언트는 보수적인 기관이었다. 돋보이고 싶고 프레젠테이션을 기억에 남게 만들기 위해 유머를 지나치게 사용했다.

주제와 무관한 연속적인 농담과 재미있는 일화로 프레젠테이션을 시작했다. 관련 없는 유머를 억지스럽게 사용했다. 이러한 유머는 해당 업계의 진지한 성격과 맞지 않았으며, 상대는 혼란과 어색함을 느꼈다.

부적절한 유머에 긍정적으로 반응하지 않았고 오히려 불쾌함을 느꼈다. 회의 분위기는 어색해지며 프레젠테이션은 의도한 효과를 잃었다. 클라이언트는 다른 옵션을 탐색하기로 결정하여 기회를 놓치게 되었다.

상대를 이해하라(Know Your Audience): 유머를 사용할 때 상대의 선호도와 문맥을 이해하는 것이 중요하다. 전문적인 비즈니스 성격과 맞지 않았다.

관련성이 중요하다(Relevance Matters): 유머는 문맥과 업계와 관련이 있어야 하다. 한 곳에서 적절한 것이 다른 곳에서는 작동하지 않을 수 있다.

조심스럽게 다뤄라(Tread Lightly): 특히 전문적인 환경에서는 유머를 사용할 때 주의해야 한다. 가볍게 보일 수 있는 것도 다른 사람에게는 불쾌할 수 있다.

적응하고 배우라(Adapt and Learn): 여러분의 유머가 잘 받아들여지지 않는다면, 경험에서 배우는 것에 열려 있어야 한다.

시사점 : 유머의 오용은 불쾌하고 비효과적인 영업 프레젠테이션을 초래했다. 이는 유머가 항상 심사숙고하고 고려하며 상대와 문맥을 깊이

이해하는 상황에서 사용되어야 함을 상기시켜 주는 사례이다.

———————————×◇×◇×———————————

"유머는 삶의 거친 부분을 녹이는 용매제이다."
찰스 R. 스윈돌(Charles R. Swindoll)

■   유머(Humor)를 효과적으로 활용하는 10가지 방법

상대를 이해한다(Know Your Audience)

상대의 관심사와 감정을 이해한다. 상대의 취향에 맞게 유머를 활용한
다.

*예시: 기술관련 상대 앞에서는 기술적인 유머나 관련된 내용을 활용한
다.*

관련된 유머 사용(Tell Funny Stories)

유머가 주제나 업계와 관련이 있어야 한다. 활용하는 유머가 프레젠테
이션의 맥락과 일치하게 한다.

예시: 정원 도구를 판매한다면 정원과 관련된 유머를 활용한다.

재미있는 이야기 공유(Use Relevant Humor)

재미있는 이야기는 기억에 남고 공감을 이끌어낸다. 사람들이 웃을 수 있는 이야기를 공유하고 메시지와 연결한다.

예시: 귀하의 제품이 어떻게 문제를 해결하는지를 보여주는 재미있는 고객 성공 사례를 공유한다.

자기 비하 유머 활용(Self-Deprecating Humor)

자신을 가볍게 비판하여 다가가기 쉽게 한다. 자기 비하 유머를 사용하여 얼음을 깨고 관계를 구축한다.

예시: 내가 저지른 작은 실수를 인정하고 재미있는, 공감 가능한 이야기로 전환한다.

타이밍은 중요하다(Timing is Everything)

최대 효과를 위해 유머를 적절한 순간에 전달한다. 유머를 사용하여 긴장을 풀거나 미팅을 시작하거나 주요 포인트를 강조한다.

예시: 세일즈 피치를 시작할 때 웃기는 일화를 공유하여 상대의 관심을 끌어라.

시각 보조자료 활용(Use Visual Aids)

프레젠테이션에 유머적인 시각적 자료를 포함시켜본다. 시각적 유머는 메시지를 강화하고 기억에 남도록 도와준다.

예시: 제품이 해결하는 일반적인 문제를 나타내는 재미있는 자료를 포함시킨다.

이야기 품질 높이기(Incorporate Anecdotes)

재미있는 일화를 공유하여 관계를 구축한다. 상대와 웃으면서 감정적으로 동질감이 형성되도록 관련성 있는 경험을 공유한다.

예시: 귀하의 제품이 어떻게 문제를 해결하는지 강조하는 웃기는 상황을 언급한다.

언어 놀이 활용(Play with Language)

언어 놀이, 말장난, 혹은 재치 있는 슬로건을 활용한다. 재치 있는 언어 놀이는 메시지를 더 화려하게 만들고 기억에 남도록 도와준다.

예시: 귀하의 제품의 독특한 기능을 강조하는 웃기는 슬로건을 만들어 본다.

가벼운 장난(Light Teasing)

상대에게 가볍게 장난을 친다. 가벼운 장난은 유쾌한 분위기를 만들고 관심을 끌어본다.

예시: 가볍게 장난치며 제품의 장점을 부각시킨다.

공감 실천하기(Practice Empathy)

문화적 차이를 고려하고 무례한 유머는 피한다. 유머는 누구도 모욕되거나 배제되어서는 안되며 포용적이고 존중적이어야 한다.

예시: 다양한 상대를 상대로 작업할 때 문화적 경계를 초월하는 보편적으로 인정받는 유머를 사용한다.

시사점 : 유머의 효과적인 사용은 설득과 영업 노력을 더욱 매력적이고 공감 가능하며 기억에 남도록 만들 수 있다. 그러나 유머를 사용할 때는 신중하게 사용하고 상대와 메시지에 부합하는지 확인하는 것이 중요하다.

"'재미있는 사람'이 될 필요는 없지만 '흥미로운 사람'이 되어야 한다."
데이비드 미어먼 스콧(David Meerman Scott)

☞ 유머(Humor) 멘트

"이 제품이 여러분의 일을 대신해 줄지도 모릅니다! 농담입니다. 아무도 여러분 같은 전문인을 대체할 수는 없지요."
제품의 효율성을 유쾌하게 강조한다.

"저희 서비스는 주머니에 들어가지 않는다는 점을 제외하면 스위스 군용 칼과 같습니다!"
다용도성을 유머러스한 비유로 전달한다.

"우리 제품은 마법처럼 작동한다고 말하고 싶지만 마법사들을 질투하게 만들고 싶지는 않네요."
제품의 효과를 재미있게 강조한다.

"이 거래는 너무 달콤해서 오늘은 디저트가 필요 없을지도 몰라요!"
거래의 매력에 대한 재미있게 비유한다.

"우리 제품이 더 최첨단 제품이었다면 안전 경고문과 함께 판매해야 했을 거예요!"
제품의 혁신성을 강조하기 위한 재미있게 과장한다.

"이 제품을 구입하면 초콜릿가게에 온 기분이 들지만 훨씬 더 건강한 결과를 얻을 수 있습니다!"
구매의 기쁨과 혜택을 유머러스 하게 전달한다.

"인생에서 가장 좋은 것은 공짜라는 말이 있지만, 우리 제품도 그와 비슷하게 꽤 근접해 있지요!"
제품의 가치를 재치 있게 강조한다.

"우리 서비스는 십대가 문자에 답장하는 것보다 빠릅니다!"
속도를 전달하기 위한 공감하는 유머를 비유적으로 강조한다.

"이 제품은 매우 사용자 친화적이어서 할머니도 좋아하십니다. 그리고 할머니는 여전히 저에게 TV 리모컨에 대한 도움을 요청하고 계세요!"
사용자 편의성을 재미있게 강조한다.

■   요약

유머는 상대의 감정적인 상태를 바꾸어 긴장을 풀고 호감도를 얻는 효과적인 전략이다.
기억에 남고 태도와 구매의도에 긍정적인 영향을 준다.
웃음과 즐거움을 활용함으로 호의적인 태도를 조성하고 어려운 주장을 부드럽게 전달한다.

■   핵심키워드

유머, 웃음, 아이스브레이크, 호감도, 결속 메커니즘, 화목감, 고객이해, 타이밍, 자기비하, 가벼운 장난

■   적용 질문

유머가 설득과 영업에서 가지는 특징들은 무엇인가?
유머로 설득과 영업에서 거둘 수 있는 기대효과는 무엇인가?
설득과 영업에서 유머를 효과적으로 활용할 수 있는 10가지 방법은 무엇이고 나에게 강화해야 할 요소는 무엇인가?

———————◦◦◦———————

"상대를 웃게 할 수 있다면, 무엇이든 할 수 있다."
마릴린 먼로(Marilyn Monroe)

제 **5** 장

슬로건(Slogans)

"좋은 슬로건은 설득의 항해를 돕는 나침반이다."
닥터 브라이언(Dr. Brian)

슬로건(Slogans)

■ 개념

설득 기법 중 Slogans(슬로건)은 짧은 구문으로 제품 또는 브랜드의 핵심 가치를 강조하는 전략이다. 슬로건은 광고, 마케팅, 정치적[23] 캠페인에서 흔히 사용되며, 간단하고 쉽게 외우기 쉬우며 브랜드 인식을 높이는 효과가 있다. 슬로건은 대개 짧은 문장으로 구성되어 있으며, 브랜드나 제품을 강조하는 핵심 메시지를 담고 있다. 슬로건을 통해 브랜드가 원하는 이미지를 소비자에게 전달하고, 브랜드와 소비자 간의 유대감을 형성할 수 있다.

슬로건은 제품, 브랜드 또는 아이디어의 본질을 요약하는 간결하고 기억에 남을 만한 영향력 있는 메시지를 제공하여 설득 및 판매 분야에서 중추적인 역할을 한다. 브랜드의 가치 제안을 전달하고 감정을 불러일으키며 의사결정에 영향을 미치기 위해 전략적으로 만들어진 간결한 문구 또는 태그라인(Tagline)[24]이다. 이는 관심을 끌고, 지속적인 인상을 남기며, 대중의 인식을 형성하는 강력한 도구 역할을 한다. 광고 캠페인에 사용되는 다양한 브랜드 메시지를 효과적으로 전달하기 위한 슬로건이나 태그라인의 일환이다.

슬로건의 개념은 설득 심리학에 뿌리를 두고 있으며, 휴리스틱과 같은 인지적 지름길을 활용하여 단 몇 단어만으로 복잡한 아이디어나 연관

---

[23] "Political Slogans and the Rhetoric of Change: An Analysis of U.S. Presidential Campaigns", Darren Kew(2019)
[24] Anderson, M. B., & Williams, C. B. (2020), "Strategies for Effective Brand Messaging: An Analysis of Successful Campaigns."

성을 전달한다. 잘 만들어진 슬로건은 소비자의 감성을 자극하여 즉각적인 동질감과 공감을 불러일으킨다. 슬로건은 반복과 단순성의 힘을 활용하여 브랜드가 소비자의 마음 속에 자리잡고 경쟁 시장에서 차별화될 수 있도록 한다.

언어적, 수사적[25], 전략적 의사소통 기능을 갖고 감정적 반응을 불러일으킬 수 있어 설득을 위한 효과적인 도구이다. 설득력 있는 언어에는 정서적 호소와 합리적 호소[26] 등 다양한 유형의 메시지로 소비자 반응과 태도에 영향을 미친다. 특정 단어나 개념 같은 미묘한 단서가 인지 메커니즘을 작동시켜 의미론적 마중물(Priming)[27] 역할을 하게 되어 후속 행동에 미치게 된다.

슬로건 효과는 그 뒤에 숨겨진 심리적 메커니즘[28]에 의해 소비자 태도와 선호도에 영향을 주어 브랜드 충성도와 구매의도를 향상시키는 역할을 한다.
정치 슬로건을 활용되면 정책 목표, 이데올로기, 유권자의 열망을 압축적으로 표현하고 후보자의 전반적인 메시지 전략에 기여한다. 온라인 활동 커뮤니티에서는 #MeToo[29]운동과 같이 해시태그와 슬로건이 일체감을 조성하고 인식을 높여 참여를 촉진하는데 중요한 역할을 하기도 했다. 슬로건에 언어적 창의성을 통합하면 집중력, 이해력, 정치적

---

[25] "The Rhetoric of Slogans: A Generative Approach" , Yuliya Semenova(2018)

[26] Lee, S., & Chang, Y. (2018), "The Role of Persuasive Language in Advertising: A Comparative Study of Emotional Appeal and Rational Appeal."

[27] Bargh, J. A., & Chartrand, T. L. (2000), "The Mind in the Middle: A Practical Guide to Priming and Automaticity Research."

[28] "The Power of Slogans: Slogan Usage and Consumer Behavior" ,Hayley Gilman and Anastasia Thyroff(2016)

[29] "Slogan Usage in Social Media: A Case Study of the #MeToo Movement" , Rui Liu and Daniel C. Brouwer(2020)

담론[30]의 정체성이 증가하는데 기여한다.

효과적인 슬로건은 제품이나 브랜드의 주요 속성을 구현하고, 대상 고객의 가치와 일치하며, 감정적인 반응을 촉발한다. 슬로건은 긍정적인 감정을 불러일으키거나 문화적 참조를 활용함으로써 친숙함, 신뢰, 충성심을 이끌어낼 수 있다. 슬로건은 또한 소비자가 구매 결정을 내릴 때 특정 브랜드를 기억하도록 하여 브랜드 회상에 도움이 된다.

슬로건을 활용한 설득 기법은 주로 브랜드가 어떤 가치를 가지고 있고, 소비자들이 그 가치에 동참하도록 유도하는 것이다. 슬로건은 브랜드의 가치관, 목표, 비전 등을 대중에게 직관적으로 전달할 수 있는 방법이다. 이를 통해 소비자들은 제품이나 브랜드와 관련된 감정을 형성하게 되며, 그 결과 브랜드 인식과 충성도가 증가한다. 슬로건은 일반적으로 5-7 단어 이내로 구성되며, 브랜드와 소비자 간의 연결고리를 형성한다. 슬로건을 만들 때, 브랜드가 주목할 만한 독특한 가치를 강조하는 것이 중요하다. 또한, 슬로건은 소비자의 이해를 돕기 위해 명확하고 직관적이어야 한다. 슬로건은 브랜드나 제품의 핵심 가치를 전달하고 브랜드 인식을 높이는 중요한 역할을 한다.

요약하면, 슬로건은 설득과 판매에서 간결하고 영향력 있는 커뮤니케이션 도구 역할을 한다. 정서적 공명, 단순성, 반복을 통해 강력한 브랜드 연관성을 창출하고 소비자 행동에 영향을 미치므로 관심을 끌고 원하는 행동을 유도하는 것을 목표로 하는 마케팅 전략의 기본 측면이 된다.

---

[30] "Slogans: The Role of Wordplay in Political Discourse" by Isabel Verdaguer and Carles Calsamiglia(2021)

"좋은 슬로건은 천 개의 단어와 동일하다."
미상(Unknown)

■ 핵심 특징

기억력(Memorability): 슬로건은 기억하기 쉽게 만들어져야 한다. 그들은 소비자가 브랜드 또는 메시지를 쉽게 기억하도록 도와준다. 이러한 기억력은 브랜드 인식과 연관성을 강화한다.

감정적 공감(Emotional Resonance): 효과적인 슬로건은 감정을 자극한다. 그들은 기쁨, 향수, 신뢰 또는 흥분 같은 감정을 불러일으킬 수 있다. 감정은 결정을 내릴 때 강력한 요인이며, 감정적으로 연결되는 슬로건은 소비자 행동에 더 큰 영향을 미칠 가능성이 높다.

브랜드 정체성(Brand Identity): 슬로건은 브랜드의 정체성을 확립하고 유지하는 데 중요한 역할을 한다. 그들은 브랜드의 핵심 가치, 미션 및 본질을 요약한다. 시간이 지남에 따라 슬로건은 브랜드 자체와 동의어가 된다.

차별화(Differentiation): 슬로건은 제품 또는 서비스가 유일한 점을 강조해야 한다. 그들은 브랜드를 경쟁 업체와 구분하는 주요 이점 또는 가치 제안을 강조한다. 잘 만들어진 슬로건은 이 차별화를 효과적으로 전달한다.

간결함과 명확성(Simplicity and Clarity): 간결성은 성공적인 슬로건에 필수적이다. 메시지는 간결하고 명확해야 하며, 소비자가 빠르게 이해할 수 있도록 한다. 복잡하거나 모호한 언어를 사용하는 슬로건은 효과적으로 공감하지 못할 수 있다.

일관성(Consistency): 슬로건을 다양한 마케팅 채널과 캠페인에서 일관되게 사용하는 것이 중요하다. 이것은 브랜드 인식을 구축하고 강화하는 데 도움이 된다. 소비자가 반복적으로 동일한 슬로건을 만날 때 메시지를 강화한다.

적응성(Adaptability): 슬로건은 핵심 메시지와 영향을 잃지 않고 다양한 시장, 언어 및 문화적 맥락에 적응할 수 있어야 한다. 이러한 유연성은 브랜드의 일관된 글로벌 메시지를 유지하는 데 도움을 준다.

관련성(Relevance): 슬로건은 대상 고객과 관련성을 유지하고 현재 트렌드, 가치 및 소비자 선호도를 반영해야 한다. 시대에 뒤떨어진 슬로건은 효과를 감소시킬 수 있다.

다용성(Versatility): 다채로운 슬로건은 인쇄 광고에서 디지털 캠페인 및 제품 포장까지 다양한 마케팅 자료에서 사용될 수 있으므로 슬로건의 영향과 범위를 극대화한다.

행동 요청(Call to Action): 일부 슬로건은 고객에게 특정 단계를 취하도록 격려하는 행동 요청을 독려한다. 이는 즉각적인 결과로 이어질 수 있다.

요약하면, 슬로건은 브랜드의 본질을 요약하고, 감정을 불러일으키며, 제품 또는 서비스를 차별화시키는 데 중요한 도구이다. 성공적인 슬로건은 기억하기 쉽고 감정적으로 공감되며 명확하고 적응 가능하며, 소비자 인식과 결정에 중요한 역할을 한다.

"최고의 슬로건은 기억에 남고 간결하며 명확한 메시지를 전달한다."
미상(Unknown)

■ Slogans(슬로건) 대표적인 사례

아래는 슬로건이 성공적으로 적용된 세 가지 사례이다.
첫째, "Just Do It"은 나이키(Nike)의 슬로건으로 유명하다. 이 슬로건은 단순하면서도 강력한 동기부여 요소를 담고 있다. "그냥 해봐"라는 뜻으로, 도전적이고 긍정적인 메시지를 전달한다. 이 슬로건은 많은 사람들이 운동을 시작하고, 새로운 도전을 시도하는 데 도움을 주었다.

둘째, "Think Different"는 애플(Apple)의 슬로건이다. 이 슬로건은 창의성과 독창성을 강조한다. 이전까지는 컴퓨터 회사들이 기술적인 스펙을 중시했지만, 애플은 "Think Different"를 통해 인간 중심적인 디자인과 창의성, 개성을 중요시하였다. 이 슬로건은 애플의 브랜드 이미지와 가치를 강화하는 데 큰 역할을 하였다.

셋째, "Because You're Worth It"은 로레알(L'Oréal)의 슬로건으로 유명하다. 이 슬로건은 고객에게 자신감을 불어넣고, 자신의 가치를 높이는 메시지를 전달한다. 이 슬로건은 여성들에게 큰 인기를 끌며, 로레알의 제품과 브랜드 이미지를 강화하는 데 큰 역할을 하였다.

그러나 이 방법은 부정적으로 적용된 경우도 있다.

첫 번째, 1999년 삼성전자의 '삼성 스마트폰, 더 가까이' 광고이다. 이 광고에서는 Slogans을 사용하여 소비자에게 전화기가 가까이 다가온 느낌을 주면서 구매욕구를 유도했다. 그러나 이 광고는 가까이 다가오는 것과 관련하여 사고가 발생하는 등 부정적인 영향을 미치면서 비판을 받았다.

두 번째, 2012년 코카콜라의 'Who Launched the DJ' 광고이다. 이 광고에서는 Slogans을 사용하여 '코카콜라를 마시면 행복해진다'는 메시지를 전달하였다. 그러나 이 광고는 자살률이 높은 지역에서 방영되면서 자살 유발 요인이 될 수 있다는 비판을 받았다.

세 번째, 2016년 대한민국 국민 청원 게시판에서의 '패션어택' 광고이다. 이 광고는 Slogans을 사용하여 '범죄는 나쁘지만 패션은 죄악이 아니다'라는 메시지를 전달하였다. 그러나 이 광고는 폭력과 패션을 연관 지어 사회적으로 문제가 될 수 있다는 비판을 받았다.

"슬로건은 제품을 브랜드로, 브랜드를 전설로 만들 수 있다."

조지 로스(George Ross)

■ Slogans(슬로건) 활용한 긍정적 대면영업 사례

✧ 스킨케어 제품 홍보

A는 화장품 회사의 영업 대표로 미용 박람회에 참석했다. 자연 친화적인 성분과 친환경 포장으로 알려진 새로운 스킨케어 제품 라인을 홍보하고 있었다. 이러한 이벤트에서 경쟁이 치열하다는 점에서 잠재 고객

의 관심을 끌기가 어려울 것임을 알고 있었다.

제품이 돋보이도록 매력적인 슬로건을 개발했다: "자연 친화적인 아름다움, 자연스러운 당신(Beauty That Cares, Naturally Yours)" 이 슬로건은 제품의 자연스러운 면과 브랜드의 친환경 약속을 강조했다. 슬로건을 배너, 브로슈어 및 제품 소개자료에 두드러지도록 인쇄했다.

이벤트 중에 참석자들이 부스에 다가오면 따뜻하게 인사하고 슬로건을 소개했다. 제품이 슬로건과 어떻게 일치하는지 설명하며 자연스러운 성분과 재활용 가능한 포장을 강조했다. 브랜드가 탄소 배출을 줄이기 위한 노력에 관한 이야기를 공유했으며 환경에 민감한 소비자와 공감대를 형성했다.

효과적인 슬로건과 열정적인 이야기로 많은 참석자들이 부스로 향했다. 브랜드의 가치와 슬로건이 전하는 명확한 메시지를 감사히 여겼다. 박람회 중에 많은 참가자를 잠재 고객으로 성공적으로 전환했다.

전략적 메시지(Strategic Messaging): 브랜드의 가치와 제품 특징과 일치하는 슬로건을 만드는 것은 잠재 고객에게 매력적인 메시지를 전달하는 데 도움이 될 수 있다.

차별화(Differentiation): 잘 설계된 슬로건은 독특한 판매 포인트나 가치를 강조함으로써 경쟁 업체와 구분될 수 있다.

매력적인 스토리텔링(Engaging Storytelling): 슬로건을 매력적인 스토리텔링과 결합하면 고객과 감정적인 친근감을 형성하고 긍정의 영향을 향상시킬 수 있다.

일관된 브랜딩(Consistent Branding): 슬로건을 다양한 마케팅 자료 및 대면 상호 작용에서 일관되게 사용하면 브랜드 정체성과 인식을 강화할 수 있다.

고객가치와 일치(Appealing to Values): 고객의 가치, 예를 들어 지속 가능성 및 자연 친화성과 관련된 슬로건은 특정 대상 고객을 유치 할 수 있다.

시사점 : 잘 만들어진 슬로건이 대면 판매에서 효과적으로 사용될 때 잠재 고객의 주의를 끌고 브랜드의 가치를 전달하며 최종적으로 성공적인 전환으로 이어질 수 있다는 것을 보여준다.

✧ 신규 전기차(EVs) 라인 판매

A는 고객 만족을 위한 헌신으로 유명한 딜러쉽에서 일하는 차량 판매원이었다. 그에게는 시장에서 비교적 새로운 전기차(EVs) 라인을 판매하는 임무가 맡겨졌으며 일부 잠재 구매자들로부터 의심을 받았다.

이 도전을 해결하기 위해 흥미로운 슬로건을 개발했다: "미래로 달리기, 한 마일씩(Driving into the Future, One Mile at a Time)" 이 슬로건은 전기차의 미래 지향적인 측면을 강조하며 이 차량들로 주행한 각 마일이 더 지속 가능한 미래에 기여한다는 아이디어를 전달했다.

주말 프로모션 중에 기존 가솔린 자동차에 관심이 있는 잠재 고객들에게 접근했다. 슬로건을 사용하여 호기심을 자극했다. 전기차가 자동차뿐만 아니라 더 깨끗한 환경에 기여하는 방법이라는 아이디어를 설명했다.

관심 있는 고객들을 위해 시승 기회를 조직하여 그들이 전기차의 부드럽고 조용한 주행을 직접 체험할 수 있도록 했다. 운전하는 동안 효율적인 운영 비용과 화석 연료에 대한 의존성 감소와 전기차의 이점에 대해 강조했다.

많은 고객들이 흥미로운 슬로건과 열정적인 설명으로 인해 딜러쉽 부스로 향해갔다. 처음에는 의심스러웠던 일부 고객들도 전기차 애호가로 전환되었다. 이는 도전적인 시장 세그먼트에서도 효과적인 슬로건이 대면 판매에서 차별적인 고객 인식을 변경하고 성공적인 전환으로 이어질 수 있는 능력을 보여주는 사례이다.

흥미로운 슬로건(Intriguing Slogan): 흥미로운 슬로건은 잠재 고객의 주의를 끌고 호기심을 유발할 수 있다.

교육적 접근(Educational Approach): 슬로건을 대화의 시작점으로 활용하여 고객들에게 전기차의 이점과 특징을 교육했다.

현장 경험(Hands-On Experience): 고객들이 제품을 실제로 체험할 수 있는 시승을 제공하는 것은 판매에서 설득력 있는 도구가 될 수 있다.

의심 극복(Overcoming Skepticism): 제품의 긍정적인 영향을 강조하는 슬로건은 처음에는 의심스러워하는 고객들을 설득하는 데 도움이 될 수 있다.

열정 전달(Creating Enthusiasm): 제품에 대한 열정은 고객을 변화시키는 데 중요한 역할을 했다.

시사점 : 대면 판매에서 창의적이고 열정적으로 사용되는 잘 만들어진 슬로건이 고객 인식을 변화시키고 어려운 시장 세그먼트에서도 성공적인 전환을 이끌어낼 수 있다는 것을 보여준다.

"영업과 설득의 세계에서 잘 만든 슬로건은 비밀 무기다."
미상(Unknown)

■ Slogans(슬로건) 활용한 부정적 대면영업 사례

✧ 홈 인프라 개선 영업

A는 홈 인프라 개선 스토어의 영업 대표였다. 스토어는 최근 새로운 슬로건 "Quality Comes Second to None(품질은 최상위입니다)"을 도입했다. 이 슬로건의 의도는 고품질 제품이라는 점을 강조하는 것이었다.

어느 날, 잠재 고객이 새로운 주방 수도꼭지를 찾으러 방문했다. 특정 수도꼭지를 열심히 추천하고 그것이 최고 품질임을 확신시켰다. 스토어의 슬로건을 여러 번 강조하며 "우리 스토어에서는 품질이 최상위입니다!"라고 말했다.

그러나 집에서 수도꼭지를 설치하면서 결함이 있는 것을 깨달았다. 여

러 지점에서 물이 새고 수도꼭지가 제대로 작동하지 않았다. 최고 품질에 대한 확신에도 불구하고 실망했다.

스토어에서 환불이나 교체를 요청하기 위해 스토어로 돌아갔지만 경영진으로부터 거부를 당했다. 슬로건이 단순히 제품의 성능을 보장하지 않는다며 꺼렸다.

잘못된 슬로건(Misleading Slogans): 지나치게 과대 광고하고 실망시킬 수 있는 슬로건은 고객의 불만을 초래할 수 있다.

신뢰성 손상(Credibility Damage): 슬로건이 현실과 다르다고 느낄 때, 회사의 신뢰성을 손상시킬 수 있다.

정직과 투명성(Honesty and Transparency): 슬로건을 제품의 실제 품질과 성능과 일치시키는 것은 신뢰를 유지하기 위해 중요하다.

고객 만족도(Customer Satisfaction): 제품 품질을 보장하고 보증을 책임지는 것이 고객 만족도를 위해 중요하다.

명확한 기대치(Clear Expectations): 슬로건은 고객을 실망시키지 않기 위해 명확하고 정확한 기대치를 설정해야 한다.

시사점 : 슬로건을 제품의 실제 품질과 성능과 일치시키는 중요성을 강조하며 대면 판매에서 잘못된 슬로건을 사용하는 것이 어떻게 부정적인 결과를 초래할 수 있는지 보여준다.

✧ 가족용 차량 판매 상담

A는 차량 판매원으로 일하면서, 자사의 재미있는 슬로건 "Drive Away Happy!(행복하게 떠나세요!)"로 유명한 매장에서 일했다. 이 슬로건은 만족스러운 자동차 구매 경험을 약속하는 것과 같은 의미였다.

어느 날, 고객이 가족용 자동차를 찾아 방문했다. 그들을 따뜻하게 환영하며 자신을 "행복의 전도사"로 소개하며 슬로건을 강조했다. 새 자동차로 "행복하게 떠날 것"이라고 확신시켰다.

가족이 늘어나면서 미니밴을 구매하기로 결정했으며, 행복 약속과 슬로건에 기대를 가지고 구매를 마쳤으며 새로운 차량 구매에 처음에는 흥분하고 있었다.

그러나 몇 일 안에 미니밴과 관련된 여러 문제를 겪기 시작했다. 엔진에 문제가 있었고 내부에 몇 가지 결함이 있었다.

그들은 매장으로 돌아가서 슬로건에 따른 빠른 해결을 기대했지만 매장 경영진으로부터 슬로건은 긍정적인 구매 경험을 전달하기 위해 있으며 자동차의 성능을 보장하는 것이 아니라는 말을 들었다.

슬로건이 구매에 대한 잘못된 기대를 만들었다고 느끼며 실망했다. 미니밴 문제를 최종적으로 해결하기 위해 긴 과정과 여러 번의 수리가 필요했다.

잘못된 슬로건(Misleading Slogans): 슬로건으로 지나치게 과대 광고하면 현실적이지 않은 기대를 만들고 실망을 초래할 수 있다.

고객 기대(Customer Expectations): 슬로건은 실제 제품이나 서비스의 성능과 일치해야 고객의 불만을 피할 수 있다.

투명성과 정직성(Transparency and Honesty): 슬로건이 나타내는 내용에 대해 투명하게 알리는 것은 신뢰를 유지하기 위해 중요하다.

판매 이후 지원(After-Sales Support): 문제가 발생할 때 고객은 슬로건에 담긴 대로 지원과 해결을 기대한다.

평판 손상(Reputation Damage): 잘못된 슬로건은 회사의 평판을 손상시키고 고객의 신뢰를 훼손할 수 있다.

시사점 : 슬로건을 실제 고객 경험과 제품 품질과 일치시키는 중요성을 강조하며 대면 판매에서 고객의 오해와 불만을 피하기 위한 중요성을 보여준다.

"슬로건은 소비자의 마음으로 가는 단축키다."
미상(Unknown)

■ Slogans(슬로건)을 활용하기 위한 10가지 방법

명확성과 간결성(Clarity and Simplicity)

슬로건은 간결하고 이해하기 쉬워야 한다. 명확한 슬로건은 기억에 남

으며 고객에게 와 닿는다.

예시: 나이키의 "Just Do It."

감정적인 호소(Emotional Appeal)

슬로건은 감정을 불러일으키거나 고객과 개인적으로 친밀감을 형성한다. 감성적인 슬로건은 더 깊은 동질감을 이루게 한다.

예시: 맥도날드의 "I'm Lovin' It."

혜택 강조(Highlight Benefits)

슬로건은 제품이나 서비스의 혜택을 강조해야 한다. 고객은 슬로건으로 어떤 혜택을 얻을 수 있는지 알고 싶어한다.

예시: 애플의 "Think Different."

독창성(Uniqueness)

슬로건은 경쟁 업체와 차별화되어야 한다. 독창적인 슬로건은 브랜드를 돋보이게 만든다.

예시: 아우디의 "Vorsprung durch Technik."

일관성(Consistency)

마케팅 채널을 통해 슬로건을 일관되게 사용한다. 일관성은 브랜드 정체성을 강화한다.

예시: 코카-콜라의 "Open Happiness."

가치 강조 (Appeal to Values)

슬로건을 고객의 가치와 신념과 일치시킨다. 가치 중심 슬로건은 특정 대상에게 와 닿는다.

예시: 파타고니아의 "Build the Best Product, Cause No Unnecessary Harm."

스토리텔링 (Storytelling)

슬로건은 브랜드에 대한 간결하고 매력적인 이야기를 할 수 있다. 이 야기는 고객을 끌어들이고 사로잡는다.

예시: 디즈니랜드의 "The Happiest Place on Earth."

행동 요구 (Call to Action)

슬로건을 통해 고객에게 행동을 촉구한다. 효과적인 행동 요구는 즉각적인 반응을 유도한다.

예시: FedEx의 "When it absolutely, positively has to be there overnight."

적응성 (Adaptability)

슬로건이 변화하는 상황에 적응할 수 있도록 한다. 유연한 슬로건은 시간이 지나도 여전히 관련성을 유지한다.

예시: 토요타의 "Let's Go Places."

고객 중심성(Customer-Centricity)

슬로건은 고객의 필요와 소망에 집중해야 한다. 고객 중심 슬로건은 고객을 이해하고 배려한다는 것을 보여준다.

예시: 에어비앤비의 "Belong Anywhere."

"경우에 합당한 말은 아로새긴 은 쟁반에 금 사과니라"
잠언 25:11

☞ **슬로건 효과(Slogan effect) 멘트**

"편리함과 기술이 만난 스마트 홈 시스템으로 'Easy Life(쾌적한 삶)' 에 동참하세요."
이 슬로건으로 편리함과 기술 발전을 강조한다.

"최신 SUV와 함께 'Freedom on Four Wheels(4륜의 자유함)'를 경 험하세요 - 모험이 기다리고 있습니다."
차량과 관련된 모험과 해방감을 암시한다.

"파워와 미학이 만난 하이엔드 노트북으로 'Beauty in Every Byte(기술의 아름다움)'을 경험하세요."
강력한 성능과 매력적인 디자인의 아이디어가 결합된다.

"'편안함과 안락함이 만나는' 매트리스와 함께 'Sleep Soundly(숙면을 취하세요)."
제품이 제공하는 편안함과 안락함을 전달한다.

"'한 잔이 여행이 되는' 프리미엄 커피와 함께 ''Sip the Difference(차이를 음미하세요)'."
고객에게 우수한 품질의 제품을 경험하도록 초대한다.

"'배움이 이끄는 고급 교육 프로그램을 통해 'Stay Ahead(앞서 나가세요)'."
서비스를 전문성 향상을 위한 도구로 포지셔닝한다.

"모든 요리가 걸작이 되는 당사의 주방용품으로 'The Art of Cooking(요리의 예술)'을 발견하세요."
이러한 도구를 통해 요리가 예술의 경지로 올라갈 것임을 암시한다.

"무선 헤드폰으로 'Feel the Beat, Feel the Power(파워를 느껴보세요 - 사운드에 몰입하세요)."
제품이 제공하는 몰입형 오디오 경험을 강조한다.

"'Fashion that Speaks(패션은 말합니다)' - 모든 순간에 존재감을 드러내는 의류 라인."
의류가 단순한 옷차림이 아니라 자기 표현의 한 형태임을 시사한다.

"Your Health, Our Passion(당신의 건강, 우리의 열정)' - 피트니스 장비와 함께라면 모든 운동이 중요합니다."
고객의 건강에 대한 헌신과 제품의 효과를 전달한다.

■ 요약

슬로건은 짧은 구문으로 핵심 가치를 강조하는 전략으로 간단하고 쉽게 외우기 쉬운 효과가 있다.
본질을 요약하는 간결하고 기억에 남는 메시지를 제공하고 즉각적인 공감과 인상을 남기는 도구이다.
특정 단어나 개념 같은 미묘한 단서가 인지 메커니즘을 작동해 의미론족 마중물 역할을 한다.

■ 핵심키워드

슬로건, 메시징, 간결한 문구, 태그라인, 즉각적인 공감, 인지 메커니즘, 마중물, 독창성, 일관성, 가치강조, 스토리텔링, 고객 중심성

■ 적용 질문

슬로건이 영업과 설득에서 가지는 핵심 특징들은 무엇인가?
슬로건으로 영업과 설득에서 거둘 수 있는 기대효과는 무엇인가?
슬로건을 효과적으로 활용할 수 있는 10가지 방법이 무엇이고 내게 있어 강화해야 할 요소는 무엇인가?

제 장

스토리텔링(Storytelling)

———————⋙❖⋘———————

"스토리텔링은 비좁고 어두운 마음의 터널을 비추는 안내자이다."
닥터 브라이언(Dr. Brian)

스토리텔링(Storytelling)

■ 개념

스토리텔링(Storytelling)은 내러티브(narratives)를 통해 상대방을 설득하는 기법으로, 설득 대상의 감정적인 공감과 흥미를 유발하여 정보를 전달하는 데에 효과적인 방법 중 하나이다. 이는 상대방의 경험과 관련된 내러티브를 제공함으로써 상대방의 이해도를 높이고, 상대방이 자신의 입장에서 상황을 생각할 수 있도록 도와준다. Storytelling은 상대방의 뇌파를 유도하고 상대방이 듣는 내용에 대해 기억하는 능력을 향상시키기 때문에 기억하기 쉽고, 더 많은 정보를 전달할 수 있다. 이를 통해 듣는 이들에게 인상을 남기고, 자신의 주장을 보다 효과적으로 전달할 수 있다. 또한, Storytelling은 설득 대상과 보다 긴밀한 관계를 형성하는 데에도 효과적이다. 대상의 감정과 경험을 공유함으로써 상대방과의 친밀한 관계를 형성하고, 신뢰도를 높일 수 있다.

인간 본성에 깊이 내재되어 있어서 점진적으로 진화[31]하여 발전되어 왔다. 본질적으로 스토리텔링은 단순한 정보 공유를 넘어선 것이다. 이는 정서적 유대감을 형성하고 개인이 관련된 맥락에서 복잡한 아이디어를 이해하도록 돕는다. 내러티브에는 생생한 그림을 그려주고, 공감을 불러일으키며, 상상력을 불러일으키는 능력이 있다.

스토리텔링이 인간 의사소통의 기초[32]가 되고 보다 효과적으로 의미와

---

[31] "The Storytelling Animal: How Stories Make Us Human", Jonathan Gottschall.
[32] Human Communication as Narration: Toward a Philosophy of Reason, Value, and Action, Fisher, W. R. (1987).

가치를 전달하며, 채화되어 있으나 겉으로 드러나지 않은 암묵적 지식의 교환[33]을 촉진하고 변화와 혁신에 기여한다. 다양한 경험에 대한 이해를 높이고 여러 사회 현상을 해석[34]하는데 본질적 수단이 되기도 한다. 팀이나 공동체내에서 내러티브를 사용하면 패턴과 통찰력이 강화되어 팀 메커니즘과 협업을 향상시킨다. 스토리텔링을 사용해 팀 조직의 정체성[35]과 평판을 효과적으로 형성하고 특히 도전이나 위협에 대응하기에 용이하다.

설득력 있는 내러티브의 구조는 개인 자아[36]에 대한 인식을 높이고 대상에게 심리적인 울림[37]을 주어 타인과의 친밀한 소통에 기여한다. 상대와 소통하고, 정보를 제공하고, 감정적으로 연결하기 위해 내러티브를 만들고 공유하는 기술을 포함하는 설득 및 판매의 강력한 기술이다. 사람들은 자신의 경험, 감정, 열망과 공감하는 내러티브에 자연스럽게 끌리기 때문에 인간 심리학을 활용한다. 비즈니스에서 스토리텔링의 개념은 내러티브가 무미건조한 사실이나 데이터보다 더 기억에 남고 관련성이 높다는 연구 결과에 의해 뒷받침된다.

스토리텔러는 공감할 수 있는 캐릭터를 사용하고, 도전과 결심을 전달하고, 가치나 교훈을 전달함으로써 브랜드의 아이덴티티, 사명, 혜택을 고객에게 효과적으로 전달할 수 있다. 판매 및 설득의 맥락에서 스토리텔링은 고객과의 진정한 관계를 형성하여 고객이 제품이나 서비스를

---

[33] Organizational Learning and Communities-of-Practice, Brown, J. S., & Duguid, P. (1991).
[34] Narrative Knowing and the Human Sciences. SUNY Press, Polkinghorne, D. E. (1988).
[35] Members' Responses to Organizational Identity Threats, Elsbach, K. D., & Kramer, R. M. (1996).
[36] "Tell Me a Story: The Life-Shaping Power of Our Stories", Daniel Taylor.
[37] "Into the Woods: A Five-Act Journey into Story", John Yorke.

더 잘 받아들이도록 만드는 데 도움이 될 수 있다. 성공 사례나 실제 사례를 공유함으로써 반대 의견을 해결하고 우려를 완화하며 신뢰도를 구축할 수 있다. 스토리텔링은 다양한 감각을 활용하고 정서적 반응을 촉발하여 개인이 제품이나 서비스가 자신의 삶에 가져올 수 있는 변화를 상상할 수 있도록 해준다. 결과적으로 스토리텔링은 설득력 있는 마케팅 메시지를 작성하고, 영향력 있는 프레젠테이션을 전달하고, 고객과의 지속적인 관계를 육성하는 데 없어서는 안 될 도구이다.

예를 들어, 광고에서 제품의 사용 경험을 들은 내러티브를 제공하는 것은 상대방의 흥미와 공감을 자극하여 제품을 더욱 인상적으로 만들어 준다. 또한, 인터뷰나 프레젠테이션에서 자신의 경험 내러티브를 제공하는 것은 상대방의 관심을 유발하고, 자신의 능력과 역량을 강조하는 데에 효과적이다. 하지만, Storytelling은 주제와 상황에 따라 효과가 달라질 수 있다. 상대방이 듣는 내러티브가 자신과 연관성이 없거나, 상대방의 흥미를 끌지 못할 경우 효과가 떨어질 수 있다. 따라서 Storytelling을 사용할 때에는 상대방의 관심과 흥미를 고려하여 적절한 내러티브를 선택하고, 내러티브를 효과적으로 전달할 수 있는 방법을 고민해야 한다.

"우주는 원자가 아닌 이야기로 이루어져 있다."
뮤리엘 루카이저(Muriel Rukeyser)

■ **핵심 특징**

감정적 친밀감(Emotional Connection): 스토리텔링을 통해 상대와 강력한 감정적 친화를 만들 수 있다. 강렬한 내러티브를 풀어가면 상대의 감정을 자극하여 메시지가 더 기억에 남고 공감되도록 한다.

맥락 제시(Contextualization): 스토리는 제품 또는 서비스에 대한 맥락을 제시한다. 기능과 혜택을 나열하는 대신 스토리텔링을 통해 제품 또는 서비스가 실제 문제를 어떻게 해결하는지를 보여줄 수 있다. 이렇게 하면 고객이 실용적인 가치를 볼 수 있다.

공감성(Relatability): 사람들은 내러티브와 관련성을 느낀다. 감동적인 고객 내러티브나 개인적 경험을 공유함으로써 상대가 이해되고 인정받았다고 느끼도록 할 수 있다.

이의 제기 극복(Overcoming Objections): 내러티브는 비대면적인 방식으로 이의를 다룰 수 있다. 이전 고객이 비슷한 우려 또는 이의를 가졌지만 제품 또는 서비스를 통해 만족스러운 해결책을 찾았다는 내러티브를 공유할 수 있다.

참여(Engagement): 스토리텔링은 상대의 관심을 끌고 유지하는 데 도움이 된다. 전통적인 판매 설명의 단조로움을 깨고 발표나 대화 도중 상대를 참여시키는 데 도움이 된다.

가치 증명(Demonstrating Value): 스토리를 통해 제품 또는 서비스의 가치를 보여줄 수 있다. 제품 또는 서비스가 실제 세계에서 어떻게 큰 차이를 만들었는지를 보여주는 현실적인 시나리오를 설명함으로써 이를 가능하게 한다.

신뢰 구축(Trust Building): 정직하고 공감 가능한 내러티브를 나누면 신뢰를 구축한다. 사람들은 고압적인 판매 전략 대신 진실된 내러티브를 공유하는 사람이나 브랜드를 더 신뢰하는 경향이 있다.

기억력(Memorability): 사실과 수치는 쉽게 잊히지만 스토리는 그렇지 않았다. 메시지가 상대와 함께 남도록 스토리에 편입시키면 기억에 남을 가능성이 높아진다.

차별화(Differentiation): 경쟁적인 시장에서 스토리텔링은 당신을 독특하게 만들 수 있다. 독특하고 매력적인 내러티브는 고객의 머릿속에서 브랜드나 제품을 빛나게 할 수 있다.

행동 요구(Call to Action): 스토리를 사용하여 상대에게 특정한 행동을 취하도록 유도할 수 있다. 내러티브를 사용하여 지금 바로 행동하는 이점을 강조할 수 있다.

시사점 : 스토리텔링은 감정에 호소하고 맥락을 제공하며 이의를 극복하는 등 설득과 영업에서 강력한 도구이다. 이것은 개인적인 수준에서 상대와 연결하고 신뢰를 구축하며 제품 또는 서비스의 가치를 효과적으로 전달하기 위한 방법이다.

"사실은 전달되지만, 이야기는 팔린다."
브라이언 아이젠버그(Bryan Eisenberg)

대표적인 몇 가지 사례는 아래와 같다.

첫째, Airbnb의 'Live There' 캠페인에서는 도시에 살아보는 것처럼 여행을 즐기는 경험을 강조하고자 스토리텔링을 활용하였다. 실제 이용자들이 에어비앤비 숙소에서의 경험을 담은 이야기와 함께 그들의 여행 이야기를 전개하여, 에어비앤비의 고유한 경험을 강조하는 데에 성공하였다.

둘째, Apple은 제품을 소개하는 과정에서 스토리텔링을 적극적으로 활용하고 있다. 특히, 제품을 사용하는 사람들의 이야기를 중심으로 전개하여 제품과 고객의 감성적인 연결고리를 만드는 데에 성공하였다. 예를 들어, iPhone의 광고에서는 제품의 기능을 중심으로 보여주는 것이 아니라, 사용자들이 일상생활 속에서 제품을 활용하는 이야기를 통해 감성적으로 인식되도록 구성되어 있다.

셋째, 코카콜라의 'Taste the Feeling' 캠페인에서는 사람들이 즐기는 순간에 초점을 맞추어 스토리텔링을 전개하였다. 코카콜라를 마시는 순간에 일어나는 감성적인 변화와 함께, 코카콜라와 함께하는 특별한 순간들을 담은 이야기를 전개하여 소비자들의 감성을 자극하는 데에 성공하였다.

부정적으로 적용된 몇 가지 사례는 아래와 같다.

첫째, 2019년 유튜브에서 'Momo Challenge(모모 챌린지)'라는 불법적인 게임이 유행하면서, 이 게임의 일부 상황이 스토리텔링을 활용한 동영상으로 만들어졌다. 이 스토리텔링은 아이들의 공포심을 자극해 더 많은 사람들이 게임을 참여하도록 유도하는 데에 사용되었다.

둘째, 2021년 미국의 일부 주에서는 코로나19 백신을 거부하는 사람들이 많았다. 이때 일부 인터넷 커뮤니티에서는 거부 이유에 대한 '스토리텔링'을 활용해 백신 접종을 차단하는 캠페인을 전개하였다. 이 캠페인은 거짓 정보와 허위사실을 널리 퍼뜨리는 데에 성공하였다.

셋째, 2019년 미국의 유명한 브랜드 '포테이토 칩스(Lay's)'에서는 소비자들에게 칩스를 구매하도록 유도하기 위해 '스토리텔링'을 적용한 광고를 진행했다. 그러나 이 광고는 칩스를 먹으면서 느껴지는 쾌감에 대해서만 강조하고, 불건전한 식습관을 부추기는 내용이 들어가 있어서 비판을 받았다.

이렇듯, 스토리텔링은 매우 효과적인 설득 기법 중 하나이다. 하지만 악용될 경우, 사람들에게 큰 피해를 줄 수 있다. 따라서 스토리텔링을 사용할 때에는 균형 잡힌 내용과 진실성을 유지하는 것이 매우 중요하다.

"사람들은 당신이 하는 일을 사는 것이 아니라,
당신이 그 일을 하는 이유를 산다."
사이먼 사이넥(Simon Sinek)

■ 스토리텔링(Storytelling)의 대표적인 긍정적 사례

Dove의 리얼 뷰티 캠페인(Dove's Real Beauty Campaign): 이 상징적인 캠페인에서 Dove는 스토리텔링을 사용하여 전통적인 미용 기준에 도전했다. "Real Beauty Sketch" 비디오에서는 여성들이 법의학 예술가에게 자신을 설명하는 모습을 보여주고, 그 설명을 다른 사람들이 어떻게 보는지 비교했다. 해당 영상은 조회수 6,700만 회 이상을 기록하며 자기인식과 진정성의 힘을 강조했다.

에어비앤비의 "인류인가?" 광고 (Airbnb's "Is Mankind?" Ad:): 에어비앤비의 슈퍼볼 광고에는 다양한 얼굴이 등장하고 '인류는 과연 존재하는가?'라는 질문이 등장했다. 이는 포용성과 연결에 대한 회사의 의지를 보여주었다. 이 광고는 소셜 미디어에서 3천만 명에게 도달했으며, 이는 Airbnb가 문화를 넘어 사람들을 하나로 모으는 아이디어를 강화했다.

코카콜라의 "콜라 한 잔 나누기" 캠페인(Coca-Cola's "Share a Coke" Campaign): 코카콜라는 인기 있는 이름으로 병을 맞춤화하여 사람들이 친구 및 가족과 콜라를 공유하도록 장려했다. 이러한 스토리텔링 기법은 친숙함과 소속감을 만들어냈다. 캠페인을 통해 1년 만에 매출이 2.5% 증가했다.

파타고니아의 "이 재킷을 사지 마세요" 광고(Patagonia's "Don't Buy This Jacket" Ad): The New York Times에 실린 Patagonia의 전면 광고는 소비자들에게 재킷을 사지 말라고 독려하면서 환경적 책임을 강조했다. 이러한 진정성 있고 대담한 접근 방식은 지속 가능성에 대한 브랜드의 의지를 부각시켰으며 언론의 상당한 주목을 받았다.

자선단체 Water 창립자의 이야기(Charity: Water's Founder's Story):

Charity: Water의 창립자인 Scott Harrison은 나이트클럽 프로모터에서 인도주의자로 변모한 개인적인 이야기를 공유했다. 그는 임무의 진정성을 전달하고 기부자에게 영감을 주기 위해 스토리텔링을 사용했다. 그 결과, Charity: Water는 창립 첫 10년 동안 5천만 달러 이상을 모금했다.

"스토리텔링은 아이디어를 세상에 표현하는 가장 강력한 방법이다."
로버트 맥키(Robert McKee)

■ 스토리텔링(Storytelling)의 대표적인 부정적 사례

폭스바겐의 배출가스 스캔들(Volkswagen's Emissions Scandal): 폭스바겐의 '클린 디젤' 스토리텔링 캠페인은 배기가스 테스트를 속이는 소프트웨어를 설치했다는 사실이 밝혀지면서 기만적인 것으로 드러났다. 이 스캔들로 인해 수십억 달러의 벌금이 부과되었고 회사의 명성이 훼손되었다.

테라노스 디셉션(Theranos Deception): 의료 기술 회사인 Theranos는 스토리텔링을 사용하여 혁신적인 혈액 검사 장치를 홍보했다. 그러나 기술이 주장대로 작동하지 않는다는 사실이 나중에 밝혀졌고, 이로 인해 소송이 발생하고 회사가 몰락하게 되었다.

엔론의 잘못된 이미지(Enron's False Image): 엔론은 재무적 문제를 숨기면서 자신을 매우 성공적인 에너지 회사로 묘사하기 위해 스토리텔링을 사용했다. 진실이 밝혀지자 회사는 파산 신청을 했고 투자자들은 수십억 달러의 손실을 입었다.

Wells Fargo의 가짜 계정 스캔들(Wells Fargo's Fake Accounts Scandal): Wells Fargo 직원은 판매 목표를 달성하기 위해 고객을 위한 가짜 계정을 만들도록 강요 받았다. 이러한 비윤리적 관행은 고객 중심 가치에 대한 은행의 스토리텔링과 모순되어 대중의 분노와 법적 처벌을 초래했다.

삼성의 갤럭시 노트 7 리콜(Samsung's Galaxy Note 7 Recall): 삼성전자는 당초 제품 품질을 강조하는 스토리텔링에 의존해 갤럭시노트7 스마트폰에서 배터리가 폭발했다는 보도를 경시했다. 결국 회사는 수백만 대의 장치를 리콜해야 했고 이로 인해 브랜드 평판이 손상되었다.

"우리가 말하는 이야기는 말 그대로 세상을 만든다.
세상을 바꾸고 싶다면 당신의 이야기를 바꿔야 한다."
마이클 마골리스(Michael Margolis)

■   스토리텔링(Storytelling)의 대면영업 긍정적 사례

✧ IT 인프라 상담

A는 기술 회사의 영업 대표로, 기술 인프라 업그레이드를 고려 중인 잠재 고객과 미팅을 가졌다. 사라에게 기술 용어와 제품 사양을 쏟아 부을 대신, 스토리텔링으로 대화했다.

A는 비슷한 산업에서 비슷한 과제를 직면한 다른 회사의 사례를 공유했다. 그 회사가 오래된 IT 시스템 때문에 마주한 문제와 그것을 개선하기 위해 A의 회사의 도움을 받기로 결정한 경험을 설명했다.

이야기를 풀어가면서 다른 회사가 업그레이드 이후 경험한 구체적인 솔루션과 이점을 강조했다. 효율성 향상, 강화된 사이버 보안 및 비용 절감에 대해 이야기했다. 심지어 다른 회사의 직원들이 어떻게 안도하고 개선된 직무 만족도를 표현했는지에 대한 에피소드를 덧붙였다.

고객은 이 이야기에 빠져들었고, 그것이 자신의 회사가 직면한 도전 과제와 공감되는 부분을 담고 있어 더욱 매혹적으로 느껴졌다. 이야기가 회사의 미래가 어떻게 개선될 수 있는지를 시각적으로 상상할 수 있게 했다. 이 참여를 활용하여 원활하게 이야기에서 그의 회사의 제품과 서비스가 사라의 비즈니스에 동일한 해결책을 제공할 수 있다는 논의로 자연스럽게 이어졌다.

참여(Engagement): 스토리텔링은 상대의 관심을 끌고 그들을 참여시킨다. 이 경우 동질성을 느낄 수 있어 미팅 동안 적극적으로 듣고 있었다.

관련성(Relevance): 이야기는 고객 상황에 맞게 맞추어져 있어 매우 관련성이 높았다. 회사의 필요와 도전 과제를 이해했다는 것을 보여주었다.

시각화(Visualization): 스토리텔링은 제품 또는 서비스의 이점을 상상할 수 있게 해준다. 고객 회사의 미래가 어떻게 개선될 수 있는지를 시각화할 수 있었다.

신뢰 구축(Building Trust): 과거의 성공과 현실적인 해결책을 보여주어 신뢰를 구축했다. 신뢰할만하고 능력 있는 것처럼 만들었다.

제품 또는 기능보다 솔루션(Solutions Over Features): 기술적인 세부 사항 대신 솔루션과 이점에 중점을 두었다. 이 접근 방식은 종종 더 설득력이 있다.

원활한 전환(Seamless Transition): 그의 회사의 제품과 서비스로 자연스럽게 전환했다. 이것은 대화의 자연스러운 진행으로 이루어졌다.

시사점 : 스토리텔링은 잠재 고객에게 제품의 가치를 전달하는 동시에 관계를 강화하는 데 핵심 역할을 하였다. 이것은 판매에서 설득적인 도구로 스토리텔링의 힘을 보여준다.

❖ 아트 딜러 상담

A는 화가들을 대리하는 아트 딜러로, 상대적으로 알려지지 않은 화가 B의 작품을 전시한 아트 전시회에 참석했다. B의 독특한 스타일은 잠재적인 구매자들에게 즉각적으로 와 닿지 않아 오랜 시간 동안 그의 작품을 팔기 어려웠다.

전시회의 개별 미팅 중에 아트 컬렉터 후보인 잠재고객을 만났다. 작품의 기술적 측면에 깊이 파고들지 않고 그 가치를 전달하기 위해 스토리텔링을 사용하기로 결정했다.

A는 "The Journey"라는 한 작품에 대한 이야기를 공유했다. 그림이 작가의 자기발견과 성장의 개인적인 여정을 나타내며, 각 붓 놀림은 그의 삶의 다른 단계를 반영한다고 설명했다. 작가가 역경과 어려움에 직면했지만 그의 예술을 감정 표현과 삶의 의미를 찾는 방법으로 사용했다는 이야기를 풀어갔다.

A의 이야기를 듣는 동안 그 이야기에 빠져들었다. 자신의 작품에 얼마나 많은 감정과 열정을 담아냈는지를 알 수 있었다. 그 이야기는 단순히 그림이 아니라 작가의 영혼의 한 부분이 된 것이다.

작품을 본 많은 사람들의 감정적인 연결과 작품을 볼 때마다 느끼는 감정적인 연결에 대해 이야기함으로써 계속했다.

스토리텔링의 끝에 고객은 "The Journey"를 구매할 뿐 아니라 작가의 다른 컬렉션에서 다른 작품도 구매하고 싶다는 생각을 했다. 화가의 이야기에 깊은 동질감을 느끼고 그 이야기의 일부가 되고 싶었다.

감정적 연결(Emotional Connection): 스토리텔링은 아트와 잠재적 구매자 사이에 감정적 연결을 만든다. 이 경우 화가의 여정과 강한 감정적 유대감을 느꼈다.

맞춤형(Personalization): 이야기를 작가의 아트와 관련된 독특한 측면과 일치하도록 맞추었다. 이는 고객에게 더 관련성 있고 매력적인 요소로 다가갔다.

깊이와 의미(Depth and Meaning): 이야기는 작품에 깊이와 의미를 더했다. 이를 통해 단순한 작품에서 아티스트의 경험을 나타내는 상징으로 바뀌었다.

관련성(Relatability): 다른 사람들이 아트와 연결하는 방식을 공유함으로써 작품과 관련성 및 사회적 증거를 제공했다. 이는 고객이 구매 결정을 내리는 데 도움이 되었다.

아트를 경험으로(Art as an Experience): 이야기는 작품을 제품이 아닌 경험으로 위치시켰으며, 이로써 인식된 가치를 높였다.

시사점 : 아트와 같이 완전히 이해하려면 더 깊은 공감대 또는 이해가 필요한 제품을 판매하는 데 스토리텔링을 어떻게 효과적으로 활용할 수 있는지를 보여주는 예이다. 이야기가 제품을 더 의미 있고 구매자에게 더 관련성 있게 만들 수 있는 능력을 보여준다.

"이같이 너희 빛이 사람 앞에 비치게 하여 그들로 너희 착한
행실을 보고 하늘에 계신 너희 아버지께 영광을 돌리게 하라"
마태복음 5:16

■ 스토리텔링(Storytelling) 대면영업 부정적 사례

✧ 부동산 중개 상담

A는 부동산 중개인으로, 범죄율이 높은 역사적으로 문제가 많은 지역

의 부동산을 판매하려고 노력하고 있었다. 이 부동산이 장기간 시장에 머물러 있었고 판매를 원하고 있었기 때문에 필사적으로 판매를 시도하고 있었다. 이 지역의 어려움에 대해 솔직하게 언급하지 않은 채 잠재적인 구매자를 유인하기 위해 기만적인 스토리텔링을 사용했다.

첫 집을 찾고 있는 젊은 커플과 만났을 때, 동네의 긍정적인 면만을 묘사했다. 이 지역의 범죄율이 가파르게 떨어지고 지역 경제가 부흥하고 있다고 하는 이야기를 했으며, 최근 이사 들어온 가족들이 행복하게 살고 있는 이야기도 공유했다.

데리고 다니면서 모든 긍정적인 측면을 강조하면서 단점은 경감시켰다. 주변에 있는 낙서로 얼룩진 벽을 주의해서 보지 못하게 했다.

설득력 있는 스토리텔링에 마음이 동한 고객은 이 부동산에 구매 제안을 하기로 결정했다. 동네에서 저렴한 집을 얻고 있다고 믿었다.

그러나 이사를 한 뒤, 빠른 시일 내 현실을 깨달았다. 동네는 여전히 범죄로 시달리고 있었으며, 그들의 안전은 항상 걱정이었다. 또한 부동산은 중요한 수리 및 보수가 필요한 상태였는데, 그것에 대해 사전 정보를 얻지 못한 것이었다.

정직이 중요하다(Honesty is Crucial): 판매에서의 기만적인 스토리텔링은 심각한 결과로 이어질 수 있다. 정직과 투명성은 항상 최우선 과제이어야 한다.

소탐대실(Short-Term Gains, Long-Term Losses): 빠른 판매를 이루었지만 장기적인 결과는 심각했다. 배신감을 느꼈고 잘못된 정보에 의한 결과에 직면했다.

신뢰 붕괴(Trust is Eroded): 기만적인 스토리텔링은 구매자와 부동산 중개인 사이의 신뢰를 무너뜨린다. 속아넘어가고 미끼로 사용된 것처럼 느꼈다.

평판 손상(Reputation Damage): 부동산 중개인으로서의 평판을 훼손시켰다. 구매자들은 그에 대해 경계하게 되었다.

법적 결과(Legal Consequences): 판매에서의 기만적인 행위는 법적 문제로 이어질 수 있다. 부동산 상태나 동네 상태를 과장하는 것은 소송으로 이어질 수 있다.

시사점 : 판매에서 기만적인 스토리텔링을 사용하는 것이 어떤 부정적인 영향을 미칠 수 있는지를 보여준다. 정확한 정보를 제공하는 대신, 기만적인 판매 행위는 실망한 구매자, 믿음의 파괴 및 평판에 장기적인 결과를 초래했다.

✧ 자동차 판매

자동차 딜러분야에서 활약하는 자동차 판매원이다. 매력적인 성격과 자동차 판매 능력으로 유명했지만 거래를 마무리하기 위해 기만적인 스토리텔링을 사용하는 평판도 가지고 있었다.

어느 날, 고객이 안전한 가족용 자동차를 찾고 있었고 예산이 부족했다.

A는 자동차를 구입하고자 하는 동안 비슷한 차량을 구입한 가족에 관

한 따뜻한 이야기를 시작했다. 이 자동차의 고급 안전 기능 덕분에 가족의 생명을 구한 사건에 대한 이야기를 했다. 이 특정 자동차가 안전에 관한 다큐멘터리에 등장했다고 주장했다.

감정을 조종하기 위해 허구의 가족과 그들의 차량 사진을 보여주었다. 이 자동차가 종류가 한정되어 있고 그들이 찾은 것이 행운이라고 강조했다.

허구의 가족 이야기에 감정적으로 동질감을 느꼈고, 이 자동차가 안전을 위한 최선의 선택이라고 믿어 구입하기로 결정했다. 그들은 예산 상한선에 도달했음에도 불구하고 이를 사게 되었다.

구입 후, 들은 것처럼 완벽하지 않았다는 것을 깨달았다. 자동차에는 유지 보수 문제가 있었으며 그가 언급한 안전 기능이 모두 갖춰지지 않았다. 속았고 배신당한 느낌을 받았다.

감정 조종(Manipulating Emotions): 기만적인 스토리텔링은 고객의 감정을 노린 것이었다. 허구의 이야기를 통해 감정적인 반응을 끌어내는 것은 비윤리적이다.

단기 수익, 장기 손실(Short-Term Gains, Long-Term Losses): 거래를 성사시켰지만 고객들의 신뢰를 잃는 대가를 얻었다. 더 이상 고객들은 다른 사람에게 추천하지 않을 것이다.

정직과 투명성(Honesty and Transparency): 판매자는 판매하는 제품에 대해 정직하고 투명해야 한다. 잘못된 정보가 제시될 때 허위 언급은 구매자의 후회를 가져올 수 있으며 개인과 비즈니스의 평판을 손상시킬 수 있다.

윤리적 고려사항(Ethical Considerations): 판매에서 기만적인 스토리텔링을 사용하는 것은 비윤리적일 뿐만 아니라 거짓 정보가 제시될 때 법적 문제로 이어질 수 있다.

시사점 : 판매에서 감정을 조종하는 기만적인 스토리텔링의 부정적인 결과를 보여준다. 고객이 정보에 근거한 결정을 내릴 수 있도록 돕는 대신 이러한 행위는 불신과 실망으로 이어질 수 있다.

———————◆◇◆———————

"지혜 있는 자의 혀는 지식을 선히 베풀고
미련한 자의 입은 미련한 것을 쏟느니라"
잠언 15:2

■ 스토리텔링(Storytelling) 활용을 위한 10가지 방법

고객을 이해하기(Know Your Audience)

스토리를 고객의 관심사, 필요성, 가치관에 맞게 맞춘다. 맞춤화는 강한 감정적 연결을 형성한다.

예시: 야외 용품을 판매하는 경우, 열정적으로 모험을 하기 위해 완벽한 하이킹 부츠를 찾았던 고객에 대한 이야기를 공유한다.

관련성 있는 주인공 만들기(Create a Relatable Hero)

고객은 스토리 주인공 안에서 자신을 볼 수 있어야 한다. 관련성 있는 주인공은 해결책을 더 구체적으로 만든다.

예시: 비슷한 문제를 가진 고객이 제품을 사용하여 성공적으로 문제를 해결한 경험을 설명한다.

3가지 이야기 구조 사용(Use the Three-Act Structure)

서론, 본론, 결론으로 스토리를 구성하여 매력적인 이야기 구조를 만든다. 이 구조는 상대를 끌어들이게 한다.

예시: 고객의 도전(1막)을 시작으로, 제품을 사용한 방법(2막)을 강조하고 긍정적인 결과(3막)를 드러낸다.

감정을 자극하기(Evoke Emotions)

감정은 결정을 촉진한다. 감정적인 영향을 미치는 이야기는 기억에 남는다.

예시: 고객의 고난이 해결되고 제품이 그들에게 기쁨이나 안정감을 가져다 준 사례를 공유한다.

시각화, 말로 전달하지 않기(Show, Don't Tell)

감각적인 세부 정보를 통해 생생한 이미지를 그려낸다. 시각화는 고객이 제품의 혜택을 상상할 수 있게 돕는다.

예시: 제품의 기능을 나열하는 대신, 제품을 사용한 고객의 경험을 설명한다. 예를 들어, 제품을 사용하여 내린 신선한 커피의 향을 묘사한다.

비유와 유사성 사용(Use Metaphors and Analogies)

복잡한 개념을 익숙한 것과 비교하여 간단하게 설명한다. 비유는 이해를 돕는다.

예시: 소프트웨어를 판매하는 경우, 효율성을 잘 작동하는 오일을 바른 기계와 비유한다.

갈등과 해결 포함(Include Conflict and Resolution)

갈등은 긴장을 유발하고 주목을 끈다. 해결은 마무리를 제공한다. 고객은 어떻게 문제를 극복할 수 있는지 알고 싶어한다.

예시: 고객의 생산성 문제와 제품을 사용하여 다시 통제를 찾은 경험을 공유한다.

사회적 증거 사용(Use Social Proof)

만족한 고객의 증언, 리뷰 또는 성공 이야기를 포함한다. 사람들은 동료의 추천을 신뢰한다.

예시: 고객이 제품의 비즈니스에 미치는 영향에 대한 간단한 비디오 클립을 만들어 공유한다.

기억에 남게 만들기(Make It Memorable)

상대의 마음에 남는 스토리를 만든다. 기억에 남는 이야기는 공유되며, 구전효과 마케팅으로 이어진다.

예시: 이야기 내에 인상적인 슬로건이나 기억에 남는 캐릭터를 만들어 본다.

행동 호소(End with a Call to Action)

고객을 감동시킨 후, 원하는 조치를 취하도록 안내한다. 명확한 결심을 통한 조치는 마무리에 필수적이다.

예시: 이야기를 끝낼 때 고객이 제품을 사용하여 이야기 주인공과 같은 혜택을 경험할 수 있도록 초대한다.

☞   스토리텔링(Storytelling) 멘트

"저희 시스템으로 집을 스마트한 오아시스로 바꾸고 가족에게 더 많은 시간을 할애할 수 있게 된 최근의 사례를 들려드리겠습니다."
이 이야기는 제품의 영향력을 개인에게 각인시킨다.

"우리 소프트웨어를 사용하여 스타트업의 효율성을 두 배로 높인 젊은 기업가가 바로 여러분이 될 수 있다고 상상해 보세요."
스토리 속 인물처럼 성공하고 싶다는 열망을 일으킨다.

"불가능하다고 믿었던 마라톤을 몇 년 만에 완주하여 피트니스 장비를

통해 어떻게 성공할 수 있었는지 들어보세요."
고객에게 영감을 줄 수 있는 도전 극복 스토리를 공유한다.

"저희 스킨케어 제품은 단순한 크림과 세럼이 아닙니다. 피부 변화로 소셜에서 화제가 된 A에게 물어보세요."
사회적 증거가 되고 개인적인 변화에 대한 기대감을 증폭시킨다.

"도시 정원 가꾸기 키트로 발코니를 무성한 정원으로 바꾸어 도심 속 고요한 탈출구를 마련했던 사례를 생각해 보세요."
공감할 수 있고 열망하는 스토리를 만든다.

"재무 컨설팅 서비스를 통해 어려운 시기에 가족 사업을 구한 L가족을 소개합니다."
서비스의 실질적인 가치와 삶을 변화시킬 수 있는 잠재적 영향력을 강조한다.

"저희 여행 패키지는 단순한 여행이 아니라 인생의 경험입니다. 발리에서 인생에 대한 새로운 관점을 최근에 발견한 고객 B에게 물어보세요."
서비스를 혁신적인 삶의 경험으로 포지셔닝한다.

"팀에 인체공학적 사무용 가구를 제공한 후 생산성이 급상승하고 직원들의 행복도도 높아졌습니다."
전문적인 환경에서 제품의 직접적인 이점을 보여주는 스토리를 공유한다.

"요리 수업을 통해 음식에 대한 열정을 재발견하고 요리를 집안일에서 즐거운 활동으로 바꿀 수 있었습니다."
많은 잠재 고객의 공감을 불러일으킬 수 있는 개인적인 스토리를 공유한다.

"맞춤 정장 덕분에 알렉스가 모든 면접에서 자신감을 얻고 꿈에 그리던 직장에 취업할 수 있었던 이야기를 들어보세요."
이 스토리는 제품이 성공적인 결과와 직접적으로 연결되도록 한다.

■ 요약

스토리텔링은 내러티브(이야기)를 통해 감정적인 공감과 흥미를 유발하면서 전달하는 방식이다.
상대방의 뇌파를 유도하고 인상을 남겨 듣는 내용을 기억하기 쉽고 긴밀한 감정을 형성하게 한다.
단순한 정보를 넘어서 정서적 유대감을 형성하고 암묵적 지식의 교환을 촉진하고 변화와 혁신을 촉진한다.

■ 핵심키워드

스토리텔링, 네러티브, 암묵적 지식의 교환, 심리적 울림, 정서적 유대감, 기억능력향상, 시각화, 비유와 유사성

■ 적용 질문

스토리텔링이 설득과 영업측면에서 가지는 특징들은 무엇인가?
스토리텔링으로 설득과 영업에서 거둘 수 있는 기대효과는 무엇인가?
스토리텔링을 효과적으로 활용하기 위한 10가지 방법은 무엇인가 내게 있어 강화해야 할 요소는 무엇인가?

제 7 장

비교와 대조(Compare & Contrast)

" 누구든 비교하고 또 비교하고 싶어 한다."
닥터 브라이언(Dr. Brian)

비교와 대조(Compare & Contrast)

■ 개념

비교와 대조(Compare & Contrast)는 어떤 선택을 할 때 주변 환경 및 상황과 관련해 사물을 인식하고 판단하려는 경향이다. 기본적으로 더 나은 [38]선택을 하고자 하고 기존에 형성된 신념[39]과 비교하고 대조하여 아이디어를 채택 혹은 거부하려고 한다. 불확실성 하에서 판단을 내릴 때 인지 편향을 가지기 쉽기 때문에 비교하고 대조하려는 경향이 커진다. 위험을 회피하려는 생물학적[40] 요인과 사회적 영향을 기반으로 옵션을 비교하고 대조하는 복잡한 프로세스를 가지는 특징이다. 때때로, 휴리스틱[41]을 사용하여 옵션을 비교하고 대조하는 방법을 탐색하게 되면서, 의사 결정에서 과정의 불완전성으로 인한 체계적 오류로 이어질 수도 있다. 빠르고 직관적인 사고와 느리고 신중한 사고로 나누어 볼 때, 두 가지 사고체계[42]와 시스템에 따라 정보를 비교하고 대조하는 방법이나 편견이 다르게 의사결정에 영향을 미친다. 빠른 판단의 경우, 무의식적으로 미묘한 단서와 정보를 비교하고 대조하여 순간적으로[43] 판단과 결정을 내리려고 한다.

---

[38] "Decisive: How to Make Better Choices in Life and Work" Chip Heath and Dan Heath

[39] "The Believing Brain: From Ghosts and Gods to Politics and Conspiracies—How We Construct Beliefs and Reinforce Them as Truths" Michael Shermer

[40] "Behave: The Biology of Humans at Our Best and Worst" Robert Sapolsky

[41] "Judgment Under Uncertainty: Heuristics and Biases" Amos Tversky and Daniel Kahneman

[42] "Thinking, Fast and Slow" Daniel Kahneman

[43] "Blink: The Power of Thinking Without Thinking" Malcolm Gladwell

설득과 영업의 측면에서, 둘 이상의 옵션, 아이디어, 제품 또는 개념 간의 유사점과 차이점을 분석하고 제시하는 설득력 있는 판매 기술이다. 이 기술은 상대가 유리한 결정을 내릴 수 있도록 안내하기 위해 각 옵션의 강점과 약점을 강조하는 것을 목표로 한다. 비교 및 대조의 핵심 원칙은 명확하고 객관적인 평가를 제공하여 개인이 현재 옵션에 대한 더 깊은 이해를 바탕으로 정보에 입각한 선택을 할 수 있도록 하는 것이다. 이 기법은 비교 분석을 통해 대상에 대한 이해를 높이고 설득력을 높일 수 있다. 유사점과 차이점을 모두 보여줌으로써 이 기술은 고객이 특정 선택의 고유한 이점을 확인하는 동시에 잠재적인 우려 사항을 해결하는 데 도움이 될 수 있다. 비교 대상은 서로 관련이 있는 것이어야 하며, 이를 통해 독자나 상대에게 새로운 인사이트나 지식을 제공할 수 있다. 비교 대상이 같은 유형이어야 하는 것은 아니며, 시간, 장소, 인물 등 다양한 대상을 비교할 수 있다.

비교 대상을 정한 후에는 비교할 항목들을 선정하고, 그들의 차이점과 공통점을 분석하여 비교해야 한다. 비교 대상들을 설명할 때에는 논리적이고 일관성 있는 구성이 필요하며, 두 대상의 차이점과 공통점을 명확하게 설명하여 독자나 상대에게 이해를 돕는다. 이러한 방식으로 비교 대상들을 분석하고 비교하면서, 독자나 상대에게 설득력 있는 정보를 제공하여, 설득의 효과를 높일 수 있다. 비교 대상을 선택하고, 그들의 공통점과 차이점을 명확히 드러내는 것이 이 기법에서 가장 중요하다. 이러한 분석을 통해 독자나 상대가 두 대상을 보다 잘 이해하게 된다. 이러한 설득기법은 근거를 바탕으로 독자나 상대에게 잘 설명해 주는 것이 중요하며, 비교할 대상들을 미리 선정하고, 이들을 일관성 있게 비교 분석하면, 설득의 효과를 높일 수 있다. 비교 대상들의 차이점과 공통점을 명확히 드러내는 것이 중요하다. 이를 통해 독자나 상대가 비교 대상을 보다 잘 이해하게 된다. 비교 분석을 통해 설득을 시도할 때에는, 그 결과가 독자나 상대에게 유익하다는 것을 명확하게 설명해 주는 것이 중요하다.

판매와 설득의 맥락에서 비교와 대조는 철저한 연구와 전문성을 보여줌으로써 신뢰성과 믿음을 구축하는 데 도움이 된다. 균형 잡힌 시각을 제시함으로써 고객의 선호도와 우선순위에 공감하게 되고 고객이 투명한 접근 방식을 더 잘 인식하게 된다. 또한 이 기술을 사용하면 기능, 장점 및 장점을 더 깊이 탐색할 수 있어 고객이 가장 적합한 옵션을 식별하는 데 도움이 된다.

예를 들어, 영업사원은 카메라 품질, 배터리 수명, 처리 능력 등 서로 다른 특징을 강조하여 두 스마트폰을 비교할 수 있다. 각 옵션의 장단점을 설명함으로써 고객은 자신의 필요와 선호도에 맞춰 현명한 결정을 내릴 수 있다. 마찬가지로, 설득력 있는 연설에서 반대 관점을 비교하고 대조하는 것은 주제에 대한 화자의 포괄적인 이해를 보여줄 수 있으며 상대가 자신의 주장을 더 진지하게 고려하도록 영향을 미칠 수 있다.

긍정적으로 적용된 사례는 아래와 같다.

제품 비교(Product comparison): 어떤 브랜드의 스마트폰과 다른 브랜드의 스마트폰을 비교하는 경우, 두 제품의 공통점과 차이점을 파악하여 어떤 제품이 더 우수한 선택인지 설명할 수 있다. 예를 들어, 두 제품의 가격, 기능, 성능, 디자인 등을 비교할 수 있다.

역사 인물 비교(Comparing historical figures): 두 인물의 생애와 업적을 비교할 때도 Compare & Contrast 기법을 활용할 수 있다. 예를 들어, 말과 조선시대의 왕들을 비교하는 경우, 두 왕의 통치 방식, 성격, 업적 등을 비교하여 더 나은 지도자는 누구인지 분석할 수 있다.

문학 작품 비교(Comparison of Literary Works): 두 작품의 주제,

구조, 스타일, 문체 등을 비교할 때도 Compare & Contrast 기법을 활용할 수 있다. 예를 들어, 두 소설의 주인공, 설정, 플롯 등을 비교하여 작품 간의 공통점과 차이점을 파악하고, 작품에 대한 분석을 보다 깊이 있게 할 수 있다.

부정적으로 적용된 사례는 아래와 같다.

성폭력 가해자의 수감 기간을 비교 대조하는 경우 성폭력 가해자의 수감 기간이 길면 피해자들이 보다 안전해질 것이라는 주장을 하고자 할 때, 수감 기간이 긴 경우와 짧은 경우를 비교 대조하여 보다 긴 수감 기간이 효과가 있다는 것을 입증하려는 시도가 있을 수 있다. 그러나 이러한 비교 대조는 피해자들의 고통과 함께 또 다른 고통을 초래할 수 있다.

다른 인종 간 비교와 대조를 통해 무엇인가를 증명하려는 시도는 자주 일어나지만, 이러한 시도는 인종차별과 같은 불편한 주제에 대한 논쟁을 초래할 가능성이 크다. 예를 들어, 특정 인종의 평균적인 지능 수준을 다른 인종과 비교 대조하려는 시도는 매우 부적절하고 공격적인 것으로 여겨진다.

상대방 비하를 통한 비교 대조 설득에서 상대방을 비하하고 비교 대조하는 것은 비난, 편견, 혐오의 발언으로 이어질 수 있다. 이러한 방식으로 인해 대화 상대방에게 상처를 줄 뿐만 아니라, 성숙하지 못한 대화 방식으로 여겨질 수 있다.

―――――――――•◆•―――――――――

"비교는 기쁨을 뺏는 불편함이지만, 판매에서는 성공의 열쇠이다."
브라이언 트레이시(Brian Tracy)

■ 핵심 요소

명확성과 단순화(Clarity and Simplification): 비교는 유사성을 강조함으로써 복잡한 선택 사항을 단순화하는 데 도움을 준다. 이것은 고객에게 의사 결정 과정을 단순화하고, 다른 선택 사항이 유용한 특징을 공유한다는 것을 보여 주며, 의사 결정에 대한 불안을 줄인다.

공통성 확립(Establishing Common Ground): 비교는 선택 사이에 공통점을 형성한다. 이는 다른 사람들이 비슷한 선택을 하고 있음을 고객들이 깨달을 때 소속감과 안정감을 만들어 낸다. 또한 동일한 선택을 한 고객들 사이에서 공동체 의식을 유도한다.

효율적인 커뮤니케이션(Efficient Communication): 비교는 영업 전문가가 제품 또는 서비스의 강점과 이점을 효율적으로 전달할 수 있게한다. 공유된 이점을 명확하게 제시함으로써 특정 선택이 왜 유용한지를 이해하기 쉽게 만든다.

독특성 강조(Highlighting Uniqueness): 대조는 제품 또는 서비스가독특한 이유를 강조한다. 차이점을 부각시킴으로써 독점성과 우수성을 느끼게 할 수 있다. 특히 경쟁 업체가 따라올 수 없는 특징 또는 이점을 제공할 때 효과적일 수 있다.

정보에 기반한 결정(Informed Decision-Making): 대조는 고객들이각 선택 사이의 장단점을 알 수 있도록 도와준다. 이것은 투명성을 제공하고 고객들이 희생과 보상을 평가할 수 있도록 돕는다. 이로써 고객은 자신의 요구 사항과 선호도와 가장 일치하는 선택을 할 수 있다.

우려 사항 대응(Addressing Concerns): 대조는 고객들이 가질 수 있는 잠재적인 우려나 반대 의견을 다룰 수 있다. 한계나 단점을 공개적으로 인정하고 이것이 이점을 능가한다는 설명을 통해 신뢰와 신용도를 구축한다.

설득력 강화(Enhancing Persuasion): 대조는 설득 도구이다. 대안 중에서 특정 선택을 이유가 되는 이유를 보여줌으로써 고객들을 특정 선택으로 동력화할 수 있다. 특정 판매 포인트와 이점을 강조함으로써 제안을 더 매력적으로 만들 수 있다.

시사점 : 비교와 대조는 영업과 설득에서 다른 하지만 보완적인 역할을 한다. 비교는 선택을 단순화하고 공통성을 확립하며 공유된 이점을 효율적으로 전달한다. 대조는 반면에 독특성을 강조하고 정보에 기반한 결정을 촉진하며 차이를 강조함으로써 설득을 강화한다. 이러한 전략을 현명하게 활용하면 영업 전문가는 고객들을 효과적으로 참여시키고 잘 판단된 선택을 내리도록 안내할 수 있다.

"고객은 제품을 사는 것이 아니라 더 나은 버전을 선택하는 것이다."
로라 부셰(Laura Busche)

■ 비교와 대조(Compare & Contrast)를 활용한 긍정적 사례

✧ 소프트웨어 솔루션 영업

소프트웨어 회사의 영업 대표인 A는 잠재적인 고객과 두 가지 다른 소프트웨어 솔루션을 고려 중인 상황에서 만났다.
비교: 두 가지 소프트웨어 옵션의 공통점을 강조했다. 두 옵션이 모두 탁월한 보안 기능, 정기적인 업데이트 및 24/7 고객 지원을 제공한다

고 지적한다. 이 비교를 통해 공통된 기반을 확립하고 두 옵션이 신뢰할 수 있음을 보여주었다.

대조: 두 소프트웨어 솔루션 사이의 차이를 강조한다. 옵션 1의 경우, 데이터 분석 기능을 강조하며, 데이터 중심 비즈니스에 이상적이라고 설명한다. 옵션 2의 경우, 사용자 친화적인 인터페이스와 기존 시스템과의 쉬운 통합성을 강조한다. 각 옵션이 다른 영역에서 뛰어나다는 명확한 그림을 그렸다.

통찰력과 권고: 비교와 대조 이후, 분석 기능에 끌리지만 복잡성에 대한 우려가 있다고 생각했다. 또한 사용 편의성에 매료되지만 데이터 처리 능력에 대한 우려가 있다.

맞춤형 솔루션: 비교와 대조를 효과적으로 활용함으로써 특별한 요구 사항을 충족하는 맞춤형 솔루션을 제공했다. 옵션 1의 분석 모듈을 옵션 2에 통합하는 맞춤형 솔루션을 제안한다. 이러한 혼합 접근법이 고객의 특별한 요구 사항을 해결하면서 사용자 친화적인 인터페이스를 유지할 것이라고 설명했다. 맞춤형 접근은 고객에게 공감을 일으키는데 도움이 되었다.

정보에 기반한 결정: 옵션을 명확하게 제시함으로써 자신의 비즈니스 목표와 일치하는 잘 판단된 결정을 내릴 수 있도록 도왔다.

신뢰 구축: 투명성과 각 옵션의 장점을 활용하여 우려 사항에 대처함으로써 신뢰를 구축했다. 이는 판매가 성사될 가능성을 높였다.

✦ 기업 전화 시스템 업그레이드

A는 통신 회사의 영업 매니저이다. 기업의 전화 시스템을 업그레이드

하고자 하는 잠재적인 고객과 만나고 있다. 비교와 대조를 효과적으로 사용하여 그의 비즈니스를 위한 최상의 결정을 내릴 수 있도록 돕는 것이 중요하다는 것을 알고 있다.

비교: A는 두 가지 전화 시스템 옵션을 비교하면서 시작한다. 옵션 1과 옵션 2 모두 성장하는 비즈니스를 수용할 수 있는 고급 콜 라우팅 기능과 확장성을 제공한다고 강조했다. 이 비교는 핵심 요구 사항을 두 옵션이 모두 **충족한다는** 것을 보여주며 공통된 기반을 확립한다.

대조: 옵션 1의 경우, 2의 데이터 기반 의사 결정에 유용한 강력한 데이터 분석 통합을 강조한다. 옵션 2의 경우, 사용자 친화적 인터페이스와 예산을 고려한 비용 효율성을 강조한다. 각 옵션이 특정 영역에서 어떻게 뛰어나다는 것을 명확하게 설명했다.

통찰력과 권고: 비교와 대조 이후, 옵션 1의 고급 데이터 분석과 예산 친화적인 옵션 2의 특징 사이에서 갈등을 느끼고 있는 것을 느낀다. 그러나 옵션 1의 데이터 분석 통합의 복잡성에 대한 우려가 있다.

맞춤형 솔루션을 제안했다. 이것은 옵션 2의 사용자 친화적 인터페이스와 옵션 1의 간소화된 데이터 분석 모듈을 결합한 것이다. 이러한 혼합 접근법이 복잡성을 주지 않으면서 필요한 데이터 통찰력을 제공할 것이라고 설명했다.

비교와 대조가 각 옵션의 강점과 약점을 이해하는 데 어떻게 도움이 되었는지를 감안에 두었다. 맞춤형 솔루션 제안은 그의 요구 사항과 완벽하게 일치한다. 비즈니스에 적합한 선택이라고 확신하며 혼합 솔루션을 선택하기로 결정했다.

맞춤형 솔루션: 비교와 대조를 효과적으로 사용하여 특별한 요구 사항

을 충족하는 맞춤형 솔루션을 제안할 수 있었다. 이 맞춤형 접근은 고객에게 공감을 일으키는 데 도움이 되었다.

정보에 기반한 결정: 옵션을 명확하게 제시함으로써 그의 비즈니스 목표와 일치하는 잘 판단된 결정을 내릴 수 있도록 도왔다.

예산 고려 사항: 1의 혼합 솔루션은 2의 예산 제약을 해결하면서도 필수적인 데이터 분석 기능을 제공했다.

✧ Sedan과 SUV 자동차 영업

A는 자동차 딜러쉽의 영업 컨설턴트이다. 그는 새 차를 찾고 있는 잠재 고객과 만났다.

비교: Sedan X와 SUV Y라는 두 차량 모델을 비교했다. 두 모델이 모두 탁월한 연비, 안전 기능 및 보증 범위를 제공한다고 지적한다. 이 비교를 통해 B에게 두 옵션이 신뢰할 만하다는 것을 보여주었다.

대조: Sedan X의 경우, 그는 도시 주행과 주차에 적합한 소형 크기를 강조했다. SUV Y의 경우, 그는 넓은 실내와 다용도성을 강조하여 가족 여행과 야외 모험에 이상적이라고 설명한다. A는 각 모델이 다른 시나리오에서 어떻게 뛰어나다는 점을 생생하게 보여준다.

통찰력과 권고: 비교와 대조 이후, Sedan X의 연비에 끌리지만 화물 공간의 제한에 대한 우려가 있다는 것을 알아냈다. SUV Y의 다용도성에 관심을 가지지만 도시 통근용으로는 크다는 점에 대한 걱정이 있다.

하이브리드 옵션: 하이브리드 솔루션을 제안했다. 이것은 Sedan X의 연비와 SUV Y의 추가 화물 공간을 결합한 소형 SUV 버전이다. 이 하

이브리드 모델이 양쪽의 장점을 살려 도시 주행과 가족 나들이에 모두 적합하다고 설명했다.

각 모델의 강점과 약점을 이해하고 하이브리드 옵션이 특별한 요구 사항을 충족시키는 방법을 알게 되었다. 그것이 라이프스타일에 완벽한 차량임을 확신했다.

맞춤형 솔루션: 비교와 대조를 효과적으로 활용함으로써 특별한 요구 사항을 충족하는 맞춤형 솔루션을 제안할 수 있었다. 이 맞춤형 접근은 고객에게 공감을 일으키는 데 도움이 되었다.

정보에 기반한 결정: 옵션을 명확하게 제시함으로써 라이프스타일과 선호도와 일치하는 잘 판단된 결정을 내릴 수 있도록 도왔다.

고객 만족도: 두 옵션의 강점을 활용하여 우려 사항을 해결한 결과, 높은 고객 만족도와 성공적인 판매가 이루어졌다.

> "판매에서는 경쟁상대보다 우수해지는 것이 아니라,
> 다른 점을 만드는 것이다."
> 미상(Unknown)

■   **비교와 대조(Compare & Contrast)를 활용한 부정적 사례**

✦ **러닝머신 구매 상담**

A는 피트니스 장비 가게의 영업 대표이다. 러닝머신을 구매하려는 잠재 고객과 만나고 있다. 판매 행위 중에 비교와 대조를 부정적인 방

식으로 사용했다.

비교와 대조 : A는 두 개의 러닝머신 모델, 모델 X와 모델 Y를 비교하여 시작한다. 그러나 그들의 강점을 강조하는 대신 그들의 약점을 과장한다. 각 모델의 결점을 끊임없이 강조하여 그것들을 나쁜 선택으로 여기게 만들었다.

혼란을 초래 : 혼란스런 용어와 기술적인 용어를 사용하여 B가 러닝머신 간의 차이를 이해하기 어렵게 만들었다. 명확한 설명을 제공하지 않았고 요구 사항과 관련이 없는 혼란스러운 기술 명세에 중점을 두었다.

부정적인 면을 과장 : 크기, 소음 수준 및 가격과 같은 두 모델의 단점을 대부분 강조했다. 긍정적인 측면이나 혜택을 제공하지 않았다.

권고사항 부재 : 어떠한 권고사항이나 해결책도 제공하지 않았다.

실망한 채로 가게를 나갔다. 정보를 얻지 못하여 정보에 기반한 결정을 내릴 수 없었다. 심지어 다른 가게에서 러닝머신을 구입하는 것을 고려할 수도 있게 되었다.

부정적인 접근(Negative Approach): 비교와 대조를 부정적으로 사용한 결과는 좋지 못했다.

혼란과 실망(Confusion and Frustration): 정보를 명확하게 제공하지 않아 고객에게 혼란과 실망을 초래했다.

놓친 기회(Missed Opportunity): 고객과 신뢰를 구축하고 그의 요구사항을 충족하는 해결책을 제공할 기회를 놓쳤다.

대면 영업에서 비교와 대조를 건설적이고 정보 제공적인 방식으로 사용하는 중요성을 강조한다. 부정적인 접근 방식은 고객의 불만과 잃어버린 판매 기회로 이어질 수 있다. 판매자는 고객이 정보에 기반한 결정을 내릴 수 있도록 명확하고 관련성 있는 정보를 제공하는 것을 목표로 해야 한다.

❖ 노트북 구매 상담

A는 전자제품 가게에서 영업 직원으로 일하고 있다. 새 노트북을 구매하려는 잠재 고객과 만나고 있으나, 영업상담 도중 비교와 대조 기술을 부적절하게 사용하고 있다.

비교와 대조 : 두 가지 노트북 모델, 모델 1과 모델 2를 비교하여 시작한다. 그러나 그들의 특징을 객관적으로 강조하는 대신, 모델 1을 공격적으로 홍보하면서 모델 2를 경시했다. 모델 1이 "최고"라고 반복하며 모델 2에 "너무 많은 결함이 있다"고 언급했다.

과도한 부정적인 접근 : 모델 2의 모든 세세한 단점을 나열하고 일부 문제를 과장했다. 모델 2에 어떠한 긍정적인 특성도 없는 것처럼 언급했다. 접근 방식은 과도하게 부정적이었다.

고객 요구 무시 : 구체적인 요구 사항이나 선호도에 대해 묻지 않았다. 모델 1이 보편적으로 우수하다고 가정하고 즉시 결정을 내리도록 압박했다.

투명성 부족 : 모델 1 판매 시 더 높은 커미션을 받는다는 점을 언급하지 않았으며, 편향된 접근을 고수했다.

강압적이고 부정적인 전술에 불편함을 느꼈다. 구매를 하지 않고 가게를 떠나며 자신에게 공정한 옵션 평가를 받지 못한 것으로 느꼈다. 중립적인 조언을 받을 수 있는 다른 가게에서 구매할 것을 고려했다.

오해 소지 접근(Misleading Approach): 비교와 대조 기술을 부적절하게 사용하면서 부정적인 결과를 초래했다.

신뢰성 상실(Loss of Credibility): 모델 2의 결점을 과장하고 고객의 요구를 고려하지 않고 모델 1을 강력히 밀어붙이면서 신뢰성을 상실했다.

윤리적 우려(Ethical Concerns): 커미션에 대한 투명성 부족은 판매 전술에 대한 윤리적 우려를 불러일으킨다.

대면 영업 중에 비교와 대조 기술을 윤리적으로 사용하는 중요성을 강조한다. 이러한 기술을 부적절하게 사용하면 고객의 신뢰를 훼손하고 판매 기회를 놓칠 수 있다. 판매자는 고객의 요구를 우선시하고 편견 없는 조언을 제공해야 한다.

***

> "어리석은 자는 온갖 말을 믿으나
> 슬기로운 자는 자기의 행동을 삼가느니라"
> 잠언 14:15

✧ 가구 구매 상담

가구 가게에서 A는 새로운 소파를 찾는 고객 부부를 돕고 있다.

비교와 대조 : 두 개의 소파 모델, 소파1과 소파 2를 비교하여 시작했

다. 그러나 소파 1을 비판하면서 작은 결함과 높은 가격을 지속적으로 강조했다. 그 후 소파 2를 과도하게 칭찬하며 이 모델이 모든 면에서 완벽하다고 주장했다.

불편함 유발 : 이런 접근 방식은 B를 불편하게 만들었다. 소파 1을 비난하고 소파 2를 지나치게 열렬히 추천하는 것에 압박을 느꼈다.

고객 선호도 무시 : 선호도나 요구 사항에 대해 묻지 않았다. 소파 2가 유일한 적절한 선택인 것으로 가정하고 이에 대한 질문이나 우려를 무시했다.

잘못된 정보 제공 : 소파 1의 보증 기간에 대한 오해를 조장하며 실제로는 더 짧은 보증 기간이라고 제안했다. 이로 인해 부부의 신뢰가 더욱 흔들렸다.

B는 어떤 구매도 하지 않고 가게를 떠났다. 접근 방식이 강압적이고 도움이 되지 않으며 편향되어 있다고 느끼며, 다른 가구 가게를 방문하여 더 정직하고 고객 중심적인 지원을 받기를 희망했다.

신뢰 상실(Loss of Trust): 비교와 대조 기술을 부정적으로 사용한 결과 고객으로부터 신뢰를 크게 상실하였다.

고객 불편함(Customer Discomfort): A의 접근 방식으로 인해 불편함과 압박이 발생하고 판매 기회가 소실되고 고객 경험이 부정적으로 작용하였다.

균형 필요(Need for Balance): 비교와 대조 기술을 효과적으로 사용하려면 균형 잡힌 정보를 제공하고 고객의 선호도와 우려 사항을 고려해야 한다.

대면 영업에서 비교와 대조 기술을 책임과 윤리에 맞게 사용하는 중요성을 강조한다. 이러한 기술을 오용하면 신뢰를 훼손하고 잠재적인 고객을 도망치게 할 수 있다. 판매 직원은 정확하고 편견 없는 정보를 제공하고 고객의 선호도와 우려를 존중해야 한다.

"판매는 납득시키는 것이 아니라
고객이 정보에 기반해 결정을 내리도록 돕는 것이다."
지그 지글러(Zig Ziglar)

■ 비교와 대조(Compare & Contrast)를 활용하는 10가지 방법

고객 요구사항 분석(Customer Needs Analysis)

비교를 고객 요구에 맞게 조정하여 더 높은 관련성과 효과를 얻는다. 고객의 고통 포인트를 이해하려면 철저한 연구나 인터뷰가 필요하다.

예시: *"에너지 효율성을 원하는 고객을 위해 우리 제품은 에너지 소비를 30% 절감하는 데 뛰어납니다."*

고유한 판매 포인트 (USP) 강조(Unique Selling Points (USPs))

USP를 강조하여 제품 또는 서비스를 차별화한다. 독특한 기능, 고급 기술 또는 독점적인 혜택을 확인한다.

예시: *"저희 자동차는 클래스에서 비할 데 없는 제로 배출 전기 엔진을*

자랑합니다. "
시각적 자료 활용(Visual Aids)

시각 자료는 이해와 공감을 증대시킨다. 인포그래픽이나 옆에 비교할 이미지를 사용하여 효과적으로 제시한다.

예시: "이 오디오 비교 그래프는 저희 헤드폰이 음질 측면에서 경쟁상품을 능가하는 것을 명확하게 보여줍니다. "

고객 사례 활용(Customer Testimonials)

실제 고객 이야기는 강력한 사회적 입증을 제공한다. 고객 이슈 포인트를 해결하는 성공 이야기를 공유한다.

예시: "저희 전자 상거래 플랫폼을 사용하여 온라인 매장 수익을 40% 증가시켰습니다. "

경쟁사 분석(Competitor Analysis)

경쟁사 분석을 통해 제품 강점을 강조한다. 경쟁사를 연구하여 강점과 약점을 파악하고 자사 제품과 비교하여 주요 영역에서 어떻게 뛰어난지에 대한 통찰력을 고객에게 제공한다.

예시: "우리 소프트웨어는 Competitor X와 달리 제3자 애플리케이션과 원활한 통합을 제공합니다. "

가격 전략 비교(Pricing Strategies)

가격 구조 비교를 통해 비용 효율성을 강조한다. 고객이 돈을 절약하거나 추가 혜택을 받을 수 있는 방법을 보여준다.

예시: "우리의 구독 요금제는 경쟁자 Y와 동일한 기능을 제공하면서 15% 더 저렴합니다."

나란히 비교하기(Side-by-Side Comparisons)

비교하는 시각적 자료는 결정을 단순화하고 주요 차이점을 강조한다. 기능을 비교하는 명확한 표나 차트를 만든다.

예시: "이 차트는 피트니스 트래커의 배터리 수명, 심박수 정확도 및 앱 통합에서 경쟁사를 능가하는 것을 보여줍니다."

반박 처리(Address Objections)

선제적으로 반박을 다루어 신뢰를 구축한다. 일반적인 반박을 예상하고 이러한 반박을 극복하는 증거를 제공한다.

예시: "내구성에 대한 우려가 있을 수 있지만 저희 제품은 엄격한 스트레스 테스트를 거칩니다."

증거 제시(Provide Evidence)

주장을 데이터나 인증을 통해 뒷받침하여 신뢰도를 높인다. 통계, 사례 연구 또는 신뢰할 수 있는 소스에서 나온 인증을 활용한다.

예시: "독립적인 연구 결과, 저희 백신 소프트웨어가 Competitor Z보다 98% 더 많은 위협을 감지한다는 것을 입증합니다."

윤리적 행동(Ethical Conduct)

비교에서 윤리적 기준을 유지한다. 불공정한 비교나 부정적인 전술을 피한다.

예시: "우리는 제품의 강점을 믿지만, 고객의 고유한 선호도에 따라 선택을 존중합니다."

"판매하는 것은 제품을 팔기 위한 것이 아니라 문제를 해결하기 위한 것이다."
미상(Unknown)

☞ 비교와 대조(Compare & Contrast) 멘트

"시중의 다른 제품들은 기본적인 기능만 제공하는 반면, 우리 제품은 고급 기능도 제공하여 품질과 성능의 새로운 기준을 제시합니다."
다른 제품의 기본 기능에 비해 고급 기능을 강조한다.

"이상적인 조건에서만 작동하는 브랜드 X와 달리 우리 장비는 극한의 더위와 추위에도 견딜 수 있도록 설계되어 어떤 환경에서도 안정성을 보장합니다."
제품의 내구성과 다용도성을 경쟁사 제품과 비교한다.

"동종 업계의 대부분의 서비스는 고객 지원 비용을 청구하지만, 저희는 연중무휴 24시간 지원을 무료로 제공하므로 언제나 필요한 도움을 받

을 수 있습니다."
서비스가 제공하는 부가 가치에 집중한다.

"저희 제품은 주요 경쟁사의 모든 기능을 수행할 뿐만 아니라 고유한
AI 통합 기능을 제공하여 워크플로우를 간소화합니다."
제품에 추가된 혁신적인 기능을 대조한다.

"시중에 나와 있는 많은 옵션은 사용하기가 복잡하지요, 반면 저희 제
품은 사용자의 편의를 염두에 두고 설계된 사용자 친화적인 제품입니
다."
다른 제품과 비교하여 사용 편의성을 강조한다.

"Y 브랜드는 더 저렴할 수 있지만, 우리 제품은 더 긴 내구성과 더 나
은 성능을 제공하므로 장기적으로 비용 효율성이 더 높습니다."
초기 비용과 장기적인 가치를 비교한다.

"타사와 달리 서비스 패키지에는 포괄적인 보증과 환불 보장이 포함되
어 있어 완벽한 만족을 보장됩니다."
제공하는 우수한 서비스 조건에 중점을 둔다.

"경쟁사가 대량 생산에 집중하는 반면, 우리는 품질과 장인 정신을 우
선시하여 진정으로 독보적인 제품을 만듭니다."
제품의 품질과 독점성을 강조한다.

"다른 브랜드에서도 비슷한 제품을 제공할 수 있지만, 저희는 친환경적
인 약속과 지속 가능한 생산 방식을 제공한다."
제품의 환경적 이점을 대조적으로 설명한다.

"시중에서 비슷한 서비스를 찾을 수 있지만, 저희와 같은 수준의 맞춤

화된 고객 관리와 세심한 주의를 기울이는 서비스는 없습니다."
귀사가 제공하는 탁월한 고객 서비스를 강조한다.

■ 요약

비교와 대조는 어떤 선택을 할 때 주변과 관련해 인식하고 판단하려는 경향이다.
둘 이상의 옵션간의 유사점, 차이점을 분석하고 제시하는 설득 기술이다.
보다 명확하고 객관적인 평가를 제공하여 더 깊은 이해를 바탕하여 선택하도록 돕는 것이다.

■ 핵심 키워드

비교와 대조, 정보에 기반한 결정, 유사점과 차이점, 명확성과 단순화, 공통성, 나란히 비교

■ 적용 질문

비교와 대조가 설득과 영업에 있어서 가지는 핵심적인 특징은 무엇인가?
비교와 대조로 설득과 영업에서 거둘 수 있는 기대효과는 무엇인가?
비교와 대조를 활용하기 위한 10가지 방법이 무엇이고 나에게 있어 강화해야 하는 요소는 무엇인가?

제 8 장

상호성(Reciprocity)

"보답을 받으려면 먼저 보답하라."
닥터 브라이언(Dr. Brian)

상호성(Reciprocity)

■ **개념**

상호성은 호혜적 호소라고도 하는데 사회 심리학과 광범위한 인간 상호 작용 모두에서 기본 개념으로, 사람들은 선천적으로 호의를 받으면 보답하려는 경향이 있다는 점을 강조한다. 우리에게 주어진 것을 "보상"하려는 본능적인 욕구[44]는 상호 교환이 사회적 조화와 균형을 촉진하는 것으로 간주되는 문화적, 사회적 규범으로 거슬러 올라간다.

모든 사회에서 인간의 주고 받는 욕구가 있다는 일종의 상호주의 규범[45]에 근거한다. 사람들은 자연스럽게 호의에 보답하거나 행동에 보답하려는 경향이 있다는 것이다. 상호주의는 긍정적인 상호 교환 이후 다양한 상황에서 보답할 가능성이 높아지는 즉, 상호 의존적 시스템의 탄력성[46]을 향상시킨다. 어려운 상황에서 상호성 규범[47]이 도입되고 상호 지원을 촉진하게 되면, 보답 의무와 판매 양보가 일어나 시스템의 안정성이 증가한다. 호의에 노출 된 사람이 호의에 보답[48]해야 한다는 인식을 작동해 단순한 양보를 받은 사람보다 구매할 확률이 높아지는 원리이다.

---

[44] "Influence: The Psychology of Persuasion" Dr. Robert B. Cialdini
[45] "The Rule for Reciprocity and Social Behavior" Alvin Gouldner
[46] "Reciprocity, Associative Memory, and the Process of Generalization" John M. Darley
[47] "Reciprocity Enhances the Resilience of Interdependent Systems" Elena Rocco
[48] "Obligation to Return a Favor and Sales Concessions: Their Differential Impact on Persuasion" Jerry M. Burger

호혜적 호소는 요청이나 행동을 준수하는 대가로 대상 상대에게 무언가를 제공하는 것을 포함하는 설득력 있는 기술이다. 이 기술의 이면에 있는 생각은 사람들이 요청을 하는 사람에게 무언가 빚이 있다고 느끼면 요청에 긍정적으로 반응할 가능성이 더 높다는 것이다. 호혜적 호소는 누군가가 우리를 위해 무언가를 했을 때 보답해야 하는 인간의 필요를 이용하기 때문에 설득에 있어서 중요하다. 누군가가 우리를 위해 좋은 일을 해줄 때, 우리는 그 은혜에 보답해야 할 의무를 느낀다. 이 기법을 사용함으로써, 설득자는 상대들이 그들의 요청을 들어주거나 원하는 행동을 취할 가능성을 높일 수 있다.

작은 선물이나 호의 제공[49]과 같은 접근 방식의 작은 변화는 호혜 효과로 인해 다양한 설득과 협상에서 수용 또는 합의 가능성을 크게 높이는데, 손님에게 요청하지 않은 작은 선물을 제공하면 팁이 20% 이상 증가했다는 연구 결과도 있다. 대가를 기대하지 않고 기부[50]하는 사람들이 더 많은 성공을 거두는 경우가 많다. 조직의 경우 상호 파트너십[51]을 적극적으로 추구하고 참여하는 조직은 종종 더 많은 혁신과 성장을 경험한다.

판매와 설득 전술을 고려할 때 상호주의는 강력한 기술로 등장한다. 회사가 고객에게 무료 품목, 선물 또는 특별 제안을 제공할 때 이러한 개인은 일반적으로 구매를 하거나 브랜드를 홍보함으로써 보답하려는

---

[49] "Yes! : 50 Scientifically Proven Ways to Be Persuasive" Robert B. Cialdini, Noah J. Goldstein, Steve J. Martin

[50] "Give and Take: Why Helping Others Drives Our Success" Adam Grant, "The Go-Giver: A Little Story About a Powerful Business Idea" Bob Burg & John David Mann

[51] "The Reciprocity Advantage: A New Way to Partner for Innovation and Growth" Bob Johansen & Karl Ronn

암묵적인 강박감을 느끼는 경우가 많다. 이 현상은 유형의 품목에만 국한되지 않는다. 귀중한 조언을 제공하거나 고객을 위해 시간을 할애하는 것과 같은 선의의 행위조차도 의무감을 유발할 수 있다.

예를 들어, 판매원은 잠재 고객에게 무료 평가판이나 샘플 제품을 제공하여 구매를 설득할 수 있다. 판매원은 고객에게 가치 있는 것을 제공함으로써 의무감이나 부채감을 조성하여 고객이 구매할 가능성을 높인다.

상호주의적 호소의 또 다른 예는 정치 캠페인이 잠재적 지지자들에게 스티커나 단추와 같은 무료 상품을 보낼 때이다. 이 캠페인은 잠재적인 지지자들에게 가치 있는 무언가를 제공함으로써, 그들이 그 대가로 후보자를 지지해야 할 의무를 느낄 것이라고 희망한다.

그러나, 윤리적으로 상호 호소력을 사용하고 진정으로 가치가 없거나 요청과 관련이 없는 것을 제공하여 상대를 조종하지 않는 것이 중요하다. 더욱이, 이 기법은 상대를 속여서 준수하도록 해서는 안 된다. 상호주의적 호소는 관련된 모든 당사자를 위한 상호 이익을 달성하기 위해 다른 윤리적 설득 기법과 함께 사용되어야 한다.

헌혈 운동은 상호주의 기법을 사용한 성공적인 설득의 훌륭한 예이다. 사람들에게 헌혈을 하도록 설득하는 것은 시간이 많이 걸리고 때로는 고통스러운 과정이 될 수 있기 때문에 어려울 수 있다. 하지만, 헌혈 운동은 참가자들에게 그들의 기부에 대한 대가로 티셔츠, 커피 머그컵, 또는 간식과 같은 작은 선물을 제공한다. 이 제스처는 의무감이나 부채감을 조성하여 참가자들이 기부할 가능성을 높이고 잠재적으로 미래의 기부를 위해 돌아오게 한다.

교육과 훈련은 비용이 많이 들 수 있고, 사람들은 그들에게 이익이 될 것이라고 확신하지 못하는 것에 돈을 쓰는 것을 주저할 수도 있다. 이런 상황에서, 무료 교육과 훈련 프로그램을 제공하는 것은 사람들이 참여하도록 설득하는 효과적인 방법이 될 수 있다. 여기서 상호주의 기법은 참가자들에게 수료증 또는 잠재적 고용주에게 새로운 기술을 보여주는 데 사용할 수 있는 다른 자격증을 제공함으로써 사용될 수 있다. 이 오퍼링은 의무감을 조성하여 참가자들이 과정을 진지하게 듣고 학습 과정에 참여하도록 동기를 부여한다.

자선 모금은 상호주의 기법이 효과적일 수 있는 또 다른 분야이다. 사람들이 그들이 잘 모르거나 투자하지 않을 수도 있는 사업에 그들이 힘들게 번 돈을 기부하도록 설득하는 것은 어려울 수 있다. 팔찌나 열쇠고리와 같은 기부의 대가로 작은 선물을 제공함으로써, 자선단체들은 기부자들에게 의무감과 감사함을 줄 수 있다. 이 기부금은 또한 기부자에게 그들이 기부한 대의를 상기시키는 데 사용될 수 있으며, 잠재적으로 미래의 기부 가능성을 증가시킨다.

상호주의의 미묘한 차이를 이해하고 이를 현명하게 활용하는 사람들에게는 신뢰를 구축하고 지속적인 관계를 구축하며 전반적인 설득력을 향상시킬 수 있는 기회가 제공된다.

"상호성의 법칙은 다른 사람들을 위해 무언가를 할 때
그들은 은혜를 돌려주길 원한다는 것을 말한다."
로버트 시알디니(Robert Cialdini)

■ **핵심 특징**

인간 본성(Human Nature): 상호성은 인간 본성에 깊이 뿌리 박혀 있다. 사람들은 누군가로부터 은혜, 선물 또는 양보를 받을 때 의무감을 느끼곤 한다. 이 의무감은 종종 그들을 어떤 형태로든 보답하도록 동기부여한다.

관계 구축(Building Relationships): 판매와 설득에서 상호성은 잠재적인 고객이나 클라이언트와의 관계를 구축하고 강화하는 데 중요한 도구이다. 기대하지 않고도 가치 있는 것을 제공하면 호의를 돕고 신뢰를 촉진한다.

가치 교환(Value Exchange): 상호성은 반드시 동등한 가치를 주는 것이 아니라, 무언가에 대한 빚을 느끼게 만드는 것이다. 작은 제스처나 호의도 상호적인 반응을 유도할 수 있다. 예를 들어 제품의 무료 체험을 제공하거나 유용한 정보를 제공하면 이러한 과정이 시작될 수 있다.

타이밍의 중요성(Timing Matters): 상호성에서는 타이밍이 중요한 역할을 한다. 특히 상대방이 그것을 예상하지 않을 때 먼저 주는 것은 더 유리한 응답을 유도할 수 있다. 그러나 행동이 진정성 있어야 하며, 부정직한 제스처는 역효과를 낼 수 있다.

개인화(Personalization): 대상 상대의 특정한 필요와 선호도에 맞게 제공 사항을 맞추면 상호성의 효과가 향상된다. 사람들이 제공하는 것이 그들에게 진정으로 관련이 있다고 느낄 때 더 자주 상호 작용할 가능성이 높아진다.

장기 전략(Long-Term Strategy): 상호성은 즉각적인 결과가 아니라 지속적인 관계를 유지하기 위한 장기 전략이다. 지속적으로 가치를 제공하고 진정으로 도움을 주면 충성 고객 또는 지지자 네트워크를 만들 수 있다.

다양한 행동(Variety of Acts): 상호성은 할인을 제공하거나 가치 있는 콘텐츠를 공유하거나 개인화된 권장 사항을 제공하는 등 다양한 형태로 나타날 수 있다. 핵심은 상대방이 자신을 고마워하고 소중하게 생각한다고 느끼게 하는 것이다.

혜택 강조(Emphasizing Benefits): 상호성을 사용할 때, 상대방이 제공하는 것으로부터 얻게 될 혜택을 강조한다. 제품이나 서비스가 그들의 문제를 해결하거나 그들의 요구를 충족시킬 수 있는 방법을 보여준다.

후속 조치(Follow-Up): 상호성을 시작한 후에도 가능한 고객이나 고객과 연락을 유지한다. 그들의 관심이나 취한 조치에 대한 감사를 표현하면 긍정적인 인상을 강화하고 지속적인 상호성으로 이어질 수 있다.

윤리적 고려사항(Ethical Considerations): 상호성은 설득적인 기술이지만 윤리적으로 사용하는 것이 중요하다. 조작적인 전술이나 수령자에게 강제로 상호작용을 유도하려는 압박적인 기술을 피해야한다. 성실한 친절함과 가치 공유는 더 긍정적인 결과를 가져올 가능성이 높다.

요약하면, 상호성은 인간 심리와 의무를 반환하는 자연스러운 경향을 활용하는 설득과 영업에서 중요한 원칙 중 하나이다. 신중하고 진정한 방식으로 사용될 때, 이것은 관계 구축, 가치 제공 및 최종적으로 이 분야에서 성공을 달성하는 데 유용한 도구이다.

> "당신이 다른 사람들이 원하는 것을 도울 경우,
> 당신은 원하는 모든 것을 얻을 수 있다."
> 지그 지글러(Zig Ziglar)

■ 상호성(Reciprocity)을 활용한 보편적 사례

공항에서 크리슈나 꽃을 무료 증정

1970년대와 1980년대에 하레 크리슈나(Hare Krishna) 종교 단체의 회원들은 공항에서 여행자에게 꽃과 같은 작은 선물을 주곤 했다.

정확한 숫자를 파악하기는 어렵지만, 많은 여행자가 이러한 선물을 받은 후 기부할 의무감을 느꼈다고 한다. 이 전략은 이 기간 동안 그룹에 상당한 자금 조달을 가져왔다. 선물을 받으면 사람들이 보답으로 무언가를 주어야 한다는 의무감을 느끼게 되므로 상호주의 원칙이 작용했다.

소매점의 무료 샘플

슈퍼마켓과 기타 소매점에서는 종종 무료 제품 샘플을 제공했다.

연구에 따르면 무료 샘플을 통해 매출이 최대 2,000%까지 증가할 수 있다. 예를 들어 치즈 샘플을 판매하는 슈퍼마켓의 경우 매출이 600% 증가했다. 고객은 무료 샘플을 받는 행위로 인해 종종 샘플 제품을 구매함으로써 보답해야 한다는 의무감을 느끼게 된다.

디지털 콘텐츠 및 웹 세미나

많은 온라인 비즈니스와 영향력 있는 사람들은 이 메일 주소를 대가로 무료 웹 세미나나 디지털 콘텐츠를 제공했다.

한 연구에 따르면 웨비나를 사용하는 기업의 리드 전환율은 2040%였다. 즉, 참가자 100명 중 일반적으로 2040명이 유료 고객이나 가입자로 전환된다. 기업은 가치 있는 콘텐츠를 무료로 제공함으로써 부채감을 조성하고 참가자가 관련 제품이나 서비스를 구매할 가능성을 높인다.

"도어인더페이스" 기술("Door-in-the-Face" Technique)

이 설득 기법에는 거절될 것으로 예상되는 큰 호의를 요청한 후 훨씬 작은 호의(실제 요청)가 뒤따랐다.

유명한 연구에서 학생들에게 처음 비행 청소년 상담사로 2년을 보내도록 요청한 후(큰 요청) 청소년과 함께 동물원으로 2시간 여행을 가도록 요청 받았다(작은 요청). , 동의율은 초기 17%에서 50%로 뛰어올랐다. 상대방이 더 작은 작업에 동의함으로써 보답하도록 유도할 때 상호주의 원칙이 작동된다.

하나 구매하면 하나 무료(BOGOF: Buy One, Get One Free) 혜택

패션과 식품 부문에서 많은 소매업체가 BOGOF 전략을 채택한다. 정확한 수치는 업계에 따라 다르지만 식료품 부문에 대한 연구에 따르면 BOGOF 거래를 통해 특정 제품의 매출이 최대 70% 증가할 수 있는 것으로 나타났다. 소비자는 구매 시 선물을 받는다고 인식하고 결과적으로 더 많이 구매하고 싶은 충동을 느낀다.

"제공하면 할 수록, 더 많이 받는다."
중국 속담 (Chinese Proverb)

■ 상호성(Reciprocity)을 활용한 긍정적 사례

✧ 시계 잠재적 고객 상담

A는 고급 시계 회사의 영업 대표로서 최신 컬렉션을 전시하기 위해 참가한 박람회에 참석했다. 잠재적인 고객들이 그의 부스에 다가오면서 특히 한 모델에 큰 관심을 보이는 고객을 발견했다. 이 시계를 좋아하고 있었지만 아직 구매 결정을 내리지 않았다.

A는 즉시 판매 논쟁에 뛰어들지 않고 상호성 원칙을 효과적으로 활용하기로 결정했다. 그의 관심이 특별한 시계 모델에 끌리는 이유를 이해하려고 대화를 시작했다. 고전적인 시계를 좋아하고 있으며 이 시계의 장인 정신을 존경한다고 언급했다.

기회를 포착하고 그에게 특별한 경험을 제공하기로 결정했다. 시계를 소개하면서 살펴볼 수 있는 돋보기와 이 시계의 복잡한 디자인과 역사를 설명하는 책자를 전달했다. 시계를 살펴보고 무게를 느끼며 디자인을 가까이서 관찰하라고 권장했다.

이 예의에 진심으로 감동받았다. 시계를 몇 분 동안 검토했고, 그 과정에서 시계의 기원과 뛰어난 장인들에 대한 흥미로운 일화를 공유했다. 다윗은 시계뿐만 아니라 지식과 개인적 경험에도 감동받았다.

시계를 반환할 때, 작은 선물을 건넸다. 시계와 완벽하게 어울리는 가죽 시계줄이었다. 그것은 다윗의 관심과 시간을 보내준 것에 대한 감사의 표시라고 언급했다.

이제 시계와 브랜드 모두에 감정적으로 동질감을 느끼고 구매를 결정했다. 컬렉션의 다른 모델들도 살펴보고 싶어했고, 궁극적으로 충성 고객이 되었다.

개인적 친분(Personalized Engagement): 시계를 판매하려고 급하게 들어가지 않고 개인적인 대화를 먼저 시작했다. 선호도와 라이프스타일에 진정한 관심을 보여 초기 동질감을 강화했다.

체험 중심 접근(Experiential Approach): 시계의 기능에 대해 이야기하는 대신, 직접 경험할 수 있게 했다. 손으로 만질 수 있는 감각적인 경험은 지속적인 인상을 남기고 시계의 가치를 높였다.

예상치 못한 선물(Unexpected Gift): 가죽 시계줄이라는 예상치 못한 선물은 예상치 못한 것이었다. 이로써 감사하게 여기게 되었다.

감정적 친화(Emotional Connection): 기억에 남는 감정적 경험을 만들어내는 것으로, 판매뿐만 아니라 충성 고객을 확보했다. 제품과 브랜드 모두에 대한 긍정적인 감정을 형성했다.

장기 전략(Long-Term Strategy): 이 경우 상호성은 즉각적인 결과가 아니라 고객과의 장기 관계를 구축하기 위한 것이었다. 신중한 접근은 반복 구매 고객이 되고 브랜드를 지지하는 이로 만들게 했다.

시사점 : 대면 판매에서 상호성을 효과적으로 활용하는 방법이 거래적

상호작용을 넘어서고 장기적인 고객 관계와 충성도를 높일 수 있는 것을 보여준다.

✧ 고급 스킨케어 영업 상담

A는 고급 스킨케어 브랜드의 영업 대표로서 미용 엑스포에 참가하였다. 엑스포에서 브랜드 제품에 대해 더 알고 싶어하는 스킨케어 애호가인 잠재 고객을 만났다. 비용과 효과에 대한 우려로 고급 스킨케어에 대한 고려를 주저하고 있었다.

가장 비싼 제품을 즉시 팔려고 하지 않고, 상호성 원칙을 효과적으로 활용하기로 했다. 스킨케어에 대한 대화를 나누었다. 젊고 빛나는 피부를 원한다고 언급했다.

맞춤형 스킨케어 상담을 제공하기로 결정했다. 피부 유형과 우려 사항을 주의 깊게 설명해주었다. 그런 다음, 브랜드의 제품을 사용하여 특정 우려 사항을 해결할 수 있을 것이라고 강조했다.

상담 중에 베스트셀러 모이스처라이저와 디럭스 사이즈의 클렌저 샘플을 주었고, 이러한 제품들로 원하는 결과를 얻을 거라고 설명했다. 또한 스킨케어 기술에 대한 조언을 공유하고 스킨케어 안내서를 제공했다.

아만다는 맞춤 상담과 관대한 샘플 제공에 감동을 받았다. 자신의 스킨케어에 대해 진심으로 관심을 가졌다고 느꼈다. 감사의 표시로 권장 제품을 구매하기로 결정하고 프리미엄 세럼까지 추가 주문했다.

고객의 요구 파악(Understanding Customer Needs): 스킨케어에 대한 여러 생각과 우려를 이해하기 위해 시간을 할애했다. 이로써 특정한 필요를 해결할 수 있는 맞춤형 권장 사항을 제공할 수 있었다.

맞춤형 상담(Personalized Consultation): 맞춤형 스킨케어 상담을 제공함으로써 가치 있는 경험을 제공했다. 이것은 브랜드가 스킨케어 에 대한 고민에 투자되어 있음을 보여주었다.

관대한 샘플 제공(Generous Samples): 관대한 샘플 제공으로 제품에 대한 호감과 관심이 높아졌다. 이러한 상호성의 행동으로 가치 있다고 느껴졌다.

교육적 콘텐츠(Educational Content): 가치 있는 스킨케어 팁을 공유하고 스킨케어 안내서를 제공함으로써 교육적 가치를 더했다.

업셀링(Upselling): 긍정적인 경험과 브랜드에 대한 신뢰는 추가 구매로 이어졌다. 이것은 상호성이 판매를 촉진할 수 있는 방법을 보여주었다.

시사점 : 상호성이 효과적으로 사용될 때 어떻게 긍정적이고 맞춤형 판매 경험을 만들 수 있는지를 강조한다. 고객의 요구를 이해하고 가치를 제공하며 신뢰를 구축함으로써 판매 대표는 강력한 고객 관계를 구축하고 판매를 촉진할 수 있다.

✧ 최고급 커피 머신 영업 상담

A는 고급 주방 가전 기업의 영업 대표로서 홈 및 라이프스타일 전시회에 참가했다. 최고급 커피 머신에 관심을 보이는 잠재 고객을 발견했다. 중요한 구매를 염두 해두고 최상의 거래를 찾아 다닌 상태였다.

가격과 할인에 대한 즉각적인 논의를 대신하여 A는 상호성 원칙을 효과적으로 활용하기로 결정했다. 커피에 대한 애정과 일상 생활에서 한 잔의 중요성에 대한 대화를 나누었다. 그들은 자신들의 커피 선호도와 직접 내려 만드는 기쁨에 대한 이야기를 공유했다.

독특한 경험을 제공하기로 결정했다. 자신들의 부스에서 진행되는 실시간 커피 제조 시연으로 초대했다. 커피 머신의 능력과 집에서 바리스타 수준의 커피를 내려 만들 수 있는 방법을 보여주었다. 참여하기로 기쁘게 동의했다.

시연 중에 A는 탁월한 커피를 내리는 것뿐만 아니라 커피 원두 선택, 그라인딩 및 우려 기술에 대한 맞춤형 조언을 제공했다. 신선하게 내린 커피를 맛보게 했고, 그 품질에 감명을 받았다.

시연 참석에 대한 감사의 표시로 A는 프리미엄 커피 원두와 이쁜 머그컵을 선물로 주었다. 커피 원두가 머신의 능력을 보완하기 위해 특별히 선택되었다고 설명했다.

커피 머신과 브랜드에 대해 감정적으로 동질감을 느낀 후 구매 결정을 내리기로 결정했다. 커피 머신 뿐만 아니라 밀크 프로더(milk frother)와 추가로 커피 컵과 같은 액세서리도 구매하였다.

동질감 구축(Building a Connection): 커피에 대한 열정에 대해 이야기함으로써 먼저 동질감을 조성했다. 이것은 강력한 친분을 만들었다.

체험 중심 접근(Experiential Approach): 실시간 커피 제조 시연을 제공함으로써 제품의 능력을 직접 체험하게 했고, 구매 결정을 내리기 쉽게 만들었다.

교육적 가치(Educational Value): 맞춤형 커피 조언은 경험에 교육적 가치를 추가했다. 이것은 브랜드가 그들의 구매를 최대한 활용하는 데 관심이 있다는 것을 보여주었다.

깜짝 선물(Surprise Gift): 프리미엄 커피 원두와 머그컵을 선물하는 것은 상호성의 예상치 못한 제스처였다. 이것은 고객이 가치 있게 여기고 감사한 느낌을 갖도록 만들었다.

액세서리 판매(Accessory Sales): 긍정적인 경험과 브랜드에 대한 신뢰가 추가 액세서리 구매로 이어져 전체 거래 가치를 높였다.

시사점 : 대면 판매에서 효과적으로 사용되는 상호성이 고객과 감정적 연결을 만들고 판매를 촉진하며 업셀링 기회로 이어질 수 있는 방법을 보여준다.

"아무런 보상이나 예고 없이 베푸는 것은 그 자체로 특별한 의미가 있다."
앤 모로우 린드버그(Anne Morrow Lindbergh)

■　　상호성(Reciprocity)을 이용한 부정적 사례

✧　주택 보안 패키지 영업 상담

A는 주택 보안 회사의 영업원으로 지역 주택 개선 박람회에 참석했다.

박람회에서 잠재 고객 부부를 만났다. 이 부부는 집 보안 옵션을 탐색하고 있었으며 집의 안전성을 향상시키는 것에 관심을 가졌다.

그러나 진심으로 돕는 대신, 상호성 원칙을 오용했다. 무료 주택 보안 점검서비스를 제공하며 이것이 박람회 중에만 제공되는 제한된 서비스라고 주장했다. 그러나 공정하고 편향되지 않은 결과를 제공하려는 의도가 없었다.

그들의 이웃에서의 보안 위험을 과장하고 현재 설치된 보안 설정을 폄하했다. 현장에서 자신들의 안전을 위협받고 집 안에서도 불안하게 느끼게 만드는 두려운 전술을 사용했다.

그들에게 지나치게 비싼 주택 보안 패키지를 제시하며 이것이 그들의 안전을 보장하는 유일한 방법이라고 주장했다. 즉각적인 결정을 내리도록 압박하며 그렇지 않으면 가족의 안전이 위험에 처할 것이라고 시사했다.

조작 당한 느낌과 불안함을 느끼며 비싼 패키지 구매를 꺼려했다. 박람회에서 불안과 후회의 감정을 느끼며 떠났다.

정직이 중요(Honesty is Key): 부정직함과 조작으로 이루어진 상담이었다. 고객에게 진정한 도움을 제공하고 정직함을 유지하는 것이 중요하다.

장기적인 신뢰(Long-Term Trust): 상호성을 단기 이익을 위해 오용하면 신뢰와 평판을 손상시킬 수 있다. 고객과의 장기적인 신뢰 구축이 중요하다.

고객 중심 접근(Customer-Centric Approach): 판매 목표에 초점을 두는 대신 고객의 필요와 행복에 중점을 둔다. 고객 중심 접근은 더 나은 결과로 이어진다.

투명성(Transparency): 제품, 서비스 및 가격에 대해 투명하게 소개함으로써 신뢰를 구축할 수 있다. 그릇된 전술은 고객과의 관계를 손상시킬 수 있다.

두려움 조장 부작용(Avoiding Fear-Based Tactics): 공포 기반 전술은 즉시 판매로 이어질 수 있지만 종종 구매자의 후회와 불만을 초래한다. 정직하고 투명한 의사 소통을 통해 신뢰를 구축하는 것이 중요하다.

시사점 : 대면 판매에서 상호성을 오용한 결과로 인한 부정적인 결과를 초래했다. 가치와 도움을 제공하는 대신 영업인의 부정직함과 조작으로 인해 고객의 신뢰와 전반적인 경험이 손상되었다.

✧ 고급 스포츠카 영업 상담

A는 고급 자동차 딜러쉽의 영업원으로서 명성 높은 자동차 이벤트에 참석했다. 이 이벤트에서 고가의 스포츠카에 관심을 보이는 잠재적인 고객을 만났다. 자동차 애호가이며 고급 스포츠카를 구입해 보려고 알아보는 중이었다.

이 이벤트에서만 제공되는 한정판 기회라고 주장하며 가장 비싼 스포츠카의 독점 시승을 제안했다. 그러나 A에게는 다른 목적이 있었다.

시승 중에 고객을 VIP으로 느끼게 했다. 고급 스포츠카를 운전하는 쾌감을 경험하게 하고 그 속도와 성능을 보여주었다. 이 경험에 흥분했다.

시승 후 A는 기대 이상으로 높은 가격을 제시했다. 높은 압박 판매 전술을 사용하여, 즉시 구매하지 않으면 이런 독점적인 차량을 소유할 기회를 놓칠 것이라고 시사했다.

시승 경험의 "선물" 때문에 부담감을 느낀 고객은 비싼 스포츠카 구매를 꺼려했다. 이 비용이 고객의 예산을 초과한다는 것을 깨달았으며 판단을 후회했다.

기만적인 행위(Deceptive Practices): 상호성을 부정직한 방식으로 오용하면 빠른 판매로 이어질 수 있지만 구매자 후회와 신뢰 손상을 초래할 수 있다.

고압적 판매(Pressure Sales): 고압적 판매 전술은 고객에게 압박된 느낌을 주고 후회와 신뢰 손상을 초래할 수 있다.

투명성이 중요(Transparency is Key): 가격 및 구매의도에 대한 정직성과 투명성은 고객과의 신뢰를 유지하는 데 중요하다.

고객 중심 접근(Customer-Centric Approach): 판매를 밀어붙이는 대신 고객의 요구사항과 예산에 중점을 두는 것이 더 나은 결과와 장기적인 고객 만족을 이끌어낼 수 있다.

장기적인 결과(Long-Term Consequences): 상호성을 단기적 이익을 위해 오용하면 고객과 영업원, 딜러쉽의 평판 모두에 장기적인 결과를 초래할 수 있다.

시사점 : 고객이 독점적인 경험을 원하는 욕구를 이용하여 상호성을 부정적으로 사용한 결과이다. 긍정적이고 오래가는 고객 관계를 촉진하는 대신 이러한 전술은 실망과 불신을 초래할 수 있다.

✦ 보험 에이전트 상담

보험 에이전트인 A는 재정 교육을 촉진하는 지역 공동체 이벤트에 참석했다. 행사 중에 금융적 미래에 대해 걱정하는 젊은 잠재 고객을 만났다. 가족의 재정 안전과 생명 보험의 필요성에 대한 생각을 가지고 있었다.

A는 진정으로 돕는 대신 상호성 원칙을 자신의 이익을 위해 조작하기로 했다. 무료 재정 계획 상담을 제안하며 이것이 행사 참가자에게만 제공되는 독점적인 기회인 것처럼 만들었다.

상담 중에 고액의 보험료와 제한된 혜택을 가진 생명 보험 계약을 제시했다. 감정적 조작을 사용하여 엠마에게 이 계약을 구매하는 것이 가족의 미래를 보장하고 재정적 어려움으로부터 보호받는 유일한 방법이라고 믿게 했다.

"무료" 상담을 받은 것에 대한 호의를 느끼며 감정적인 압박에 압도된 고객은 비싼 계약을 구매하는 데 꺼려했다.

윤리적 고려(Ethical Considerations): 상호성을 개인 이익을 위해 조작하는 것은 윤리적으로 잘못되며 직업적 평판에 장기적인 손상을 초래할 수 있다.

취약점 이용(Exploiting Vulnerability): 누군가의 금융적 걱정과 취약점을 이용하는 것은 윤리적으로 부적절할 뿐만 아니라 해당 개인의 재정 안전을 해칠 수 있다.

신뢰의 취약성(Trust is Fragile): 고객과의 신뢰를 구축하는 것은 보험 업계에서 중요하다. 기만적 관행은 신뢰를 훼손하고 관계를 손상시킨다.

투명성과 정직성(Transparency and Honesty): 금융 상품을 제공할 때 조건과 대안에 대한 투명성은 중요하다. 그릇된 전술은 구매자 후회로 이어질 수 있다.

교육 제공(Customer Education): 상호성을 이용하는 대신 고객에게 옵션에 대한 교육을 제공하고 그들이 그들의 재정 안전을 진정으로 돕는 결정을 내릴 수 있도록 도와주어야 한다.

시사점 : 금융 서비스의 맥락에서 상호성을 조작하여 개인의 이익을 얻는 결과를 보여준다. 고객의 최선의 이익을 고려하지 않고 이러한 전술을 사용하면 불신, 후회 및 직업적 평판에 장기적인 피해를 초래할 수 있다.

"성공한 사람들은 항상 다른 사람을 돕기 위한 기회를 찾고 있다.
성공하지 못한 사람들은 항상 '내게 어떤 이득이 있는가?'라고 묻는다."
브라이언 트레이시(Brian Tracy)

■ 상호성(Reciprocity)에 관한 성경 속 사례

✧ 야곱과 라반 이야기(창세기 29-31장)

창세기 29~31장에 나오는 야곱과 라반의 이야기는 상호성의 개념과 그 의미를 잘 보여주는 흥미로운 성경 이야기이다. 여기서 상호성은 호의나 행동에 대한 상호 교환 또는 보답의 원칙을 의미한다.

이삭의 아들이자 아브라함의 손자인 야곱은 형 에서의 분노를 피해 외삼촌 라반의 집으로 갔다. 라반은 야곱을 반갑게 맞아주며 쉼터와 노동의 대가로 일자리를 제공한다. 야곱은 라반이 사랑하는 라반의 딸 라헬과 결혼하기 위해 7년 동안 라반을 위해 일하기로 동의했다.

7년 후 야곱은 라헬과 결혼할 것을 기대하지만 라반은 대신 라헬의 누나 레아를 시집 보내겠다고 야곱을 속였다. 라반은 큰 딸을 먼저 결혼시키는 것이 관례라고 설명하며 이를 정당화했다.

라헬을 깊이 사랑한 야곱은 라반과 결혼하기 위해 7년 더 라반을 위해 일하기로 동의했다. 이 기간 동안 야곱은 열심히 일하고 헌신한 결과 라반의 가축을 상당수 모으게 되었다.

야곱의 공로를 인정한 라반은 계속 함께 일하자고 제안하지만, 계약 조건을 수시로 조작했다. 야곱의 임금을 여러 번 변경하는데, 항상 야곱에게 불리한 조건으로 변경하여 자신의 이익을 위해 야곱을 계속 종으로 부리려고 했다.

라반의 기만적인 행위에도 불구하고 야곱은 전략적으로 가축을 번식시켜 자신의 부를 늘리고 라반의 부당한 대우에 보답하는 일종의 상호주의적 태도를 취한다. 결국 야곱은 아내와 자식들, 축적된 가축을 데리

고 라반의 집을 떠나기로 결심했다.

호혜와 속임수(Reciprocity and Deception): 이 이야기는 상호성이 긍정적으로 사용될 수도 있고 부정적으로 사용될 수도 있음을 강조한다. 라반은 처음에는 야곱을 환영하지만 나중에는 야곱을 속이고, 야곱은 자신의 상황을 개선하기 위해 전략적 상호성을 사용했다.

목표를 위해 노력하기(Working for One's Goals): 야곱은 자신이 원하는 것(라헬)을 위해 인내심을 가지고 노력하는 모습을 통해 상호성의 원칙이 가져올 수 있는 결단력을 보여준다. 그는 목표를 달성하기 위해 고난을 견뎌냈다.

적응과 전략(Adaptation and Strategy): 야곱이 선택적 번식을 통해 상호성을 활용한 것은 어려운 상황을 극복하기 위한 적응력과 전략적 사고를 보여준다.

윤리적 고려 사항(Ethical Considerations): 라반의 기만적인 관행은 개인의 이익을 위해 상호성을 악용할 때 발생할 수 있는 윤리적 함의에 대한 경고의 역할을 한다.

장기적인 결과(Long-Term Consequences): 야곱의 행동이 궁극적으로 부와 독립으로 이어지는 반면 라반의 속임수는 그의 평판과 관계를 손상시킨다는 점에서 장기적인 결과가 초래될 수 있는 가능성을 강조한다.

시사점 : 호혜성, 결단력, 전략의 상호 작용을 볼 수 있으며, 이는 긍정적인 의미와 부정적인 의미를 모두 지니고 있다. 이 이야기는 호혜성이 어떻게 활용되느냐에 따라 관계와 결과를 다양한 방식으로 형성

할 수 있는지를 보여주는 강력한 예시이다.

"너희가 만일 선대하는 자만을 선대하면
칭찬 받을 것이 무엇이냐 죄인들도 이렇게 하느니라"
누가복음 6:33

■ 상호성(Reciprocity)을 활용하는 10가지 방법

가치 있는 정보 제공(Offer Valuable Information)

잠재고객에게 즉시 결제를 기대하지 않고 제품 또는 서비스와 관련된 유용한 정보를 제공한다. 가치 있는 정보를 제공함으로써 도움이 되는 자원으로 인식된다.

예시: 자동차 판매자가 잠재 구매자에게 최신 자동차 모델과 그들의 특징에 대한 자세한 브로셔를 제공한다.

개인화된 추천(Personalized Recommendations)

제품 추천을 고객의 특정한 요구 사항과 선호도에 맞게 맞춘다.개인화는 고객의 개별성을 중요시한다는 것을 보여준다.

예시: 온라인 판매업체가 고객의 브라우징 기록과 이전 구매에 따라 제품을 제안한다.

무료 시험 또는 샘플(Free Trials or Samples)

고객에게 제품 또는 서비스를 무료 또는 최소 비용으로 시도해 볼 수 있게 한다. 무료 시험을 제공함으로써 신뢰를 구축하고 고객에게 가치를 직접 경험하게 한다.

예시: 소프트웨어 회사가 프리미엄 소프트웨어의 30일 무료 시험을 제공한다.

독점 할인(Exclusive Discounts)

충성 고객이나 즉각적인 조치를 취한 고객에게 독점적인 할인 또는 프로모션을 제공한다. 독점적인 할인은 소속감과 고객의 충성에 대한 보상을 만든다.

예시: 커피숍이 특별 프로모션 중에 정기적인 고객에게 20% 할인을 제공한다.

상호적인 선물(Reciprocal Gifting)

고객에게 그들의 비즈니스에 대한 감사의 표시로 작은 센스 있는 선물을 보낸다. 시사점: 선물을 보내면 상호성과 친선을 증진한다.

예시: 온라인 판매업체가 고객의 주문과 함께 감사의 선물을 포함시킨다.

뛰어난 고객 서비스(Exceptional Customer Service)

고객의 요구를 신속하고 예의 바르게 처리하여 뛰어난 고객 서비스를 제공한다. 뛰어난 고객 서비스는 신뢰와 충성을 구축한다.

예시: 호텔에서 손님들에게 저녁 식사 예약과 현지 추천을 돕는다.

교육적인 웨비나 또는 워크샵(Educational Webinars or Workshops)

제품 또는 업계와 관련된 주제에 대한 고객 교육을 위한 웨비나나 워크샵을 개최한다. 교육적인 행사는 브랜드를 권위자로 만들고 상호성을 만든다.

예시: 피트니스 장비 회사가 온라인 워크아웃과 영양 웨비나를 주최한다.

피드백 및 리뷰(Feedback and Reviews)

고객에게 피드백이나 리뷰를 남기도록 장려하고 그들의 의견을 인정한다. 피드백을 인정하고 그에 따라 행동함으로써 고객의 의견을 중요하게 여기는 것을 보여준다.

예시: 전자상거래 플랫폼이 고객에게 제품 리뷰를 작성하도록 요청하고 충성도 포인트로 보상한다.

예상치 못한 보너스(Surprise Bonuses)

가끔 예상치 못한 추가 혜택이나 업그레이드로 고객을 놀라게 한다. 놀라운 혜택은 기쁨을 만들고 긍정적인 워드 오브 마우스를 촉진한다.

예시: 구독 상자 서비스가 고객의 월간 배송에 추가 상품을 포함한다.

충성 고객 프로그램(Loyalty Programs)

반복 고객에게 할인, 무료 제품 또는 독점적인 접근을 제공하는 충성 고객 프로그램을 시행한다. 충성 고객 프로그램은 반복 비즈니스를 유인하고 상호성을 강화하며 상호작용을 강화한다.

예시: 항공사가 빈번한 비행객에게 공항 라운지와 우선 탑승 권한을 제공한다.

이러한 방법들은 상호성을 활용하여 신뢰를 구축하고 고객 관계를 강화하며, 가치를 제공하기 위한 헌신을 나타내어 궁극적으로 매출을 촉진하는 데 기여한다.

**"주라 그리하면 너희에게 줄 것이니 곧 후히 되어
누르고 흔들어 넘치도록 하여 너희에게 안겨 주리라"**
누가복음 6:38

☞ **상호성(Reciprocity) 멘트**

"오늘 가입하시면 첫 구매 시 10% 특별 할인 혜택을 드립니다."
작은 결정에 대한 대가로 실질적인 혜택을 제공한다.

"사용해 보실 수 있도록 무료 샘플을 제공해 드립니다. 마음에 드시면 정식 제품 구매를 고려해 보세요."
무료 샘플은 상호 구매를 유도할 수 있는 초기 선물이다.

"오늘 무료로 상세한 개인 맞춤형 상담을 해드리겠습니다. 부탁 드리는 것은 여러분의 솔직한 피드백뿐입니다."
가치 있는 서비스를 먼저 제공하고 그 대가로 참여를 기대한다.

"판매로 이어지는 모든 추천에 대해 다음 구매 시 5% 할인을 제공해 드립니다."
고객이 양측 모두에게 이익이 되는 방식으로 행동하도록 장려한다.

"저희 제품의 사례 연구에 자원해 주시면 1년간의 서비스를 무료로 제공해 드리겠습니다."
고객의 참여에 대한 대가로 상당한 혜택을 제공한다.

"오늘 구매하시면 다른 곳에서는 구할 수 없는 독점 가이드북을 드립니다."
구매에 보너스로 추가 가치를 더한다.

"오늘 기능 및 혜택을 설명하는 데 시간을 할애했는데요, 이제 어떤 요금제가 가장 적합한지 논의할 수 있을까요?"
시간과 노력을 투자한 후 약정을 요청한다.

"현재 시스템에 대한 무료 분석을 도와드리고 나중에 고급 패키지 옵션에 대해 논의할 수 있도록 하겠습니다."
향후 비즈니스에 미치는 영향에 대해 먼저 도움을 제공한다.

"고객 만족을 위한 노력의 표시로 1개월 무료 평가판을 제공해드립니다. 써보시고 괜찮으시면 장기 신청 부탁드려요."
향후 장기 약정을 희망하며 무료 평가판을 제공한다.

"오늘 구매하시면 일반적으로 단골 고객에게만 제공하는 연장 보증을

제공해 드릴 수 있습니다."
특별한 혜택으로 고객이 특별하다고 느끼게 한다.

■ 요약

상호성은 호의를 받으면 보답하려고 하는 상호 교환, 사회적 조화와 균형에 근거한다.
긍정적인 상호 교환 이후 다양한 상황에서 보답할 가능성이 높아져 보답의무와 판매 양보로 나타난다.
작은 선물이나 호의 제공은 설득과 협상에서 수용 또는 합의 가능성을 크게 높인다.

■ 핵심키워드

상호성, 호혜적 호소, 상호 교환, 사회적 조화와 균형, 보답의무와 판매양보, 호의제공, 가치 교환

■ 적용 질문

상호성이 설득과 영업에서 나타내는 특징들은 무엇인가?
상호성으로 설득과 영업에서 거둘 수 있는 기대효과는 무엇인가?
상호성을 효과적으로 활용하는 10가지 방법은 무엇이고 나에게 강화시켜야 할 요소는 무엇인가?

제 9 장

반복(Repetition)

———◦✦◦———

"반복은 고객의 문을 포기하지 않고 두드리는 행위이다."
닥터 브라이언(Dr. Brian)

반복(Repetition)

■ 개념

설득 기법 중 하나인 Repetition은 반복의 원리를 기반으로 하는 기법이다. 반복의 원리는 뇌가 어떤 정보를 자주 받아들일수록 그 정보가 더 잘 기억되고 심층화된다는 원리에 기반한다. 중요성을 강화하고 기억력을 높이기 위해 메시지, 아이디어 또는 문구를 의도적으로 반복하는 것이 수사법[52]측면에서의 전반적인 효과를 야기한다. 반복의 이면에 있는 개념은 인지 심리학, 특히 사람들이 반복적으로 노출되는 것에 대한 선호도가 높아지고 의사결정시 비합리적[53] 행동의 경향에 근거를 둔다는 점을 시사하는 '단순 노출 효과'에 뿌리를 두고 있다. 따라서, 설득을 시도할 때 동일한 메시지를 반복적으로 전달함으로써 상대방의 인식을 조작하고 감정적인 반응을 유도하여 핵심 메시지와 주장을 견고하게[54] 하는데 도움을 준다.

반복의 핵심 아이디어는 상대에게 지속적인 인상을 주어 정보의 기억력을 강화하는 것이다. 동일한 메시지를 여러 번 듣거나 봄으로써 전염성[55]으로 영향을 주어 개인은 그것을 기억하고 내면화할 가능성이 더 높다. 반복은 핵심 사항을 강조하여 다른 정보 중에서 눈에 띄게 만들며 긍정적 인지편향[56]에 영향을 주는 역할을 한다. 또한, 반복되는 정보가 고착성을 형성해 더 신뢰도가 높고 더 타당하다고 확립된 것처

---

[52] "The Rhetoric of Repetition" by Wayne C. Booth (1983)
[53] Predictably Irrational, Ariely, D. (2008)
[54] Made to Stick, Heath, C., & Heath, D. (2007)
[55] Contagious, Berger, J. (2013)
[56] Thinking, Fast and Slow, Kahneman, D. (2011)

럼 보이기 때문에 친숙함[57]과 신뢰성을 구축하는 데 도움이 된다.

마케팅과 영업에서 반복은 브랜드 아이덴티티를 강화하고 제품 혜택을 강화하며 고객 행동 가능성을 높이는 데 사용된다. 고객이 특정 브랜드와 연관시키는 슬로건이나 문구를 만들기 위해 반복을 활용하는 경우가 많다. 반복은 또한 정보가 강화되지 않으면 사람들이 시간이 지남에 따라 정보를 잊어버리는 경향이 있는 현상인 "망각 곡선"을 극복하는 데 도움이 된다.

이 기법은 커뮤니케이션, 마케팅, 영업 분야를 비롯해 광고, 정치 선전, 브랜드 마케팅 등에서 많이 사용된다. 예를 들어, 상품 광고에서 특정 제품의 이름이나 특징을 매번 반복하여 들려주는 것은 상품이 기억에 남도록 하기 위한 전형적인 방법이다. 그러나, 너무 과도한 반복은 상대방의 지루함과 불편함을 유발할 수 있으므로 적절한 빈도와 강도로 적용해야 한다. 또한, Repetition을 효과적으로 사용하기 위해서는 메시지의 내용이 명확하고 간결하며, 상대방의 필요와 관심사와 부합하는 것이 중요하다. 반복의 효과는 맥락과 상대의 수용 정도에 따라 달라진다. 과도한 반복은 성가심이나 둔감함으로 이어질 수 있으며, 그 효과가 감소한다. 효과를 극대화하려면 반복을 다른 설득 기술과 결합하고 대상 상대의 선호도와 요구에 맞게 조정해야 한다.

"반복은 학습의 핵심이다."
존 우든(John Wooden)

---

[57] "Repetition and Intertextuality: Strategies for Constructing a Shared Reality in Television Narratives" by Helena Bilandzic and Anne Graesser (2006)

■ 핵심 요소

일관성 : 영업과 설득의 맥락에서 반복은 일관되어야 한다. 이는 시간이 지나도 메시지가 명확하게 유지되고 희석되거나 변경되지 않도록 보장한다.

기억하기 쉬움 : 특정 메시지나 아이디어에 반복적으로 노출되면 더 기억하기 쉬워진다. 시간이 지나면 대상 집단이 메시지를 더 쉽게 기억하기 시작하여 그들의 행동에 영향을 줄 확률이 높아진다.

강조 : 반복은 메시지의 중요성이나 긴급성을 강화시킨다. 메시지가 더 자주 제시될수록 더 중요하거나 긴급해 보일 수 있다.

익숙함 : 반복을 통해 대상 집단이 메시지에 더 익숙해진다. 이러한 익숙함은 메시지에 대한 신뢰와 수용을 증가시킬 수 있다.

단순성 : 반복이 효과적이기 위해서는 핵심 메시지가 단순하고 쉽게 소화될 수 있어야 한다. 복잡한 아이디어는 반복될 때 그 효과가 떨어질 수 있다.

향상된 회상 : 메시지에 대한 반복적인 노출은 그것이 기억될 확률을 높인다. 영업에서 이는 고객이 제품이나 브랜드를 더 잘 기억할 가능성이 있음을 의미한다.

신뢰 구축 : 반복을 통해 메시지에 대한 익숙함이 커지면 대상 집단이 그것을 더 신뢰할 수 있다. 신뢰성을 확립하려는 브랜드나 아이디어에 유리하다.

둔감화의 위험 : 너무 많은 반복은 둔감화의 위험이 있다. 메시지가 지나치게 반복되면 대상 집단이 그것을 무시하기 시작할 수 있다.

연관성 강화: 반복은 메시지와 관련된 단서 간의 연관을 강화할 수 있다. 예를 들면, 광고에서 반복되는 징글은 브랜드와 강력하게 연관될 수 있다.

효과적인 설득 : 설득의 맥락에서 반복은 의견, 신념, 또는 행동을 변경하거나 강화하는 데 도움을 줄 수 있다. 그것은 메시지나 아이디어를 대상 집단의 마음 앞쪽에 두는 도구로 작동한다.

"반복의 힘은 우리가 믿는 것과 인식하는 방식을 변화시켜
뇌를 재구성하는 능력에 있다."
라이언 릴리(Ryan Lilly)

■ **반복(Repetition)을 활용한 긍정적 사례**

✧ **고급 스킨케어 브랜드 영업**

고급 스킨케어 브랜드의 영업 담당자인 A는 뷰티 살롱 체인의 관리자와의 미팅을 예약했다. 이전에 A의 제품 라인에 관심을 표현했지만, 구매에는 동의하지 않았다.

미팅 동안, 각 제품의 독특한 이점을 체계적으로 제시했다. 제품을 소개할 때마다 일관되게 강조했다: "우리 제품은 고급스럽기만 한 것이 아니라, 천연 성분에서 유래되어 품질과 안전성 모두를 보장합니다."

미팅이 진행됨에 따라 다양한 제품을 예로 들었지만, "고급스럽고 천연"이라는 중심 주제로 계속 돌아갔다. 발표가 끝날 때쯤, B는 제품의 이점을 기억하는 것뿐만 아니라 브랜드에 대한 인식도 강력하게 남았다.

몇 일 후, 고객은 주문을 하면서 말했다. "저의 고객들에게 천연 제품의 우수함을 경험하게 하고 싶네요."

핵심 메시지의 강화: 대면 영업에서의 반복은 고객의 마음에 핵심 메시지를 깊게 새기게 한다. 이것은 단순한 관심과 실제 구매 사이의 간극을 메울 수 있게 도와준다.

브랜드 정체성 구축: 일관된 메시지는 고객의 마음 속에서 명확한 브랜드 정체성을 형성하는데 도움이 된다. 반복적인 강조는 브랜드가 고급과 천연 성분과 확고하게 연동 되도록 했다.

이의 제기 극복: 독특한 판매 포인트를 반복적으로 강조함으로써, 영업 담당자는 미리 잠재적인 이의를 해결할 수 있다. 고객은 제품의 이점에 대해 더 익숙해지고 편안해진다.

회상 강화: 미팅 후 반복된 메시지는 나중에 고객의 의사 결정 과정에 영향을 주기 위해 더 잘 기억될 확률이 있다.

리듬 있는 흐름 생성: 반복은 고객에게 더 참여감 있고 기억에 남는 발표에 리듬과 구조를 제공할 수 있다.

✧ 피트니스 장비 영업

A는 피트니스 장비 브랜드의 영업 대표로, 새로운 헬스장을 설립한 고객과의 대면 미팅을 가졌다. 시장에서 많은 옵션을 고려하고 있었고, 어떤 브랜드를 선택해야 할지 확신하지 못하고 있었다.

자신의 브랜드의 런닝머신을 소개하며 강조했다. "이 기계는 내구성, 효율성, 그리고 고객 만족을 보장한다." 다른 장비를 소개할 때마다 항상 런닝머신을 참조점으로 사용하며, "런닝머신처럼 이것도 내구성, 효율성, 고객 만족을 보장한다."라고 반복했다.

미팅이 끝날 때, 마음속에서 세 가지 핵심 포인트가 새겨졌다. 브랜드의 약속의 일관성에 감명받아 대량 구매를 결정했다.

메시지 고정: 런닝머신을 참조점으로 사용함으로써, 효과적으로 영업 메시지를 고정시켜, 그것을 그의 제안의 핵심으로 만들었다.

브랜드 신뢰성 구축: 다양한 제품에서 세 가지 핵심 판매 포인트의 반복은 고객의 마음속에서 브랜드의 신뢰성을 강조했다.

의사결정 간소화: 반복을 통해 고객이 제품의 강점을 식별하고 기억하는 데 도움을 주었으며, 의사결정 과정을 단순화했다.

기준 설정: 런닝머신을 품질의 기준으로 설정하고, 소개한 모든 다른 제품과 그 특성들도 그 기준으로 강조했다.

익숙함 활용: 반복되는 판매 포인트에 더 익숙해짐에 따라, 브랜드에 대한 신뢰감이 커졌다.

시사점 : 전략적으로 대면 영업 제안에 반복을 녹여내면, 클라이언트에게 일련의 제품이나 서비스에 제공되는 지속적인 가치를 보여주는 강력한 내러티브를 만들 수 있다.

✧ 유기농 차 브랜드 영업

A는 유기농 차 브랜드의 영업 대표로, 새로운 차 라인을 도입하려는 카페 주인인 고객과 만났다. 다양한 차 브랜드에 대해 들어보았지만, 고객들과 가장 잘 어울릴 것이 무엇인지 확신할 수 없었다.

그들의 대화 중, 계속해서 "우리의 차는 상쾌함을 주는 것뿐만 아니라 활력을 되찾게 해준다."라는 문구를 강조했다. 녹차, 홍차, 또는 허브 브랜드에 관해 얘기할 때마다 항상 "상쾌하고 활력을 주는" 중심 주제로 돌아왔다.

다양한 샘플을 맛보면서, 반복된 문구로 인해 상쾌함과 활력 있는 특성을 브랜드와 강력하게 연관시켰다. 고객들이 맛있는 음료뿐만 아니라 그들을 활기차게 만들어 줄 음료를 평가할 것이라고 생각했다. 일주일 후, 다른 브랜드보다 A의 브랜드를 선택하여 큰 주문을 했다.

기억에 남는 주제 생성: 반복을 통해 기억에 남는 주제나 문구를 고객의 마음에 새기게 되며, 브랜드의 고유한 식별자로 작용한다.

제품과 특성 연결: 일관되게 특정 특성을 반복함으로써, 고객은 그 특성을 제품과 본질적으로 연관시키기 시작한다.

메시지 단순화: 선택의 폭이 넓은 시장에서, 간단하고 반복되는 메시지

는 두드러져서 더 쉽게 기억될 수 있다.

제품 경험 강화: 반복을 통한 제안의 힘은 고객이 제품을 인지하고 경험하는 방식에 영향을 줄 수 있다. 이 경우, 상쾌함과 회복의 반복된 연결로 인해 시음 경험이 효과적이었다.

의사결정 주도: 명확하고 반복된 메시지는 구매를 고려할 때 강조된 특성을 회상하게 하면서 고객의 의사결정 과정을 안내할 수 있다.

시사점 : 대면 영업 대화에 반복을 포함시키는 것은 제품의 특성을 강화하는 것뿐만 아니라 인식에 영향을 주어, 결국 고객의 구매 결정을 안내할 수 있다.

"더 많이 들을수록 기억될 확률이 높아진다."
존 C. 맥스웰(John C. Maxwell)

■ 반복(Repetition)을 활용한 부정적 사례

✧ 스킨케어 브랜드 영업

A는 스킨케어 브랜드의 영업 대표로, 새로운 제품을 도입하려는 스파 주인과 만났다. 판매를 위해 반복을 주요 전략으로 활용하기로 결정했다.

"우리 제품은 일주일 내에 주름을 줄여준다"는 말을 반복했다. 질문하거나 우려하는 것이 무엇이든 - 성분, 다양한 피부 타입에 대한 적합성, 또는 고객 피드백과 관련된 것이든 - 주름 감소에 대한 언급으로 돌아갔다.

회의가 끝날 때까지, 끊임없는 반복에 대해 아쉬움과 압박감을 느꼈다. 고객의 우려를 진정으로 해결하려고 하지 않고, 본인의 주장을 밀어붙이는 데만 관심이 있다고 느꼈다. 결과적으로 스파에 스킨케어 라인 도입하기를 거절했다.

시사점

고객의 우려 무시: 반복을 과도하게 사용하면 고객의 진정한 질문이나 우려를 무시하게 되어, 그들로 하여금 소외감을 느끼게 할 수 있다.

신뢰의 감소: 영업 대표가 단 하나의 포인트에 너무 중점을 둔 채 제품의 다른 중요한 측면을 무시하면, 대표와 제품 모두에 대한 고객의 신뢰가 감소할 수 있다.

제품 깊이의 부족한 인식: 하나의 측면에 과도하게 초점을 맞추면, 고객은 제품이 깊이가 없거나 제한된 혜택만 있다고 믿게 될 수 있다.

압박감과 불쾌감: 너무 많은 반복은 강요되거나 심지어 불쾌하게 여겨질 수 있어, 판매의 잠재적 손실로 이어질 수 있다.

기회를 놓침: 반복만을 의존하게 되면, 영업 대표는 제품의 다른 매력적인 특징을 강조하는 기회를 놓칠 수 있다.

시사점 : 반복은 판매와 설득에서 강력한 도구가 될 수 있지만, 균형을 찾는 것이 중요하다. 특히 대면영업에서 그것을 잘못 사용하면, 고객과

의 관계와 판매 결과에 부정적인 영향을 미칠 수 있다.

✧ 디자이너 시계 영업

A는 디자이너 시계의 독점 라인을 대표하는 영업사원이었으며, 고급 부티크의 관리자와 약속이 있었다. 반복이 설득에 효과적인 도구가 될 수 있다고 들었고, 그의 시계의 독점성을 계속 강조하기로 결정했다.

몇 마디마다 "이 시계는 독점적입니다. 다른 어디에서도 찾을 수 없습니다."라고 말했다. 고객이 시계의 재료, 장인정신, 또는 보증에 대해 질문할 때마다 지속적으로 시계의 독점성으로 돌아갔다.

그들의 대화가 끝날 때, 고객은 화가 났다. 제품에 대한 종합적인 이해를 제공하지 않고 하나의 판매 포인트에만 집착하고 있다고 느꼈다. 제품의 가치를 확신하는 대신, 판매 접근 방식이 너무 공격적이라고 느꼈다. 결국 부티크에 해당 시계 라인을 들여오기를 선택하지 않았다.

시사점

하나의 포인트에 지나치게 강조: 독특한 판매 포인트를 갖는 것이 중요하긴 하지만, 그것을 지나치게 강조하면 다른 중요한 정보를 덮어버리고 잠재적인 고객을 단념시킬 수 있다.

신뢰도 감소: 영업사원이 하나의 측면에만 너무 고집하면서 다른 문제점들을 다루지 않으면, 고객들은 제품의 전반적인 품질이나 영업사원의 신뢰도를 의심할 수 있다.

종합적인 이해의 부족: 고객들은 제품에 대한 전체적인 이해가 필요하다. 하나의 특성에만 집중하는 것은 영업사원이 잠재적인 결함을 숨기거나 완전히 정보를 갖추지 않았다는 것처럼 보이게 할 수 있다.

공격적으로 인식: 반복을 지나치게 사용하는 것, 특히 하나의 초점을 가지고 있을 때, 공격적으로 느껴질 수 있어 잠재적인 고객들을 떨어트릴 수 있다.

놓친 판매 기회: 제품의 여러 측면을 다루는 균형 잡힌 발표는 고객들에게 더 효과적으로 어울릴 수 있으며, 성공적인 판매의 기회를 높일 수 있다.

요약: 반복은 설득력 있는 판매 기술로 사용될 수 있지만, 최적의 결과를 얻기 위해서는 신중하게 사용하고 다른 판매 전략과 함께 사용해야 한다.

✧ 고급 오디오 장비 영업

A는 고급 오디오 장비 회사의 영업 대표였다. 전자제품 매장 체인의 스토어 관리자와 만나기로 했다. A는 최근 판매 훈련 중에 반복의 힘에 대해 알게 되었으며 이를 적용하려고 열심히 노력했다.

그들의 회의 동안 고객이 질문하거나 댓글을 남길 때마다 "하지만 우리 스피커는 가장 진정한 사운드 경험을 제공합니다"라고 응했다. 가격, 호환성, 또는 고객 리뷰에 대해 물어봤을 때 "진정한 사운드 경험"을 계속 강조했다.

짜증이 났다. 우려 사항이 해결되지 않았다고 느꼈고, 진정성으로 소통하고 있지 않았다고 느꼈다. 결정을 내리기 위해 다양한 정보가 필요했지만, 사운드 품질에 대한 반복된 주장만 있었다. 회의를 일찍 종료하고 해당 제품을 재고로 들이기로 결정하지 않았다.

시사점

불성실한 상호작용: 반복에 지나치게 의존하면 대화가 불성실하고 대본처럼 느껴질 수 있어, 잠재적인 클라이언트를 소외시킬 수 있다.

정보 교환 놓침: 하나의 반복된 포인트에 중점을 둠으로써 영업 대표는 성공적인 판매로 이어질 수 있는 귀중한 정보 교환을 놓칠 수 있다.

유연성 감소: 클라이언트의 우려와 필요에 적응하는 유연한 판매 접근법이 중요하다. 반복에 지나치게 의존하면 이러한 유연성이 방해 받을 수 있다.

참여 감소: 잠재적인 고객들은 그들의 구체적인 질문이 해결되지 않으면서 동일한 내용을 계속 듣게 되면 빠르게 참여를 중단할 수 있다.

전문 이미지 손상: 반복을 지나치게 사용하면 영업사원이 덜 전문적으로 보이고 제품 범위에 대해 덜 알고 있다는 인상을 줄 수 있다.

영업 대표는 포인트를 강조하고 잠재적인 고객과 생산적인 양방향 대화를 확보하는 것 사이의 균형에 유의해야 한다.

■ 반복(Repetition)을 활용한 성경 속 사례

✦ 노아와 방주의 이야기 (창 7:4)

노아와 방주의 성서 이야기에서는 하나님이 다가올 홍수의 중요성과 확신을 강조하기 위해 반복을 사용한다. 창 7:4에는 "일곱 날 후에 나는 사십 날 사십 밤 동안 땅에 비를 내리리니 내가 만든 모든 생물을 지면에서 지워버리겠다." 라고 적혀 있다. "사십 날 사십 밤" 의 반복적 언급은 다가올 대홍수의 지속적이고 엄중함을 강조하는 데 사용된다.

방주에 실을 동물의 수에 대해 이야기할 때 반복을 추가로 사용한다. 이것은 창 7:4에서뿐만 아니라 이야기 전체에서도 볼 수 있다. 동물의 수와 종류를 반복적으로 언급함으로써, 그 임무의 중요성과 생명을 보존하는 중요성이 강조된다.

중요성 강조: 반복은 특정 사건이나 행동의 중요성을 강조하는 데 사용된다. 지속적인 비는 다가오는 심판의 거대함을 나타낸다.

기억 강화: 청취자나 독자가 주요 세부 사항을 기억하게 도와준다. 비의 기간과 동물의 수에 대한 반복적인 언급은 이러한 세부 사항을 상대의 기억에 각인시키는 데 도움을 준다.

기대치 설정: 반복은 기대치를 설정할 수 있다. 사십 일과 밤을 반복적으로 언급함으로써, 홍수가 오래 지속되며 변화의 사건이 될 것이라는 것이 명확해진다.

긴급성 전달: 중요한 세부 사항을 반복함으로써, 이야기는 노아의 임무의 긴급성과 그가 실패할 경우의 치명적인 결과를 전달한다.

중대함 강조: 반복적 요소는 상황의 중대성을 높여, 더욱 집중하고 기억에 남는 것으로 만든다.

<hr />

"내 아들아 네 아비의 명령을 지키며
네 어미의 법을 떠나지 말고"
잠언 6:20

✧ 여리고 성벽의 이야기 (여호수아 6:3-4)

여리고 성벽의 추락에 관한 성경의 기록에서 반복은 중요한 역할을 한다. 여호수아 6:3-4는 다음과 같이 기록되어 있다: "너희는 도시 주위를 행군하되 모든 전사들이 일주일 동안 한 번 도시 주위를 돌아야 한다. 너희는 6일 동안 이렇게 해야 한다. 일곱 명의 제사장이 방주 앞에서 램의 뿔로 만든 일곱 나팔을 울려야 한다. 일곱 번째 날에는 도시 주위를 일곱 번 돌고 제사장들은 나팔을 울려야 한다."

6일 동안 도시를 돌고, 일곱 번째 날에는 도시 주위를 일곱 번 돌면서 나팔을 울리는 행위는 깊은 의미의 반복이다. 이러한 의식적이고 지속적인 행동은 여리고를 계속해서 돌면서, 신앙, 순종, 그리고 신의 명령의 힘을 상징한다.

명령 강조: 여리고 주위를 행군하는 반복적인 행위는 하나님의 정확한 지시에 따르는 것의 중요성을 강조하며, 동요하지 않는 신앙과 순종을 강조한다.

기대감 강화: 여러 번 동일한 행동을 수행함으로써 이스라엘 사람들과 여리고 주민들 사이에 기대감과 긴장감이 높아진다. 이것은 벽이 무너지는 최종 순간을 향한 기대감이다.

인내의 상징: 반복의 행위는 이스라엘 사람들에게 필요한 인내를 강조한다. 이것은 인내와 끈기, 신앙이 기적적인 결과로 이어질 수 있음을 나타낸다.

단합과 연합: 이스라엘 사람들이 공동으로 수행하는 반복된 행동 (도시 주위를 행군)은 그들의 단합, 연합 및 공동의 목적을 보여준다.

약속의 성취: 여리고의 성벽은 군사 전략 때문에 무너진 것이 아니라 약속의 성취로 인해 무너졌으며, 반복을 통해 이를 강조하였다.

"반복은 배움의 어머니이자 행동의 아버지이며,
이를 통해 성취의 건축가가 된다."
지그 지글러(Zig Ziglar)

■ 반복(Repetition)을 활용한 좋은 방법 10가지

혜택 강조

제품/서비스의 주요 특징과 혜택을 자주 강조하는 것이다. 강조되는 가치를 인지하고 행동을 취하려는 동기를 높일 수 있다. 잠재 고객에게 중요한 장점들을 기억하게 만든다.

예시: "이 소프트웨어는 효율성을 향상시키는 것뿐만 아니라, 기억하세요, 비용도 절감됩니다."

고객언어 재사용

고객의 언어나 우려를 반영하여 다른 표현으로 모방하는 것이다. 고객과의 관계 형성에 도움이 되고 적극적인 청취를 통해 신뢰감을 높인다.

예시: 고객: "신뢰할 수 있는 해결책이 필요해요." 영업사원: "맞습니다. 이것이 시장에서 가장 신뢰할 수 있는 옵션입니다."

수사법에서의 아나포라(Anaphora) 사용

연속적인 문장이나 구절을 같은 단어나 구절로 시작하는 것이다. 메시지를 인상 깊게 하고 수사적 효과를 강화한다.

예시: "우리 제품은 혁신적입니다. 우리 제품은 신뢰할 수 있다. 우리 제품은 저렴합니다."

패턴 인터럽트(Interrupts)

반복을 구사하면서 놀라운 반전이나 예상치 못한 변화의 형태로 잠시 중단하는 것이다. 이는 관심을 사로잡고 상대의 참여를 유지한다. 중단은 정신적 리셋 버튼 역할을 하여, 다음에 이어지는 새로운 정보에 대해 더 수용적으로 만든다. 중단 후에는 새 메시지나 주요 내용을 강조하기 위해 반복이 다시 사용된다.

예시: "하지만 이 세부 사항을 잠시 잊어버리고, 진짜 중요한 것은..." *그리고 제품이 존재하는 주요 이유나 핵심 혜택을 열정적으로 설명한다.*

기억 도구 활용

핵심 내용: 회상을 돕기 위한 도구를 사용하는 것이다. 제품 특징이나 혜택을 기억하는 데 효과를 강화한다.

예시: 제품 특징과 관련된 두문자어나 운율을 사용한다.

정기적인 후속 조치

핵심 내용: 제품이나 서비스에 대한 정기적인 알림을 활용한다. 제품이나 제안을 수용하려는 이의 마음에 지속적으로 유지하게 한다.

예시: 제품이나 서비스의 가치를 다시 강조하는 이메일을 주기적으로 보낸다.

시각적 반복과 비유 활용

핵심 내용: 시각적 단서나 브랜딩 요소를 반복적 사용한다. 제품/서비스와 관련된 개념 사이에 유사점을 그리는 비유를 활용한다. 이러한 비유를 반복하면 복잡한 아이디어를 단순화하고 이해하는 데 도움이 된다. 브랜드 인식과 기억을 강화시킨다.

예시: 발표의 여러 부분에서 핵심키워드를 여러 번 보여준다.

고객 평가의 반복

핵심 내용: 여러 실제 사례 이야기와 평가를 공유한다. 다양한 형태의 고객 사용후기나 성공 사례를 공유하는 것이다. 이는 실제 경험을 보여주고 신뢰성을 강화시킨다. 여러 성공 후기를 통해 신뢰도를 높인다.

예시: 같은 혜택을 강조하는 다양한 고객의 성공 사례를 공유한다.

일관된 핵심 메시지와 행동 촉구

핵심 내용: 핵심 메시지와 일치하는 일관된 소통을 한다. 원하는 목표를 여러 번 명확하게 설명하고 행동을 촉구한다. 브랜드 정체성과 신뢰도를 강화한다.

예시: 다양한 광고 채널에서 같은 슬로건이나 태그라인을 사용한다.

구조화된 반복과 스토리텔링

핵심 내용: 대화나 발표의 끝에서 주요 포인트들을 요약하고 다시 강조하는 것이다. 정보를 예측 가능하고 일목요연한 구조로 제공하는 것

이다. 반복되는 주제나 문구를 포함하여 스토리텔링형태로 구사한다. 이는 주의를 끌 뿐만 아니라 기억에 남는 방식으로 요점을 강화한다. 내용을 더 쉽게 소화하고 기억하기 쉽게 만든다.

예시: "그러니, 다시 한번 강조하지만, 우리 서비스를 사용하면 속도, 효율성, 그리고 24/7 지원을 받게 됩니다.", 제품 속성을 이야기 형식으로 소개한다. ("기능 - 혜택 - 고객 평가.")

요약

반복은 영업 및 설득에서 강력한 도구이다. 그러나 그것을 효과적으로 사용하기 위해서는 메시지를 강화하면서 중복적이거나 부담스럽게 느껴지지 않게 조심스럽게 사용해야 한다. 잘 활용되면 반복의 개념은 메시지의 명확성, 기억력, 그리고 설득력을 향상시킬 수 있다.

"반복이 명성을 만들고 명성이 고객을 만든다."
엘리자베스 아덴(Elizabeth Arden)

☞ **반복(Repetition) 멘트**

"우리 소프트웨어는 빠르고 안정적이며 효율적입니다. 처리 속도가 빠르고 성능이 안정적이며 결과도 효율적입니다."
핵심 형용사를 반복하여 강조한다.

"이 제품은 시간을 절약하고, 비용을 절약하고, 노력을 절약하는, 즉 절약에 관한 모든 것을 제공합니다."
'절약'이라는 개념을 반복하여 이점을 강조한다.

"품질은 우리의 약속이고, 품질은 우리의 표준이며, 품질은 우리를 차별화하는 요소입니다."
회사의 헌신을 강조하기 위해 "품질"을 반복한다.

"만족하고, 성공을 경험하여 앞선 고객 대열에 합류하세요 - 우리의 고객 기반은 성장하고 번창하고 있습니다."
고객과 관련된 긍정적인 속성을 반복한다.

"저희 서비스는 안정성과 운영의 안정성, 성장의 안정성을 제공합니다."
서비스의 일관성을 강조하기 위해 '안정성'을 사용한다.

"마음의 편안함, 보호받고 있다는 사실에 대한 편안함, 안전하다는 느낌에 대한 편안함을 누리십시오."
'편안함'를 반복하여 정서적 혜택을 강조한다.

"혁신이 우리를 이끌고, 혁신이 우리를 정의하며, 혁신은 우리가 하는 모든 일의 핵심입니다."
회사의 핵심 특성으로 '혁신'을 강조한다.

"우리의 접근 방식은 고유한 것이며, 고유한 과제에 대해 고유한 솔루션을 제공합니다."
"고유한"을 사용하여 차별성을 강조한다.

"우리는 고객 만족, 서비스 만족, 품질 만족을 위해 최선을 다하고 있

습니다."
다양한 측면에서 '만족'을 위한 노력을 재확인한다.

"이 제품은 편리함, 업무의 편리함, 생활의 편리함을 위한 제품입니다."
다양한 맥락에서 '편리함'을 강조한다.

■   요약

반복은 자주 받아들일수록 더 잘 기억되고 심층화되는 원리이다.
반복적으로 노출 되는 것에 대한 선호도가 높아지고 의사결정에 영향을 준다.
핵심 사항을 반복적으로 강조하게 되면 눈의 띄게 만들고 긍정적 인지편향, 고착성을 형성하고 친숙함과 신뢰성이 향상된다.

■   핵심키워드

반복, 기억력, 일관성, 노출효과, 전염성, 긍정적 인지편향, 정보의 고착성, 친숙함, 신뢰성, 구조화된 반복

■   적용 질문

반복이 영업과 설득에서 어떠한 특징들이 있는가?
반복을 통해 영업과 설득에서 거둘 수 있는 기대효과는 무엇인가?
반복을 효과적으로 활용하기 위한 10가지 방법이 무엇이고 나에게 강화해야 할 요소는 무엇인가?

제 **10** 장

경험담(Testimonials)

"경험담은 최고의 영업사원이다."
닥터 브라이언(Dr. Brian)

경험담(Testimonials)

■ 개념

경험담은 사용후기에 대한 것으로, 제품 또는 서비스를 사용한 고객의 경험을 소개하여 상대의 결정을 돕는 기법이다. 대면영업이든 광고나 마케팅에서 자주 사용하며, 실제로 제품을 사용해본 생생하고 성공적인 스토리를 통해 상품의 신뢰도를 높이고 구매 의사결정을 유도하는 데 효과적이다. 사용후기는 리뷰, 고객평점, 리뷰 개수[58]등으로 표현되어 잠재 고객에게 인식과 행동의 변화를 유발한다. 사용후기를 기반으로 설득 지식모델[59]로 개발되어 활용되기도 한다. 출처의 유사성, 전문성[60], 출처특성의 중요성이 사용후기에 대한 신뢰성과 영향력을 높인다.

경험담은 긍정적인 고객 경험을 그대로 전달하고 브랜드에 대한 충성도 [61]구축을 위한 강력한 마케팅 도구 중에 하나이다. 사용후기에는 진정성과 정서적 호소력이 중요하다. 고객은 다른 고객들의 평가 프로세스를 [62]의존하려는 경향이 있고, 평가에 대한 진정성, 신뢰성을 토대로

---

[58] "The Impact of Online Customer Reviews on Customer Attitudes and Buying Behaviors" by X. Liu and M. Park (2015)

[59] "The Persuasion Knowledge Model: How People Cope with Persuasion Attempts" by M. Friestad and P. Wright (1994)

[60] "Effects of Testimonial Information on Product Evaluation: The Role of Similarity and Expertise" by S. A. Cialdini et al. (1990)

[61] "The Power of Testimonials: Leveraging Positive Customer Experiences for Marketing Success" by C. Veloutsou and S. Guzman (2017)

[62] "Consumer Trust in Testimonials: An Attribution Theory Perspective" by M. A. Kamins (1990)

인식하고 행동한다. 결국 '예'라고 [63]결심을 하고자 할 때 그 이유를 공고히 하는데 사용후기는 중요하다. 진정 어린 참여를 기반한 고객과의 관계 조성은 유기적이고[64] 선순환적인 사용후기와 브랜드 충성도강화로 이어지는데 매우 중요하다. 고객후기는 스토리로서 공감[65]을 불러일으키고 지속적인 영향을 미치게 할 뿐 아니라 잠재적 욕구와 우려사항을 [66]매끄럽게 해결하는데도 유익하다. 보다 설득력 있는 공감을 불러 일으키기 위해 다양한 언어적 기법[67]을 적용하면 더욱 효과적이다.

═══━ ✕ ◇ ✕ ━═══

"만족한 고객이 최고의 영업사원이다."
미상(Unknown)

■ 핵심 요소

신뢰성 및 사회적 증거

사용후기는 제품 또는 서비스에 대한 신뢰성과 사회적 증거를 제공한다. 잠재 고객은 다른 사람들이 긍정적인 경험을 한 것을 보면 신뢰가

---

[63] "Influence: The Psychology of Persuasion" by Robert B. Cialdini

[64] "The Thank You Economy" by Gary Vaynerchuk

[65] "Made to Stick: Why Some Ideas Survive and Others Die" by Chip Heath and Dan Heath

[66] "To Sell Is Human: The Surprising Truth About Moving Others" by Daniel H. Pink

[67] "Words that Work: It's Not What You Say, It's What People Hear" by Frank Luntz

쌓이고 올바른 결정을 내렸다는 확신을 갖게 된다.

제3자 검증 효과

사용후기는 회사 또는 제품과 직접적인 이해관계가 없는 개인으로써 작성한 것이므로 제3자 검증으로 간주된다. 이러한 객관성과 공정성은 신뢰성을 향상시킨다.

진정성

진정성은 효과적인 추천에 매우 중요하다. 실제 고객의 진정한 피드백과 솔직한 의견은 지나치게 세련되거나 정형화되어 작성된 것보다 더 큰 무게감을 차지한다. 진정성은 잠재 고객의 공감을 불러일으킨다.

다양한 관점

효과적인 사용후기는 다양한 범위의 고객이나 사용자로부터 나와야 한다. 이러한 다양성은 잠재 고객이 제품이나 서비스가 다양한 상황에서 사람들에게 도움이 될 수 있음을 확인하고 호감을 높이는 데 도움이 된다.

구체성

특정한 장점이나 혜택을 강조하는 구체적인 사용후기가 일반적인 설명보다 더 설득력이 있다. 예를 들어, "이 제품은 한 달 만에 10파운드를 감량하는 데 도움이 되었다"라고 말하는 추천후기는 "이 제품이 마음에 든다."보다 더 설득력이 있다.

관련성

사용후기는 대상 고객과 관련이 있어야 한다. 잠재 고객은 비슷한 요구 사항, 욕구 또는 열망을 공유하는 사람들의 추천에 의해 설득될 가능성이 더 높다.

시각 및 멀티미디어

추천후기는 서면 진술, 비디오 인터뷰, 오디오 녹음, 소셜 미디어 게시물 등 다양한 형태로 제공될 수 있다. 시각적 및 멀티미디어 형식의 후기는 더욱 매력적일 수 있다.

허가 및 개인정보 보호

마케팅 자료에 사용후기를 활용하기 전에 고객의 허가를 받는 것이 중요하다. 개인 정보 보호와 기밀 유지를 존중하는 것이 필수적이다.

규정 준수

업계 및 지역에 따라 사용후기 사용에 관한 규정이 있을 수 있다. 사용후기가 관련 법률 및 지침을 준수하는지 확인하는 것이 중요하다.

지속적인 수집

기업은 현재 고객 경험을 반영하기 위해 사용후기를 적극적으로 수집하고 업데이트해야 한다. 제품과 서비스가 발전함에 따라 이를 홍보하는 사용후기도 고도화 되어야 한다.

투명성

투명한 의사소통이 중요하다. 잠재 고객은 사용후기가 실제 고객의 후기임을 인지하고 속이거나 오도하려는 시도를 해서는 안 된다.

의사 결정에 미치는 영향

추천후기는 불확실성을 줄이고 반대 의견을 해결하며 제품이나 서비스가 제공하는 장점이나 솔루션에 대한 실제 사례를 제공함으로써 의사 결정에 영향을 미친다.

시사점

추천후기는 만족한 고객이나 사용자의 신뢰성, 진정성, 사회적 증거를 활용하여 판매 및 설득에 있어 강력한 도구이다. 효과적으로 사용하면 신뢰를 구축하고 반대 의견을 극복하며 궁극적으로 구매 결정을 내리는 데 도움이 될 수 있다. 그러나 사용후기를 수집하고 사용하는 데 있어 진실성과 투명성을 유지하는 것이 중요하다.

"다른 사람의 평가는 판매를 성사시키는 데 필요한 가장 강력한 도구이다."
Seth Godin

■ 사용후기를 활용한 대표 사례

✧ Fitbit의 고객 추천 및 시장 지배력(Fitbit's Customer Testimonials and Market Dominance)

피트니스 트래커 및 웨어러블 기술 전문 회사인 Fitbit은 마케팅 및 영업 활동에 고객 사용후기를 효과적으로 활용하여 놀라운 성공을 거두었다.

고객 중심 접근

Fitbit은 피트니스 트래커를 통해 고객과 고객의 경험을 우선시했다. 고객이 Fitbit 제품을 사용한 성공 사례, 변화, 경험을 공유하도록 적극적으로 장려했다.

다양한 사용후기

Fitbit은 체중 감량, 체력 향상 또는 건강 상태 모니터링을 원하는 개인을 포함하여 다양한 계층으로부터 광범위한 사용후기를 수집했다. 이러한 다양성 덕분에 잠재 고객은 비슷한 목표와 과제를 가진 사람들과의 동질감을 이룰 수 있었다.

감정적 호소

Fitbit 사용후기에는 건강 문제 극복, 피트니스 목표 달성 또는 긍정적인 라이프스타일 변화 경험에 대한 개인적인 스토리가 포함되는 경우가 많다. 이러한 구체적인 스토리는 더 깊은 수준에서 잠재 고객의 공감을 불러일으켰다.

투명성 및 신뢰성

Fitbit은 자사 사용후기가 진실되고 신뢰할 수 있음을 보증했다. 여기에는 실제 이름, 사진, 고객과의 비디오 인터뷰가 포함되었다. 이러한 투명성은 잠재적 구매자들 사이에서 신뢰를 구축했다.

사회적 증명

Fitbit은 웹사이트, 홍보 자료, 소셜 미디어에 이러한 평가를 드러냈다. 이러한 사회적 증거의 사용은 많은 사람들이 Fitbit 제품을 사용하여 건강 및 피트니스 목표를 달성했음을 보여줌으로써 잠재 고객에게 긍정적 영향을 미쳤다.

교육 콘텐츠

Fitbit은 고객 사용후기를 교육 콘텐츠에 통합하여 잠재 구매자가 제품이 어떻게 혜택을 줄 수 있는지 이해하도록 돕는다. 사용후기는 제품 기능 및 장점과 함께 전략적으로 제시 되었다.

커뮤니티 구축

Fitbit은 사용자 평가를 활용하여 사용자들 사이에 공동체 의식을 조성했다. 성공 사례를 공유하면 충성도가 높아지고 참여도가 높은 고객 기반을 구축하는 데 도움이 되었다.

시사점

Fitbit은 고객 사용후기를 효과적으로 활용하여 피트니스 트래커 업계에서 시장 지배력을 확보하는 데 기여했다. 정서적 공감, 사회적 증거, 투명한 접근 방식은 잠재 고객이 브랜드와 동질화되고 제품에 대한 신뢰를 갖도록 도왔다. Fitbit은 고객 중심 마케팅 전략의 결과로 매출과 시장 점유율이 크게 증가하여 웨어러블 피트니스 기술 분야의 선두 기업 중 하나로 자리매김했다. 이 사례는 고객 경험의 정서적 측면을 활용하고 제품 효과에 대한 사회적 증거를 제공함으로써 사용후기의 전략적 사용이 판매 및 브랜드 평판에 어떻게 긍정적인 영향을 미칠 수 있는지 보여준다.

"고객 추천후기는 마케팅의 효과성이 89%로 가장 높다."
Social Fresh

✧ Amazon 고객 리뷰(Amazon Customer Reviews)

세계 최대 전자상거래 플랫폼 중 하나인 Amazon은 고객 리뷰와 사용후기의 힘을 활용하여 신뢰할 수 있고 지배적인 시장으로 자리매김했다.

고객이 생성한 리뷰

아마존은 고객이 구매한 제품에 대한 리뷰와 평가를 남길 것을 권장한다. 이러한 리뷰는 사용자가 생성하며 제품에 대한 실제 피드백을 제공한다.

다양한 관점

Amazon의 고객 후기는 방대하고 다양하다. 이는 리뷰가 광범위한 제품에 대한 경험을 다룬다는 것을 의미한다. 이러한 다양성을 통해 잠재 구매자는 비슷한 요구 사항과 선호도를 가진 사람들의 사용후기를 찾을 수 있다.

별표 평점

Amazon의 각 제품에는 별표 평점과 해당 제품을 평가한 사람이 몇 명인지에 대한 요약이 함께 제공된다. 별점은 제품의 전반적인 품질을 시각적으로 빠르게 나타내는 지표 역할을 한다.

상세한 피드백

아마존 리뷰에는 잠재적인 구매자가 정보를 바탕으로 결정을 내리는 데 도움이 되는 자세한 피드백과 장단점이 포함되는 경우가 많다. 고객은 제품의 성능, 내구성, 사용 편의성 등에 대해 알아볼 수 있다.

확인된 구매

Amazon은 리뷰가 "확인된 구매"에서 나온 것인지 강조한다. 즉, 리뷰어가 실제로 Amazon에서 제품을 구매했다는 의미이다. 검증된 구매 리뷰는 일반적으로 더 신뢰할 수 있는 것으로 간주된다.

커뮤니티 참여

아마존에는 고객이 상품에 대해 질문하고 다른 고객이나 판매자가 답변을 제공할 수 있는 Q&A 섹션이 있다. 이러한 참여는 공동체 의식을 키우고 귀중한 정보를 제공한다.

결과

Amazon은 고객 리뷰와 사용후기를 광범위하게 활용하여 시장 지배력에 중추적인 역할을 해왔다. 잠재 고객은 구매하기 전에 다른 사람의 경험을 읽을 수 있기 때문에 플랫폼을 신뢰한다. 이러한 투명성과 사용후기를 통해 얻을 수 있는 풍부한 정보 덕분에 고객 신뢰도와 충성도가 높아졌다.

신뢰 및 투명성

고객 리뷰에 대한 Amazon의 접근 방식은 전자 상거래에서 신뢰와 투명성의 중요성을 강조한다. 고객은 다른 구매자의 공개적이고 솔직한 피드백을 높이 평가한다.

정보에 입각한 의사 결정

추천후기는 잠재 구매자가 정보를 바탕으로 결정을 내리는 데 도움이 되는 귀중한 정보를 제공한다. 아마존은 상세한 리뷰를 강조하여 고객이 자신의 필요와 기대에 맞는 제품을 선택할 수 있도록 지원한다.

커뮤니티 구축

리뷰, Q&A 섹션, 판매자 피드백을 통해 상호 작용을 촉진함으로써 Amazon은 커뮤니티를 구축했다. 이를 통해 고객 참여와 충성도가 높아진다.

시장 지배력

Amazon은 사용후기를 성공적으로 활용하여 글로벌 전자상거래 리더로서의 입지를 굳혔다. 이는 고객 제작 콘텐츠가 브랜드 평판과 시장 점유율에 미치는 잠재적인 영향을 보여준다.

시사점

Amazon의 고객 리뷰 및 사용후기는 투명성, 신뢰 및 커뮤니티 참여를 활용하여 지배적인 시장을 구축할 수 있는 방법을 보여준다. 이는 고객에게 자신의 경험과 통찰력을 공유하고 궁극적으로 구매자와 판매자 모두에게 이익이 되는 플랫폼을 제공하는 것이 중요함을 강조한다.

✧ Airbnb의 호스트 및 게스트 사용후기(Airbnb's Host and Guest Testimonials)

개인이 여행자에게 자신의 집을 임대할 수 있는 플랫폼인 Airbnb는 호스트와 게스트의 사용후기를 효과적으로 활용하여 신뢰를 구축하고 글로벌 영업 범위를 확대했다.

호스트 프로필

에어비앤비는 호스트에게 개인정보, 사진, 숙소 설명 등 상세한 프로필을 작성할 수 있는 기회를 제공한다. 이러한 프로필은 호스트 추천의 한 형태로, 잠재적인 게스트를 숙소 뒤에 있는 사람들에게 소개하는 역할을 한다.

고객 리뷰

숙박 후 고객은 자신이 예약한 숙소와 호스트에 대한 리뷰를 남길 수 있다. 이러한 리뷰에는 별점과 피드백이 포함되어 있어 게스트의 경험을 바탕으로 호스트에게 평점을 부여할 수 있다.

검증

에어비앤비는 호스트와 게스트의 신원을 확인하기 위해 확인 절차를 도입하여 사용자 간의 신뢰를 높인다. 검증된 프로필과 리뷰는 플랫폼에 대한 신뢰를 구축하는 데 중요한 역할을 한다.

응답률

호스트는 문의 및 예약 요청에 신속하게 응답하는 것이 좋다. 에어비앤비는 호스트 프로필에 응답률과 시간을 표시하여 호스트가 섬세하고 신뢰할 수 있다는 것을 잠재 게스트에게 보여준다.

슈퍼호스트 자격

에어비앤비는 지속적으로 뛰어난 사례를 제공하는 호스트를 '슈퍼호스트' 자격으로 인정한다. 이 지정은 예약 수, 고객 리뷰 및 응답률과 같은 요소를 기반으로 한다.

커뮤니티 가이드라인

에어비앤비는 호스트와 게스트가 함께 따라야 하는 커뮤니티 가이드라인을 마련했다. 추천후기는 사용자가 자신의 행동과 플랫폼 규칙 준수에 대해 책임을 지도록 하여 이러한 지침을 시행하는 데 도움이 될 수 있다.

결과

Airbnb의 호스트 및 게스트 추천을 전략적으로 활용하는 것은 Airbnb의 급속한 성장과 성공에 중요한 역할을 했다. 투명성, 사용자 검증 및 진정한 경험 공유에 대한 플랫폼의 노력은 호스트와 게스트 모두 사이에 신뢰를 구축하여 방대하고 충성도가 높은 사용자 기반을 확보했다.

신뢰 구축

Airbnb가 호스트와 게스트 추천을 강조하는 것은 모두에게 신뢰 구축의 중요성을 보여준다. 잠재 고객은 이전 고객의 긍정적인 리뷰를 볼 때 숙박 시설을 예약할 가능성이 더 높다.

사용자 참여

사용후기는 고객 참여와 책임을 독려한다. 호스트는 우수한 서비스를 제공하도록 독려하며, 게스트는 자신의 경험이 리뷰를 통해 공유된다는 점을 알고 숙소를 정중하고 예의를 갖추어 대하도록 한다.

자격부여 및 인센티브

에어비앤비의 슈퍼호스트 자격 부여는 호스트가 뛰어난 경험을 지속적으로 제공할 수 있도록 인센티브로 작용된다. 호스트가 게스트를 위해 그 이상의 서비스를 제공하도록 독려한다.

검증

사용자 신원 확인은 Airbnb 커뮤니티 내 전반적인 안전감과 신뢰감을 높이는 데 기여한다. 검증된 프로필과 리뷰는 온라인 거래와 관련된 위험을 줄이는 데 도움이 된다.

시사점

Airbnb의 호스트 및 게스트 추천 사용은 신뢰 구축과 온라인 시장에서의 투명성, 책임성, 사용자 생성 콘텐츠의 힘을 보여준다. 성공적인 생태계를 만들기 위해 사용자 리뷰와 사용후기에 의존하는 플랫폼에 대한 귀중한 사례 연구 역할을 한다.

"얼마나 좋은지 설명하지 말고,
내가 실제 사용했을 때 얼마나 좋은지 말하라."
레오 버넷(Leo Burnett)

■　사용후기를 활용한 부정적 사례

✧ Theranos 사례

오해를 불러일으키는 증언과 추천이 부정적인 결과를 초래하는 데 중요한 역할을 한 주목할 만한 사례이다. 엘리자베스 홈즈(Elizabeth Holmes)가 설립한 의료 기술 회사인 테라노스(Theranos)는 혁신적인 혈액 검사 장치를 개발했다고 주장했다. 그러나 회사는 사용후기의 오용을 포함한 사기 행위로 인해 광범위한 법적, 규제적 문제에 직면했다.

허위 주장 및 사용후기

Theranos는 의료 업계의 저명한 인물의 추천 및 사용후기를 사용하여 신뢰성에 대한 환상을 조장했다. 이러한 평가는 해당 기술이 신뢰할 수 있고 획기적이라는 것을 암시했다.

인식 조작

테라노스를 존경 받는 인물과 연관시킴으로써 회사는 대중의 인식을 조작하고 투자자, 파트너 및 소비자의 신뢰를 얻는 것을 목표로 했다. 영향력 있는 인물의 증언은 합법성을 강조하려는 겉치장이었다.

부적절한 검증

추천서를 제공하는 개인은 종종 Theranos 기술에 대한 직접적인 경험이 거의 또는 전혀 없거나 그들의 경험이 잘못 오도되었다. 이러한 검증 부족으로 인해 오해의 소지를 야기하고 혼란을 주었다.

투자자 사기

Theranos는 이러한 보증 및 평가를 바탕으로 상당한 금액의 자본을 조달했다. 투자자들은 판도를 바꾸는 의료 기술을 지원하고 있으며 속임수가 드러났을 때 상당한 재정적 손실을 초래한다고 확신했다.

규제 조치

여러 사기 행위와 함께 추천후기의 오용은 미국 식품의약국(FDA) 및 메디케어 및 메디케이드 서비스 센터(CMS)와 같은 규제 기관의 관심을 끌었다. 이들 기관은 오해의 소지가 있는 주장과 투명성 부족으로 인해 테라노스를 상대로 법적 조치를 취했다.

추천의 윤리적인 사용

Theranos 사례는 비즈니스에서 추천의 윤리적인 사용의 중요성을 강조한다. 오해의 소지가 있는 검증은 심각한 법적, 재정적, 평판적 결과를 초래할 수 있다.

직접 관찰

투자자, 파트너 및 소비자는 추천 및 보증을 신뢰하기 전에 철저한 실사를 수행해야 한다. 제기된 주장의 진위 여부와 보증을 제공하는 사람의 자격을 확인하는 것이 중요하다.

규제 감독

규제 기관은 기업이 사기 행위에 대해 책임을 지도록 하는 데 중요한 역할을 한다. Theranos 사례는 소비자와 투자자를 보호하기 위한 강력한 규제 감독의 필요성을 강조한다.

투명성과 정직성

기업은 마케팅과 커뮤니케이션에서 투명성과 정직성을 우선시해야 한다. 오해를 불러일으키는 주장과 증언은 신뢰를 약화시키고 심각한 영향을 미칠 수 있다.

비판적 사고

소비자와 투자자는 비판적 사고를 가지고 보증 및 평가에 접근해야 한다. 검증하려는 의지는 사기 행위의 피해자가 되는 것을 방지하는 데 도움이 될 수 있다.

시사점

Theranos 사례는 비즈니스에서 오해의 소지가 있는 추천과 보증을 사용한 결과에 대한 경고의 역할을 한다. 이는 사기 행위를 방지하고 소비자와 투자자의 이익을 보호하기 위한 윤리적 행동, 투명성 및 규제 감독의 중요성을 강조한다.

✧ 온라인 마켓플레이스의 가짜 리뷰(Fake reviews on online marketplaces)

온라인 마켓플레이스의 가짜 리뷰는 소비자와 기업 모두에게 부정적인 결과를 초래할 수 있는 중요한 문제이다.

과장된 등급 및 허위 주장

- **오해의 소지가 있는 긍정적인 사용후기**

판매자나 기업은 가짜 사용자 계정을 만들거나 개인에게 비용을 지불하여 제품이나 서비스에 대한 허위 긍정적인 사용후기와 리뷰를 게시할 수 있다. 이러한 가짜 사용후기에는 제품의 실제 기능 이상을 칭찬하는 과장된 주장이 포함되어 있는 경우가 많다.

- **부풀려진 평점**

가짜 긍정적인 평가가 축적되면 제품의 전체 평점이 인위적으로 부풀려질 수 있다. 이는 허위 사용후기를 바탕으로 소비자가 기대에 미치지 못하는 제품을 구매하도록 유도할 수 있다.

소비자 기만

- 잘못된 구매

소비자가 의사 결정을 위해 가짜 리뷰에 의존하면 결국 자신의 필요나 선호도에 맞지 않는 제품이나 서비스를 구매하게 될 수 있다. 이로 인해 불만족, 금전적 손실 및 시간 낭비가 발생할 수 있다.

- 신뢰 상실

가짜 리뷰를 반복적으로 접하면 온라인 마켓플레이스에 대한 신뢰가 약화될 수 있으며, 이로 인해 소비자는 사용후기의 적법성과 플랫폼 전체의 신뢰성에 대해 더욱 회의적이 될 수 있다.

불공정한 경쟁

- 합법적인 판매자의 피해

가짜 리뷰 작성에 관여하지 않는 합법적인 기업은 평판과 매출을 높이기 위해 사기성 추천에 의존하는 부정직한 경쟁업체와 경쟁하기 어려울 수 있다.

- 마켓플레이스 무결성

허위 리뷰가 만연하면 온라인 마켓플레이스의 무결성이 손상되어 구매자와 판매자 모두에게 매력이 떨어질 수 있다. 이는 궁극적으로 플랫폼 자체의 평판에 해를 끼칠 수 있다.

규제 및 법적 영향

- 법적 결과

일부 관할권에서는 허위 리뷰 게시가 허위 광고, 사기 또는 소비자 보호법 위반으로 간주될 수 있다. 이러한 관행에 연루된 기업과 개인은 법적 조치와 벌금을 받을 수 있다.

- 규제 대응

규제 당국과 소비자 보호 기관은 사기성 추천을 사용하여 유죄 판결을 받은 기업에 벌금을 부과하는 등 가짜 리뷰를 근절하기 위한 조치를 점점 더 많이 취하고 있다.

플랫폼 대책

- 알고리즘 탐지

온라인 마켓플레이스는 가짜 리뷰를 탐지하고 제거하기 위해 알고리즘과 인공 지능에 투자하고 있다. 또한 사용자에게 의심스러운 콘텐츠를 신고하도록 권장한다.

- 인증된 구매자 배지

일부 플랫폼에서는 리뷰어가 실제로 제품을 구매하고 사용했음을 나타내기 위해 "인증된 구매자" 배지를 실시한다. 이를 통해 사용자는 진짜 사용후기와 가짜 사용후기를 구별할 수 있다.

- 소비자의 비판적 사고

소비자는 사용후기를 읽을 때 비판적 사고를 하도록 권장된다. 그들은 패턴을 찾고, 리뷰어의 신뢰성을 고려해야 하며, 사실이라고 믿기에는 너무 좋아 보이고 지나치게 긍정적이거나 부정적인 평가를 접할 때 주의해야 한다.

주요 교훈

- **투명성과 신뢰**

가짜 리뷰를 사용하면 온라인 마켓플레이스에 대한 신뢰가 약화된다. 사용후기의 투명성과 정직성은 플랫폼의 무결성과 소비자 신뢰를 유지하는 데 필수적이다.

- **법률 및 규제 조사**

가짜 평가와 관련된 사기 행위에 연루된 기업 및 개인은 법적 및 규제적 처벌을 받을 수 있다. 법률과 규정을 준수하는 것이 중요하다.

- **소비자 교육**

소비자는 허위 리뷰의 확산과 이를 식별하는 방법에 대해 교육을 받아야 한다. 인식과 경계는 기만적인 관행으로부터 소비자를 보호하는 데 도움이 될 수 있다.

시사점

온라인 마켓플레이스에서 허위 리뷰 형태로 사용후기를 오용할 경우 소비자 기만, 불공정 경쟁, 법적 반향 등 부정적인 결과를 초래할 수 있다. 투명성, 규제 조치, 소비자 교육은 이 문제를 해결하고 온라인 플랫폼의 신뢰성을 유지하는 데 필수적이다.

"브랜드는 당신이 없을 때 사람들이 여러분에 대해 말하는 것이다."
Jeff Bezos

■ 사용후기를 활용한 성경 속 사례

✧ 맹인을 고치신 예수님 이야기(The Story of Jesus Healing the Blind Man)

예수님과 그분의 제자들은 태어날 때부터 소경인 사람을 만났다. 제자들은 예수님에게 그 사람의 눈이 먼 것이 자기 죄 때문인지 아니면 그 부모의 죄 때문인지 물었다. 예수께서는 "하나님이 하시는 일을 그 사람에게서 나타내려 함이니라"고 대답하셨다.

그런 다음 예수께서는 맹인을 고치기 시작하셨다. 땅에 침을 뱉어 진흙을 만들고 그 사람의 눈에 바르고 실로암 못에서 씻으라고 명하셨다. 맹인은 순종했고, 씻은 후에 기적적으로 시력을 얻게 되었다.

고침 받은 사람의 이웃 사람들과 병 고침을 의심하는 바리새인들은 거듭 그에게 질문했다. 그는 예수께서 어떻게 자기를 고쳐 주시고 시력을 얻게 되었는지를 그들에게 증언했다. 그들의 의심과 의문에도 불구하고, 기적적인 치유에 대한 그 사람의 일관되고 솔직한 간증은 확고 부동했고 많은 이에게 감동을 주었다.

직접 경험

맹인의 증언은 그의 개인적인 경험을 바탕으로 하기 때문에 설득력이 있다. 태어날 때부터 눈이 멀었고 인생을 변화시킨 예수님과의 만남을 체험적으로 설명할 수 있었다.

진실성과 일관성

맹인의 증언은 진정성과 일관성이 특징이다. 회의론자들의 압력에도 불구하고 자신의 이야기를 흔들거나 바꾸지 않았다.

변화와 기적

맹인의 간증은 기적적인 변화에 대한 강력한 설명이다. 눈먼 삶에서 눈이 보이는 삶으로 옮겨갔으며, 이는 영적인 깨달음과 신앙의 변화시키는 힘을 상징한다.

의심과 회의주의

이 이야기는 다른 사람들, 특히 바리새인들의 의심과 회의주의를 반영한다. 이는 고객의 평가가 회의적일 수 있다는 현실과 자신의 경험을 공유하는 데 있어 인내의 중요성을 강조한다.

사회적 확증

시각 장애인의 이웃과 그를 아는 사람들은 처음에는 회의적이었지만 그의 일관되고 진실한 증언에 영향을 받았다. 이는 평가 검증에 있어 사회적 확인의 힘을 보여준다.

영적 메시지

육체적인 치유를 넘어, 영적으로 눈먼 사람들에게 영안을 가져다 주는 그리스도의 빛에 대한 영적인 메시지를 전달한다. 맹인의 간증은 영적 각성과 신앙에 대한 도전적 메시지를 준다.

권위에 굴하지 않음

자신의 간증에 담긴 진리를 고수함으로써 바리새인들의 권위에 기꺼이 도전하려는 맹인의 의지는 자신의 신념에 충실한 것이 중요함을 강조한다.

커뮤니티 영향

시각 장애인의 증언은 커뮤니티 내 토론으로 이어지며, 개인 증언의 영향력과 영향을 더욱 강조한다.

시사점

요한복음 9장 1-41절에 나오는 소경을 고치신 예수님의 이야기는 믿음과 신성한 만남의 변화시키는 힘을 전달하는 데 있어서 직접적인 간증의 심오한 영향을 강조한다. 맹인의 진실하고 흔들리지 않는 간증은 의심과 회의에 직면하더라도 개인적인 경험이 어떻게 설득력 있고 영감을 줄 수 있는지 보여주는 강력한 예이다. 이는 영적 깨달음과 구원의 메시지를 전달하는 데 있어서 증언의 지속적인 중요성을 강조한다.

"와서 하나님께서 행하신 것을 보라
사람의 아들들에게 행하심이 엄위하시도다"
시편 66:5

✦ 우물가의 여인 이야기(The Story of the Woman at the Wel)

예수님은 사마리아를 여행하는 동안 야곱의 우물에서 사마리아 여인을 만났다. 예수께서는 대화를 나누시며 그녀의 삶 속에서 여러 명의 남편이 있었다는 사실을 밝히셨다. 사회적 규범과 편견에도 불구하고 예수님은 그녀를 존경심과 동정심으로 대했다.

중요한 사건은 예수님께서 여인에게 자신이 줄 수 있는 생수에 대해 말씀하실 때 발생한다. 이 생수는 그녀의 영적 갈증을 영원히 해소해 줄 것이었다. 이 만남에 놀라움과 감동을 받은 그 여자는 물동이를 버려 두고 동네로 들어가서 사람들에게 간증하여 이르되 나의 행한 모든 일을 내게 말한 사람을 와 보라 이 사람이 메시아가 아니냐 하더라 (요한복음 4:29)라고 했다.

신뢰성 및 진정성

여성의 증언은 자신의 개인적인 경험을 바탕으로 하기 때문에 설득력이 있다. 그녀의 진정성과 성실함은 그녀를 믿을만한 증인으로 만들었다.

감정적 호소

예수님과 여인의 만남은 강렬한 감동과 경외감을 불러일으켰다. 그녀의 열정과 설렘이 그녀의 증언을 통해 전달되어 정서적으로 큰 감동을 주었다.

입소문 영향

여성의 증언은 본질적으로 입소문 마케팅의 한 형태이다. 그녀의 체험은 마을 사람들이 알고 신뢰하는 사람에게서 나오기 때문에 무게가 있다.

사회적 증거

여인의 말은 마을 사람들의 호기심을 자극하여 그들이 스스로 예수님을 알아보고 만나도록 이끈다. 이는 사람들이 다른 사람의 행동과 경험에 영향을 받는다는 사회적 증거의 개념을 보여준다.

개인적인 추천에 대한 신뢰

마을 사람들은 예수님을 찾을 만큼 그 여자의 추천을 신뢰한다. 이는 개인이 마음을 움직이고 행동을 취하도록 설득하는 데 있어서 개인적인 추천과 추천의 힘을 보여준다.

변화와 구원

예수님을 만난 후 여인의 변화는 삶을 변화시키는 믿음의 영향에 대한 강력한 간증으로 작용한다. 그녀의 이야기는 영적 구속과 구원에 대한 더 넓은 메시지를 반영한다.

지역사회 참여

여성의 간증은 지역사회 참여와 토론을 촉발했다. 사람들을 모아 영적 여정을 탐구하고 공유했다.

증가 효과

여인의 한 번의 증언은 파급 효과를 가져 많은 사마리아인들이 예수님을 믿게 되었다. 이는 고객 평가가 더 많은 상대에게 다가가고 영향을 미칠 수 있는 잠재력을 보여준다.

결론

요한복음 4장 1-42절에 나오는 우물가의 여인 이야기는 메시지를 전파하고 다른 사람들에게 영향을 미치는 데 있어서 개인적인 간증의 심오한 영향을 강조한다. 여성의 진정성 있고 감동적인 증언은 진정한 경험이 어떻게 지역 사회에서 설득과 신뢰 구축을 위한 강력한 도구가 될 수 있는지 보여주는 설득력 있는 예이다. 이는 신앙의 놀라운 힘과 영적 체험을 전달하는 데 있어서 증언의 지속적인 중요성을 강조한다.

"너희 마음에 그리스도를 주로 삼아 거룩하게 하고
너희 속에 있는 소망에 관한 이유를 묻는 자에게는
대답할 것을 항상 준비하되 온유와 두려움으로 하고"
베드로전서 3:15

- ■ 영업 및 설득에서의 Testimonials 활용 10가지

세분화된 Testimonials

다양한 고객 대상군에 맞춤화된 사용후기를 확보해 사용하는 것이 좋다. 여러 고객층마다 고민과 필요에 충족이 가능하고 맞춤화된 접근에 효과적이다. 다양한 피트니스 목표를 위한 피트니스 프로그램 Testimonials이 그 예이다.

측정 가능한 수치

구체적인 숫자 또는 성공적인 결과들은 생생한 후기의 묘미를 더한다. 수익, 체중 감량 등 성과를 측정 가능한 수치적으로 표현되면 명확한 입증자료가 된다. 소프트웨어 회사가 메트릭을 통해 증가한 효율성을 보여주는 사례가 그 예이다.

비디오 Testimonials

진정성 있는 비디오 자료는 직관적이고 시각적인 감흥을 준다. 시각적 및 청각적 요소는 직접적으로 감정에 호소하여 깊이 있는 감동과 신뢰를 준다. YouTube의 제품 리뷰 비디오가 그 예이다.

사례 연구 Testimonials

고객이 사용하고 체험한 성공적인 사례를 자세히 기술한다. 사례 속에 문제점을 해결하고 이슈를 극복한 과정이 담겨있다면 깊이 있는 통찰력을 준다. 고객의 문제를 해결한 B2B 회사의 사례 연구가 그 예이다.

사용전후 Testimonials

사용 전후의 결과들이 시각적으로 도표적으로 변화를 보여준다면 매우 직관적이고 명확하게 전달된다. 체중 감량 과정을 보여주는 피트니스 프로그램이 그 예이다.

마케팅 자료에 고객후기 인용

제품소개나 영상 등 자료에 간결한 고객후기를 인용하여 포함한다. 주요 판매 핵심요소에 대한 강력한 클로징이 되어 신속한 결심을 촉구할 수 있다. 홈페이지에 고객 인용을 게시하는 웹사이트가 그 예이다.

소셜 미디어 공유

고객이 직접 경험한 것을 소셜 미디어에 공유해주도록 유도한다. 고객 주변의 네트워크를 통해 영향력이 확대되며 보다 건설적인 파급을 초래한다. 인스타그램에서 식사를 공유하도록 고객을 유도하는 레스토랑이 그 예이다.

제3자 리뷰 사이트

고유의 독립적인 플랫폼으로부터 생성된 리뷰를 수집해 활용하는 것이다. 브랜드 외부 출처를 명확히 표시하면서 신뢰성을 강화시킨다. TripAdvisor에서 긍정적인 리뷰를 수집하는 호텔이 그 예이다.

영업 프레젠테이션에 Testimonials 통합

프레젠테이션에 사용자 후기들을 통합하고 실질적인 이의사항 및 이슈들이 해결되고 혜택으로 이어지는지 강조한다. 고객 성공 사례를 강조하는 영업 프레젠테이션이 그 예이다.

성공 사례 지속적 공유

일회성이 아닌 구독화되어 지속적인 성공 사례들을 수집하고 공유한다. 지속적이고 일관된 공유는 긍정적인 브랜드 이미지를 창출하고 신뢰를 준다. 구독 서비스로 매월 사용자 경험후기를 공유하는 것이 그 예이다.

"타인이 너를 칭찬하게 하고 네 입으로는 하지 말며
외인이 너를 칭찬하게 하고 네 입술로는 하지 말지니라"
잠언 27:2

☞ **경험담(Testimonials) 멘트**

"비슷한 업종의 고객 중 한 명은 우리 제품을 통해 워크플로 효율성이 크게 개선되었다고 말했습니다. 그 결과에 매우 만족하고 있습니다."
고객과 동종업계로 관련된 성공 사례를 강조한다.

"최근 한 고객이 저희 서비스를 통해 시간과 비용을 모두 절약할 수 있었다고 언급했는데, 여러분에게도 도움이 될 수 있을 것 같습니다."
고객의 경험을 활용하여 잠재적인 이점을 강조한다.

"한 고객이 여러분과 똑같은 문제에 직면했던 사례가 기억납니다. 우리

제품으로 전환한 후 극적인 개선을 경험했습니다."
고객의 상황과 직접적인 비교를 제공한다.

"저희의 애프터서비스가 탁월하다는 피드백을 받았습니다. 장기 고객 중 한 명은 최근 지속적인 지원에 얼마나 만족하는지 언급했습니다."
애프터 서비스 품질에 중점을 둔다.

"고객처럼 가족사업을 하시는 고객 분들이 최근 저희 솔루션을 통해 특히 운영을 보다 효율적으로 관리할 수 있게 되어 큰 혜택을 받았습니다."
제품의 이점을 유사한 비즈니스 유형과 연관시킨다.

"고객 중 한 명은 최소한의 교육이 필요하다는 점을 강조하며 소프트웨어의 사용자 친화성을 칭찬했습니다."
고객의 경험을 바탕으로 사용 편의성을 강조한다.

"마감 기한이 촉박한 상황에 처한 고객이 있었습니다. 솔루션을 신속하게 제공하고 구현할 수 있었던 것에 깊은 인상을 받았습니다."
신속한 제공 및 구현을 강조한다.

"경쟁사에서 우리 제품으로 전환한 한 고객은 비슷한 가격대에 제공되는 추가 기능에 대해 높이 평가했습니다."
경쟁사와의 우호적인 비교를 이끌어낸다.

"지난주 한 고객과 이야기를 나눴는데, 우리 제품을 사용하여 달성한 에너지 절감 효과에 대해 감격해 했습니다. 귀사에도 큰 도움이 될 것입니다."
고객에게 어필할 수 있는 특정 혜택(에너지 절감)에 집중한다.

"여러 고객이 우리 제품이 성능과 신뢰성 측면에서 기대치를 충족했을 뿐만 아니라 그 이상이었다고 언급했습니다."
제품 성능에서 기대치를 뛰어넘는 점을 강조한다.

■ 요약

경험담은 실제로 제품을 사용해본 생생하고 성공적인 스토리에 대한 것이다.
리뷰, 고객평점, 리뷰 개수 등으로 표현되고 잠재 고객에게 인식과 행동의 변화를 유발한다.
다른 고객들의 평가에 의존하려는 경향이 있고 브랜드 충성도 강화로 이어진다..

■ 핵심키워드

체험담, 사용후기, 성공적 스토리, 진정성, 정서적 호소력, 사회적 증거, 구체성

■ 적용 질문

사용후기가 설득과 영업에 있어서 중요한 특징은 무엇인가?
경험담으로 설득과 영업에 있어서 거둘 수 있는 기대효과는 무엇인가?
경험담을 설득과 영업에 있어서 효과적으로 활용하기 위한 좋은 10가지 방법은 무엇이고, 나에게 있어 강화해야 할 요소는 무엇인가?

제 11 장

감정적 호소(Emotional appeal)

———————⚔◇⚔———————

"최후 의사결정의 순간에는 감정에 의지한다."
닥터 브라이언(Dr. Brian)

감정적 호소(Emotional appeal)

■ 개념

감정적 호소는 논리나 이성보다는 감정에 근거하여 결정을 내릴 가능이 꽤 높다는 점에서 중요한 설득 기법이다. 논리에도 타당하고 매우 이성적으로도 선택하지 않을 이유가 없는데도 최종 결정의 순간에 '느낌이 어때?'라고 하는 것이다. 그 결정의 무게감이 큰 결정일 경우, 예컨대 큰 투자를 하거나 기업의 인수합병을 한다거나 할 때, 수치적으로 시장의 논리측면, 모든 양적 데이터가 그 의사결정을 지지하고 있다고 하더라도 '감이 오니?', '어떤 거 같아'라며 최종 기로에서 감정 깊은 곳을 관찰하고 들여다본다. 때론 감정적 요인이 논리적 신호보다 더 깊이 있고 생산적인 의사결정의 [68]근간이 되는 통찰력으로 이끌기도 한다.

감정적 호소는 인지의 기본적인 측면만이 아닌 표면 밑바닥의 인간의 행동을 주도하는 뿌리 깊은 신경 과정을 [69]터치하는 것이다. 인간의 뇌의 영역의 논리적, 분석적인 부분뿐 아니라 감정적, 본능적인 뇌 , 즉 원시적 뇌[70]의 부분까지 충족이 되어야 하는 점에서 감정적 호소로 인한 충족은 매우 중요하다. 설득에서 호소를 구분할 때, 윤리적 호소 (ethos), 논리적 호소(logos), 감정적 호소(pathos)[71]로 나누는 것도

---

[68] "Emotions in Persuasion" - Richard E. Petty, John T. Cacioppo, David Schumann (1983)

[69] "Descartes' Error: Emotion, Reason, and the Human Brain" - Antonio Damasio

[70] "The Persuasion Code: How Neuromarketing Can Help You Persuade Anyone, Anywhere, Anytime" - Christophe Morin, Patrick Renvoise

[71] "Rhetoric" by Aristotle

같은 맥락이다.

감정적 호소가 선행 인지 처리 없이 합리적 생각이 무시되어 [72]즉각적인 판단기준[73]이 되면서 후속 판단이나 행동에 [74]큰 영향을 주는 형태로 흘러가기도 한다. 그럼에도, 너무 과도하지 않도록 감정과 논리 사이의 균형을[75] 잃지 않는 것도 중요하다. 자칫 감정적 호소는 긍정적 감정을 야기하기도 하지만, 부정적 감정을 일으키기도 한다.

———————————◆◇◆———————————

"사람들은 논리보다는 감정적인 이유로 구매한다."
직 지글러(Zig Ziglar)

■   감정적 호소를 활용한 대표 사례

✦ Apple의 "Get a Mac" 캠페인

2006년부터 2009년까지 진행된 Apple의 "Get a Mac" 캠페인은 광고에서 효과적인 정서적 호소를 보여주는 대표적인 예이다.

---

[72] "Influence: The Psychology of Persuasion" - Robert B. Cialdini
[73] "Feeling and thinking: Preferences need no inferences" - Robert Zajonc (1980)
[74] "Affect, Cognition, and Awareness: Affective Priming with Optimal and Suboptimal Stimulus Exposures" - Russell H. Fazio, David M. Sanbonmatsu, Martha C. Powell, Frank R. Kardes (1986)
[75] "How We Decide" - Jonah Lehrer

의인화를 통한 감성적 관계성

Apple은 관련성 있는 캐릭터를 사용하여 자사 제품을 표현했다. Mac 캐릭터는 젊고 캐주얼하며 자신감 넘치는 인물로 묘사된 반면, PC 캐릭터는 좀 더 형식적이고 나이가 많고 약간 엉뚱한 인물로 묘사되었다. Apple은 제품을 의인화함으로써 제품을 더욱 친근하고 인간적으로 만들어 소비자가 제품과 감정적인 공감대를 형성할 수 있도록 했다.

유머와 호감도

유머를 사용하여 Mac 사용자와 PC 사용자의 차이점을 강조했다. PC 캐릭터는 종종 문제와 불편을 겪는 반면, Mac 캐릭터는 이를 쉽게 해결했다. 이러한 유머 덕분에 광고는 기억에 남고 호감이 가며 Mac에 대한 긍정적인 감정을 불러일으켰다.

단순성과 명확성

간단하고 명확한 방식으로 메시지를 전달했다. Mac과 PC의 몇 가지 주요 차이점에 중점을 두어 시청자가 Mac 선택의 이점을 쉽게 이해할 수 있도록 했다. 이러한 단순함은 복잡한 컴퓨터에 대한 혼선을 없애고 브랜드 메시지를 강화함으로써 감성적 매력을 강조했다.

브랜드 개성

Mac을 위한 브랜드 개성을 성공적으로 창출했다. 이는 창의성, 혁신, 사용 용이성과 같은 특성과 연관되었다. 이러한 긍정적인 특성은 소비자의 감정에 영향을 미쳐 Mac 사용자가 되고자 하는 열망을 갖게 하고 같은 생각을 가진 사람들의 커뮤니티에 대한 소속감을 조성했다.

일관성

여러 광고에서 일관된 톤과 스타일을 유지했다. 이러한 일관성은 시청자가 브랜드 및 캐릭터와 갖는 감정적 친근함을 강화하는 데 도움이 되었다. 시간이 지남에 따라 이러한 감정적 동질감은 브랜드 충성도와 매출 증가로 이어졌다.

소비자 열망에 호소

Mac을 선택하는 것이 단순한 제품 결정이 아니라 라이프스타일 선택이라는 메시지를 절묘하게 전달했다. 소비자가 선택한 컴퓨터가 자신의 가치와 열망을 반영한다는 점을 시사하여 자신감을 갖게 했다. 이러한 정서적 호소는 소비자가 Mac으로 전환하도록 장려했다.

수명

"Get a Mac" 캠페인은 수년 동안 진행되어 감정적 호소가 지속적인 영향을 미칠 수 있음을 보여주었다. 이는 소비자와 브랜드 사이에 강력한 감정적 동질감을 구축하여 Apple의 시장 점유율을 높였다.

시사점

'Get a Mac' 캠페인은 공감되는 캐릭터 창조, 유머 활용, 단순성과 명확성 유지, 브랜드 개성 확립, 일관성 유지, 소비자 열망에 호소, 장기간 캠페인 진행 등을 통해 감성적 매력을 효과적으로 활용했다.

> **"각각 자기 일을 돌볼뿐더러 또한 각각**
> **다른 사람들의 일을 돌보아 나의 기쁨을 충만하게 하라"**
> 빌립보서 2:4

✧ ALS(루게릭병) 아이스 버킷 챌린지(ALS Ice Bucket Challenge)

ALS 아이스 버킷 챌린지는 정서적 호소를 활용하여 모금 활동과 인식의 틀을 바꾸고 뛰어난 결과를 얻은 놀라운 사례였다.

정서적 공감

아이스 버킷 챌린지는 ALS로 고통 받는 사람들의 삶을 변화시키고자 하는 열망과 공감이라는 강력한 정서를 활용했다. 개인이 자신이나 다른 사람에게 얼음물을 붓는 모습을 담은 동영상에는 자신이 참여하는 이유를 설명하는 진심 어린 메시지가 포함되는 경우가 많았다. 이러한 개인적인 이야기와 얼음물을 붓는 물리적 행위는 참가자와 단체 사이에 강한 감정적 공감을 만들어 냈다.

바이럴 소셜 미디어 캠페인

이 챌린지는 Facebook, Twitter, Instagram과 같은 소셜 미디어 플랫폼에서 입소문을 냈다. 참가자들은 친구, 가족, 동료를 지명하여 지역사회 참여의식과 참여에 대한 분위기를 조성했다. ALS 환자를 돕는 정서적 호소는 이러한 네트워크를 통해 빠르게 퍼졌다.

단순성과 접근성

아이스 버킷 챌린지는 참여가 매우 간단하여 얼음물 한 통과 스마트폰만 있으면 동작을 기록할 수 있었다. 각계각층의 사람들이 쉽게 참여할 수 있게 되었고, 쉽게 번져갔고 감정적 영향력이 더욱 커졌다.

유명인 참여

유명인과 공인이 참여하고 다른 사람을 지명하기 시작하면서 캠페인은 더욱 탄력을 얻었다. 이들 유력 인사들은 대의명분에 대한 관심을 더욱 높이고, 지지를 표하며 감동을 증폭시켰다.

실질적인 영향

루게릭병(ALS)은 파괴적인 무서운 질병이며, 기부의 필요성을 강조했다. 참가자들은 연구와 환자 치료에 기여하는 것의 중요성을 자주 언급하고 시청자에게 감정적으로 공감하는 희망과 절실함을 동시에 강조했다.

스토리텔링

많은 참가자들이 ALS의 영향을 받은 친구나 가족의 개인적인 이야기를 공유하면서 이 질병이 개인과 사랑하는 사람들에게 미치는 정서적 피해를 강조했다. 이러한 이야기는 가까운 가족 같은 느낌을 주고 더 많은 사람들이 참여하게 했다.

투명한 의사소통

ALS 협회와 같은 조직은 기부금이 어떻게 사용되는지 효과적으로 전달하여 투명성과 신뢰를 보장했다. 이러한 투명성은 정서적 공감을 유지하고 지속적인 지원을 장려하는 데 매우 중요했다.

측정 가능한 영향

아이스 버킷 챌린지는 ALS 연구 및 환자 치료를 위해 상당한 자금을 창출했다. ALS 협회는 캠페인 기간 동안 미국에서 1억 1,500만 달러 이상을 모금했다고 보고했다. 이러한 정량적 영향은 참가자들에게 성취감을 제공하고 정서적 호소를 강화했다.

오래 지속되는 효과

캠페인이 최고조에 달한 후에도 ALS에 대한 인식은 이전보다 높게 유지되었다. 많은 참가자들이 아이스 버킷 챌린지를 통해 형성된 지속적인 정서적 유대감을 보여주며 계속해서 이 운동을 지지했다.

시사점

ALS 아이스버킷 챌린지는 공감, 공동체, 희망의 감각을 키우고, 소셜 미디어에서 입소문이 나고, 유명인이 참여하는 참여를 단순화하고, 기부의 가시적 영향을 강조하고, 개인적인 이야기를 공유하고, 투명성을 유지함으로써 정서적 호소력을 효과적으로 활용했다. 측정 가능한 결과를 보여주고 인지도와 지원에 지속적인 영향을 주었다. 대의를 위해 의미 있는 변화를 주도하는 데 있어서 감정적인 스토리텔링과 소셜 미디어의 잠재력을 보여주었다.

"약한 자들에게 내가 약한 자와 같이 된 것은 약한 자들을 얻고자 함이요"
고린도전서 9:22

◇ **코카콜라 콜라공유 캠페인(Coca-Cola's "Share a Coke" Campaign)**

코카콜라의 "Share a Coke" 캠페인은 마케팅 및 브랜드 공감에서 탁월한 결과를 얻기 위해 정서적 호소력을 활용한 대표적인 예이다.

개별적 정서

"Share a Coke" 캠페인에는 코카콜라 병과 캔에 사람들의 이름을 인쇄했다. 이러한 개인화 전략은 소비자에게 특별함과 가치를 느끼게 해주기 때문에 정서적으로 큰 반향을 불러일으켰다. 사람들은 제품에서 자신의 이름이나 사랑하는 사람의 이름을 발견하게 되어 브랜드에 대한 강한 감정적 공감을 형성하게 되어 기뻐했다.

유대감 조성

소비자에게 "[이름]님과 콜라 공유"를 함으로써 나눔과 사회적 공감대를 느끼게 했다. 우정, 가족, 공동체와 관련된 감정을 활용하여 코카콜라가 유대감과 특별한 순간을 위한 음료라는 생각을 강화했다.

사용자 생성 콘텐츠

코카콜라는 소비자들이 해시태그 #ShareaCoke를 사용하여 소셜 미디어에서 개인화된 콜라병에 대한 사진과 이야기를 공유하도록 장려했다. 이 사용자 생성 콘텐츠는 사람들이 흥분을 공유하면서 정서적 호소력을 더욱 증폭시켜 커다란 코카콜라 커뮤니티에 속해 있다는 느낌을 만들어냈다.

정서적 향수

또 다른 강력한 감정적 유발 요인인 향수를 활용했다. 다양한 세대의 인기 있는 이름을 소개함으로써 수년 동안 코카콜라에 대한 자신의 경험을 회상할 수 있는 광범위한 소비자의 관심을 끌었다.

긍정적인 감정

'Share a Coke' 캠페인은 행복, 기쁨, 사랑 같은 긍정적인 감정에 초점을 맞췄다. 이러한 감정을 누군가와 코카콜라를 공유하는 행위와 연관시켜 브랜드를 사람들의 삶에서 의미 있는 순간의 필수적인 부분으로 만들었다.

문화적 관련성

다양한 국가에 맞게 조정하여 이름은 현지 문화와 다양성을 반영하도록 맞춤화되었다. 이러한 문화적 관련성은 정서적 호소가 다양한 지역의 소비자와 관련될 수 있도록 했다.

소비자 참여

Coca-Cola는 맞춤형 코카콜라 키오스크와 사람들이 실시간으로 병에 자신의 이름을 인쇄할 수 있는 이벤트를 마련하여 소비자와 적극적으로 소통했다. 이러한 대화형 접근 방식은 소비자 참여와 브랜드에 대한 정서적 애착을 증가시켰다.

장기적 효과

"콜라 한 잔 나누기" 캠페인은 일회성으로 단기적인 이벤트가 아니었다. 그것은 몇 년에 걸쳐 진행되었으며 일부 지역에서는 연례 전통이 되었다. 이러한 장기적인 노력을 통해 코카콜라는 시간이 지나도 소비자와의 정서적 공감대를 유지할 수 있었다.

시사점

캠페인은 매출 증가와 브랜드 참여로 이어졌다. 특정 지역에서 소비율이 높아지고 시장 점유율이 향상되는 등 긍정적인 결과를 창출했다 코카콜라의 "Share a Coke" 캠페인은 제품 개인화, 사회적 공감대, 사용자 생성 콘텐츠 활용, 향수 불러일으키기, 긍정적 감정 집중, 지역 문화 적응, 소비자 직접 참여, 오랜 지속 기간 유지 등을 통해 정서적 감성을 효과적으로 활용했다. 이 캠페인은 감성 마케팅이 브랜드 충성도를 강화하고 판매를 촉진할 수 있는 방법에 대한 귀중한 사례 연구 역할을 한다.

"사람을 움직이는 유일한 방법은 단 한 가지뿐이다.
상대방이 하고 싶게 만드는 것이다."

데일 카네기(Dale Carnegie)

■ **감정적 호소를 활용한 부정적 사례**

✧ **"Joe Camel" 캠페인(The "Joe Camel" campaign)**

1987년부터 1997년까지 진행된 "Joe Camel" 캠페인은 광고에 감정적 호소력을 사용하여 부정적인 결과를 초래한 주목할만한 예이다.

공감할 수 있는 캐릭터 사용

"Joe Camel" 캠페인에는 Joe Camel이라는 만화 캐릭터가 Camel 담배의 마스코트로 등장했다. 조 카멜(Joe Camel)은 상냥하고 쿨하며 세련된 캐릭터로 묘사되었다. Camel 담배를 피우는 것이 열정적인 이미지에 영향을 주어 라이프스타일에 대한 소비자의 욕구를 충족시키는 것이었다.

청소년 대상

이 캠페인에 대한 주요 비판 중 하나는 미성년자 및 젊은 흡연자들에게 매력이 있다는 인식이었다. 만화 캐릭터를 사용하면 흡연이 재미있고 친근해 보이기 때문에 젊은 층의 관심을 끌 것이라는 우려가 제기되었다.

연상을 통한 정서적 호소

흡연을 사회적 허용, 냉철함과 성공 이미지 같은 긍정적인 감정과 간접적으로 연관시켰다. 다양한 사회적 상황 속에서 조 카멜을 등장시키고, 삶을 즐기는 인물로 그려내면서 포부와 소속감을 불러일으켰다.

조작 혐의

비평가들은 이 캠페인이 의도적으로 소비자, 특히 젊은 사람들을 조작하여 Camel 담배를 피우면 자신을 더 매력적이고 자신감 있고 인기 있게 만들 것이라고 믿게 만들었다고 주장했다. 이는 유해한 제품을 홍보하기 위해 감정을 이용하는 것이었다.

법적 논란

"Joe Camel" 캠페인은 법적 문제와 대중의 분노에 직면했다. 1998년에 R.J. Camel 담배 회사인 Reynolds는 수백만 달러를 지불하고 합의의 일환으로 캠페인을 중단하는 데 동의하면서 여러 주와의 소송을 해결했다.

공중 보건 문제

이 캠페인의 정서적 어필은 청소년의 흡연율 증가에 기여하고 잠재적으로 장기적인 건강 문제를 초래할 수 있다는 점에서 공중 보건에 대한 상당한 우려를 불러일으켰다.

윤리적 고려 사항

"Joe Camel" 캠페인은 건강에 해로운 것으로 알려진 제품을 홍보하는 광고주의 책임에 대해 광고 및 마케팅 업계 내에서 윤리적 논쟁을 촉발시켰다.

규제 대응

"조 카멜(Joe Camel)"과 같은 캠페인에 대응하여 미국 정부는 특히 젊은 고객을 대상으로 하는 담배 광고에 대한 규제를 강화했다. 2009년 가족흡연방지 및 담배규제법(Family Smoking Prevention and Tobacco Control Act)은 FDA에 담배 제품을 규제하고 미성년자를 대상으로 하는 마케팅 관행을 제한할 수 있게 했다.

부정적인 브랜드 연관성

비윤리적인 마케팅 관행과 취약 계층에 대한 담배 사용을 장려하는 이미지 때문에 궁극적으로 Camel 브랜드에 부정적인 결과를 가져왔다.

시사점

"Joe Camel" 캠페인은 특히 청소년과 같은 취약 계층을 대상으로 할 때 건강에 해로운 영향을 미치는 제품을 홍보하기 위해 광고에서 정서적 호소가 어떻게 사용될 수 있는지에 대한 경고의 예이다. 이는 상당한 법적 및 규제 조치, 업계 내 윤리적 논의, Camel 담배에 대한 부정적인 결과로 이어졌다. 광고에서 윤리적 고려의 중요성과 해로운 제품을 마케팅 할 때 조작된 감정적 호소가 초래하는 위험성을 보여준다.

"유순한 대답은 분노를 쉽게 하여도 과격한 말은 노를 격동하느니라"
잠언 15:1

✧ 버니 메이도프의 폰지 사기(Bernie Madoff's Ponzi scheme)

버니 메이도프(Bernie Madoff)의 폰지 사기는 감정적 조작이 어떻게 파괴적이고 부정적인 결과를 초래할 수 있는지를 보여주는 극명한 예이다.

신뢰와 감정적 조작

Madoff는 수십 년 동안 신뢰와 믿음직함의 이미지를 유지해왔다. 자신의 평판을 이용하여 고객을 감정적으로 조작했는데, 고객 중 다수는 친구, 가족, 그를 존경하는 개인이었다. 이러한 감정적 신뢰는 그의 폰지 계획이 성공하는 데 결정적인 역할을 했다.

잘못된 안정감

Madoff는 투자자들에게 허위 진술과 안심시키는 보고서를 지속적으로 제공하여 안정감을 주고 안심하게 했다. 투자자들은 자신의 돈이 안전하고 꾸준히 성장한다는 생각에 감정적으로 집착하여 경고 신호를 간과하게 되었다.

두려움에 호소

메이도프는 종종 수익성 있는 기회를 놓치는 것에 대한 투자자의 두려움을 이용했다. 뒤처지는 것에 대한 두려움을 이용하여 자신의 독점적인 투자 전략이 재정적 성공의 열쇠인 것처럼 보이게 했다.

감정적 투자결정

Madoff의 고객 중 상당수는 재정적 이익을 얻기 위해 감정에 몰입되어 결정했다. 일부는 평생에 모은 저축이나 퇴직 자금을 맡겼고, 이로 인해 투자에 대한 감정적 애착이 높아졌다.

파괴적인 결과

2008년 Madoff의 Ponzi 사기가 실패했을 때 수천 명의 투자자에게 수십억 달러에 달하는 막대한 금전적 손실을 입혔다. 많은 투자자들이 파산, 퇴직금 손실, 가족 및 친구와의 관계 훼손 등 감정적으로 파괴적인 결과를 겪었다.

법률 및 규제 대응

Madoff 스캔들은 규제 개혁을 촉발하고 금융 산업에 대한 관리 감독을 강화하게 했다. 감독의 약점을 드러냈고 향후 유사한 계획으로부터 투자자를 보호하기 위해 더 엄격한 규제가 필요하다는 요구로 이어졌다.

윤리적 고려 사항

Madoff의 행동은 금융 전문가의 신뢰, 투명성 및 책임에 대한 윤리적 질문을 제기했다. 윤리적 기준의 필요성과 고객의 신뢰를 배반하는 결과에 대한 논의를 촉발시켰다.

감정적 폐해

Madoff 피해자들의 감정적 피해는 심각했다. 많은 사람들이 배신감, 분노, 수치심, 절망감을 경험했다. 일부는 수년 동안 지속되는 정서적 트라우마에 직면했고, 일부는 재정적 손실로 인해 비극적으로 스스로 목숨을 끊기도 했다.

맹목적인 신뢰에 대한 경고

Madoff 사례는 금융 자문가에 대한 맹목적인 신뢰와 감정적 의존의 위험성에 대해 엄연한 경고를 제공한다.

시사점

버니 메이도프(Bernie Madoff)의 폰지 사기는 정서적 조작, 신뢰, 잘못된 안정감이 어떻게 치명적인 재정적 손실과 정서적 파괴로 이어질 수 있는지 보여주는 비극적인 예이다. 비판적인 평가 없이 개인과 투자를 맹목적으로 신뢰하는 결과에 대한 엄중한 경고이다.

"영업에서 중요한 것은 당신이 하는 말이 아니라
상대방이 당신의 말을 어떻게 인식하는가이다."
제프리 기토머(Jeffrey Gitomer)

■ 감정적 호소를 활용한 성경 속 사례

✧ 다윗의 사울과 요나단에 대한 애도 (사무엘하 1장)

사무엘하 1장에 나오는 다윗이 사울과 요나단을 애도하는 이야기는 다윗의 백성들을 향한 감정적 호소이다. 사울과 요나단의 죽음을 듣고 다윗이 느꼈던 깊은 슬픔, 그들을 향한 애도, 그리고 그것이 그의 리더십과 이스라엘 백성과의 관계에 미친 영향에 대해 설명한다.

감정적 진실성

다윗은 감정적으로 진실하고 진심이었다. 자신의 절친한 친구인 요나단의 죽음뿐 아니라 그의 이전 정적이자 이스라엘의 왕인 사울의 죽음을 애도했다. 그의 진심 어린 슬픔과 감정 표현은 대중의 공감을 불러일으키며 그의 진정성을 보여준다.

연합과 화해

다윗의 애도는 과거의 갈등을 제쳐두고 사울과 요나단을 기억하려는 그의 의지를 보여준다. 그는 사울 통치의 긍정적인 측면을 강조하고 이스라엘에 대한 그의 공헌을 강조한다. 이는 다윗과 사울의 지지자들 사이의 간극을 해소하고 화해를 촉진하려는 것이었다.

단결과 공감대

다윗의 감정적 호소로 인해 이스라엘 백성은 상실감과 슬픔을 함께 나누게 되었다. 그의 리더십 자질, 공감, 슬픔의 시기에 국가를 단결시키는 능력을 인정하게 되었다.

권위에 대한 존중

다윗은 사울의 죽음을 애도하고 그를 "여호와의 기름부음 받은 자"로 존칭함으로써 지도자들이 적이었을 때에도 지도자들의 권위와 지위를 존중하는 모범을 보였다. 이것은 왕좌와 신성한 질서에 대한 존경심을 키워주었다.

리더십 신뢰성

다윗의 감정적 호소는 리더로서의 그의 신뢰성을 향상시켰다. 국민의 정서와 감성을 불러일으키는 그의 능력은 신뢰를 구축하고 리더십 위치를 강화했다.

애통함의 유산

다윗의 애도는 애통함과 공감의 유산을 남겼다. 이는 개인적인 상실과 어려움에 직면하더라도 리더가 적대감을 극복하고 다른 사람에 대한 연민과 존중을 보여줄 수 있음을 보여주었다.

국가 정체성 함양

다윗은 애도를 통해 이스라엘의 국가 정체성을 굳건히 하는 데 도움을 주었다. 국민의 단결과 역사 공유를 강조하며, 이는 소속감과 애국심을 고취했다.

시사점

사무엘하 1장에서 다윗이 사울과 요나단을 애도하는 내용은 리더십과 외교에서 감정적 호소의 힘을 보여준다. 그의 진정한 슬픔, 깨어진 관계의 회복을 위한 노력, 그리고 이스라엘 백성들 사이에 단결과 연합을 조성하는 능력은 리더십에서 감정을 있는 그대로 인정하고 표현함으로써 얻을 수 있는 긍정적인 결과를 보여준다. 이는 지도자들이 화합과 국가 정체성을 고취하기 위해 어떻게 감정적 호소를 사용할 수 있는지를 보여주는 시대를 초월한 사례이다.

"즐거워하는 자들과 함께 즐거워하고 우는 자들과 함께 울라"
로마서 12:15

✦ 탕자의 비유(The Prodigal Son (Luke 15:11-32))

탕자의 비유(누가복음 15:11-32)는 용서, 화해, 하나님의 무한한 사랑의 메시지를 전달하기 위해 정서적 호소를 사용하는 강력한 예이다.

비유를 통한 정서적 호소

예수께서는 먼 땅에서 자신의 상속 재산을 허비하고 고난을 겪은 후 회개하여 집으로 돌아온 탕자 아들을 중심으로 전개되는 설득력 있는 이야기를 사용하셨다. 이 이야기는 사람들의 가슴을 울리며 탕자와 그의 용서하는 아버지 모두에 대한 공감을 불러일으킨다.

회개와 용서의 주제

이 비유의 정서적 핵심은 집으로 돌아가겠다는 탕자의 결심과 아버지의 자비로운 반응에 중점을 둔다. 아들이 자신의 실수를 깨닫고 진심으로 회개한 것은 실수를 저지르고 용서를 구하는 인간의 실존과 같은 맥락이다.

가족의 관계

이 비유는 배반, 화해, 큰 아들과 작은 아들 사이의 긴장감 등 가족 관계의 복잡한 역학을 다룬다. 이러한 요소들은 가족 간의 갈등과 화해에 대한 갈망을 불러일으킨다.

무조건적인 사랑

탕자 아들을 향한 아버지의 무조건적인 사랑과 용서가 이야기의 핵심이다. 아들의 불순종과 잘못된 선택에도 불구하고 아버지는 아들을 두 팔 벌려 환영하며 그가 돌아온 것을 축하한다. 아가페적 사랑은 심오한 감정적 감동을 준다.

긍휼과 은혜에 대한 교훈

이 비유는 긍휼, 은혜, 하나님의 무한한 긍휼에 대한 교훈을 가르친다. 인류를 향한 하나님의 사랑을 보여주면서, 인생의 길목에서 길을 잃은 사람들에게 용서와 화해를 베풀도록 독려한다.

개인적 묵상

감성적 비유는 용서, 화해 경험, 그리고 원한과 분노의 내려놓음에 대해 자기성찰과 타인에 대한 공감을 묵상하도록 돕는다.

인류의 보편적인 고뇌

이 비유의 감정적 깊이와 구원과 용서라는 인류의 보편적 고뇌에 대해 다양한 배경과 문화를 가진 모든이들에게 동질감을 갖도록 한다.

도덕적 및 영적 성장

궁극적으로 이 비유는 겸손, 회개, 그리고 하나님의 은혜와 용서를 배우고 깨닫게 되면서 도덕적, 영적 성장에 이르도록 돕는다.

시사점

탕자의 비유는 심오한 영적, 도덕적 교훈을 전달하기 위해 비유적 사례로 감정적 호소력을 활용한 시대를 초월한 예이다. 회개, 용서, 가족 관계, 조건 없는 사랑 등의 주제에 대한 탐구는 인류에게 깊은 울림을 주고 자기 성찰과 공감, 그리고 하나님의 무한한 사랑과 긍휼에 대한 더 깊은 이해를 돕는다.

"마케팅의 목표는 고객을 잘 알고 이해하여
고객에게 맞는 제품이나 서비스를 만들어 판매하는 것이다."
피터 드러커(Peter Drucker)

■ 감정적 호소를 극대화 하는 10가지 방법

스토리텔링

제품이나 서비스에 관련된 스토리, 즉 고유의 일화나 개인적인 경험을 서술해보고 공유해보자. 인상적이고 감동적인 스토리는 강한 설득력이 있고 주의를 끌고 공감을 불러 일으킨다. 유명 인물들의 이야기를 사용한 애플의 "Think Different" 광고 캠페인이 그 예이다.

공감

고객의 감정에 깊이 관여해보고 필요나 욕구를 이해하고 인정해보자. 진정한 공감은 신뢰를 구축하고 더 깊은 동질감을 생성한다. 문제 해결을 위해 진심으로 관심을 표명하고 적극적 경청과 대응이 그 예이다.

시각적 요소사용

감성을 불러일으키는 이미지나 비디오를 사용해보자. 시각적 요소는 강력하면서 지속적인 인상을 남기고 신속한 메시지를 전달하게 한다. 아동 복지 문제를 강조하는 유니세프 캠페인의 강력한 이미지가 그 예이다.

추천인의 의견

만족도가 높은 고객의 진정 어린 리뷰와 해당 스토리를 공유한다. 추천인의 생생한 의견은 신뢰를 높이고 제품의 실질적인 가치를 증명해준다. 아마존 제품 리뷰가 구매 결정에 영향을 미치는 것이 그 예이다.

감정적 언어 사용

감성적인 단어와 감정적인 표현을 사용하면 오감을 자극하여 생생한 메시지가 된다. 감성을 불러일으키는 문구는 깊이 있는 정서적 친밀감을 높인다. 코카-콜라의 "Open Happiness" 슬로건이 그 예이다.

긴급한 감정

제한 된 시간 내에 한정적 제품으로 놓치게 될 것 같은 안달과 초초한 감정을 만들어 낸다. 긴박감은 감정적 충동을 촉진해 신속하고 즉각적인 결정을 앞당긴다. 블랙 프라이데이 거래와 같은 전자상거래 플랫폼에서의 플래시 세일이 그 예이다.

사회적 증거

가시적인 구매 데이터나 예시를 통해 제품이나 서비스의 구매강도나 인기를 증명한다. 다른 사람들도 같은 선택을 했다는 것을 알게 되면 잠재적 구매자를 안심시키고 강력한 결정동기를 부여한다. 앱 스토어에서 "1백만 회 이상의 다운로드"가 그 예이다.

음악 사용

광고나 소개의 배경 음악은 분위기를 조성하고 감정적 어조를 고취시킨다. 적절한 사운드트랙은 감정적 공감을 높이고 몰입도를 증가시킨다. 맥도날드의 "I'm Lovin' It" 징글이 그 예이다.

특장점이 아닌 혜택 강조

제품의 기능, 장점 보다는 얻게 될 긍정적인 변화, 감정적 장점, 만져지는 혜택에 중점을 둔다. 혜택에 집중하면 더욱 매력적이고 감정적인 호소를 강화한다. 기술 사양보다는 안전을 강조하는 자동차 광고가 그 예이다.

보증 제공

보증 기간이나 환불 보증에 대한 것을 제공하면 잠재된 불안요인과 의심을 불식시킨다. 우려감과 불안감이 줄어들어 구매결정을 촉진한다. 소프트웨어 구매 시 "30일 환불 보장" 제공이 그 예이다.

"선한 말은 꿀송이 같아서 마음에 달고 뼈에 양약이 되느니라"
잠언 16:24

☞ 감정적 호소(Emotional appeal) 멘트

"최첨단 홈 보안 시스템으로 가족이 안전하다는 것을 알면 얼마나 안심이 될지 상상해 보세요."
가족에 대한 안전감과 배려를 불러일으킨다.

"첫 차의 기쁨을 기억하시나요? 운전의 스릴을 좋아하는 분들을 위해 설계된 최신 모델로 그 설렘을 다시 느껴보세요."
향수와 새로운 경험의 스릴에 호소한다.

"친환경 제품으로 세상에 진정한 변화를 만들어가는 선구자 커뮤니티에 동참하세요."
긍정적인 영향을 끼친다는 소속감과 목적의식을 고취한다.

"리미티드 에디션 컬렉션으로 역사의 한 조각을 소유한다는 자부심을 느껴보세요."
특별한 것을 소유한다는 독점성과 자부심에 호소한다.

"하루의 일과를 마친 후에도 편안함과 고급스러움을 느낄 수 있는 디럭스 홈 가구를 경험하세요."
편안함에 대한 열망과 노력에 대한 보상을 연결시킨다.

"근사한 동네에 자리 잡은 넓은 꿈의 집에서 가족의 미래를 상상해보세요."
바람직한 미래에 대한 생생하고 감정적으로 호소력 있는 이미지를 그린다.

"이것은 단순한 제품이 아니라 품질과 우아함을 중시하는 라이프스타일 선택입니다."
품질에 대한 가치와 세련된 라이프스타일에 대한 열망에 호소한다.

"혁신적인 장비로 기술의 최전선에 서 있는 짜릿함을 느껴보세요."
최첨단 기술을 경험하는 짜릿함을 전달한다.

"번거롭지 않고 시간을 절약하는 솔루션으로 어깨의 짐이 덜어지는 것을 상상해 보세요."
공통의 고충을 덜어주고 해결책을 제시한다.

"저희 제품을 통해 일상 업무에서 기쁨과 효율성을 찾은 만족스러운

고객 대열에 합류하세요."
행복과 효율성에 대한 열망에 호소하는 동시에 사회적 증거를 제공한다.

■ **요약**

사람들은 논리보다 감정적인 이유로 구매한다.
감정적 호소는 감정적 뇌까지 충족시킨다.
감정과 논리 사이에 균형이 중요하다.

■ **핵심키워드**

감정적 호소, 긍정적 감정, 감정적 뇌, 스토리텔링, 공감, 시각적 요소, 추천인 스토리, 음악

■ **적용 질문**

감정적 호소가 설득에 있어 중요한 이유는 무엇인가?
감정과 논리의 균형을 유지하기 위해 어떤 주의를 해야 하는가?
감정적 호소를 극대화 하는 10가지 방법이 무엇이고 내게 있어 어떤 점을 강화해야 하는가?

제 12 장

권위(Authority)

———————— ✦ ————————

"권위에 대한 굴복은 신뢰의 근간을 형성한다."
닥터 브라이언(Dr. Brian)

권위(Authority)

■ 개념

권위 원칙은 누구든 권위자에게 굴복[76]한다는 기본개념을 바탕으로 한다. 특정 분야에서 지식이나 경험이 풍부하거나 이미 검증된 권위를 가지고 있는 인물들의 의견을 존중하고 신뢰하는 경향이 있다는 것이다. 마음의 저항을 내려놓고 권위[77]자나 전문가의 의견을 지지하고 수용하게 되면서 행동이나 결정에 영향[78]을 미치게 된다. 권위 원칙의 기본 근거는 사람들이 결정을 내릴 때 전문가나 권위자가 귀중한 통찰력과 전문성을 가지고 있다고 믿기 때문에 그들의 지침이나 조언을 구한다는 것이다. 이 개념은 사회심리학에 뿌리를 두고 있는데, 인간 행동에 깊이 뿌리 박혀 있는 특징으로 생존하고 번성하기 위해 경험과 지식을 가진 사람들의 지혜에 의존하는 경향으로 학습된 것이다.

설득과 판매의 맥락에서 권위원칙은 제품, 서비스의 신뢰를 향상 시킨다. 평판이나 명망이 좋은 전문가, 유명인, 또는 신뢰할 수 있는 권위자와 제품, 아이디어, 서비스에 연관을 시켜 권위자에 대한 신뢰와 존중을 제품과 서비스에 대해 저항 없이 수용하도록 한다.

권위를 설득 기법으로 활용할 때는 윤리적[79] 고려가 매우 중요하다. 제시된 정보는 사실에 근거를 두고 정확해야 하고 진실해야 한다. 지나

---

[76] "Discipline and Punish: The Birth of the Prison" by Michel Foucault

[77] "To Sell Is Human: The Surprising Truth About Moving Others" by Daniel H. Pink

[78] "Contagious: How to Build Word of Mouth in the Digital Age" by Jonah Berger

[79] "Obedience to Authority" by Stanley Milgram

칠 경우, 도덕적 신념이나 [80]양심과 충돌하더라도 권위에 순응하는 결과를 초래하기도 하고, 강압적 환경에서의 심리학적 실험에서 권위에 굴복하면서 학대적 행동반응[81]을 유발하기도 했다. 허위 또는 과장된 것으로 소비자를 오도하게 되면 반발을 불러일으키고 권위자와 브랜드 모두의 신뢰도를 손상 시킨다. 투명성과 진정성을 근간으로 책임감 있고 신뢰할 수 있는 방식으로 권의 원칙을 효과적으로 사용해야 한다.

"지혜가 없는 권위는 날이 없는 무거운 도끼와 같아서
다듬기보다는 멍들기에 더 적합하다."
앤 브래드스트리트(Anne Bradstreet)

■ 권위에 대한 핵심요소

전문성

권위는 종종 특정 분야의 전문지식과 관련된다. 해당 주제와 관련된 지식, 기술 또는 경험을 소유한 것을 의미한다. 이러한 전문성은 교육, 실무 경험 또는 두 가지 요소의 조합을 통해 얻게 된다.

신뢰성

신뢰성은 신뢰와 밀접한 관련이 있다. 권위자는 정보나 조언에 대해

---

[80] "The Milgram Experiment" by Stanley Milgram

[81] "The Stanford Prison Experiment" by Philip Zimbardo

신뢰할 만한 자원으로 인식된다. 신뢰성은 일관된 정직함, 투명성 및 정확하고 가치 있는 통찰력을 제공하는 결과물을 통해 시간이 지남에 따라 구축된다.

인정

권위자로 인정받는 것은 영향력을 크게 향상시킬 수 있다. 이러한 인정은 업계의 명예, 자격증, 수상, 또는 신뢰할만한 조직 또는 개인의 지지를 통해 얻을 수 있다. 공식적으로 인정받음으로써 신뢰성이 강화된다.

자신감

권위자는 종종 의사소통에서 자신감을 내비친다. 자신감은 신뢰를 일으키고 다른 사람들로 하여금 자신의 조언을 따르거나 그들의 충고를 따르도록 설득할 수 있다. 그러나 자신감은 오만하거나 거만함이 아닌 진정한 전문성을 기반으로 해야 한다.

효과적인 의사소통

권위자는 자신의 전문성을 효과적으로 전달할 수 있는 능력을 갖추고 있다. 복잡한 정보를 명확하고 이해하기 쉬우며 설득력 있는 방식으로 전달할 수 있다. 효과적인 의사소통은 영향력을 향상시킨다.

설득력 강화

자신이나 브랜드를 해당 업계나 특정 분야의 권위자의 권위를 활용하는 것은 설득 능력을 크게 향상시킬 수 있다. 사람들은 권위자의 권고를 더 신뢰하며 따를 가능성이 높다.

의심 감소

권위자는 대상으로부터 저항이 적다. 사람들은 그들의 주장을 의심할 가능성이 적으므로 설득 과정이 더 원활해진다.

높은 성사율

영업에서 권위 있는 인물들은 종종 높은 성사율을 달성한다. 고객들은 제품 또는 서비스 뒤의 권위를 신뢰하고 구매하거나 원하는 조치를 취하려는 경향이 있다.

효과적인 콘텐츠 마케팅

특정 분야에서 권위자가 만든 콘텐츠는 종종 잘 성과를 내곤 한다. 더 큰 고객을 유치하고 공유되거나 참여될 가능성이 높다

장기적인 관계

권위를 구축하고 유지하는 것은 장기적인 고객 관계로 이어질 수 있다. 자신의 전문성을 신뢰하는 고객은 반복 구매자가 되거나 브랜드 홍보 대사가 될 가능성이 높다.

리더십 기회

권위자는 종종 자신들의 조직 또는 업계 내에서 리더십 역할을 수행하기 위해 초청된다.

윤리적 고려사항

권위는 강력한 도구이지만, 이것은 윤리적 책임을 동반한다. 권위를 책

임 있게 활용해야 하며 정확한 정보를 제공하고 자신의 지위를 개인적 이익을 위해 악용하지 않아야 한다. 윤리적 행동은 신뢰를 유지하기 위한 중요한 부분이다.

시사점

권위는 영업 및 설득에서 중요한 요소로, 전문성, 신뢰성, 인정도 및 효과적인 의사소통을 기반으로 한다. 권위를 활용하면 강화된 설득, 의심의 감소 및 고객과의 강력한 관계 구축이 가능하다. 신뢰를 장기적으로 유지하기 위해 항상 품위와 윤리적 고려사항을 염두에 두어야 한다.

■ 권위를 효과적을 활용한 사례

✧ 태양광 패널 스타트업(a startup company with energy solutions)

지속 가능한 에너지 솔루션, 특히 태양광 패널 분야의 스타트업 회사이다. 이 회사는 주택 소유주들이 태양광 패널 설치 서비스에 투자하도록 설득하고자 한다.

전문가 추천

유명한 환경 과학자 및 태양 에너지 전문가와 파트너 관계를 맺는다. 이 전문가는 미디어 출연, 기사 및 인터뷰를 통해 태양광 패널 시스템을 보증한다. 이 전문가의 신뢰성은 제품에 무게를 더했다.

교육 워크샵

태양 에너지와 그 장점에 대한 무료 교육 워크샵과 웨비나를 개최했다.

이 세션은 엔지니어와 태양광 기술자를 포함한 사내 전문가가 진행했다. 이들은 태양광 패널의 과학, 에너지 절약, 환경에 미치는 영향에 대해 설명했다.

고객 성공 사례

태양광 패널을 성공적으로 설치한 주택 소유주들의 감동적인 이야기를 공유한다. 이러한 사례는 태양광 에너지가 전기 요금을 절감하고 환경에 긍정적인 영향을 미친 방법을 보여준다.

인증 및 수상 경력

태양광 패널의 효율성과 품질에 대해 받은 업계 인증 및 수상 경력을 눈에 띄게 표시한다. 이러한 명예는 해당 분야에서 그들의 권위를 강화한다.

신뢰와 공신력

해당 분야의 전문가와 파트너쉽을 맺으면 회사의 신뢰도와 공신력이 향상된다. 주택 소유자는 전문가의 보증으로 인해 태양광 패널 솔루션을 더 신뢰할 가능성이 높아진다.

정보에 입각한 의사 결정

교육 워크샵과 웨비나는 주택 소유주에게 태양광 에너지에 대한 지식을 제공한다. 이러한 지식은 태양광 패널 투자에 대한 정보에 입각한 결정을 내리는 데 도움이 된다.

사회적 증거

고객 성공 사례는 태양광 패널 설치의 이점에 대한 사회적 증거 역할을 한다. 잠재 고객은 다른 사람들이 어떻게 혜택을 받았는지에 대한 실제 사례를 볼 수 있다.

업계 인정

인증 및 수상 경력을 제시하면 태양광 에너지 업계에서 인정받는 공신력으로 작용한다. 이러한 인지도는 잠재 고객과의 신뢰를 더욱 구축한다.

더 높은 구매율

전문가의 보증, 교육, 사회적 증명, 업계 인지도 등이 결합되어 구매성사가 높아진다. 주택 소유자는 태양광 패널 솔루션을 선택할 가능성이 더 높다.

장기적인 고객 관계

권위를 유지하려면 고품질 태양광 패널 시스템과 탁월한 고객 서비스를 지속적으로 제공해야 한다. 만족한 고객은 장기적인 지지자이자 반복 구매자가 될 가능성이 높다.

환경에 미치는 영향

판매 외에도 회사의 권위는 지속 가능한 에너지 솔루션을 홍보하고 탄소 배출을 줄이려는 더 광범위한 목표에도 기여하게 된다.

시사점

영업 및 설득에 권위 기법을 효과적으로 사용하려면 전문가의 추천을 활용하고, 교육 리소스를 제공하며, 실제 성공 사례를 보여주고, 업계의 인정을 강조하는 것이 중요하다. 이러한 접근 방식은 구매 전환율을 높일 뿐만 아니라 신뢰할 수 있는 솔루션 제공을 바탕으로 장기적인 고객 관계를 구축할 수 있다.

✧ 원격 의료 솔루션 (A healthcare technology company)

의료 전문가의 보증

원격 의료 분야의 저명한 의사나 연구원과 같이 존경 받는 의료 전문가와 협력한다. 해당 플랫폼의 안전성, 효과성, 의료 산업에서의 관련성을 강조하며 공개적으로 플랫폼을 보증한다.

교육 웨비나

사내 의료 전문가가 진행하는 일련의 웨비나를 주최한다. 이 웨비나에서는 원격 의료의 이점, 다양한 의료 전문 분야에서의 원격 의료 적용, 의료 규정 준수에 대해 자세히 다룬다. 참석자들은 권위 있는 출처에서 직접 인사이트를 얻을 수 있다.

사례 연구

의료 기관이 원격 의료 플랫폼을 성공적으로 통합한 방법을 보여주는 사례 연구를 수집한다. 이러한 연구는 환자 치료 결과 개선, 비용 절감, 의료 서비스 접근성 증가를 강조한다.

의료 협회와의 파트너쉽

평판이 좋은 의료 협회 및 단체와 파트너쉽을 맺고 있다. 이러한 파트너쉽은 웹사이트와 홍보 자료에 눈에 띄게 표시되어 업계에서 인정과 지지를 받고 있음을 보여준다.

신뢰와 공신력

존경 받는 의료 전문가의 지지는 의료 커뮤니티 내에서 회사의 신뢰도와 공신력을 높인다. 의료 전문가들은 원격 의료 플랫폼을 신뢰하고 고려할 가능성이 높아진다.

정보에 입각한 의사 결정

교육 웨비나는 원격 의료의 장점, 애플리케이션 및 규정 준수에 대한 지식을 제공한다. 이러한 지식을 바탕으로 플랫폼 도입에 대해 신뢰할 만한 정보에 입각한 결정을 내릴 수 있다.

효과에 대한 증거

사례 연구는 환자 치료를 개선하고 비용을 절감하는 데 있어 플랫폼의 효과에 대한 구체적인 증거를 제공한다. 이러한 사례는 의료 기관이 기술을 채택하도록 설득하는 강력한 증거가 된다.

업계 인정

의료 협회와의 파트너십은 회사의 원격 의료 플랫폼에 대한 업계의 검증을 의미한다. 이러한 인정을 통해 의료 부문에서의 권위를 더욱 강화할 수 있다.

더 높은 구매 전환율

전문가의 승인, 교육, 효과에 대한 증거, 업계의 검증이 결합되면 의료 기관의 채택률이 높아진다. 의료 기관은 확립된 권위로 인해 플랫폼을 채택할 가능성이 더 높다.

의료 접근성 개선

원격 의료 플랫폼의 광범위한 채택은 특히 의료 서비스가 취약한 지역에서 의료 접근성을 개선하는 데 기여한다.

윤리적 책임

기업은 권한을 유지하기 위해 의료 규정을 준수하며 안전하고 효과적인 원격 의료 플랫폼을 지속적으로 제공해야 한다. 윤리적 책임은 장기적인 성공을 위해 필수적이다.

시사점

영업 및 설득에서 권위 기법을 효과적으로 사용하려면 전문가의 보증을 활용하고, 교육 리소스를 제공하며, 효과에 대한 증거를 보여주고, 업계에서 인정받는 점을 강조해야 한다. 이러한 접근 방식은 채택률을 높일 뿐만 아니라 신뢰와 윤리적 책임을 바탕으로 의료 접근성을 개선하고 장기적인 성공에 기여한다.

"오늘날 성공적인 리더십의 핵심은 권위가 아니라 영향력이다."
케네스 블랜차드(Kenneth Blanchard)

■ 권위를 부정적으로 사용한 사례

✦ 엔론 스캔들(The Enron scandal)

엔론 스캔들은 매우 부정적이고 비윤리적인 방식으로 권력을 남용한 악명 높은 사례이다. 엔론 스캔들은 미국 역사상 가장 큰 기업 사기 사건 중 하나로, 결국 2001년 엔론 코퍼레이션의 파산으로 이어졌다. 엔론은 한때 가장 혁신적이고 성공적인 에너지 회사 중 하나로 여겨졌지만, 재정 문제를 숨기기 위해 광범위한 회계 사기를 저지른 사실이 나중에 밝혀졌다.

금융 전문성

엔론은 주주, 투자자 및 규제 기관에 정확한 재무 정보를 제공해야 하는 재무 전문가와 회계사를 고용하여 권한을 조작했다. 이러한 전문가들은 금융 분야의 권위자로 여겨졌고, 이들의 지지는 회사에 대한 신뢰를 구축하는 데 결정적인 역할을 했다.

조작된 재무 재표

CEO 제프리 스킬링과 CFO 앤드류 파스토우를 비롯한 엔론의 최고 경영진은 자신들의 권위를 이용해 재무제표를 조작했다. 이들은 부채를 은폐하고 수익을 부풀리기 위해 분식회계를 하는 등 기만적인 회계 관행에 관여했다. 이러한 관행은 재무적으로 건전하고 안정적인 것처럼 보이게 했다.

애널리스트의 지지

엔론은 회사 주식에 대해 긍정적인 평가와 추천을 제공하는 재무 분석가 및 업계 전문가들과 관계를 구축했다. 이러한 추천은 권위 있는 것으로 간주되어 투자자의 의사 결정에 영향을 미쳤다.

법률 및 규제 영향력

엔론은 재정적 힘과 영향력을 이용해 에너지 분야의 정부 규제와 법률을 형성하고 조작했다. 이를 통해 엔론은 독점을 유지하고 사기 행위를 계속할 수 있었다.

시사점

- 투자자 배신

엔론의 최고 경영진과 금융 전문가들의 권한 남용은 신뢰에 대한 배신이었다. 이들의 권위를 믿고 투자한 투자자와 주주들은 진실이 드러나자 막대한 금전적 손실을 입었다.

- 신뢰 침몰

이 스캔들은 금융 시장에 광범위한 영향을 미쳤다. 기업 지배구조, 재무 보고, 기업 내 권위 있는 인물의 신뢰도에 대한 신뢰가 약화되었다.

- 법적 처벌

엔론의 몇몇 경영진은 징역형과 벌금을 포함한 법적 처벌을 받았다. 이 스캔들은 기업의 책임성과 투명성을 강화하기 위해 사베인스-옥슬리 법(the Sarbanes-Oxley Ac)과 같은 규제 변화를 촉발시켰다.

- 에너지 산업에 미친 영향

엔론 스캔들은 에너지 산업 전체의 명성을 떨어뜨렸다. 이 사건으로 인해 에너지 기업에 대한 조사가 강화되고 유사한 권한 남용을 방지하기 위한 규제 개혁이 이루어졌다.

- 윤리적 교훈

엔론 스캔들은 권위 있는 위치에 있는 사람들의 윤리적 책임에 대한 경각심을 일깨워 줍니다. 정직과 성실성을 바탕으로 책임감 있고 투명하게 권한을 사용하는 것이 중요하다는 점을 강조한다.

엔론 스캔들은 부정한 목적으로 권위를 남용한 극명한 사례이다. 금융 전문 지식과 권한을 남용한 이 사건은 심각한 재정적 결과와 법적 파장을 초래했으며, 기업 지배구조와 윤리에 지속적인 영향을 미쳤다. 이 사건은 비즈니스와 재무 분야에서 윤리적 리더십과 투명성의 중요성을 일깨워주는 계기가 되었다.

✧ 웰스파고 위조 계좌 스캔들(The Wells Fargo Fake Accounts Scanda)

웰스파고 위조 계좌 스캔들은 은행 업계에서 주목할 만한 권한 남용 사례이다.

교차 판매 압력

미국에서 가장 크고 권위 있는 은행 중 하나인 웰스파고는 직원들에게 공격적인 판매 목표를 부과했다. 직원들은 당좌 예금, 신용카드, 대출 등 여러 금융 상품을 개인 고객에게 교차 판매해야 한다는 압박을 받았다.

가짜 계정 생성

이러한 목표를 달성하고 일자리를 유지하기 위해 일부 웰스파고 직원들은 비윤리적인 관행에 가담했다. 이들은 고객 모르게 또는 동의 없이 고객 명의로 무단 계좌를 개설했다. 이는 은행의 판매 수치를 인위적으로 부풀리기 위한 것이었다.

기만적인 영업 전술

직원들은 고객 서명을 위조하는 등 기만적인 수법을 사용하여 이러한 계좌를 만들었다. 고객은 수수료가 부과되거나 신용 보고서에 부정적인 영향을 미칠 때까지 해당 계좌를 인지하지 못하는 경우가 많았다.

내부 고발자 침묵

이러한 관행에 대해 우려를 제기한 일부 웰스파고 직원은 침묵하거나 보복을 당했다. 은행 경영진의 권한은 내부 반대를 억압하는 데 사용되었다.

고객 피해

본인 명의로 무단 개설된 계좌를 보유한 고객은 수수료 및 신용 점수 하락 등 금전적 피해를 입었다. 또한 많은 고객이 정서적 고통과 불편함을 경험했다.

법적 결과

웰스파고는 벌금과 피해 고객과의 합의를 포함하여 상당한 법적 및 재정적 결과에 직면했다. 몇몇 최고 경영진은 사임해야 했고 은행의 평판은 심각하게 훼손되었다.

규제 감독

은행 업계에 대한 규제 감독과 조사가 강화되었다. 당국은 유사한 남용을 방지하고 소비자를 보호하기 위해 더 엄격한 규제를 시행했다.

윤리적 교훈

웰스파고 스캔들은 윤리적 행동보다 영업 목표를 우선시할 때 어떤 결과가 초래되는지를 극명하게 보여주는 사례이다. 책임감 있게 권한을 사용하고 윤리와 책임감의 문화를 장려하는 것이 얼마나 중요한지 강조한다.

웰스파고 대포통장 스캔들은 은행 업계에서 발생한 권한 남용과 오용의 또 다른 실례를 보여준다. 이 사건은 고객 피해, 법적 결과, 규제 감독 강화, 기업과 기관에 대한 중요한 윤리적 교훈을 남겼다.

━━━━━━━━━━━━━━━━━━━━

> "가르치는 사람의 권위는 종종
> 배우고자 하는 사람에게 장애물이 됩니다."
>
> 키케로(Cicero)

■ 권위를 효과적으로 사용한 성경 속 사례

✧ 느헤미야의 예루살렘 성벽 재건(Nehemiah's efforts to rebuild the walls of Jerusalem)

느헤미야 2장 1절부터 8절에 나오는 느헤미야의 예루살렘 성벽 재건 노력에 대한 이야기는 권위를 효과적으로 사용하는 성경적 모범을 보여 준다. 느헤미야는 페르시아 아닥사스다 왕의 신임을 받는 시종으로, 왕실에서 상당한 권위와 영향력을 행사하는 자리였다. 느헤미야는 예루살렘의 황폐함과 무너진 성벽, 백성들의 곤경에 대한 소식을 듣고 마음이 무거웠다. 그는 도시 재건을 위해 왕의 도움을 구하기로 결심했다.

허락을 구하다

느헤미야는 왕에게 요청을 했다. 그는 정중한 태도로 왕에게 다가갔고, 슬픈 표정으로 왕에게 다가가는 것은 무례한 행동으로 보일 수 있다는 것을 알았기 때문에 적절한 순간을 기다렸다. 아닥사스다 왕이 느헤미야의 슬픔을 알아차리고 이에 대해 물었을 때, 느헤미야는 예루살렘에 대한 자신의 우려를 정중하게 이야기했다.

권한 요청

느헤미야는 성벽 재건뿐만 아니라 전체 프로젝트를 감독하기 위해 예루살렘으로 갈 수 있는 권한을 왕에게 요청했다. 여러 지역을 안전하게 통과하고 왕의 숲에서 목재를 구할 수 있도록 왕의 서한을 요청했다.

권한과 자원 제공

놀랍게도 아닥사스다 왕은 느헤미야의 요청을 들어주었다. 그는 서한과 권한을 제공했을 뿐만 아니라 느헤미야와 동행할 장교와 군대를 임명하여 안전한 여행의 성공을 보장했다. 왕의 지지로 느헤미야는 상당한 권한과 자원을 얻게 되었다.

효과적인 지위 활용

느헤미야는 왕의 시종이라는 권위 있는 지위를 활용하여 왕에게 다가가 자신의 우려 사항을 제시했다. 그의 역할 덕분에 왕의 면전에 접근할 수 있었고 요청을 할 수 있는 발판을 마련할 수 있었다.

존중하는 의사소통

느헤미야는 왕을 존중하고 재치 있게 접근하여 외교와 지혜를 발휘했다. 그는 적절한 순간을 기다렸다가 자신의 우려를 전하고 왕의 이익에 부합하는 방식으로 요청을 했다.

권위와 자원

왕의 승인과 권위, 서신, 장교, 군대 제공은 긍정적인 변화를 촉진하는 권위자의 힘을 보여주었다. 느헤미야의 권위는 왕의 지원으로 더욱 강화되었다.

리더십과 비전

느헤미야의 리더십과 비전은 성벽 재건을 위해 예루살렘 시민들을 결집하는 데 결정적인 역할을 했다. 느헤미야의 권위는 지위뿐만 아니라 다른 사람들에게 영감을 주고 이끌 수 있는 능력에 기반했다.

효과적인 권위 사용결과

느헤미야는 권위를 효과적으로 사용함으로써 예루살렘 성벽의 성공적인 재건, 도시의 방어력 회복, 주민의 희망 회복이라는 가시적인 결과를 이끌어 냈다.

리더십의 모델

느헤미야의 사례는 권위, 존중, 외교, 비전, 공동의 목표를 향해 다른 사람들을 결집시키는 능력을 결합한 효과적인 리더십의 모델이다

시사점

느헤미야 2:1-8에 나오는 느헤미야의 이야기는 권위를 효과적이고 정중하게 사용할 때 긍정적인 결과를 달성하고 변화를 촉진하는 강력한 도구가 될 수 있음을 보여준다. 이 사건은 리더십, 비전, 그리고 커뮤니티나 조직의 발전을 위한 책임감 있는 권한 사용의 중요성을 강조한다.

✧ 사자 굴에 갇힌 다니엘(Daniel in the Lion's Den)

사자 굴에 갇힌 다니엘 이야기는 페르시아 제국에서 신뢰받는 조언자였던 다니엘이 외부 권위와 모함, 위협에 흔들리지 않고 생명이 위협받는 상황을 어떻게 극복했는지에 대한 예이다.

다니엘의 높은 지위

다니엘은 지혜와 성실함, 하나님에 대한 신실함으로 바빌로니아 정부와 이후 페르시아 정부에서 높은 지위를 차지했다. 그의 권위는 인정과 존경을 받았다.

질투와 음모

다니엘의 동료들 중 일부는 다리우스 왕의 호의를 시기했다. 그들은 왕을 설득하여 일정 기간 동안 왕을 제외한 어떤 신에게도 기도를 금지하는 칙령을 내리도록 함으로써 다니엘을 함정에 빠뜨리려고 음모를 꾸몄다.

도전과 믿음

칙령에도 불구하고 다니엘은 자신의 관습대로 하루에 세 번씩 하나님께 기도하며 칙령을 공개적으로 무시했다. 하나님에 대한 그의 믿음은 흔들리지 않았고, 세상의 권위에 대한 두려움보다 하나님과의 관계를 우선시했다.

고발과 체포

다니엘의 동료들은 유감스럽게도 법을 집행해야 했던 다리우스 왕에게 다니엘의 저항을 보고했다. 왕은 다니엘을 사자 굴에 던져 넣고 돌로 봉인한 후 다니엘의 생명을 기원했다.

신의 개입

하나님께서 개입하셨고 사자들은 다니엘을 해치지 않았다. 다니엘은 다음 날 아침 다리우스 왕도 놀랐고 무사히 살아 돌아와서 안도했다.

왕의 칙령

하나님의 권위와 다니엘의 믿음을 인정한 다리우스 왕은 다니엘의 하나님을 살아 계신 하나님으로 인정하고 그분에 대한 경외와 두려움을 장려하는 새로운 법령을 발표한다.

두려움보다 믿음

다니엘의 하나님에 대한 흔들리지 않는 믿음과 세상의 결과에 대한 두려움보다 영적인 원칙을 우선시하는 것이 이 이야기의 핵심이다.

정직함의 권위

다니엘의 권위는 그의 성실성, 지혜, 하나님에 대한 신실함에서 비롯되었다. 이러한 도덕적 권위는 왕의 호감을 얻고 궁극적으로 목숨을 구하는 데 결정적인 역할을 했다.

신성한 보호

이 이야기는 하나님에 대한 믿음과 헌신을 굳건히 지킬 때 하나님의 보호와 개입에 대한 믿음을 보여준다.

다른 사람에게 미치는 영향

다니엘의 경험은 다리우스 왕에게 깊은 영향을 미쳤고, 그는 하나님의 권위를 인정하고 하나님을 경외하도록 장려했다. 또한 믿음의 힘에 대한 증거가 되었다.

믿음의 유산

다니엘의 이야기는 여러 세대에 걸쳐 신자들에게 역경에 맞서는 믿음과 용기를 불어넣고 있다.

시사점

사자 굴에 갇힌 다니엘의 이야기는 도덕적 권위의 효과적인 사용과 하나님에 대한 흔들리지 않는 믿음을 잘 보여준다. 다니엘의 믿음은 지상의 권위를 극복하고 신의 개입과 하나님의 궁극적인 권위를 인정하는 데까지 이어졌다.

■ 권위를 효과적으로 사용한 대면영업 사례

✧ 부동산 분야의 전문가 보증(The Expert Endorsement in Real Estate)

번화한 도시에서 부동산 중개인 M는 새로 개발된 고급 아파트 단지를 판매하기 위해 고군분투하고 있었다. 고급스러운 편의시설과 최고의 입지 조건에도 불구하고 잠재적 구매자들은 높은 가격대와 최근 건설사가 부동산 시장에 진출한 점 때문에 주저하고 있었다.

판매 전략을 강화하기 위해 권한을 활용하기로 결정했다. 오픈 하우스 행사를 기획하고 고급 부동산에 대한 전문 지식으로 유명한 현지 유명 건축가 T씨를 초청했다. T는 이 프로젝트와 직접적인 연관은 없었지만 그의 지식과 경험으로 지역 사회에서 존경을 받고 있었다.

행사에서 이 단지와 같은 부동산의 건축적 중요성과 장기적인 잠재적 가치에 대해 짧은 강연을 진행했다. 설계의 효율성, 사용된 자재의 품질, 계획의 선견지명을 강조하며 이 단지가 도시의 다른 단지와 차별화된다고 생각했다.

시사점

신뢰도 향상(Increased Credibility): T의 지지는 아파트 단지에 상당한 신뢰도를 더했다. 건축 분야에서 그의 권위와 독립적인 지위는 잠재적 구매자들에게 신뢰할 수 있는 관점을 제공했다.

회의론 극복(Overcoming Skepticism): 그의 통찰력은 새로운 건설사와 관련된 회의론을 극복하는 데 도움이 되었다. 회사의 짧은 실적에도 불구하고 구매자들에게 투자가 건실하다는 확신을 심어주었다.

고유한 가치 강조(Highlighting Unique Value): 건축적 측면과 장기적 가치에 집중함으로써 가격으로부터 품질과 투자 가능성으로 대화를 전환하여 잠재적 고급 구매자의 관심사에 맞추었다.

입소문 마케팅(Word-of-Mouth Marketing): 행사 참석자들은 권위자의 통찰력에 대해 다른 사람들과 이야기하면서 입소문 마케팅 효과를 창출하여 부동산의 매력을 한층 더 높였다.

매출 증대(Sales Boost): 그 후 고객들의 관심이 크게 증가하여 여러 건의 판매를 성사시켰다. 업계에서 권위 있는 인물을 활용한 것이 영업 전략의 전환점이 되었다.

❖ 주방 용품 판매에 대한 유명 셰프의 지지(The Renowned Chef's Endors ement in Kitchenware Sales)

교외의 한 쇼핑몰에 위치한 한 주방용품 매장은 고급 쿡탑의 판매량이 감소하고 있었다. 유명 브랜드의 최고급 제품이었지만 고객들은 종종 더 저렴한 대안을 선택했다. 매장 매니저인 L은 매출 증대를 위한 핵심 전략으로 권위를 활용하기로 결정했다.

요리 TV 프로그램과 여러 인기 요리책으로 유명한 현지 유명 셰프인 R 셰프와 협업했다. 매장에서 요리 시연을 하도록 초대받았다.

이 행사에서 자신의 요리 실력을 뽐냈을 뿐만 아니라 최고의 요리 결과를 얻기 위해 전문가급 주방용품을 갖추는 것이 중요하다는 점을 거듭 강조했다. 그는 이 레인지(the range)의 정밀한 온도 제어와 내구성, 그리고 요리에 큰 변화를 가져다 준 점에 대해 극찬했다.

시사점

제품 가치 인식 향상(Enhanced Product Value Perception): 요리 전문가로서 지지는 주방용품에 대한 인식 가치를 높였다. 셰프로서 그의 전문적인 의견은 제품의 품질과 효과에 대한 주장에 신뢰성을 더했다.

적절한 타겟층 공략(Targeting the Right Audience): 이 행사는 고급 주방용품의 이상적인 타깃 시장인 요리 애호가와 전문가에 대한 팬을 끌어 모았다.

경험 창출(Creating an Experience): 요리 시연을 통해 고객이 제품의 가치를 말로만 듣는 것이 아니라 실제로 보고 느낄 수 있는 몰입형 경험을 제공했다.

고객 트래픽 증가(Increased Customer Traffic): 이벤트를 통해 더 많은 사람들이 매장을 방문했고, 프로모션 제품뿐만 아니라 매장 내 다른 제품의 판매량도 증가했다.

매출 증대(Boost in Sales): 이벤트 이후 고급 제품군의 매출이 눈에 띄게 증가했다. 고객들은 유명 셰프가 제품을 사용하고 추천하는 것을 보고 제품의 가치를 더욱 확신하게 되었다.

지속적인 관심(Sustained Interest): 셰프가 지역 TV 출연에서 이 레인지 제품을 계속 사용하면서 고객의 관심과 판매는 시간이 지남에 따라 더욱 지속되었다.

━━━━━━━━━━━━━━━

"리더십은 직함이나 직위, 조직도가 중요한 것이 아니라,
한 사람의 삶이 다른 사람에게 영향을 미치는 것이다."
존 C. 맥스웰(John C. Maxwell)

■　권위를 오용하여 부정적으로 사용한 대면영업 사례

✧ 오해의 소지가 있는 재정 고문(The Misleading Financial Advisor)

한 작은 마을에서 K 라는 재정 고문은 카리스마 넘치는 성격으로 유명했으며 최고의 금융 전문가들과 연결되어 있다고 주장했다. 자신의 내부 지식과 고수익 투자 기회에 대한 독점적 접근 권한을 자랑했다. 금융 분야의 권위자로서의 명성은 많은 현지 투자자, 특히 저축을 늘리고자 하는 은퇴자들을 끌어 모았다.

새로운 투자 펀드를 홍보하기 시작했고, 이 펀드는 최고의 금융 전문가들이 지원하며 위험이 거의 또는 전혀 없이 높은 수익을 보장한다고 주장했다. 그의 권위와 확신을 믿고 여러 고객이 상당한 금액을 투자했다. 그러나 실제로 이 펀드는 위험성이 높았고, 관여했다고 주장한

전문가들의 검증을 거치지 않은 것이었다.

몇 달 후, 이 펀드는 시장 변동성으로 인해 큰 타격을 입었다. 평생 모은 돈을 투자한 은퇴자를 포함한 많은 고객이 심각한 재정적 손실에 직면했다.

시사점

잘못된 신뢰(Misplaced Trus): 권위를 오용하여 고객들이 독립적인 조언이나 검증을 구하지 않고 그를 신뢰하게 만들었다.

재정적 피해(Financial Harm): 투자자, 특히 취약한 은퇴자들은 고위험 투자의 특성으로 인해 상당한 재정적 손실을 입었다.

직업적 청렴성 훼손(Erosion of Professional Integrity): 투자에 대한 진실과 오해의 소지가 있는 주장이 드러나면서 그의 평판이 손상되었을 뿐만 아니라 지역 재무 설계사에 대한 일반적인 신뢰에도 영향을 미쳤다.

법적 결과(Legal Consequences): Greg는 투자에 대한 허위 진술과 자신의 권한으로 인해 법적 처벌을 받았으며, 이로 인해 면허와 신뢰성을 잃게 되었다.

고객에 대한 장기적인 영향(Long-Term Impact on Clients): 고객 중 상당수, 특히 저축액의 상당 부분을 투자한 고객들은 장기적인 재정적 어려움에 직면했다.

과장된 건강 보조제 판매(The Overhyped Health Supplement Sales)

한 중소 도시에서 카리스마 넘치는 영업사원 E는 건강 보조제를 판매하고 있었다. 유명 영양사 및 의료 전문가와의 인맥을 내세우며 건강 및 웰니스 권위자로 명성을 쌓아왔다. 세미나와 개인 상담을 자주 진행하면서 자신의 보충제가 의료 전문가들이 보증하는 삶을 변화시키는 제품이라고 공격적으로 마케팅했다.

설득력과 권위 있는 태도로 많은 고객, 특히 건강 문제로 어려움을 겪고 있는 고객들이 고가의 보충제를 구매하도록 설득했다. 이러한 제품이 일반적인 질병부터 심각한 질병에 이르기까지 다양한 질병을 치료하거나 크게 완화할 수 있다고 주장했다.

그러나 실제로는 이러한 보충제는 특별한 건강상의 이점이 없는 일반 의약품에 불과했다. 소위 의료 전문가의 보증은 조작되었거나 심하게 과장된 것이었다.

결국 고객들이 이 보충제가 건강에 큰 영향을 미치지 않으며 근거가 없다는 사실을 알게 되자 대중의 항의가 빗발쳤다. 많은 사람들이 권위의 남용에 속고 조종당했다고 느꼈다.

시사점

신뢰 상실(Loss of Trust): 기만적인 관행은 고객과 더 넓은 커뮤니티에서 상당한 신뢰 상실로 이어졌다.

도덕적 및 윤리적 위반(Moral and Ethical Violations): 개인의 건강 문제를 악용함으로써 특히 건강 및 웰빙 제품과 관련된 윤리적 기준을 위반했다.

법적 영향(Legal Repercussions): Emily는 허위 광고와 근거 없는 건강 주장으로 법적 조치를 당했으며, 이로 인해 벌금과 건강 관련 제품 판매 금지 처분을 받았다.

고객에 대한 정서적, 재정적 영향(Emotional and Financial Impact on Customers): 많은 고객, 특히 건강 문제가 있는 고객들은 제공받은 잘못된 희망으로 인해 금전적 손실뿐만 아니라 정서적 고통도 경험했다.

업계 평판 손상(Damage to Industry Reputation): 이러한 사건은 건강 보조 식품 업계에 대한 부정적인 인식을 불러일으켜 다른 합법적인 비즈니스에 영향을 미쳤다.

☞ 권위(Authority) 멘트

"Forbes가 최고의 혁신 제품으로 인정한 것처럼, 저희 소프트웨어는 효율성을 추구하는 기업에게 최고의 선택입니다."
Forbes와 같은 공신력 있는 출처를 인용하면 신뢰도가 높아진다.

"저명한 심장 전문의들이 인정한 심장 건강 보조제는 예방적 건강 관리의 획기적인 제품입니다."
전문가의 승인을 통해 제품에 대한 신뢰를 구축한다.

"당사의 사이버 보안 솔루션은 포춘 500대 기업의 70%가 사용하고 있으며, 최고 수준의 보안을 보장한다."
업계 리더의 선택을 언급하여 신뢰성을 입증한다.

"NASA 과학자들과 협력하여 개발한 당사의 소재는 타의 추종을 불허하는 내구성을 제공한다."
유명하고 존경받는 조직과의 협력을 강조한다.

"하버드 대학교의 연구에 따르면 당사의 교수법은 학습 성과를 40%까지 향상시킵니다."
학술 연구를 통해 주장을 입증한다.

"인기 있는 TV 주택 개선 프로그램에서 볼 수 있듯이, 저희 도구는 전문가들이 선호하는 선택입니다."
미디어 노출과 전문가 선호도를 활용한다.

"국제 디자인 어워드 수상자인 수석 건축가가 모든 프로젝트를 직접 감독합니다."
개별 수상 경력을 강조하여 신뢰도를 고취시킨다.

"이 스킨케어 라인은 피부 건강 분야에서 20년 경력을 가진 피부과 전문의가 개발했습니다."
개인의 전문성과 경험을 판매 포인트로 활용한다.

"최고의 운동선수들이 추천하는 스포츠 장비는 성능과 지구력을 향상하도록 설계되었습니다."
스포츠계에서 존경받는 인물의 추천을 활용한다.

"지속 가능한 농업에 대한 혁신적인 접근 방식으로 뉴욕 타임즈에 소개된 우리 제품은 친환경 농업의 최전선에 서 있습니다."
미디어의 공신력을 통해 신뢰를 높인다.

■ 요약

권위는 누구든 권위자에게 굴복한다는 기본개념을 바탕으로 한다.
마음의 저항을 내려놓고 권위자나 전문가의 의견을 지지하고 수용하게
된다.
평판이나 명망이 좋은 전문가, 유명인, 권위자에 대한 신뢰와 존중으로
제품이나 서비스에 대해 저항 없이 수용하게 한다.

■ 핵심키워드

권위, 마음의 저항, 굴복, 전문가, 유명인, 전문성, 수용

■ 적용 질문

권위의 법칙이 설득과 영업에서 어떤 특징을 가지는가?
권위의 법칙으로 설득과 영업에서 거둘 수 있는 기대요인이 무엇인가?
권위의 법칙을 효과적으로 활용할 수 있는 10가지 방법이 무엇이고
나에게 강화해야 할 요소는 무엇인가?

제 **13** 장

최신 효과(Recency effect)

"마지막 한마디는 설득과 영업의 드라마에서 클라이맥스이다."
닥터 브라이언(Dr. Brian)

최신 효과(Recency effect)

■ 개념

최신 효과는 연속적인 정보들 중 가장 최근에 발생한 것들을 이전 것들보다 더 잘 기억하는 경향을 보이는 인지적 편향으로, 일반적으로 시리얼-포지션 효과(Serial-Position Effect)라는 넓은 범주에 속한다. 심리학에서 더 넓은 연속 위치 U자 곡선[82]의 일부로, 사람들이 일련의 항목 중 가장 최근의 항목을 더 잘 기억하는 경향을 말한다. 단기기억에 대한 기능에 뿌리를 둔 신경학적[83] 기반으로 설명된다. 이것은 가장 최근에 받은 정보를 높은 정확도로 회상하고 기억하는 것으로, 결정 및 인식에 영향을 미칠 수 있다. 예를 들어, 여러 목록의 테마들을 기억하려고 할 때, 마지막으로 인지된 목록의 항목을 더 잘 기억하는 경향이 있다. .

최신 효과는 기억력 이외의 다양한 인지분야에서도 적용될 수 있다. 받아들이는 정보의 순서와 시간이[84] 인지와 설득에서 중요한 역할을 한다. 기억력(메모리)구조의 메커니즘[85]과 최적[86]의 메모리 조건을 이

---

[82] The serial position effect of free recall. Journal of Experimental Psychology, 64(5), 482. Murdock, B. B. (1962)

[83] Two storage mechanisms in free recall. Journal of Verbal Learning and Verbal Behavior, Glanzer, M., & Cunitz, A. R. (1966)

[84] Short-term temporal changes in free recall. Quarterly Journal of Experimental Psychology, Postman, L., & Phillips, L. W. (1965).

[85] "Your Memory: How It Works and How to Improve It" by Kenneth L. Higbee, Ph.D.

[86] "How We Learn: The Surprising Truth About When, Where, and Why It Happens" by Benedict Carey

해하면 설득기술을 개발하는데 도움이 된다 예를 들어, 제품 출시 전 제품의 특징과 좋은 점에 대해 들은 후 제품이 출시된 후 제품이 제대로 작동하지 않는 이야기를 들으면 최신 효과가 작용하여 제품의 나쁜 면을 더 잘 기억하게 된다.

이것은 광고와 영업 및 공개 연설 분야에서 부각된다.
예를 들어, 토론이나 광고 블록에서 마지막 발언내용이나 광고는 종종 회상강도와 영향력 측면에서 장점을 가진다. 연구에 따르면 마지막으로 제시된 항목(최근 항목)은 중간에 제시된 항목보다 기억이 더 잘되며, 종종 첫 번째 항목보다도 더 잘 기억된다. 이 효과는 수많은 인지심리학 실험을 통해 검증되었으며 그 신뢰성을 강조한다. 영업 전략가와 마케터들은 상대의 기억에 두드러지게 유지하기 위해 프레젠테이션이나 커뮤니케이션의 끝부분에 가장 중요하거나 설득력 있는 정보를 배치함으로써 최근성 효과를 활용할 수 있다. 질문의 기술을 적절히 구사하면, 원하는 응답이나 결과를 장려하는 방식으로 대화를 이끄는데 사용되는 잘 구성된 질문을 전략적으로 활용하는 기술로 활용할 수 있다. 제품이나 영업 제안의 가치를 인식하게끔 설계되며, 결국 상대방의 시각을 제시된 혜택과 조화롭게 만드는 데 효과적이다.

"제일 좋은 것은 마지막에 남겨두라."
미상(Unknown)

■ **핵심 내용**

기억 강조(Memory Emphasis): 최신 효과는 최근 정보나 경험이 개인의 기억과 인식에 더 큰 영향을 미친다는 것을 시사한다. 이것은 시퀀스 내의 마지막 정보 또는 상호작용이 종종 더 생생하고 두드러지게 개인의 마음에 남는다는 것을 의미한다.

결정에 미치는 영향(Decision-Making Influence): 설득과 영업에서 이러한 편향은 전략적으로 활용될 수 있다. 판매 메시지나 설득 메시지의 끝 부분에 가장 강력한 주장이나 혜택을 제시함으로써 최근성 효과를 활용할 수 있다. 고객들은 마지막에 제시된 정보를 기억하고 영향을 받을 가능성이 높다.

시간적 영향(Temporal Influence): 최신 효과는 정보가 제시되는 시간 순서와 관련이 있다. 정보가 일련의 끝에서 제시될 때 그것은 더 많은 영향을 미친다.

메시지 맞춤(Tailoring Messages): 설득자와 영업인들은 가장 설득력 있는 또는 중요한 부분을 끝에 배치하여 메시지를 구성할 수 있다. 이렇게 하면 가장 영향력 있는 정보가 대상 고객에게 남게 된다.

효과적인 스토리텔링(Effective Storytelling): 스토리텔링에서 최신 효과는 주요 줄거리 전개나 발견을 결말에 남겨 인상을 남기는 데 활용될 수 있다.

오해 피하기(Avoiding Misinterpretation): 설득자는 최신효과가 편향된 인식을 유발할 수 있으므로 신중해야 한다. 균형 잡힌 시각을 제공하고 가장 최근 정보에만 의존하지 않아야 한다.

강화(Reinforcement): 메시지를 강화하기 위해 대화나 프레젠테이션의 끝에 핵심 포인트를 되풀이하는 것은 최신 효과를 활용할 수 있는 효과적인 방법이다.

요약: 최신 효과는 사람들이 가장 최근에 접한 정보나 경험을 기억하고 결정에 영향을 받는 경향을 강조한다. 설득과 영업의 맥락에서 메시지를 전략적으로 타이밍하고 구성하여 결정력과 기억력을 극대화하기 위한 중요성을 강조한다.

"설득의 예술에서 결론은 마지막 걸작이다."

속담(Proverb)

■ 최신 효과 활용한 긍정적 사례

✧ 마케팅 소프트웨어 패키지 제안

한 판매 대표가 잠재적인 고객과 만나서 마케팅 소프트웨어 패키지를 제안하는 상황이다.

소개(Introduction): 판매 대표는 따뜻한 인사와 소프트웨어에 대한 간단한 개요로 시작한다.

기능 설명(Features Presentation): 대표는 소프트웨어의 다양한 기능을 제시하며, 그 중에는 분석, 자동화 및 캠페인 추적 등이 포함된다.

고객 사례(Client Testimonials): 프레젠테이션 중간에 대표는 소프트웨어를 성공적으로 활용하여 마케팅 전략을 개선한 만족한 고객들의 후기를 공유한다.

흥미로운 혜택(Compelling Benefit): 프레젠테이션을 마무리하기 직전에, 대표는 소프트웨어의 가장 흥미로운 혜택을 강조한다. 이 혜택은 고객의 캠페인 효율을 크게 향상시킬 수 있는 독특하고 강력한 AI 기반 예측 분석 기능이다.

최신 효과 활용: 최신 효과는 프레젠테이션의 끝 부분에 AI 기반 예측 분석 기능을 전략적으로 배치함으로써 효과적으로 활용된다. 이렇게 하면 고객은 소프트웨어의 가장 놀라운 부분이자 가장 강력한 측면을 기억하게 되며 결정을 내릴 때 이 정보에 더 큰 중요성을 부여할 가능성이 높아진다.

전략적 타이밍(Strategic Timing): 가장 흥미로운 기능을 프레젠테이션의 끝에 배치함으로써 최신 효과를 활용한다. 고객은 이 중요 정보를 기억하고 영향을 받을 가능성이 더 높아진다.

영향력 극대화(Maximizing Impact): 판매 대표는 최신 효과를 활용하여 AI 기반 예측 분석 기능의 영향력을 극대화한다. 이것을 마지막으로 제시함으로써 고객의 기억의 중심이 된다.

결정에 미치는 영향(Influence on Decision): 전략적으로 배치된 기능은 고객의 결정 과정에 더 큰 영향을 미칠 가능성이 높다. 이러한 혜택을 감안하여 소프트웨어를 우선 고려할 가능성이 크다.

후속 강조(Follow-Up Emphasis): 프레젠테이션 이후, 판매 대표는 고객에게 AI 기반 기능의 중요성을 다시 한 번 강조함으로써 이러한 혜택을 강화할 수 있다.

균형 잡힌 접근(Balanced Approach): 최신 효과를 활용하면서도 고객의 종합적인 요구 사항을 고려하고 소프트웨어 솔루션 전체가 고객의 성공에 기여하도록 하는 것이 중요하다.

시사점 :최신 효과를 활용하려면 대면 영업 프레젠테이션의 끝 부분에 가장 흥미로운 소프트웨어 기능을 전략적으로 제시하는 것이다. 이러한 접근은 고객이 가장 최근 정보를 기억하고 호의적인 결정을 내릴 가능성을 높일 수 있다. 그러나 장기적인 성공을 위해 고객의 종합적인 요구 사항을 고려하는 균형 잡힌 접근이 유지되어야 한다.

✧ 주택 구매자 영업

한 부동산 대표가 잠재적인 주택 구매자와 다양한 부동산을 소개하기 위해 만났다. 부동산 투어 동안, 부동산 대표는 방문할 주택 순서를 전략적으로 계획했다. 중간 가격의 주택부터 시작하여 마지막에 고급 럭셔리 주택을 방문하도록 했다.

최신 효과는 럭셔리 주택을 투어의 마지막으로 남겨두면서 나타난다. 이렇게 함으로써 부동산 대표는 주택 구매자가 방문한 주택 중에서 가장 최근에 본 주택을 기억하려는 경향을 활용하고 있다. 이 경우, 최종적으로 방문한 주택이 고급 럭셔리 주택이다.

기억에 남는 마무리(Perceived Value): 주택 투어를 럭셔리 주택으로 마치면 주택 구매자에게 기억에 남는 인상을 남긴다. 고급 주택의 웅장함과 독특한 특징이 생생하게 기억된다.

인지된 가치(Perceived Value): 최신 효과는 주택 구매자의 가치 지각에 영향을 미친다. 마지막으로 본 주택이기 때문에 고급 주택에 더 높은 가치와 바람직함을 부여할 가능성이 높다.

결정에 미치는 영향(Influence on Decision): 전략적으로 배치된 고급 주택은 주택 구매자의 결정에 영향을 미칠 수 있다. 그들은 최근에 본 내용과 생생한 프레젠테이션으로 인해 고급 주택을 고려할 가능성이 크다.

가족과의 토론(Discussion with Family): 주택 투어 이후, 주택 구매자는 본 주택에 대해 가족이나 친구들과 토론할 가능성이 높다. 최근에 본 고급 주택은 기억상에서 독점할 가능성이 더 크다.

강화(Reinforcement): 팔로우업 대화에서 부동산 대표는 고급 주택의 독특한 특징을 강조하여 선택지 중에서 두드러진 부분임을 강조할 수 있다.

균형 잡힌 접근(Balanced Approach): 최신 효과를 활용하면서도 모든 제시된 주택이 주택 구매자의 요구와 예산과 일치하는지 확인하는 것이 중요하다.

시사점 :최신 효과가 주택 투어의 끝 부분에 고급 주택을 전략적으로 제시함으로써 강력한 인상을 남기고 주택 구매자의 결정 과정에 영향을 미칠 수 있도록 능숙하게 활용된다. 그러나 고객의 종합적인 주택 요구 사항을 고려하는 균형 잡힌 접근을 유지하는 것이 부동산 거래의 장기적인 성공에 필수적이다.

✧ **여행 휴가 패키지 홍보**

여행사가 잠재적인 여행객 그룹에게 휴가 패키지를 홍보하고 있다. 여행 대행사는 처음에는 저렴하고 인기 있는 여행지를 소개하며, 프레젠테이션의 마지막 부분에 고급스럽고 독특한 여행지를 서서히 소개했다. 최신 효과는 고급스럽고 독특한 여행지를 프레젠테이션의 마지막 부분에 보여주어 전략적으로 활용된다. 이렇게 함으로써 여행객들은 보다 흥미로운 옵션에 대해 머릿속에 신선한 상태로 가지고 있게 된다.

기억에 남는 마무리(Memorable Ending): 프레젠테이션을 고급스러운 여행지로 마무리하면 생생하고 매혹적인 인상을 남긴다. 독특한 여행지의 매력이 잠재적인 여행객들의 머릿속에 신선한 상태로 남는다.

인지된 가치(Perceived Value): 최신 효과는 여행객이 고급스러운 여행지의 가치를 어떻게 인식하는지에 영향을 미친다. 이 여행지는 최근 제시되었기 때문에 잠재적인 여행객들의 고려에서 중요한 위치를 차지하게 된다.

결정에 미치는 영향(Influence on Decision): 전략적으로 배치된 고급 여행지는 여행객들의 결정에 큰 영향을 미칠 수 있다. 이 여행지는 최근에 소개되었으므로, 그림 같은 휴가를 꿈꾸고 고려할 가능성이 크다.

토론과 흥분(Discussion and Excitement): 프레젠테이션 이후, 잠재적인 여행객들은 가족이나 친구들과 휴가 계획을 논의할 가능성이 높다. 고급 여행지는 가장 신선한 기억이므로 이러한 토론을 주도할 가능성이 크다.

후속 계획(Follow-Up Planning): 후속 대화에서 여행 대행사는 고급 여행지의 독특한 경험과 장점을 강조하여 그 매력을 강화할 수 있다.

균형 잡힌 접근(Balanced Approach): 최신 효과를 활용하면서도 모든 제시된 휴가 옵션이 여행객들의 선호도와 예산과 일치하는지 확인하는 것이 중요하다.

시사점 :최신 효과가 프레젠테이션의 마지막 부분에 가장 고급스럽고 독특한 휴가지를 제시함으로써 여행객들의 결정에 영향을 미칠 수 있도록 효과적으로 활용되고 있다. 그러나 여행 예약의 성공을 위해 여행객들의 종합적인 휴가 요구 사항을 고려하는 균형 잡힌 접근을 유지하는 것이 중요하다.

> **"마지막 인상은 마치 그림의 마지막 터치처럼 가장 중요한 영향을 미친다."**
> 미상(Unknown)

■ 최신 효과 활용한 부정적 사례

✧ 고급 노트북 구매상담

판매원은 잠재적인 고객과 만나 고급 노트북 구매에 대한 논의를 진행하고 있다. 프레젠테이션 중에 판매원은 가장 최신의 고가 노트북 모델을 소개하며 높은 처리 속도와 고급 그래픽과 같은 프리미엄 특징을 강조한다.

부정적인 활용

프리미엄 모델을 먼저 소개한 이후에 좀 더 구형의 저가 노트북 모델을 언급하는 과정에서 부정적 효과가 초래한다. 이 모델에 대한 자세한 사양을 간과하고 앞선 프리미엄 모델과 비교했을 때 덜 매력적으로 보이도록 하는 것이다.

속임수적인 전술: 판매원의 접근 방식은 속임수적인 전술을 포함하고 있으며 먼저 프리미엄 모델을 제시하고 나중에 저가 모델을 부각함으로써 저가 모델의 가치와 능력을 왜곡할 수 있다.

고객의 불신(Potential Customer Distrust): 소비자들은 이러한 전술을 감지하면서 판매원에 대한 신뢰를 상실하고 비즈니스의 평판을 훼손시킬 수 있다. 이로 인해 부정적인 입소문이 퍼질 수 있다.

판매 기회 놓침(Missed Sales Opportunities): 부정적인 활용은 잠재적인 고객들이 프리미엄 노트북에만 집중하게 만들어 그들이 예산에 맞는 다른 옵션을 놓칠 가능성이 있다.

고객 불만(Customer Dissatisfaction): 고객이 나중에 저렴한 모델이 그들의 요구 사항에 더 적합하다는 사실을 발견하면, 그들은 자신의 구매에 불만을 느끼고 다른 옵션을 탐색하지 않았다는 후회를 느낄 수 있다.

장기적인 관계 영향(Long-term Relationship Impact): 신뢰 구축과 장기적인 고객 관계 형성은 판매에서 우선되어야 한다. 부정적인 활용은 이러한 관계의 발전을 방해할 수 있다.

윤리적 고려(Ethical Considerations): 판매 전문가들은 고객 신뢰와 만족을 훼손할 수 있는 전술을 피하고 윤리적 표준을 준수해야 한다.

시사점 :최신 효과의 부정적인 활용이 프리미엄 노트북 모델을 먼저 제시하고 그 후에 저가 모델을 간단히 언급하여 고객을 오도하고 신뢰를 저해하며 만족을 얻지 못할 가능성을 나타낸다. 윤리적이고 투명한

판매 관행은 긍정적인 고객 관계와 장기적인 성공을 유지하기 위해 중요하다.

✧ 여행 패키지 상담

여행 대리점 직원이 부부에게 꿈의 휴가를 계획하는 데 도움을 주고 있다. 상담 중에 여행 대리점 직원은 여러 예산에 걸맞는 여행 목적지에 대해 열정적으로 이야기하며 저렴한 가격과 흥미로운 일정들을 강조한다. 그러나 대화의 끝에서 여행 대리점 직원은 많은 정보를 제공하지 않은 채로 부가적으로 추가되는 고급 크루즈 패키지 옵션에 대해 간단히 언급한다.

부정적인 최신 효과 오용

고급 크루즈를 후미에 소개하고 해당 패키지의 독특한 특징과 이점을 충분히 강조하지 않음으로써 문제를 야기한다. 이로써 해당 패키지는 이전에 논의된 예산 친화적인 여행 옵션과 비교했을 때 덜 관련성이 있고 매력적으로 보일 수 있다.

속임수적인 판매 전략(Deceptive Sales Strategy): 여행 대리점 직원의 접근 방식은 고급 크루즈를 경시하고 부부에게 해당 패키지의 가치나 이점에 대해 충분히 교육시키지 않음으로써 속임수적인 판매 전략을 포함하고 있다. 이로 인해 오해와 불신이 생길 수 있다.

고객의 실망(Customer Disappointment): 부부는 나중에 고급 크루즈가 옵션이 될 수 있었다는 사실을 발견하면 실망하고 오도 당할 수 있다. 이는 여행 대리점에 대한 불만과 거래의 상실을 초래할 수 있다.

놓친 판매 기회(Missed Sales Opportunities): 부정적인 활용은 고객들이 고급 크루즈를 무시하도록 만들 수 있으며, 마지막에 제시되었기 때문에 덜 중요한 것으로 여길 수 있다. 이는 여행 대리점에 판매 기회를 놓칠 수 있다.

고객의 신뢰 퇴색(Erosion of Customer Trust): 이러한 전술의 사용은 여행 대리점 직원과 고객 간의 신뢰를 퇴색시키며 긍정적이고 장기적인 고객 관계를 구축하기 어렵게 만든다.

윤리적 고려(Ethical Considerations): 여행 대리점은 신뢰와 고객 만족을 유지하기 위해 투명성과 정직성을 포함한 윤리적 실천을 우선시해야 한다.

시사점 :최신 효과의 부정적인 활용은 상담의 끝에서 고급 크루즈를 간단한 정보로 제시하여 그 패키지를 덜 매력적으로 만드는 것을 포함하고 있다. 이러한 접근은 고객의 실망, 불신 및 판매 기회를 놓칠 수 있다. 윤리적이고 투명한 판매 실천은 여행 업계에서 긍정적인 고객 관계를 유지하고 성공하기 위해 필수적이다.

"일의 끝이 시작보다 낫고 참는 마음이 교만한 마음보다 나으니"
전도서 7:8

선거 전의 정치 스캔들(Political Scandals Just Before Election s)

때로는 선거 몇 일 전에 정치 후보에 대한 불리한 정보가 공개되어 최신 효과를 활용한다. 예를 들어, 2016년 미국 대통령 선거 11일 전, 당시 FBI 국장이었던 James Comey는 Hillary Clinton의 이메일 조사를 다시 시작한다고 발표했는데, 이는 선거 결과에 영향을 준 것으로 여겨진다.

오도하는 제품 광고(Misleading Product Advertisements)

몇몇 회사들은 광고의 마지막에서 제품의 긍정적인 측면만 강조하는 경우가 있다. 2009년, Kellogg은 시리얼 광고에서 건강 효능을 오도하게 강조했다는 이유로 400만 달러를 지불해야 했다.

금융 보고서의 지연 발표(Late Release of Financial Reports)

기업들은 때로 나쁜 금융 뉴스를 그들의 재무 보고의 맨 끝까지 지연시킬 때가 있다. 2001년 Enron 붕괴 시, 그들은 재무에 관한 나쁜 소식을 숨겨 왔으며, 이러한 발견의 최근성은 투자자들에게 더욱 충격적이었다.

셀러브리티의 논란(Celebrity Controversies)

셀러브리티의 최근 스캔들은 그들의 이전의 성취를 가리게 된다. 예를 들면, Bill Cosby의 장기간에 걸친 성공적인 경력에도 불구하고, 그의 유산은 2018년의 성폭행으로 인한 유죄 판결로 크게 흐려졌다.

조작적인 판매 전략(Manipulative Sales Tactics)

판매원들은 때로 제품의 숨겨진 비용이나 불이익을 제시하기까지 그들의 설득을 매우 늦출 때가 있다. 이 전략은 긴 판매 피치 뒤에 최종 계약서에서 이전에 논의되지 않았던 조항들을 자주 포함하는 타임셰어 산업에서 자주 볼 수 있다.

"사람들은 당신이 말한 것을 잊어버릴지 모르지만,
어떻게 느끼게 했는지는 절대 잊지 않을 것이다."
마야 앤젤루(Maya Angelou)

■ 최신 효과 활용하는 방법 10가지

전략적인 스토리텔링(Strategic Storytelling)

프레젠테이션 전반에 걸쳐 매력적인 이야기를 만든다. 이야기의 가장 강력한 부분을 결론 부분에 남겨둔다.

예시: 판매자가 고객이 제품을 사용한 후 라이프 스타일이 크게 개선된 사례를 얘기한다.

정보 점진적 증가

프레젠테이션의 복잡성과 심도를 점진적으로 증가시키다. 가장 중요하거나 흥미로운 세부 정보를 마지막에 남겨둔다.

예시: 기술 판매자가 제품의 기능을 단계별로 소개하여 혁신적인 기능을 마지막에 남긴다.

주요 포인트 반복

결론에서 주요 판매 포인트나 이점을 강조한다. 포인트를 간결하게 요약하거나 시각적 자료를 사용하여 강조한다.

예시: 부동산 대리점이 부동산의 우수한 위치와 투자 가능성을 결론에서 다시 강조한다.

신선한 요소(Surprise Element) 및 특별함 강조(Highlighting Unique Benefits)

예상치 못한 또는 놀랄만한 요소, 독특한 이점을 포함해 강조한다. 결론까지 이러한 요소를 숨겨 둔다. 이러한 장점이 상대의 귀중한 요구 사항을 어떻게 해결하는지 설명한다.

예시: 마케팅 프레젠테이션은 제한된 시간 동안만 유효한 특별 할인 혜택을 예기치 않게 공개한다. 보험 대리점이 보험 상품의 독특한 장점, 맞춤형 보상 및 경쟁력 있는 가격과 같은 이점을 강조한다.

기대감 조성(Building Anticipation) 및 소셜 미디어 알람 참여

중요한 공개나 발표를 기대하게 만든다. 긴장감을 쌓기 위해 가장 흥미로운 정보를 결론까지 유보한다.
예시: 제품 출시 이벤트는 프레젠테이션 전반에 걸쳐 긴장감을 조성하며 혁신적인 기능을 공개한다. 플랫폼을 사용하여 팔로워에게 다가오는 거래나 이벤트를 상기시킨다. 지속적이고 최근의 참여는 메시지가 일반적으로 남아 있도록 도와준다.

고객 성공 사례 공유

만족한 고객의 실제 성공 사례와 평가를 공유한다. 이러한 사례를 증거의 마지막 부분으로 제시한다.

예시: 소프트웨어 판매자가 고객의 평가를 공유하며 그 소프트웨어가 고객 비즈니스에 미치는 긍정적인 영향을 강조한다.

긴급성, 막판 프로모션(Urgency and Call to Action)과 핵심 포인트로 행동 요구(Reiteration of Key Points)

긴급함을 느끼게 하고 직접적으로 명확한 행동 요구를 제공한다. 판매가 끝나기 직전에 한정된 시간이나 할인혜택을 강조한다. 긴급성과 행동 요구를 결론부에서 활용한다.

예시: 기부 모금 프레젠테이션은 시급한 기부 요청을 통해 특정 기간 내에 지원을 받아야 하는 사례를 마무리한다.

상대적 우위(Comparative Advantage)

제품이나 솔루션이 경쟁사보다 우수한 점을 강조한다. 이러한 우위성을 프레젠테이션의 막바지에서 부각시킨다.

예시: 자동차 판매자는 연비, 안전 기능 및 보증과 같은 자사 차량의 우수성을 보여주는 비교적 우위성을 제시한다.

미래 비전(Future Vision)과 명확한 마무리

제품이나 서비스와 함께하는 미래를 생생하게 묘사한다. 핵심특징: 이 비전을 결론에서 미래의 가능성과 제품의 핵심 역할을 강조한다.

예시: 재생 에너지 회사는 제품 기술로 지원되는 지속 가능하고 환경

친화적인 미래를 묘사하여 프레젠테이션을 마무리한다.

사후 관리 및 정기적 업데이트

판매 회의 후 즉시 후속 전화를 한다. 이렇게 하면 최근의 당신과 제품에 대한 기억을 강화하여 고객의 마음에 새겨둔다. 계속해서 새로운 콘텐츠, 업데이트 또는 제품 기능을 제공한다. 고객에게 신선한 정보를 자주 업데이트함으로써 최근의 관련성을 유지한다.

예시: 발표 후 보충 자료나 요약을 송부한다. 이렇게 하면 영업제안이 관련성을 유지하여 고객의 고려 사항이 최전선에 유지된다.

시사점

최신 효과를 이러한 방식으로 효과적으로 활용함으로써 귀중한 정보, 감정적 영향 또는 설득적 요소를 판매나 설득 노력의 마지막에 전략적으로 배치하여 기억에 남는 인상을 남길 수 있다.

**"마무리는 강력하다. 판매에서 남기는
마지막 인상은 종종 오랜 기억으로 남는다."**
제프리 지토머(Jeffrey Gitomer)

☞ **최신 효과(Recency effect) 멘트**

"마지막으로 고려해야 할 것은 탁월한 애프터 서비스이지요."
가장 최근의 사항을 강조하면 기억에 남을 가능성이 높다.

"마지막으로, 그리고 가장 중요한 것은 우리 제품은 10년 보증이 제공된다는 것이에요."
기억에 남는 마지막 요점으로 보증을 강조하므로 안심을 준다.

"최종 선택하시면서 오늘 종료되는 특별 혜택을 다시 한 번 말씀 드리겠습니다."
특별 혜택은 긴급함을 강조하며 마지막 정보로 다루면 좋다.

"마지막으로 한 가지 말씀 드리면, 저희 솔루션으로 충분한 시간과 비용을 절약할 수 있습니다."
강력한 혜택에 초점을 맞춘 메시지로 마무리한다.

"마지막으로, 현재 많은 전문가들이 우리 제품을 선택하고 있습니다."
권위에 대한 설득력 있는 호소로 마무리한다.

"결론적으로, 우리만큼 광범위한 보증 기간을 제공하는 경쟁사는 없습니다."
신뢰를 중시 여기는 고객의 마음속에 가장 기억에 남는 마지막 포인트가 되도록 한다.

"마지막으로 말씀 드리고 싶은 것은 차별화하는 한마디로 24/7 고객 지원입니다."
마지막 멘트는 차별화된 숫자로 임팩트를 준다.

"마지막으로 우리 비즈니스의 핵심 가치인 지속 가능성에 대한 노력과 열정을 고려해 주셨으면 합니다."
정서적으로 공감을 불러일으키고 가치 중심적인 요점으로 마무리한다.

"결론입니다. 그 동안 고객들께서는 고객 만족도에서 꾸준히 별 다섯 개를 부여해 주셨습니다."
마지막 정보로 높은 고객 만족도에 대한 인상을 남긴다.

"그리고 기억해야 할 가장 중요한 점은 고객의 특정 요구 사항을 충족하도록 서비스를 맞춤화한다는 것입니다."
고객 중심의 서비스임을 강조하며 마무리 한다.

■   요약

최신효과는 최근이나 마지막에 받거나 발생한 것을 더 잘 기억하는 인지적 편향이다.
받아들이는 정보의 순서와 시간이 인지와 설득에서 중요한 역할을 한다.
마지막 끝부분에 가장 중요하거나 설득력 있는 정보를 배치하면 효과적이다.

■   핵심키워드

최신효과(최근성 효과), 시리얼-포지션 효과, 기억력 구조 메커니즘, 시간적 영향, 긴급성, 막판 프로모션

■   적용 질문

최신효과가 설득과 영업에서 가지는 특징들은 무엇인가?
최신효과가 설득과 영업에서 거둘 수 있는 기대효과는 무엇인가?
최신효과를 효과적으로 활용하기 위한 10가지 방법이 무엇이며, 나에게 강화해야 할 요소는 무엇인가?

제 **14** 장

예스벗(Yes, but)

∎∎◆∎∎

"충분한 Yes는 But의 기회를 부른다."
닥터 브라이언(Dr. Brian)

예스벗(Yes, but)

■ 개념

예스벗(Yes, but)기술은 "Yes-But" 기법, 또는 "Yes, and..." 또는 "Yes, but, if..." 기법으로도 알려진 것으로, 다른 당사자의 의견이나 필요에 동의("Yes")하고 나서 자신의 의견이나 영업 제안("But")을 소개하는 설득과 영업 커뮤니케이션 기법이다. 판매, 협상 및 이해관계를 유지하면서 이의나 우려를 다루어야 하는 상황에서 사용되는 설득적 커뮤니케이션 전략이다. 상대방이 제기한 이의나 우려 사항을 해결하기 위해 설득과 판매에 자주 사용되는 의사소통 기술의 하나이다. 이 개념은 이의를 인정하는 것("But" 부분)을 중심으로 진행되는 동시에 이의사항을 능가하거나 상쇄하는 긍정적인 측면이나 이점("Yes" 부분)을 강조하다. 이 기술은 개인의 관심을 장점으로 돌리면서 우려 사항을 확인하는 것을 목표로 하다. 또한, 의견에 동의하면서도 약속이나 결정을 하기 전에 여러 우려나 반대급부를 제기하는 기술이기도 하다. 여러 반대와 차이점을 극복하고 해결하면서 상대의 관점[87]과 의견을 인정한다는 점에서 설득력을 한층 높일 수 있다. 어려운 대화[88]와 설득 과정을 건설적으로 해결하기 위한 도구이다. 반면, 설득에 대한 저항력[89]이 비교적 낮은 대상일 경우 상대의 태도와 결심의 변화로 이어질

---

[87] "The Influence of Persuasive Messages on Communication Strategy and Evaluation", A. Tormala and R. E. Petty (2002)

[88] "Difficult Conversations: How to Discuss What Matters Most", Douglas Stone, Bruce Patton, and Sheila Heen

[89] "Persuasion and Its Subliminal Double: Psychological Immunity to Attitude Change Following Covert Persuasion and Its Limits", P. Briñol and R. E. Petty (2005)

수 있지만 이미 전략을 알고 이해하고 있는 경우는 덜 효과적[90]일 수 있다. 예스벗(Yes, but) 기법을 내러티브[91]식의 스토리텔링과 통합하면 잠재적인 저항을 더욱 줄이고 더욱 매력적이고 효과적인 설득력을 발휘 할 수 있다.

예스벗의 핵심 근거는 상대방의 관점을 인정함으로써 열린 의사소통과 공감을 유지하는 것이다. 상대방의 반대 의견을 이해하고 해결함으로써 신뢰와 관계를 구축할 수 있다. 예스벗(Yes, but)역학[92]으로 개인의 선택 의지를 유지시키고 존중하면서 더 나은 선택을 하는데 도움이 된다. 그 후 긍정적인 측면과 이점을 제시함으로써 설득자는 대화를 보다 유리한 결과로 이끌 수 있다. 선호하는 옵션이 선택 되기 전에 덜 유리하고 덜 매력적인 [93]대안을 제시한 후 긍정적인 측면을 강조함으로써 의사 결정자가 선호하는 옵션을 견고히 선택하거나 다른 대안이 선택하게 된다.

반대 의견을 적극적으로 경청하고 동의하여 응답("Yes")한 다음 우려 사항을 해결하는 반론, 해결책 또는 이점("But")을 제공하는 것이 포함된다. 이러한 접근 방식은 저항을 완화하고 보다 건설적인 대화를 장려할 수 있다. 그러나 대화가 이의제기에만 지나치게 집중되는 것을 방지하려면 수용과 해결 사이의 균형을 유지하는 것이 중요하다.

반대 의견을 처리하고 이해를 도모하며 긍정적인 결과를 향한 대화를 유도하는 데 매우 효과적일 수 있다. 공감과 논리적 추론을 결합함으

---

[90] "Resisting Persuasion by Suppression of the Mind", D. Wegner et al. (1987)

[91] "Narrative Persuasion and Overcoming Resistance", M. C. Green et al. (2004)

[92] "Nudge: Improving Decisions About Health, Wealth, and Happiness", Richard H. Thaler and Cass R. Sunstein

[93] "Contrast Effects in Complex Decision Making", R. H. Klatzky et al. (1989)

로써 설득자는 자신의 제안의 가치와 이점을 보여주면서 반대 의견을 헤쳐나갈 수 있다.

"설득의 예술에서 'Yes, but'으로
건설적인 대화와 해결책으로의 문을 열 수 있다."
미상(Unknown)

■ 핵심 요소

화합 구축(Rapport Building): "Yes" 또는 동의로 시작함으로써 대화에 긍정적인 톤을 부여한다. 이는 다른 당사자의 관점에 대해 열려 있다는 것을 보여주며 신뢰를 구축하는 데 도움이 된다.

공감과 이해(Empathy and Understanding): "Yes"를 말함으로써 다른 사람의 관점, 필요 또는 우려를 인정한다. 상대의 위치를 듣고 이해했다는 것을 보여주며 아이디어에 보다 개방적일 수 있게 만든다.

부드러운 전환(Soft Transition): 기법의 "But" 부분은 다른 사람의 의견을 부드럽게 거부하거나 반박하지 않고 자신의 관점이나 제안을 도입할 수 있게 한다. 대화를 여러분이 원하는 방향으로 움직일 수 있도록 돕는 역할을 한다.

협상 도구(Negotiation Too): "Yes-But"은 협상에서 효과적인 도구일 수 있다. 상충되는 입장을 인정하거나 공통의 토대를 찾으려는 의지를 보여주면서 여전히 이익을 주장할 수 있게 한다.

문제 해결(Problem Solving): 문제 해결 토론에서 사용할 수 있다. 문제를 인정("Yes, 문제를 이해한다")하고 잠재적인 해결책이나 행동 계획("But, 여기에 어떻게 대응할 수 있다...")을 제시한다.

유연성(Flexibility)과 다용도(Versatile): 이 기법은 유연하며 다양한 상황에 적용될 수 있다. 판매, 협상, 갈등 해결 또는 설득이나 영향을 미치는 필요한 상황에서 사용할 수 있다.

과도한 사용 피하기(Avoid Overuse): "Yes-But"을 과도하게 또는 예측 가능하게 사용하면 조작적이거나 진실되지 않다는 인상을 줄 수 있다. 이 기법은 상황과 상호작용에서 현명하게 사용되어야 한다.

귀를 기울이는 기술(Listening Skills): 이 기법을 효과적으로 사용하려면 적극적인 청취가 필수적이다. 다른 사람의 입장을 진정으로 이해하기 위해서이다.

맞춤화(Customization): 의도하고자 하는 상대방의 필요와 우려에 맞게 여러분의 응답을 맞춤화한다. 일반적인 "Yes-But"은 맞춤화된 것보다 효과적이지 않을 수 있다.

합의 도달(Building Consensus): 궁극적으로 목표는 양측에 이익을 주는 합의를 이루는 것이다. "Yes-But" 기법은 차이점을 인정하고 공통의 토대를 찾기 위한 도구로 대화를 원활하게 만드는 데 사용된다.

시사점: "Yes-But" 기법은 설득과 영업에서 효과적이고 가치 있는 커뮤니케이션 도구이다. 공감과 주장을 균형 있게 조화시켜 더 효과적으로 대화를 진행하고 상호 이익을 달성하는 데 도움을 준다. 그러나 어

떤 기술이든 진정하고 상황에 맞게 사용되어야 성공할 수 있다.

■　예스벗(Yes, but)을 효과적으로 활용한 대면영업 사례

✧ 고급 주얼리 브랜드 영업

A는 고급 주얼리 브랜드의 영업 대표로, 잠재 고객에게 화려한 다이아몬드 목걸이를 소개하고 있었다. 목걸이의 가격은 10,000달러였다. 목걸이를 칭찬했지만 가격 때문에 망설였으며 "아름다운데 가격이 꽤 비싸요"라고 했다.

"Yes-But" 응답으로 Emily의 가격에 대한 언급에 대해 인정했다. "네, 가격이 상당하다는 것을 이해한다. 그러나 이 목걸이가 왜 그 가격을 할 만한 가치가 있는지 설명해 보겠다"라고 말했다.

목걸이의 우수한 장인 정신, 다이아몬드의 희귀성과 품질, 수명 보증을 강조했다. 또한 목걸이의 영구적인 디자인을 언급하며 이는 여러 세대에 걸쳐 가치를 유지할 것이라고 강조했다. 이 목걸이가 단순한 구매가 아닌 계승되어야 할 보물임을 강조했다.

가격 때문에 초기에 망설이던 고객은 설득력 있는 프레젠테이션에 납득하게 되었다.　목걸이의 장기 가치와 감정적인 의미를 인식했으며 10,000달러의 목걸이를 구매하기로 결정했다.

우려사항 인정(Acknowledge and Validate Concerns): 가격에 대한 우려를 인정하며 공감과 이해를 나타냈다.

독특한 가치 강조(Highlight Unique Value): 제품의 품질, 디자인 및 보증에 대한 구체적인 세부 정보를 제공함으로써 가격을 정당화하는 독특한 가치임을 입증했다.

감정에 호소(Appeal to Emotions): 보석을 상속으로서의 역할을 언급함으로써 구매의 즉각적인 비용을 넘어서 연결을 만들었다.

교육과 정보 제공(Educate and Inform): 제품에 대한 지식을 가지고 고객이 정보에 접근하고 인식을 가질 수 있도록 도와야 한다.

판매 클로징(Close the Sale): "Yes-But" 기술은 고객의 이의를 극복하고 가격에 대한 우려로 인해 놓치게 될 수 있는 판매에 성공적으로 활용될 수 있음을 보여준다.

시사점 :"Yes-But" 기술을 대면 판매에서 생각과 전략적으로 적용할 때 고객의 이의에 대응하고 성공적 결과로 이끌 수 있는 중요한 도구임을 보여준다.

✧ 고급 자동차 판매

A는 자동차 딜러쉽에서 판매원으로 일하고 있었다. 잠재 고객에게 고급 자동차를 판매하려고 했다. 이 자동차의 가격은 70,000달러였고 관심을 가졌지만 높은 가격 때문에 주저하고 있었다. "이 자동차는 정말 좋아 보이지만 제가 생각한 것보다 비싸요." 라고 말했다.

"Yes-But" 기법의 효과적인 사용

걱정을 인정하고 "가격이 중요한 요소인 것을 완전히 이해한다. 그러나

이 자동차가 모든 돈을 충분히 가치 있게 만드는 이유를 설명해 보겠다." 라고 응답했다.

자동차의 안전 기능, 고급 기술 및 탁월한 성능을 강조했다. 이 자동차가 가족의 안전뿐만 아니라 편안함과 스타일을 제공할 뿐만 아니라 투자의 가치도 확보할 것이라 강조했다. 또한 이 자동차의 뛰어난 재판매 가치와 소유에 따른 명성을 언급했다.

초기 가격 때문에 주저했지만 설득력 있는 설명으로 인해 의견이 바뀌었다. 이 자동차를 가족의 안전에 대한 투자로 보고 70,000달러에 구매하기로 결정했다.

시사점

고민 인정: 가격에 대한 우려를 인정하여 공감과 이해를 표현했다.

독특한 가치 강조: 자동차의 독특한 가치를 효과적으로 강조하여 안전, 기술 및 명성에 중점을 두었다.

장기 혜택: 자동차의 장기 혜택과 가치 유지를 강조하여 매력적인 선택으로 만들었다.

감정적 공감대 형성: 가족 안전을 언급함으로써 감정에 호소하여 구매 결정을 더 개인적으로 만들었다.

클로징: "Yes-But" 기법은 초기 가격 이의를 극복하고 판매를 성공적으로 마감하는 데 중요한 역할을 했다.

"Yes-But" 기법을 사용하여 고객의 우려를 해결하고 제품의 독특한 가치와 이점을 기반으로 구매 결정을 설득하는 데 판매에서 활용할 수 있는 방법을 보여준다.

> "숙련된 영업사는 'Yes, but'으로
> 고객의 필요를 이해하는 데 발판이 될 수 있다는 것을 안다."
>
> 미상(Unknown)

■ 예스벗(Yes, but)을 부정적으로 활용한 대면영업 사례

✧ 고급 주얼리 영업

A는 고급 주얼리 가게의 판매원으로 일하고 있었다. 잠재고객은 약혼 반지를 사려고 했으며 특정한 예산을 생각하고 있었다. 아름다우면서 동시에 가격이 합리적인 반지를 찾고 있었다. 마음에 드는 반지를 찾았지만 가격에 대한 걱정이 있었다.
"당신이 합리적인 가격대의 제품을 원한다는 것을 이해하지만, 이 제품은 저희 가게에서 가장 좋은 반지이며 평생 사용할 수 있을 것이다."

"Yes-But" 기법의 부정적 사용으로 고객은 압박을 느끼고 불편함을 느꼈다. 그 가게에서 반지를 구매하지 않기로 결정했다

유연성 부족(Inflexibility): 고객의 예산을 고려하지 않고 예산 범위 내에서 고민하지 않아 부정적인 인상을 심어주었다. 고객의 예산에 맞는 옵션을 제공하는 유연성은 매우 중요하다.

압박과 도움(Pressure vs. Assistance): 고객에게 압박을 주는 대신, 고객이 올바른 선택을 할 수 있도록 도움을 주고 제안을 해야 한다. 고객 접근이 강압적이며 역효과를 낳았다.

고객 중심 접근(Customer-Centric Approach): 판매는 고객 중심이어야 한다. 예산을 준수하면서도 품질과 아름다움을 제공하는 반지를 찾는 데 중점을 두어야 했다.

신뢰 구축(Building Trust): "Yes-But" 기법의 부정적 사용은 신뢰를 훼손시켰다. 판매에서는 신뢰 구축이 중요하며 지나치게 압박을 가하면 잠재적인 고객을 잃을 수 있다.

시사점 :"Yes-But" 기법이 부정적으로 사용될 때 어떻게 고객의 경험을 해치고 잠재적인 판매를 잃을 수 있는지를 보여주며, 판매 상호작용에서는 더 고객 중심적이고 공감적인 접근이 채택되어야 함을 보여준다

✧ 소프트웨어 영업

A는 기술 회사의 영업 대표로서 소프트웨어 패키지를 잠재 고객에게 판매하려고 노력하고 있었다. 소프트웨어의 높은 가격과 그것을 예산에 어떻게 맞출 것인지에 대한 우려를 표현했다. 더 저렴한 솔루션이 필요하다고 언급했다.
다음과 같이 대답했다. "네, 예산이 문제라는 것을 이해하지만, 우리 소프트웨어가 시장에서 가장 우수하다는 것은 기정 사실입니다. 그 기능과 역량을 맞춰볼 만한 것은 찾을 수 없을 겁니다. 게다가, 우리 소프트웨어에 투자하는 것은 놓치면 안 될 성장의 기회입니다."

예산상황을 진정으로 이해 받지 않았고 비싼 제품을 강요 받고 있다고 느꼈다. 구매를 진행하지 않기로 결정하고 회사에 대한 부정적인 인상을 갖게 되었다.

예산 부족 무시(Ignoring Budget Constraints): "Yes-But" 기법을 부정적으로 오용함으로써 David의 예산 상황을 무시한 큰 실수를 저질렀다. 영업인은 고객의 재정 한도에 맞는 솔루션을 찾기 위해 협력해야 한다.

가치보다 기능 강조(Pushing Features Over Value): 소프트웨어의 기능에 너무 많은 중점을 두었으며 그것이 비즈니스에 어떻게 가치를 제공하는지 강조하지 않았다. 제품이 고객의 특정 요구 사항을 어떻게 충족시키고 투자 대비 수익을 가져올지 보여주는 것이 중요하다.

친밀도 구축(Building Rapport): 영업인은 고객의 우려를 듣고 협력하여 해결책을 찾아야 한다. 제품을 과도하게 밀어붙이는 것은 고객-영업인 간의 관계를 손상시킬 수 있다.

"Yes, but'의 마법은 이의 제기를
합의의 기회로 변화시킬 수 있는 능력에 있다."
미상(Unknown)

■ 예스벗(Yes, but)을 효과적으로 활용하기 위한 10가지 방법

핵심 개념 이해(Understanding the Core Concept)

"Yes-But" 기술은 상대의 우려나 이의를 "Yes"로 인정한 뒤 "But"을 통해 반박 또는 해결책을 제시하는 기법을 포함한다.
이 기술은 다른 사람의 시각을 공감하면서 설득적인 주장으로 원활하게 전환하는 것을 목표로 한다.

예시: 고객이 제품 비용에 대한 우려를 표현하면, "네, 비용이 중요한 고려 요소임을 이해합니다. 하지만 초기 비용을 뛰어넘는 장기적인 절약이 어떻게 이루어지는지 설명해 드릴게요."

적극적인 청취(Active Listening)

"Yes-But" 기술을 사용하기 전에 상대의 이의와 우려를 주의 깊게 청취하여 완전한 이해를 도모한다. 적극적인 청취는 관계를 구축하고 효과적으로 대응하기 위한 기초를 마련한다.

예시: 프로젝트 일정에 대한 고객의 우려를 들을 때, "네, 일정에 대한 우려를 이해합니다. 하지만 우리가 고객님의 요구를 수용할 수 있도록 일정을 조정하는 방법을 논의해 보겠습니다."

공감과 인정(Empathy and Validation)

상대의 감정과 시각을 공감하고 인정하기 위해 공감과 인정으로 시작한다. 이는 긍정적인 분위기를 조성하고 더 건설적인 대화의 문을 연다.

예시: 동료가 업무 상황에 대한 좌절감을 표현하면, "네, 왜 좌절하고 계시는지 이해합니다. 하지만 우리가 함께 해결책을 찾아보는 것이 좋을 것 같습니다."

공통 목표 강조(Highlighting Common Ground)

공통 목표나 공유된 목적을 식별하여 대조적인 시각을 도입하기 전에 공감대를 확립한다. 공통성을 높이는 것은 협력의 느낌을 유발한다.

예시: 협상에서 "네, 우리 모두 상호 이익을 얻고 싶어하는 것 같습니다. 하지만 우리의 이익을 더욱 일치시킬 방법을 생각해 보겠습니다."

근거와 이점 제시(Providing Evidence and Benefits)

이의를 인정한 후 실제 근거를 제시하고 이점을 강조한다. 데이터와 이점을 제시함으로써 주장을 강화한다.

예시: 고객의 가격 이의에 대응할 때, "네, 비용이 고려해야 할 부분임을 이해한다. 하지만 이 가격으로 얻게 되는 추가 가치와 기능을 고려해 보세요."

맞춤형 해결책(Customized Solutions)

"Yes-But" 응답을 특정 이의나 우려에 대응하도록 맞춤화한다. 맞춤형 응답은 진정한 해결을 찾고자 하는 진심을 보여준다.

예시: 고객이 서비스의 적합성에 대한 의문을 표현하면, "네, 처음에는 완벽한 맞춤형이 아닌 것 같을 수 있습니다. 하지만 우리는 우리의 서비스를 정확히 맞춤화하여 고객님의 요구 사항을 충족시킬 수 있습니

다."

순차적으로 이의 다루기 (Handling Objections Sequentially)

이의를 하나씩 다루어 "Yes-But" 응답을 제공하며 여러분의 입장을 강화한다. 이 방법은 상대를 압박하지 않고 구조적인 토론을 가능하게 한다.

예시: 고객이 다수의 이의를 제기하면, "네, 여러분의 우려 중 하나씩 다루겠습니다. 먼저 제품의 신뢰성에 대해 이야기해 보겠습니다."

질문 독려 (Encourage Questions)

반박을 제시한 후 질문이나 추가 토론을 장려하여 참여를 촉진하고 남은 의문을 명확히 해 준다. 질문을 독려하면 참여가 증가하고 잔여 의문이 명확해진다.

예시: "저희의 'Yes-But' 응답 이후 추가 질문이나 의견을 자유롭게 공유해 주세요."

합의 확인 (Seeking Agreement)

반박을 제시한 후 이해하거나 합의 여부를 확인한다. 이해의 폭이 넓어지면 더 생산적인 대화로 이어질 가능성이 높아진다.

예시: "이 접근 방식이 프로젝트에 어떤 이점을 제공하는지 이해하시나요? 고려해 볼 사항이 또 있을까요?"

예의와 정중함 유지 (Maintaining Respect and Politeness)

"Yes-But" 기술을 사용하면서 예의와 정중함을 유지한다.
예의 있는 의사 소통은 관계를 유지하고 상대가 주장을 받아들이도록
격려한다.

예시: "당신의 의견을 감사하게 생각하며, 함께 최적의 해결책을 찾을
수 있다고 믿습니다."

"Yes, but' 기술은 의사 소통과 문제 해결에서의 돌파구를 열 수 있다."
미상(Unknown)

☞　**Yes-but 멘트**

*"네, 설치 과정이 걱정되시겠지만 저희 팀이 모든 것을 처리하여 원활
하게 전환할 수 있도록 도와드리겠습니다."*
걱정을 먼저 공감하고, 설치 복잡성에 대한 우려를 해결하여 안심할
수 있도록 한다.

*"예, 이 모델은 처음에 고려했던 것보다 약간 더 크지만 증가하는 요구
사항을 수용하고 향후 업그레이드의 필요성을 방지할 수 있습니다."*
크기 우려를 인정하면서도 미래 대비에 초점을 맞춘다.

"예, 이전 버전을 선호하는 분들도 있지만 새 모델은 장기적으로 시간

과 비용을 절약할 수 있는 고급 기능을 제공합니다."
이전 모델에 대한 선호를 인정하면서도 새 모델의 이점을 강조한다.

"예, 서비스 플랜이 추가 비용처럼 보일 수 있지만 예상치 못한 수리 또는 유지보수 비용이 발생하지 않도록 보장합니다."
추가 비용은 인정하지만 장기적인 재정적 이점을 강조한다.

"예, 상당한 투자가 필요하지만 운영에 얼마나 많은 효율성과 생산성이 추가될지 고려해보세요."
투자 규모를 인정하면서 효율성 측면에서 얻을 수 있는 수익을 강조한다.

"예, 더 저렴한 대안을 찾을 수 있지만 저희와 동일한 보증 및 구매 후 지원을 제공하는 곳은 없습니다."
더 저렴한 옵션의 존재를 언급하면서도 우수한 보증과 지원을 강조한다.

"예, 납기가 긴 것은 사실이지만 고객의 특정 요구 사항을 충족하기 위해 각 장치를 맞춤 제작하기 때문에 만족도가 더 높습니다."
리드 타임이 길다는 점을 인정하면서도 맞춤화 수준이 높다는 점을 강조한다.

"네, 비슷한 제품이 시중에 나와 있지만 저희는 전담 고객 서비스와 지원으로 차별화됩니다."
기존 유사 제품이 있음을 인정하지만 우수한 고객 서비스를 강조한다.

"예, 현재 프로세스에 변화가 필요하지만 운영을 간소화하고 전반적인 효율성을 개선할 수 있습니다."
필요한 변화를 인정하지만 운영상의 이점에 중점을 둡니다.

"예, 시스템이 복잡해 보인다는 데 동의하지만, 사용하기 쉽도록 광범위한 교육과 사용자 친화적인 인터페이스를 제공합니다."
시스템의 복잡성을 인정하지만 교육과 사용자 친화적인 설계로 안심시킨다.

■ 요약

당사자의 의견에 동의하고 나서 자신의 의견이나 영업 제안을 소개하는 기법이다.
이의제기를 인정하는 것을 중심으로 그것을 능가하는 긍정적인 급부를 제시하는 것이다.
상대의 선택의지를 유지시키고 존중하면서 더 나은 선택을 하도록 돕는다.

■ 핵심키워드

예스벗(Yes, but), Yes, and, Yes, but, if., 경청, 공감과 이해, 부드러운 전환, 순차적 이의 다루기, 유연성과 다용성, 적극적 경청기술, 합의 구축, 질문독려, 예의와 정중함

■ 적용 질문

예스벗이 설득과 영업에서 가지는 특징들은 무엇인가?
예스벗으로 설득과 영업에서 거둘 수 있는 기대효과는 무엇인가?
설득과 영업에서 예스벗을 효과적으로 활용할 수 있는 10가지 방법은 무엇이고 나에게 강화해야 할 요소는 무엇인가?

제 15 장

앵커링(Anchoring)

"누구든 안정적인 앵커(닻)을 내려주기를 고대한다."
닥터 브라이언(Dr. Brian)

앵커링(Anchoring)

■ 개념

앵커링(Anchoring)은 의사결정을 내릴 때 접하게 되는 첫 번째 정보에 크게 의존하는 인간의 경향을 중심으로 하는 설득 및 판매의 인지적 편향[94]이다. "앵커"라고 알려진 이 초기 정보는 이후의 판단과 선택에 영향을 미치는 기준점 역할을 한다. 앵커링의 개념은 행동경제학과 심리학에 뿌리를 두고 있으며 사람들이 가치, 가격 책정 및 옵션을 인식하는 방식에 중요한 역할을 한다.

특정한 정보나 가치를 기준점이나 "앵커"로 제시한 다음, 그 앵커와 관련된 후속 요청이나 제안을 하는 설득 기법이다. 앵커는 대상이 후속 정보나 요청을 어떻게 인식하는지에 영향을 미칠 것이라는 생각이다.

앵커는 숫자 값, 비교 또는 후속 요청 또는 제안과 관련된 기타 정보가 될 수 있다. 예를 들어, 소매업자는 고가의 품목을 앵커로 광고한 다음, 저가의 품목이 여전히 비쌀 수 있음에도 불구하고 더 매력적인 옵션으로 제시할 수 있다.

앵커링 효과는 우리의 뇌가 새로운 정보를 평가하기 위한 정서적 지름길로 앵커를 사용하기 때문에 발생한다. 초기 형성된 가격적 앵커의 경우라면 고객의 제품에 대한 지불 의지에 영향을 주어 선호도[95]와 결

---

[94] "Judgment Under Uncertainty: Heuristics and Biases", Amos Tversky and Daniel Kahneman (1974)

[95] "Anchoring Effects on Consumers' Willingness-to-Pay and Willingness-to-Accept", Daniel Read and George Loewenstein (1995)

정으로 이어지는 것이다. 앵커에 노출되면 앵커에 대한 새로운 정보의 근접성에 따라 판단이나 결정을 조정하려고 한다. 그러나, 이러한 조정은 초기 앵커링이 결과에 대한 예측을 고정시키기 때문에 초기 앵커를 충분히 조정되기 쉽지 않고 체계적인 편견[96]으로 이어져 편향된 결과를 초래하는 경우가 많다. 기준점에 대한 인지 편향[97]을 형성해 지불 의향에 대한 임계값[98]에 영향을 미치는 것이다. 불확실성하에서는 현재의 결정과 관련이 없더라도 더욱 초기에 제공된 정보에 의존도가 크게 작용하는 경향을 보인다. 초기 앵커에서 강력한 앵커가 상당한 영향을 미치긴 하지만 비합리적인 결정에 이르게 할 정도는 아니다. 학습과 교육 환경에서는 종종 앵커에 대한 단기 노출조차도 학습 성과에 주목할 만한 영향을 미치기도 한다. 설득에서 앵커링 기술의 중요성은 사람들이 종종 결정을 내릴 때 정신적인 지름길, 즉 휴리스틱에 의존한다는 사실에 있다. 앵커링은 사람들이 후속 정보나 요청을 인식하는 방식을 형성함으로써 강력한 휴리스틱 역할을 할 수 있다. 설득자가 원하는 결과에 유리한 닻을 설정함으로써, 설득자는 후속 정보나 요청에 대한 대상의 인식에 영향을 미치고 긍정적인 결과의 가능성을 높일 수 있다.

예를 들어, 자동차 딜러는 고객에게 고가의 고급차를 앵커로 보여준 다음, 저가의 차가 고객의 원래 예산보다 여전히 더 비쌀 수 있음에도 불구하고 보다 합리적인 옵션으로 제시함으로써 앵커링을 사용할 수 있다. 딜러는 높은 가격대에 앵커를 설정함으로써 비교적 저렴한 가격의 차를 더 저렴하고 매력적으로 보이게 하기를 바라고 있다.

---

[96] "The Role of Anchoring in Judgment and Decision Making", Thomas Mussweiler and Fritz Strack (1999)

[97] "Judgment Under Uncertainty: Heuristics and Biases", Amos Tversky and Daniel Kahneman (1974)

[98] "The Perils of High Reference Points", Christopher K. Hsee (1996)

가격 책정 전략에서 목표 제품보다 더 높은 가격의 옵션을 제시하면 목표 가격이 더 합리적이고 매력적으로 보일 수 있다. 협상에서는 극단적인 제안으로 시작하는 것이 더 유리한 합의로 이어질 수 있다. 앵커링은 초기 가격을 설정하거나 프리미엄 패키지를 제시하는 것이 고객의 가치 인식을 안내할 수 있는 강력한 판매 도구이다.

앵커링은 조작에 관한 것이 아니라 인간의 의사 결정이 어떻게 작동하는지 이해하는 것이 중요하다. 전략적으로 앵커를 도입함으로써 기업은 고객의 인식을 형성하고 선택을 안내하며 유리한 결과의 잠재력을 극대화할 수 있다. 그러나 신뢰를 구축하고 장기적인 고객 관계를 유지하려면 앵커링을 윤리적이고 투명하게 사용해야 한다.

앵커링 기술은 윤리적인 방법과 비윤리적인 방법으로 모두 사용될 수 있다는 점에 유의해야 한다. 앵커링의 윤리적 사용은 기술을 투명하게 사용하고 후속 요청 또는 제안과 관련된 앵커를 설정하는 것을 포함한다. 앵커링의 비윤리적인 사용은 관련이 없거나 오해의 소지가 있는 앵커를 설정하는 것을 포함하며, 이는 기만적이고 조작적일 수 있다.

부동산 매매에서의 경우, 부동산 중개인들은 종종 주택 구매자들이 제안을 하도록 설득하기 위해 앵커링 기술을 사용한다. 예를 들어 닻을 내릴 예산 밖의 고가 부동산을 구매자에게 보여준 뒤 여전히 예산보다 높은 저가 부동산을 보여주는 식이다. 고가 부동산을 닻으로 설정함으로써 저가 부동산이 더 합리적이고 매력적으로 보일 수 있어 매수자가 매물을 내놓을 가능성이 높아진다.

협상에서 협상가들은 상대방이 유리한 거래에 동의하도록 설득하기 위해 앵커링을 사용할 수 있다. 예를 들어, 그들은 닻을 내리기 위해 그들이 받을 것으로 예상되는 것보다 더 높은 최초 가격을 제시 할 수 있다. 그러면 그들은 그들의 원래 예상보다 여전히 높은 더 합리적인 대안을 제시할 수 있고, 그에 비해 그 대안은 더 유리해 보인다.

메뉴 설계에서 식당들은 앵커링을 이용하여 고객들이 메뉴에 있는 특정 품목들을 주문하도록 설득할 수 있다. 예를 들어, 메뉴의 맨 위에 비싼 요리를 놓고, 그 다음에 덜 비싼 음식들을 순차적으로 배치 한다. 비싼 품목을 앵커로 설정함으로써, 나머지 메뉴는 더 저렴해 보이고 더 많은 주문을 유도할 수 있다.

■ 핵심 요소

초기 정보의 중요성(Initial Information Matters): 앵커링의 주요 교훈은 고객에게 제시하는 초기 정보나 가격이 그들의 가치 판단에 큰 영향을 미칠 수 있다는 것이다. 따라서 앵커를 전략적으로 선택하는 것이 중요하다.

가격 설정(Price Framing): 앵커링은 주로 가격 전략에서 사용된다. 예를 들어 고객에게 낮은 가격 대안을 제시하기 전에 높은 가격 옵션을 먼저 보여주면 낮은 가격은 더 합리적이거나 심지어는 특가로 보일 수 있다.

가치 인식(Perceived Value): 앵커링은 고객이 제품이나 서비스의 가치를 어떻게 인식하는지에 영향을 미칠 수 있다. 높은 앵커는 중간 가격의 제품이 좋은 거래로 보이게 하고, 낮은 앵커는 비싸게 느끼게 할 수 있다.

협상(Negotiation): 앵커링은 협상에서도 효과적이다. 판매자로서 높은 초기 제안을 시작하면 협상을 제안자 입장에서 유리하게 만들 수 있다. 반대로 구매자로서 낮은 대안 제안을 시작하면 보다 유리한 앵커를 설정할 수 있다.

문맥의 중요성(Context Matters): 앵커가 제시되는 문맥이 중요하다. 앵커가 결정과 관련이 있는 경우에 앵커링이 가장 효과적이다. 예를 들어 자동차를 판매할 때, 럭셔리 자동차의 가격으로 앵커를 설정하는 것이 비슷한 모델의 가격으로 앵커를 설정하는 것보다 효과적일 수 있다.

윤리적 고려(Ethical Considerations): 앵커링은 강력한 도구일 수 있지만, 윤리적으로 사용해야 한다. 고객을 인위적으로 높은 앵커로 속이는 것은 신뢰를 훼손하고 장기적으로는 평판에 손상을 줄 수 있다.

유연성(Flexibility): 고객의 반응과 피드백을 기반으로 앵커를 조절할 준비를 해야 한다. 고객이 앵커를 합리적으로 인식하지 못할 경우, 유연하게 협상할 준비가 필요하다.

테스트와 학습(Testing and Learning): 특정 대상군에게 앵커링이 어떻게 작용하는지 이해하기 위해 실험은 중요하다. 다양한 앵커 포인트를 시험하고 고객의 반응을 모니터링하여 시간이 지남에 따라 전략을 개선한다.

고객의 이해(Customer Knowledge): 일부 고객은 앵커링 개념을 이해할 수 있으므로 특히 신중하게 사용해야 한다. 이러한 경우에는 앵커링의 효과가 줄어들 수 있으므로 신중한 사용이 중요하다.

다른 설득 기술과 결합(Combine with Other Persuasion Techniques): 앵커링은 종종 희소성, 사회적 증거 등과 같은 다른 설득 기술과 결합하여 사용할 때 더 강력하다. 이러한 기술을 결합하면

보다 효과적인 영업 전략을 만들 수 있다.

"처음 제안은 그 뒤에 오는 모든 것을 결정한다."
윌리엄 진서 (William Zinsser)

■ 앵커링(Anchoring)의 대표적인 사례들

부동산 가격 전략: 부동산 중개인이 부동산을 120만 달러에 등록하고 의도적으로 더 높은 기준 가격을 설정했다. 여러 제안을 받은 후 해당 부동산은 예상 시장 가치인 $900,000보다 높은 $100만 달러에 판매되었다.

레스토랑 메뉴 가격(Menu Pricing in a Restaurant): 고급 레스토랑에서는 $150 가격의 "고급" 요리를 메뉴 상단에 배치하여 다른 항목에 대한 기준점을 만들었다. 고객은 $70-$80 정도의 가격이 책정된 요리를 선택할 가능성이 더 높으며 더 높은 가격의 앵커에 비해 합리적이라고 인식한다.

기술 제품 번들 (Technology Product Bundles): 전자제품 소매업체에서는 노트북, 액세서리, 소프트웨어가 포함된 프리미엄 번들을 2,500달러에 제공하고 소규모 번들도 제공했다. 고객은 $1,200 번들을 더 높은 가격의 앵커에 비해 더 나은 가치로 인식하여 선택하는 경향이 있다.

협상 전략(Negotiation Strategy): 급여 협상 중 후보자가 처음에 예상보다 높은 급여를 제안하여 앵커 역할을 했다. 최종 협상된 급여는 후보자의 초기 기준에 더 가까워져 처음 예상했던 것보다 더 높은 급여를 받게 된다.

온라인 소매 할인(Online Retail Discounts): 온라인 소매업체는 제품의 원래 가격인 $200에 대해 한시적으로 30% 할인을 제공했다. 기준 가격이 더 높은 가치에 대한 초기 인식을 설정하므로 할인 후에도 고객은 좋은 거래를 인식했다.

시사점 : 앵커링이 어떻게 고객의 가치 인식에 효과적으로 영향을 미치고 의사 결정을 안내하며 다양한 판매 및 설득 시나리오에서 원하는 결과를 얻을 수 있는지 보여준다. 앵커링 기술을 능숙하게 사용함으로써 기업은 고객의 지불 의향을 형성하고 구매 결정을 유도하며 궁극적으로 고객의 성공에 기여하는 기준점을 만들 수 있다.

기만적인 자동차 판매 상황: 자동차 판매원이 차량 가격을 $40,000라는 높은 기준 가격으로 제시하여 고객이 $30,000의 실제 가격으로 큰 거래를 받고 있다고 믿게 만들었다. 고객은 다른 방법으로는 고려하지 않았을 수도 있는 구매를 해야 한다는 압박감을 느끼고, 실제 가치를 알게 되면 구매자는 후회하게 된다.

고가의 명품 브랜드(Overpriced Luxury Goods): 한 명품 브랜드는 제품 가격을 $10,000라는 엄청난 금액으로 책정하여 다른 제품의 기반을 마련했다. 고객은 적당한 가격의 품목이라도 비싸다고 인식하여 매출 감소와 브랜드 평판 손상으로 이어진다.

합당하지 않은 소프트웨어 가격(Unjustified Software Pricing): 한 소프트웨어 회사가 자사 제품의 "프리미엄" 버전을 500달러에 출시하고 기본 버전은 100달러에 출시한다. 둘 사이에는 실질적인 차이가 없다.

고객은 제품 구매에 대한 조작을 느끼며 부정적인 리뷰를 초래하고 전체 매출이 감소한다.

불필요한 상향 판매(Unnecessary Upselling): 고객이 800달러짜리 노트북을 구입하기 위해 전자제품 매장을 방문했다. 영업사원은 1,500달러의 프리미엄 모델을 제안하므로 800달러짜리 노트북이 더 합리적으로 보였다. 고객은 의도하지 않은 구매에 대한 압박감을 느낄 수 있으며, 이는 구매자의 후회와 부정적인 입소문으로 이어질 수 있다.

오해의 소지가 있는 여행 패키지(Misleading Travel Packages): 여행사가 "50% 할인" 프로모션으로 휴가 패키지를 광고했지만 원래 가격이 부풀려져 할인 효과가 덜해졌다. 고객은 패키지의 진정한 가격수준을 알았을 때 속임과 실망감을 느끼게 되어 신뢰를 잃게 될 수 있다.

시사점 :고객의 인식을 조작하기 위해 앵커링을 비윤리적으로 사용하여 불신, 불만, 부정적인 고객 경험과 같은 바람직하지 않은 결과를 초래한다는 점을 강조한다. 기업이 고객 신뢰를 유지하고 장기적인 관계를 육성하려면 책임감 있고 투명하게 앵커링을 사용하는 것이 중요 하다.

"높게 시작하고 내려가라."
크리스 보스 (Chris Voss)

■　　앵커링(Anchoring)을 효과적으로 활용한 대면 영업 사례들

✧ 명품 시계 판매 상담

A는 고급 명품 시계를 판매하는 숙련된 판매원으로, 명품 보석 가게에서 일하고 있었다. 잠재 고객이 들어와 명품 시계를 구매하려고 했다. 5,000달러에서 6,000달러 사이의 가격대에서 시계를 찾고 있었다.

고객과 상호작용할 때, 우선 15,000달러로 가격이 정해진 한정판 시계를 보여주었다. 그 시계의 섬세한 세공, 독특한 디자인, 특별한 소재 등을 강조하며 시작 앵커로 활용했다. 높은 앵커로 시작함으로써 참고할 수 있는 기준점을 만들었다.

다음으로 9,000달러에 가격이 정해진 시계를 보여주었는데, 그 시계를 가게 내에서 "가장 가치 있는" 옵션으로 소개했다. 이 시계의 특징, 품질 및 희소성을 15,000달러짜리 시계와 비교하여 가격과 가치 면에서 합리적인 선택으로 보이게 했다.

마지막으로 원래 예산 범위 내에 있는 6,500달러에 가격이 정해진 시계를 제시했다. 원래 5,000달러에서 6,000달러 사이를 계획했지만, 이 시계는 훌륭한 가치로 느끼게 되어 6,500달러짜리 시계를 구매하게 되었다.

높게 시작(Starting High): 높은 가격대의 상품으로 시작함으로써 고객의 기대를 앵커링하고 6,500달러짜리 시계가 더 저렴하게 느껴지도록 했다.

가치 인식(Value Perception): 앵커링은 처음에 고려하지 않았던 예산을 넘어가더라도 6,500달러짜리 시계를 지불할 만한 가치 있는 구매로 인식하게 도왔다.

비교 판매(Comparative Selling): 다양한 시계와 그들의 특징을 비교하여 고객에게 정보를 제공함으로써 고객은 자신이 정보에 기반해 결정을 내린 것으로 느꼈다.

기준점 생성(Creating a Reference Point): 앵커링은 고객이 처음 예산 내에서 고려했던 제품에 대한 인식을 바꿀 수 있는 기준점을 만들어냈다.

효과적인 커뮤니케이션(Effective Communication): 각 시계의 독특한 특성을 효과적으로 전달하여 제시했던 제품의 가치에 대한 인식을 높였다.

시사점 :어떻게 앵커링이 대면 판매에서 효과적으로 사용되어 고객의 선택에 영향을 주고 초기에 고려하지 않았던 구매를 이끌어내는 데 기여할 수 있는지를 보여주는 사례이다.

✧ 부동산 중개 상담

A는 부동산 에이전트로, 고객 커플에게 교외 지역의 다양한 주택을 보여주고 있었다. 첫 주택을 찾고 있었으며 30만 달러의 예산을 가지고 있었다. 이 지역의 주택 가격이 25만 달러에서 40만 달러까지 다양하다는 것을 알고 있었다.

그들의 투어 중, 40만 달러에 가격이 책정된 아름다운 주택을 먼저 보여주었다. 이 주택의 넓은 구조, 현대적인 편의 시설 및 명품 이웃을 강조했다. 이 높은 가격의 주택은 초기 앵커로 작용했다.

다음으로, 35만 달러에 가격이 책정된 주택을 보여주었고, 이 주택을 지역과 기능을 고려할 때 "우수한 매물"이라고 설명했다. 이 주택이

40만 달러짜리 주택과 유리한 비교를 할 만하다고 강조했다. 이것은 35만 달러짜리 주택을 저렴한 가격으로 보이게 했다.

마지막으로, 예산 내에 있는 30만 달러짜리 주택을 보여주었다. 이 주택은 그들의 예산 안에 있으며, 이 주택이 35만 달러짜리 주택보다 더 저렴하다는 점을 강조했다. 그 결과, 30만 달러짜리 주택을 선택했다. 그들은 40만 달러짜리 주택과 비교했을 때 훌륭한 제안을 받았다고 느끼며, 예산 내에서 이주를 선택했다.

앵커 설정(Setting the Anchor): 효과적으로 40만 달러짜리 주택을 높은 앵커로 설정하였으며, 고객의 가치 인식에 영향을 미쳤다.

비교적 가치(Comparative Value): 조금 더 저렴한 옵션을 보여주면서, 35만 달러짜리 주택을 유리한 선택으로 만들었다.

예산 친화적 옵션(Budget-Friendly Option): 30만 달러짜리 주택은 높은 가격의 주택과 비교했을 때 예산에 맞는 선택으로 보였다.

인식된 가치(Perceived Value): 앵커 설정은 가치 인식을 조성하여 고객이 그렇지 않았을지도 모를 옵션을 선택하게 한다.

예산에 맞게 조정(Tailoring to Budget): 최종 선택이 고객의 예산 내에 있도록 하여 그들의 금전적 제약을 충족시켰다.

시사점 : 부동산 판매에서 앵커를 효과적으로 사용하여 고객의 선택을 이끌어내고 그들의 예산 내에서 부동산을 보다 매력적으로 만드는 방법을 보여준다.

"사람들은 비록 임의로 설정했더라도 첫 번째 숫자에 더 영향을 받는다"
댄 아리얼리 (Dan Ariely)

■ 앵커링(Anchoring)을 부정적으로 이용한 대면 영업 사례들

✧ 노트북 영업에서 앵커 사용의 오용

A는 전자제품 매장에서 새 노트북을 살 생각으로 방문했다. 특정 예산을 생각하고 있었으며 그 예산 안에서 구매할 수 있는 노트북을 찾고 있었다. 노트북을 둘러보던 중, 그에게 접근했다.

가격이 2,000달러인 최신 모델의 고급 노트북을 보여주었다. 노트북의 탁월한 사양과 기능을 강조하기 시작했고 가격표를 보여주었다. 처음에 높은 가격에 놀랐지만 설명을 주의 깊게 듣고 있었다.

비싼 노트북에 대한 논의를 마치고, 가격이 1,000달러인 중급 노트북을 보여주었다. 이 노트북이 방금 전에 보여준 2,000달러짜리 노트북에 비해 "할인된 제안"임을 강조했다. 2,000달러짜리 노트북을 앵커로 사용하여 1,000달러짜리 노트북을 정말 좋은 거래로 보이게 했다.

2,000달러짜리 노트북과 비교해 싸게 느껴지자, 1,000달러짜리 노트북을 구매하기로 결정했다.

불필요한 앵커링(Unnecessary Anchoring): 고객의 예산이나 필요에 관련이 없는 높은 가격의 노트북을 앵커로 사용했다. 이로 인해 중급 노트북의 가치에 대한 거짓된 느낌이 만들어졌다.

인식 조작(Manipulating Perception): 노트북 가치에 대한 고객의 인식을 조작했다.

원치 않는 구매(Unwanted Purchases): 실제 요구 사항이나 금전적 예산과 부합하지 않을 수도 있는 노트북을 구매했다.

신뢰 저해(Trust Erosion): 이러한 부정적인 앵커링 전술은 판매원과 고객 사이의 신뢰를 저해하며 부정적인 쇼핑 경험으로 이어질 수 있다.

고객 요구 사항 이해(Understanding Customer Needs): 판매원은 관련 없는 앵커 포인트를 사용하는 대신 고객의 특정 요구 사항과 예산을 이해하는 데 중점을 두어야 한다.

시사점 : 앵커링을 부정적으로 사용할 때 고객이 실제로 필요하거나 금전적 한도와 일치하지 않는 구매를 할 수 있으며, 윤리적인 영업 방법과 고객의 특정 요구 사항을 이해하는 중요성을 강조한다.

✧ **부동산 판매에서 앵커 사용의 오용**

A는 부동산 에이전트로, 판매자가 그의 교외 주택을 판매하길 원했다. 판매자는 특정 가격을 원했지만, 앵커링을 사용하면 더 높은 판매 가격을 유도할 수 있을 것이라고 생각했다.

잠재적인 구매자가 방문할 때, 사양과 기능을 보기 전에 고급으로 꾸며진 집을 보여주기로 결정했다. 이 "앵커"는 특별한 업그레이드된 버전의 주택으로 제시되었다.

투어 중에 집의 고급 기능을 모두 강조했으며, 대리석 카운터부터 뒷마당 수영장까지 모든 멋진 특징을 보여주었다. 그런 다음 구매자들을 판매자의 실제 주택을 보러 데려갔는데, 이 주택은 비교적 간소했다.

이미 고급 앵커에 묶인 구매자들은 판매자의 실제 주택을 덜 가치 있게 인식하고 중요한 가격 인하를 기대했다. 실제 주택은 시장에 합리적으로 가격이 책정되어 있었지만, 구매자들의 인식은 초기 앵커링에 의해 부정적으로 영향을 받았다.

결과적으로 구매자들은 판매자가 받아들일 의사가 아닌 낮은 제안을 제출하여 실패로 끝났다.

시사점

오용된 앵커링(Misleading Anchoring): 오용된 앵커를 사용하여 구매자들의 마음에 비현실적인 기대를 만들었다.

실망(Disappointment): 구매자들은 실질적 기능을 보고 고급 앵커와 일치하지 않아 실망하였으며, 그 결과 낮은 제안을 제출했다.

신뢰 손상(Trust Erosion): 부동산 에이전트와 구매자 간의 신뢰가 앵커를 잘못 사용하는 것으로 인해 손상되었다.

정직과 투명성(Honesty and Transparency): 부동산 에이전트는 부동산의 기능과 가격에 대해 투명해야 하며, 오용된 전술을 피해야 한다.

구매자의 요구 파악(Understanding Buyer Needs): 성공적인 판매를 위해 구매자의 요구와 선호도를 이해하는 것이 중요하며, 앵커링 기술만 의존하는 것이 아니다.

시사점 : 부동산 판매에서 앵커링을 오용하면 오해, 불신 및 거래 실패로 이어질 수 있다는 점을 보여주며, 이 업계에서의 윤리적이고 정직한 실천의 중요성을 강조한다.

"초기 숫자는 전체 협상 과정에서 중요한 역할을 한다."
로저 도슨 (Roger Dawson)

■ 앵커링(Anchoring)을 효과적으로 활용하는 10가지 방법

프리미엄 가격으로 앵커링(Anchoring with Premium Pricing)

높은 가격의 제품 또는 패키지를 제시한다. 이를 통해 후속 옵션은 더 저렴하게 보인다.

예시: 소프트웨어 회사는 표준 및 기본 요금제를 제시하기 전에 프리미엄 버전을 제공한다.

번들 제공(Bundle Offerings)

번들 형태의 제품이나 서비스 패키지를 만든다. 전체 패키지 가격은 개별 항목의 앵커로 작용한다.

예시: 스트리밍 서비스는 다양한 기능을 제공하는 번들을 할인된 가격에 제공한다.

비교 가격(Comparative Pricing)

목표 제품 근처에 높은 가격의 대안을 표시한다. 비교할 때 중간 옵션이 더 합리적으로 보인다.

예시: 전자 제품 가게는 중간 가격대 모델과 함께 고급 노트북을 전시한다.

제한 시간 할인(Limited-Time Discounts)

시간 제한 프로모션을 강조한다. 긴급성은 고객들로 하여금 조치를 취하고 정상 가격에 앵커를 둘 수 있게 한다.

예시: 온라인 소매업체는 "48시간 판매"를 강조하여 할인된 가격을 제공한다.

유인 가격(Decoy Pricing)

주요 선택지의 가치를 강조하는 덜 매력적인 대안을 제공한다. 고객은 더 나은 옵션을 선택하는 경향이 있다.

예시: 커피숍은 작은, 중간, 큰 사이즈의 커피를 제공하여 중간 옵션이 가장 매력적으로 보이게 한다.

고객 리뷰와 사회적 입증(Testimonials and Social Proof)

긍정적인 리뷰를 고객들에게 공유한다. 신뢰성 있는 고객 사례는 앵커로 작용하여 신뢰성을 높인다.
예시: 온라인 웹 사이트는 제품 페이지에 고객 리뷰와 평가를 포함시

킨다.

계층별 가격 구조(Tiered Pricing Structures)

다양한 기능이나 혜택을 가진 옵션을 제시한다. 고객은 자신의 필요에 맞게 선택을 할 수 있게 앵커를 두게 된다.

예시: 소프트웨어 회사는 애플리케이션의 기본, 프로 및 엔터프라이즈 버전을 제공한다.

유연한 결제 방식(Flexible Payment Plans)

다양한 예산에 맞게 다른 결제 옵션을 제공한다. 고객은 자신의 재정 상황과 일치하는 결제 계획에 앵커를 둘 수 있다.

예시: 자동차 딜러는 월별 및 연간 결제 옵션을 포함한 자동차 할부 옵션을 제공한다.

시각적 비교(Visual Comparisons)

차이와 이점을 강조하기 위해 시각적 자료를 사용한다. 시각적 자료는 고객이 자신의 결정에 앵커를 두기 쉽게 도와준다.

예시: 스마트폰 제조업체는 사양과 기능을 강조하는 비교 차트를 전시한다.

위험 보증(Risk-Reversal Guarantees)

만족 보증이나 환불 보증을 제공한다. 구매의 인식된 위험을 줄이고 만족의 확신에 앵커를 둘 수 있게 한다.

예시: 온라인 매트리스 판매업체는 100일 동안의 리스크 없는 체험을 제공한다.

" 지혜로운 기준점은 협상의 길잡이다.."
톰 홉킨스 (Tom Hopkins)

☞ 앵커링(Anchoring) 멘트

"대부분 프리미엄 패키지로 시작하지만 더 간단한 것을 찾고 있다면 더 기본적인 옵션도 있습니다."
프리미엄 옵션을 앵커로 설정하면 다른 옵션이 더 저렴해 보인다.

"이 모델은 베스트셀러로 보통 200만원의 가격이 책정되지만 이번 달에는 150만원으로 제공됩니다."
앵커로 초기 가격을 높게 책정하여 현재 가격을 더 매력적으로 보이게 한다.

"일반적으로 이와 같은 서비스는 한 달에 50만원 정도이지만 저희 플랜은 35만원부터 시작합니다."
거래의 가치를 강조하기 위해 더 높은 업계 표준 가격으로 앵커를 생성한다.

"이것은 가장 고급 모델 중 하나로 120만원에 판매되지만, 더 경제적인 모델을 보여드리겠습니다."

고가 품목을 앵커로 사용하여 다른 모델이 더 예산 친화적으로 보이도록 한다.

"보다 경제적인 라인에 대해 논의하기 전에 먼저 고급 제품을 보여드리겠습니다."
하이엔드 제품을 먼저 소개하여 기대치를 설정하면 더 저렴한 라인이 매우 합리적으로 보일 수 있다.

"경쟁사에서는 일반적으로 50만원의 설치 수수료를 부과하지만, 저희는 이 수수료를 전액 면제했습니다."
경쟁사의 높은 수수료를 예로 들어 비용 절감 효과를 강조한다.

"이 소프트웨어를 30만원에 판매했지만 한시적으로 20만원으로 가격을 인하했습니다."
기존의 높은 가격을 앵커로 설정하여 새로운 가격을 더 매력적으로 만든다.

"이 정도 규모의 프로젝트의 경우 1000만원 이상을 지불해야 하지만, 저희 솔루션은 750만원에 불과합니다."
예상 가격이 더 높은 앵커를 사용하면 제안에 대한 수용성을 높일 수 있다.

"예산이 100만원 정도라고 들었습니다. 어떤 옵션이 있는지 확인하실 수 있도록 조금 더 높은 옵션을 먼저 보여드리겠습니다."
더 높은 가격의 옵션을 먼저 보여 주므로 예산 옵션이 더 합리적으로 느껴진다.

"이 독점 모델은 일반적으로 최상위 고객을 위해 예약되어 있는데요, 300만원 가치가 있지만 단 200만원에 제공해 드릴 수 있습니다."

고가 앵커를 설정하여 영업 제안이 독점적이고 더 바람직하게 보이도록 한다.

■ 요약

앵커링은 의사결정 시 처음 정보에 크게 의존하는 인지적 편향에 기인한다.
행동경제학과 심리학에 뿌리를 두고 가치, 가격 등을 인식하는 방식에 중요한 영향을 미친다.
설득자가 원하는 결과에 유리한 닻을 설정하고 후속 정보와 요청에 대해 영향을 미쳐 긍정적인 결과를 도출한다.

■ 핵심키워드

앵커링, 닻 고정, 기준점, 인지적 편향, 어림짐작(휴리스틱), 정서적 지름길, 계층별 가격구조

■ 적용 질문

앵커링이 설득과 영업에서 가지는 특징들은 무엇인가?
앵커링으로 설득과 영업에서 거둘 수 있는 기대효과는 무엇인가?
설득과 영업에서 앵커링을 효과적으로 활용할 수 있는 10가지 방법은 무엇이고 나에게 강화해야 할 요소는 무엇인가?

제 16 장

시각화(Visuals)

"보여주는 것이 천마디 호소보다 낫다."
닥터 브라이언(Dr. Brian)

시각화(Visuals)

■ 개념

시각화(Visuals)는 그래픽 표현, 이미지 또는 시각적 보조 도구로 효과적으로 의사 소통을 강화하고 정보를 전달하는 데 사용된다. 설득의 맥락에서 시각 자료는 주목을 끌고 복잡한 아이디어를 단순화하며 감정적 반응을 유발하는 데 중요한 역할을 한다. 시각 자료는 시각적 정보 처리에 대한 본성적인 인간의 선호를 활용하여 메시지를 더 기억에 남고 영향력 있게 만든다. 시각 자료에는 차트, 그래프, 인포그래픽, 비디오 및 이미지가 포함되며 이를 통해 상대에게 다중 감각 경험을 제공한다. 논리와 감정을 모두 활용하여 시각 자료는 주장을 더 강력하고 설득력 있게 만들어 의사 소통자가 신뢰를 구축하고 결정에 영향을 미칠 수 있도록 한다.

인간은 시각 처리에 상당한 뇌 부분을 할당하는 높은 시각적 생물이다. 연구에 따르면 시각 자료는 정보 보유율을 최대 65%까지 향상시킬 수 있으며, 이는 설득에 강력한 도구이다. 시각 자료는 패턴 인식과 같은 인지적 과정을 활용하여 복잡한 개념을 빠르게 이해하는 데 도움을 줍니다. 시각 자료는 언어 및 문해력의 장벽을 허물어 다양한 상대에게 메시지를 접근 가능하게 만든다. 시각적 요소가 기억력, 이해력[99], 동기를 향상시켜 참여도와 수용 결과를 향상시킨다. 게다가 시각 자료는 감정과 기억과 관련된 뇌 영역을 자극하여 감정적 연결을 만들어 낸다. 시각적 단서와 이미지가 주의를 집중시키고 정서적 감정[100]을 불러 일으키며 구매 결정과 같은 고객 행동을 유도한다. 인간의 두뇌로 집중하고 이미지를 처리하고 인식하는, 시각적 요소 뒤에 숨어 있는

---

[99] "The Power of Visuals in eLearning", T. Kapp (2014)
[100] "Visual Marketing: From Attention to Action", D. A. Aaker and V. Kumar (2013)

인지 과정[101]을 작동하여 정보와 메시지를 효과적으로 전달하는 데 유용한 도구이다.

이로 인해 설득 전략에 시각 자료를 통합하면 참여, 이해도 및 원하는 결과의 가능성이 높아진다. 고객의 관심을 끌고 메시지를 전달하는 마케팅 노력[102]의 전반적인 효과를 높이는데 중요한 역할을 한다.

시각 자료는 인간의 시각 처리 경향을 이용하여 의사 소통을 강화한다. 시각 자료는 복잡한 아이디어를 단순화하고 참여를 증가시키며 감정을 유발한다. 시각 자료는 언어적 장벽을 극복하며 다양한 상대에게 호소한다. 복잡한 정보를 효과적으로 전달하여 더 나은 의사 결정[103]과 커뮤니케이션을 가능하게 한다. 정보 보유율과 이해도에 큰 영향을 미친다. 설득 전략에서 시각 자료를 활용하면 신뢰 구축, 주목 획득 및 메시지의 영향력을 강화할 수 있다.

■ 핵심 요소

이해력 향상(Enhanced Understanding): 차트, 그래프, 인포그래픽 등과 같은 시각적 자료는 복잡한 정보를 간단하게 표현할 수 있다. 이를 통해 대상은 텍스트만 사용할 때보다 더 빠르고 쉽게 개념과 데이터를 이해할 수 있다. 이는 특히 기술적이거나 복잡한 주제를 다룰 때 효과적인 메시지 전달을 돕는다.

---

[101] "The Science of Visual Attention", A. F. Marois and J. M. Ivanoff (2005)

[102] "The Role of Visuals in Online Marketing" ,R. T. Rust et al. (2000)

[103] "The Art and Science of Visualization: A Guide for Data Practitioners", A. O. Cairo (2016)

참여도 증대(Increased Engagement): 사람들은 자연스럽게 시각적 자료에 끌린다. 프레젠테이션이나 판매 자료에 이미지, 비디오 및 기타 시각적 요소를 포함하면 대상 대상의 주의를 끌 수 있으며 그들의 관심을 유지할 수 있다. 참여된 대상은 메시지에 더욱 수용적일 가능성이 높다.

감정적 공감대(Emotional Connection): 시각적 자료는 감정을 불러일으킬 수 있다. 대상 대상의 감정과 가치관과 공감하는 이미지나 비디오를 포함하면 더 깊은 연결을 수립할 수 있다. 감정적인 참여는 종종 더 강력한 설득 효과로 이어진다.

기억력(Memorability): 사람들은 텍스트보다 시각적 콘텐츠를 더 잘 기억한다. 잘 디자인된 시각적 자료는 오랜 기간 동안 기억에 남아 메시지를 더 기억하기 쉽게 만든다. 이는 대상 대상이 제품이나 솔루션을 기억하도록 원할 때 특히 가치 있다.

명확성과 간결성(Clarity and Simplicity): 시각적 자료는 복잡한 아이디어를 단순화하고 접근성을 높일 수 있다. 주요 포인트를 간결하게 전달하는 데 도움을 준다. 영업에서는 대상 고객이 제품 또는 솔루션의 이점과 기능을 이해하는 데 명확성이 필수이다.

보편적 언어(Universal Language): 시각적 자료는 언어 장벽을 넘어갈 수 있다. 다양한 대상에 의해 이해될 수 있는 보편적인 커뮤니케이션 형태이다. 특히 글로벌 영업 노력에서 이점이 크다.

데이터 시각화(Data Visualization): 데이터를 제시할 때 시각적 자료는 통계 및 수치를 더 매력적이고 해석하기 쉽게 만들어준다. 이는 원시 데이터를 실행 가능한 통찰력으로 변환하여 의사 결정 과정을 안내하는 데 도움을 준다.

스토리텔링(Storytelling): 시각적 자료를 서술 방식에 통합할 수 있다. 이미지나 그래픽을 서술과 결합하여 더 매력적이고 설득력 있는 이야기를 만들 수 있다. 이는 대상 대상과 공감하는 더욱 강력한 이야기를 만들어낼 수 있다.

신뢰성과 전문성(Credibility and Professionalism): 영업 자료나 프레젠테이션에서 고품질의 시각적 자료는 신뢰성과 전문성을 높일 수 있다. 철저함과 세부 사항에 대한 주의를 전달한다.

행동 요구사항(Call to Action): 시각적 자료는 전략적으로 사용하여 행동 요구사항을 강조하는 데 사용할 수 있다. 잘 디자인된 시각적 요소(버튼 또는 아이콘과 같은)는 대상 대상에게 원하는 단계(구매 또는 서비스 신청과 같은)를 취하도록 유도할 수 있다.

시사점 :시각적 자료는 영업 및 설득에서의 효과적인 의사소통 전략의 필수 구성 요소 중 하나이다. 이해, 참여 및 감정적 연결을 용이하게 하므로 이 두 맥락에서 효과적인 커뮤니케이션 전략의 필수 구성 요소이다.

"사진 한 장은 천 개의 말을 대신한다."
프레드릭 R. 바나드(Frederick R. Barnard)

■ 시각화(Visuals)에 대한 대표적인 사례들

시각 자료의 사용의 대표적인 사례들이다.

스티브 잡스의 아이폰 기조연설 (2007): 스티브 잡스는 아이폰 기조연설에서 매력적인 시각 자료를 활용하여 최초의 아이폰을 공개했다. 이 이벤트는 큰 주목을 받았으며, 아이폰 발표 후 애플의 주가는 거의 8% 상승했다.

두브의 "진짜 아름다움" 캠페인("Real Beauty"): 전통적인 모델 대신 실제 여성들을 사용한 두브의 캠페인은 아름다움 고정관념에 도전하는 시각 자료를 활용했다. 이 캠페인으로 10년 내에 판매가 700% 증가했다.

오바마의 "희망" 포스터 (2008): 셰퍼드 페어리의 바라크 오바마가 "희망"이라는 단어와 함께 나온 포스터는 오바마 대통령 선거 캠페인 중 상징적인 시각 자료가 되었다. 이 포스터는 소셜 미디어에서 널리 공유되어 인식도와 유권자 참여를 높였다.

NASA의 화성 로버 착륙 라이브 방송 (2012)(NASA's Mars Rover Landing Live Stream): NASA의 큐리오시티 로버(the Curiosity rover)의 화성 착륙 라이브 방송은 수백만 시청자들을 매료시켰다. 시각적인 방송은 320만 건 이상의 동시 시청을 유발하여 시각 자료가 과학적 성과에 대한 대중의 참여를 촉진하는 데 얼마나 효과적인지를 보여주었다.

이케아 카탈로그: 이케아의 세심하게 디자인된 카탈로그는 시각 자료와 실용성을 내포한다. 매년 2억 개 이상의 카탈로그가 배포되어 이케아의 판매 및 브랜드 인식에 큰 영향을 미치고 있다.

시각 자료의 사용이 부정적인 영향으로 작용된 사례도 있다.

담배 산업과 조작적 광고: 담배 산업은 건강 위험을 언급하지 않는 오도적인 광고에서 시각 자료를 사용해왔다. 이러한 전략은 20세기에 흡연 관련 질환으로 인한 추정 1억 명의 사망에 기여했다.

가짜 다이어트 알약 광고: 여러 회사가 조작되거나 오도적인 전후 사진을 사용하여 체중 감량 알약을 홍보한 바 있다. 이와 같은 기만적 광고는 소비자의 금전적 손실을 야기하며, 일부 개인은 수백 달러를 효과 없는 제품에 낭비했다.

가짜 성형 수술 홍보: 무면허나 미자격의 성형외과 의사를 홍보하는 광고에서의 시각 자료가 소비자를 속였다. 이와 같은 홍보로 인해 많은 사례에서 실패한 수술 및 부작용이 발생했다.

오도적 금융 투자 광고: 사기적인 투자 계획을 홍보하는 광고에서 시각 자료가 사용되어 개인이 저축을 잃을 수 있다. 버니 매독의 포니즈 사기 계획은 약 650억 달러의 손실을 야기한 바 있다.

제품 광고에서의 거짓 증언: 일부 광고는 제품에서 과장된 혜택을 주장하는 개인들의 가짜 증언과 함께 시각 자료를 사용한다. 이러한 시각 자료는 소비자 신뢰를 무너뜨리며, 오도적 행위로 기업에 대한 법적 조치를 일으킬 수 있다.

"눈은 손보다 빨리 움직인다."
도널드 M. 랫너(Donald M. Rattner)

■ 시각화(Visuals)에 활용한 대면 영업 사례들

✧ 데이터 분석 솔루션 영업

소프트웨어 회사의 영업 대표인 A는 대규모 소매업체인 잠재 고객에게 복잡한 데이터 분석 솔루션을 판매하는 업무를 맡았다. 이 소프트웨어에는 다양한 기능과 혜택이 있었지만 구두로 설명하는 것은 어려움을 겪었다.

시각적으로 프레젠테이션을 단순화하고 더 매력적으로 만들기 위해 시각화를 사용하기로 결정했다. 영업 미팅 중에 클라이언트의 현재 데이터 관리 프로세스와 소프트웨어를 사용하는 경우 간소화된 프로세스를 보여주는 시각적인 로드맵을 작성했다. 흐름도와 다이어그램을 사용하여 이전과 이후의 시나리오를 설명했다.

또한 소프트웨어가 소매업체의 판매 성능, 재고 관리 및 고객 행동에 대한 실시간 통찰력을 제공할 수 있는 방법을 보여주기 위해 대화형 데이터 시각화를 사용했다.

명확성과 이해도(Clarity and Understanding): 시각화를 사용하면 클라이언트가 소프트웨어의 가치를 더 잘 이해할 수 있었다. 복잡한 개념이 다이어그램과 차트를 통해 더 쉽게 전달되었다.

참여도(Engagement): 시각적 자료는 클라이언트의 관심을 끌고 회의 동안 그들을 참여시켰다. 대화형 요소를 사용하여 클라이언트가 자체적으로 데이터를 탐색할 수 있었으므로 회의가 더 상호 작용적이었

다.

데이터 시각화(Data Visualization): 데이터 시각화 도구를 사용하면 소프트웨어의 능력을 효과적으로 전달할 수 있었다. 데이터를 시각화하면 클라이언트가 잠재적인 이점을 더 쉽게 이해할 수 있었다.

강력한 프레젠테이션(Impactful Presentation): 시각적 자료를 사용하여 기억에 남고 강력한 프레젠테이션을 만들었으며 이는 클라이언트에게 소프트웨어가 그들의 영업을 어떻게 개선시킬 수 있는지 상상할 수 있게 했다.

판매 증가(Increased Sales): 최종적으로 시각화를 사용한 영업 프레젠테이션이 성공적인 거래로 이어졌다. 클라이언트는 명확한 커뮤니케이션을 감사하게 여겼으며 소프트웨어가 그들의 비즈니스에 어떤 이점을 제공할 수 있는지 상상할 수 있었다.

시사점 : 대면 영업에서 시각적 도구의 전략적 활용이 복잡한 아이디어를 단순화하고 관객을 끌며 성공적인 결과를 이끌어내는 방법을 보여준다. 적절한 시각적 도구를 선택하고 클라이언트의 요구에 맞게 프레젠테이션을 조정하는 중요성을 강조한다.

✧ 고급 주방 가전 영업

A는 고급 주방 가전 회사의 영업 매니저로서 주방 장비를 업그레이드하려는 명성 높은 레스토랑과 거래를 마무리하는 임무를 맡았다. 레스토랑 소유주는 세심한 주의와 높은 요리 기준으로 알려져 있었다.

회의 중에 회사의 최첨단 주방 가전제품을 보여주는 매력적인 브로셔와 새로운 장비가 통합된 레스토랑 주방 배치를 보여주는 몰입형 3D 시각화가 담긴 태블릿을 가져왔다.

사라가 브로셔를 제시하고 태블릿을 사용하여 앤더슨 씨에게 가상 주방을 안내할 때, 시각적 자료에 매료되었다. 새로운 가전제품이 주방의 효율성을 향상시키고 고객들에게 더 훌륭한 다이닝 경험을 제공할 것을 명확하게 볼 수 있었다.

시각적 효과 외에도 프로페셔널 셰프를 함께 데려와 레스토랑 주방에서 회사의 가전제품을 사용하여 음식을 조리하도록 했다. 새로운 장비로 준비된 음식의 품질 차이를 직접 맛볼 수 있었다.

시각적 영향(Visual Impact): 매력적인 브로셔와 몰입형 3D 시각화의 조합은 고객에게 큰 영향을 미쳤다. 주방의 개선 사항을 명확하게 상상할 수 있었다.

구체적인 경험(Tangible Experience): 프로페셔널 셰프를 데려오는 것으로 고객은 제품의 혜택을 직접 경험할 수 있었다. 이 구체적 접근법은 제품의 품질에 대한 확실한 증거를 제공했다.

참여도(Engagement): 시각적 자료와 실시간 데모는 시각적 및 감각적으로 참여시켜 매우 기억에 남는 영업 프레젠테이션으로 만들었다.

솔루션 맞춤화(Solution Customization): 시각적 도구의 사용으로 사라는 고객의 특정 요구사항과 우려를 시각적으로 대응할 수 있었다.

성공적인 계약 체결(Successful Closing): 효과적인 시각화 사용과 기억에 남는 경험 덕분에 사라는 명성 높은 레스토랑과의 거래를 성공적으로 마무리했다.

시사점 : 대면 영업에서 시각적 자료의 힘을 강조하며, 높은 위험 고객을 다룰 때 특히 중요한 역할을 하는 것을 보여준다. 이야기는 프레젠테이션을 고객의 선호에 맞게 맞추는 중요성과 몰입형 시각화를 사용하여 지속적인 영향을 창출하는 중요성을 강조한다.

"단순함이 최고의 정교함이다."
레오나르도 다 빈치(Leonardo da Vinci)

■ 시각화(Visuals)을 부정적으로 이용한 대면 영업 사례들

✧ 소프트웨어 영업 프레젠테이션

A는 소프트웨어 회사의 영업 대표로, 중소 규모의 제조 회사와 큰 프레젠테이션을 예정하고 있었다. 소프트웨어의 고급 그래픽 기능을 강조하는 것이 거래를 여는 열쇠라고 믿었다. 소프트웨어의 기능을 시연하기 위해 복잡한 3D 그래픽과 애니메이션을 갖춘 시각적으로 인상적인 프레젠테이션을 준비하는 데 몇 시간을 보냈다.

프레젠테이션에 사용된 시각 자료는 고객을 압도하기에 충분했다. 하지만, 복잡한 그래픽과 애니메이션은 명확성보다 혼란을 초래했다. 고객은 소프트웨어의 기능을 이해하기 어려워했고 회의도 흐지부지 끝났다.

고객은 최종적으로 복잡한 시각적 기능이 부족하더라도 더 단순하고 명확한 사용자 인터페이스를 제공하는 경쟁사 소프트웨어를 선택했다.

대상 고객 파악(Know Your Audience): 시각 자료를 고객의 이해 수준과 요구에 맞추지 않은 것이었다. 주제에 대한 고객의 친숙도를 고려하는 것이 중요하다.

단순함이 중요(Simplicity is Key): 지나치게 복잡한 시각 자료는 역효과를 낼 수 있다. 명확하고 간단한 시각 자료가 메시지를 효과적으로 전달하는 경우가 많다.

효과적인 커뮤니케이션(Effective Communication): 시각 자료는 커뮤니케이션을 개선해야 한다. 명확성 대신 혼란을 초래했다.

창의성과 기능의 균형(Balance Creativity and Functionality): 시각 자료는 매혹적일 수 있지만 기능적 목적도 충족해야 하고 고객의 목표와도 일치해야 한다.

피드백이 중요(Feedback Matter): 프레젠테이션 이후에 고객으로부터 피드백을 수집하여 어떤 부분에서 실수를 했는지 이해하고 향후 프레젠테이션을 개선하는 데 도움을 받아야 했다.

시사점 : 대면 영업에서 시각 자료를 효과적으로 사용하는 중요성을 강조하며, 시각 자료가 고객의 요구와 기대와 일치하지 않거나 지나치게 복잡한 경우에 발생할 수 있는 부정적인 결과를 보여줍니다.

✧ 부동산 중개 상담

A는 부동산 중개인으로, 매물로 내놓은 호화 주택을 잠재 구매자에게 인상 깊게 보여주고 싶었다. 부동산 투어 중에 부동산의 잠재력을 보여주기 위해 정교한 가상 현실(VR) 시각화를 사용하기로 결정했다. VR 헤드셋을 제공하고 부동산을 가상 투어로 안내하며 확장 현실 가구와 장식을 사용한 시각적 투어를 제공했다.

VR 프레젠테이션은 리사에게 큰 인상을 주었다. 하지만, 부동산의 실제 특징과 가상 개선 사항을 구분하기 어려웠다. 몰입형 경험이 오히려 방황하게 만들었고 부동산의 실제 가치에 대한 확신을 가지지 못하게 했다.

부동산을 구매하지 않기로 결정했다. 근사한 시각적 경험이 있었지만, 정확한 판단을 하기 어려웠다. 결국, 다른 중개인과 함께 더 간단하고 전통적인 부동산 투어를 선택했다.

고객의 편안함을 파악(Know Your Client's Comfort Level): 기술 및 VR에 대한 편안함을 평가하지 못했다. 이러한 시각화를 사용하기 전에 고객의 기술에 대한 익숙함을 평가하는 것이 중요하다.

간결함이 중요(Simplicity Matters): 복잡한 시각화는 혼란을 초래할 수 있다. 이 경우 더 간단한 전통적인 부동산 투어를 먼저 수행하는 것이 더 효과적일 수 있다.

기술과 실제 경험의 균형 유지(Balance Technology and Real Experience): 기술적으로 프레젠테이션을 향상시킬 수 있지만 실제 경험을 완전히 대체하는 것이 아니라 보완해야 한다.

고객의 편안함 우선(Client's Comfort Comes First): 판매 프레젠테이션은 기술로 인상을 남기려는 욕망보다는 고객의 편안함과 이해를 우선시해야 한다.

피드백 수집(Gather Feedback): VR 투어 실패 후, 고객으로부터 피드백을 수집하여 어떤 점에서 실패하고 앞으로의 프레젠테이션을 개선하는 방법을 이해해야 했다.

시사점 : 대면 영업에서 시각화를 신중하게 사용하고 고객의 편안함과 선호도를 고려하여 부정적인 결과를 피하기 위한 중요성을 강조한다.

" 읽은 것의 20%만 기억하는 반면, 보고 행동한 것의 80%를 기억한다."
에드거 데일(Edgar Dale)

■ 시각화(Visuals)을 활용한 성경 속 사례

민수기 21장에는 시각화(Visuals)를 사용한 성경 이야기가 있다. 이스라엘 사람들이 사막에서 불평하며 여정하는 중에 벌어진 일이다. 그 결과 하나님은 독사들을 그들 중에 보내어 많은 사람들이 물렸고 죽었다.

이에 하나님의 지시로 모세는 놋뱀을 만들고 기둥 위에 올렸다. 모세는 독사에 물리면 놋뱀을 보라고 사람들에게 이야기했다. 사람들이 놋뱀을 바라보면 치유되고 생명이 구원되었다.

시각화와 관련된 이 이야기의 중요성은 놋뱀을 치료와 구원의 시각적 상징으로 사용한 데에 있다. 이스라엘 사람들은 치명적인 독사 물림에서 구원을 기대하는 것의 시각적이고 명확한 상징물을 가졌다. 이것은 희망과 치유의 메시지를 전달하는 강력하고 간단한 시각적 도구였다.

의사소통의 명확성(Clarity in Communication): 시각화는 복잡하거나 중요한 정보를 전달할 때 투명성을 향상시킬 수 있다. 이 이야기에서 놋뱀 동상은 희망과 치유의 명확하고 이해하기 쉬운 시각적 표현으로 모든 이에게 접근 가능하게 만들어 주었다.

상징성과 대표성(Symbolism and Representation): 시각화는 추상적인 개념이나 아이디어를 효과적으로 상징화할 수 있다. 이 경우, 믿음, 치유 및 구원을 효과적으로 상징화하여 사람들이 이러한 개념을 더 쉽게 이해할 수 있도록 했다.

접근성(Accessibility): 시각화는 복잡하거나 추상적인 아이디어를 이해하기 어려운 사람들을 포함한 더 넓은 대중에게 정보를 더 쉽게 이해할 수 있게 만들 수 있다. 모든 이의 소망과 치유의 보편적인 상징이었으며, 알파벳 실력이나 교육과는 관계없이 모두에게 접근 가능했다.

즉각적인 영향(Immediate Impact): 시각화는 감정과 결정에 즉각적인 영향을 미칠 수 있다. 놋뱀을 보면 뱀에 물린 사람들에게 즉각적인 회복과 구원을 제공했으며, 즉각적으로 감정적인 반응을 불러일으키는 시각화의 힘을 보여 주었다.

단순함과 효과성(Simplicity and Effectiveness): 때로는 복잡한 것보다 간단한 시각화가 더 효과적일 수 있다. 명료한 표현이었으며 그 메시지는 명확했다. 시각적 커뮤니케이션에서 간단함과 효과성의 중요성을 강조한다.

시사점 : 시각화가 이야기와 의사소통에서 강력한 수단일 수 있다는 것이다. 이 경우 놋뱀은 믿음과 치유의 시각적 표상으로 기능하여 치명적인 문제에 대한 명확하고 즉각적인 해결책을 제공했다. 이것은 시각화가 복잡한 아이디어와 감정을 효과적으로 전달할 수 있는 가치 있는 도구임을 보여주며, 이야기와 의사소통에서 중요한 역할을 할 수 있음을 보여준다.

"눈은 몸의 등불이니"
마 6:22

■　시각화(Visuals)을 활용하기 위한 10가지 방법

대상 이해(Know Your Audience)

대상의 선호도, 지식, 요구사항을 파악한다. 대상에 맞게 시각 자료를 맞추면 관련성이 높아진다.

예시: 기술에 익숙한 대상에게는 상세한 인포그래픽을 사용하고, 그렇지 않은 고객에게는 시각 자료를 단순화한다.

시각 자료와 스토리텔링(Storytelling with Visuals)

스토리와 시각 자료를 결합하여 메시지를 기억에 남게 만든다.시각 자료와 스토리가 결합되면 감정을 자극하고 기억에 남기기 쉬워진다.

예시: 제품의 이점을 보여주기 위해 고객의 성공 사례를 시각적으로 표현한다.

단순함과 명확성(Simplicity & Clarity)

시각 자료를 명확하고 간결하며 이해하기 쉽게 유지한다. 복잡함은 혼란을 초래할 수 있으며, 단순함은 이해를 촉진한다.

예시: 밀접한 텍스트가 아닌 간결한 플로우차트를 사용하여 프로세스를 설명한다.

데이터 시각화(Data Visualization)

차트, 그래프 및 인포그래픽을 사용하여 데이터를 시각적으로 표현한다. 데이터 시각화는 이해와 데이터 기반 의사 결정을 돕는다.

예시: 시간에 따른 매출 성장을 보여주기 위해 막대 차트를 사용한다.

시각적 일관성(Visual Consistency)

시각 자료의 디자인과 스타일을 일관성 있게 유지한다. 일관성은 전문성과 브랜드 인식을 향상시킨다.

예시: 모든 영업 프레젠테이션에서 동일한 색상 구성과 글꼴을 사용한다.

이점 강조(Highlight Benefits)

제품 또는 서비스가 고객에게 어떤 이점을 제공하는지 강조한다. 이점을 시각적으로 보여주면 고객이 가치를 파악할 수 있다.

예시: 경쟁사의 이전 버전 소프트웨어 인터페이스와 사용자 친화적인 디자인을 비교하여 제품의 가치를 시각적으로 표현한다.

상호작용형 시각 자료(Interactive Visuals)

클릭 가능한 프로토타입이나 비디오와 같은 상호작용 요소를 활용한다. 상호작용은 고객을 참여시키고 실제 경험을 제공한다.

예시: 프레젠테이션 중에 고객이 소프트웨어 데모와 상호작용할 수 있도록 한다.

시각적 인증서(Visual Testimonials)

사진이나 비디오와 함께 고객 사례를 제시한다. 시각적 인증은 신뢰와 진정성을 구축한다.

예시: 만족한 고객들의 비디오 사례를 프레젠테이션에 포함한다.

시각적 스토리보드(Visual Storyboarding)

시각적 스토리보드로 프레젠테이션을 계획한다. 스토리보드는 내용과 흐름을 조직하여 설득력 있는 내러티브를 만든다.

예시: 제품 론칭 프레젠테이션을 계획하기 위해 시각적 스토리보드를 작성한다.

적응성과 대응력(Adaptability and Responsiveness)

실시간 고객 피드백을 기반으로 시각 자료를 수정한다. 유연성은 고객 중심 의사 소통을 보여준다.

예시: 클라이언트의 질문이나 선호도에 따라 프레젠테이션 중 시각 자료를 조정한다.

☞ 시각화(Visualization) 멘트

"이 최첨단 노트북이 초고속 속도와 원활한 멀티태스킹 기능으로 생산성을 어떻게 향상시킬지 상상해 보세요."
고객이 일상 생활에서 제품의 실질적인 이점을 상상할 수 있도록 도와준다.

"이 차를 운전하는 자신의 모습을 상상해 보세요. 부드러운 핸들링, 편안한 시트, 도로를 순항할 때 고개를 돌리는 모습 등을 느껴보세요."
고객이 제품을 즐기는 자신의 모습을 상상해 보도록 유도한다.

"집에 들어와서 벽에 걸린 이 아름다운 예술 작품을 보고 공간을 우아함의 갤러리로 바꾸는 것을 상상해 보세요."
제품이 고객의 개인 환경을 어떻게 개선할지 생생한 이미지를 만든다.

"이 소프트웨어를 사용하여 몇 시간이 걸리던 작업을 단 몇 분 만에 손쉽게 완료하는 팀의 모습을 상상해 보세요."
제품이 업무 효율성을 크게 향상시키는 시나리오를 그려본다.

"이 가정용 보안 시스템이 24시간 내내 가족을 안전하게 지켜주고 있다는 사실을 알게 될 때 느끼는 안정감을 상상해 보세요."
제품이 제공하는 정서적 편안함과 마음의 안정에 중점을 둔다.

"집의 중심이 되도록 설계된 넓고 현대적인 주방에서 친구와 가족을 초대하는 모습을 상상해 보세요."
사교 활동과 따뜻한 가정 환경에 대한 고객의 열망에 호소한다.

"이 사무용 의자의 인체공학적 디자인 덕분에 허리 통증이 없는 하루를 상상해 보세요."
제품의 건강상의 이점과 편안함을 강조한다.

"회의 중에 고객이 새로운 하이테크 사무실을 칭찬할 때 느끼는 자부심을 상상해 보세요."
제품과 연관된 성공과 전문성의 이미지를 투영한다.

"긴 하루를 보낸 후 이 고급스러운 스파 욕조에서 휴식을 취하며 개인 오아시스에서 스트레스를 녹이는 모습을 상상해 보세요."
개인적인 만족과 휴식의 느낌을 불러일으킨다.

"이 첨단 피트니스 장비가 홈트레이닝을 어떻게 변화시켜 헬스장의 경

험을 거실로 가져올지 상상해 보세요."
고객이 제품으로 인해 개선된 라이프스타일을 상상할 수 있도록 돕는다.

■   요약

시각화는 그래픽 표현, 이미지, 시각적 보조 도구로 의사 소통을 강화하는데 사용된다.
차트, 인포그래픽, 비디오 등이 포함되며 다중 감각 경험을 제공하고 더 기억에 오래 남게 한다.
시각적 단서와 이미지가 주의를 집중시키고 정서적 감정을 일으키며 인지 과정을 작동하여 효과적으로 전달하기게 유용한 도구이다.

■   핵심키워드

시각화, 인포그래픽, 이미지, 인포그래픽, 기억력, 보편적 언어, 다중 감각, 정서적 감정, 숨은 인지 과정

■   적용 질문

시각화는 설득과 영업측면에서 어떤 특징들이 있는가?
시각화로 설득과 영업에서 거둘 수 있는 기대효과는 무엇인가?
시각화를 효과적으로 활용하기 위한 10가지 방법은 무엇이고, 나에게 강화해야 할 요소는 무엇인가?

제 17 장

밴드웨건 효과(Bandwagon effect)
'사회적 증거'

"거대한 대세에는 거부하기 힘든 설득의 힘이 있다."
닥터 브라이언(Dr. Brian)

밴드웨건 효과(Bandwagon effect)

■ 개념

Bandwagon 설득 기법은 개인이 군중을 따르고 대중적이거나 널리 받아들여지는 것처럼 보이는 행동이나 신념을 채택하려는 경향이 있는 사회적 순응의 원칙을 활용한다.

사회적 증거[104] 혹은 군중의 지혜[105] 현상의 맥락으로 개별 전문가 보다는 집단적으로 더 나은 결정을 내릴 수 있다고 보고 다수를 따르는 개념에 근거한다. 핵심 아이디어는 "모두가 다 하고 있다"는 인상을 주어 사람들을 설득하는 것이다. 이는 소외감을 느끼지 않으려면 그룹에 합류해야 함을 의미한다. 이 기술은 소속감과 고립을 피하려는 인간의 욕구를 활용하여 결정에 영향을 미치는 강력한 도구가 된다. 어떤 주장이나 제품, 서비스 등이 다수에게 받아들여진다는 것을 이용하는 기법이다. 즉, 다수의 인원들이 받아들인다면 그것이 옳다는 것으로 전제하는 것이다. 이는 일반적으로 대중적인 트렌드나 유행, 소셜 미디어의 영향력 등을 이용하여 다수의 사람들이 동조하게 만드는 것이 특징이다.

밴드웨건 기법의 근거는 사회적 수용에 대한 심리적 필요성에 있다. 사람들은 종종 다른 사람들로부터 검증과 확신을 구하며, 어떤 것이 많은 사람들에게 인기가 있거나 지지를 받는다는 생각이 그들의 선택을 좌우할 수 있다. 성공하거나 유행하는 것으로 간주되는 것을 놓치는 것에 대한 두려움은 개인을 다수를 따르게 만들 수 있다.

---

[104] "Made to Stick: Why Some Ideas Survive and Others Die" by Chip Heath and Dan Heath (2007)
[105] "The Wisdom of Crowds" by James Surowiecki (2004)

이 기법은 설득과 영업의 측면과 정치, 광고, 마케팅, 선거 등 다양한 분야에서 이용된다. 예를 들어, "이 제품을 많은 사람들이 사용하고 있으니까 당신도 사용해보세요" 라는 광고나 "다수의 사람들이 지지하는 후보이니까 당신도 지지해야죠" 라는 정치광고 등이 이에 해당된다[2]. 온라인의 경우 온라인 리뷰[106]가 많을 수록 고객의 구매결정에 긍정적으로 영향을 준다.

그러나, 이 기법은 대중들의 판단력을 약화시키고 비판적 사고를 방해하는 부정적인 영향을 끼칠 수 있다. 사회적 인정을 과도하게 추구하게 되면, 이탈반응[107] 등 부정적인 결과를 초래하기도 한다. 사회적 인정을 위한 무리한 집단 행동은 브랜드의 거품과 붕괴[108]로 이어질 수도 있고, 맹목적[109]으로 시류를 따르게 될 때 합리적 행동, 의사결정, 사회적 역학구조에 부정적 영향을 주기도 한다.

첫 번째 사례로는 2008년 미국 대선에서 오바마 대통령 후보가 Bandwagon 효과를 이용한 것으로 알려져 있다. 그는 "Change we can believe in(믿을 수 있는 변화)"이라는 구호를 내세우며, 미국 국민들이 변화를 바라는 욕구를 이용하여 대중들에게 동조감을 일으켰다. 두 번째 사례로는 애플사의 아이폰 출시를 예로 들 수 있다. 아이폰 출시 당시 스마트폰 시장에서는 블랙베리와 윈도우 모바일 등이 주류를 이루고 있었다. 하지만 아이폰 출시 후 대중들의 수요가 급증하면

---

[106] "The Power of Social Influence: Persuasion and Conformity in Online Consumer Reviews" Zhu, F., & Zhang, X.

[107] "When Social Networking Turns to Social Overload: Explaining the Stress, Emotional Exhaustion, and Quitting Behavior from Social Network Sites' Users" Wu, I. C., & Chen, J. C. V.

[108] "Herd Behavior and Cascading in Capital Markets: A Review and Synthesis" Bikhchandani, S., Hirshleifer, D., & Welch, I.

[109] "Information Cascades and Rational Herding: Evidence from Analyst Recommendations" Chang, E. C., Cheng, J. W., & Khorana, A.

서 다른 스마트폰 제조사들도 비슷한 제품을 출시하게 되었다. 이처럼 대중들이 아이폰을 추종하게 되면서 Bandwagon 효과가 나타난 것이다.

세 번째 사례로는 K-pop의 글로벌 인기를 들 수 있다. K-pop은 대중들의 관심과 사랑을 받으면서 세계 각국에서 인기를 끌고 있다. 이는 K-pop을 좋아하는 대중들이 다른 사람들에게 추천하면서 Bandwagon 효과가 나타나기 때문이다. 또한, K-pop 스타들의 소셜 미디어를 통한 팬들과의 소통과 콘텐츠 제공, 해외 팬미팅 등을 통해 팬들의 동조감을 유지하고 있는 것도 K-pop의 성공적인 Bandwagon 적용 사례이다.

부정적으로 적용된 사례에는 다음과 같은 것이 있다.

첫째, 대중의 관심을 끌기 위해 인기 있는 유행에 따르는 기업들 중 하나인 UGG는 아동 노동과 동물 학대로 논란이 되었다. 그러나 대중의 많은 부분이 UGG를 구매하고 있었기 때문에 UGG의 반대 의견은 대중에게 들리지 않았다. 이로 인해 UGG는 반대 의견을 무시하고 계속해서 노동과 동물 학대가 일어날 수 있는 환경에서 생산을 계속해왔다.

둘째, 투표를 할 때 밴드 왜건 기법은 사람들이 다수의 의견에 따라 투표하게 만들어 중요한 문제에서 부정적인 영향을 미친다. 이러한 상황에서 대중들은 다수의 의견을 따르지 않으면 다수의 의견이 반대로 작용하여 대중들은 자신의 의견을 바꾸게 된다.

셋째, 모바일 게임 중 하나인 '쿠키런'은 아동 유해 게임으로 논란이 되었다. 그러나 대중의 많은 부분은 게임을 즐기고 있었기 때문에 이러한 반대 의견은 대중에게 들리지 않았다. 이로 인해 이 게임의 아동 유해성은 계속해서 존재했다.

"사람들은 자신이 모르는 것을
다수가 알고 있다고 생각하기 때문에 다수를 따른다."
다니엘 카네먼(Daniel Kahneman)

■ 핵심 요소

사회적 증거: 밴드웨건 효과는 사회적 입증의 원리에 의존한다. 이 원리는 사람들이 종종 자신의 행동의 단서로서 다른 사람들의 행동을 참조한다는 것을 제안한다. 다른 사람들이 특정한 행동을 지지하거나 수행한다는 것을 보면, 자신도 그에 동참하려는 경향이 있다.

수용(Conformity): 이 기술은 사람들이 사회적 규범을 준수하려는 인간의 성향에 기반한다. 개인들은 다른 이들과 동조하고 싶어하며, 다른 사람들과 다르게 보이지 않으려는 경향이 있다.

인기 활용(Perceived Popularity): 밴드웨건 효과는 종종 특정한 제품, 아이디어 또는 행동의 인기나 널리 받아들여짐을 강조한다. 메시지는 "이미 수천 명이 참여한..." 또는 "소비자들의 1위 선택"과 같은 구문을 사용할 수 있다.

선택 증가(Increased Adoption): 밴드웨건 효과는 제품, 서비스 또는 아이디어의 채택 증가로 이어질 수 있으며, 사람들이 인기 있는 것의 일부가 되고 싶어하기 때문이다. 이것은 특히 마케팅 및 판매 캠페인에서 효과적일 수 있다.

무리 행동(Herd Behavior): 이것은 때로 사람들이 다른 이들의 행동에 따르는 무리 행동을 초래할 수 있으며, 이는 그들의 개인적인 선호나 가치와 일치하지 않을 수 있다.

비판적 사고 제한(Limited Critical Thinking): 밴드웨건 효과에 영향을 받는 경우, 사람들은 결정의 메리트나 단점을 비판적으로 평가하지 않을 수 있으며, 이로 인해 정보 부족한 선택으로 이어질 수 있다.

바이럴 마케팅(Viral Marketing): 마케터들은 종종 밴드웨건 효과를 활용하여 제품이나 콘텐츠 주변에 긴급함과 인기감을 만들어낸다. 이로써 사람들은 공유하고 참여하도록 유도된다.

주의해서 사용(Cautious Use): 밴드웨건 효과는 효과적인 설득 도구일 수 있지만, 윤리적 고려는 필수적이다. 메시지의 진정성과 프로모션된 내용이 대상 군의 필요와 선호도와 일치하는지를 확인하기 위해 주의해서 사용해야 한다. 정확한 정보를 제공하고 신뢰를 유지하는 데 중요하다.

시사점 : 밴드웨건 효과는 사람들이 다수의 행동을 따르고 어떤 제품이나 아이디어가 인기 있는지 인지하는 경향을 이용하는 설득 기술이다. 이것은 채택 증가 및 행동에 영향을 미칠 수 있지만, 그 사용은 윤리적 고려 사항과 프로모션된 메시지의 진정성을 고려하여야 한다.

"다른 사람들이 믿을 때, 믿기가 더 쉬워진다.
이것이 Bandwagon 효과의 힘이다."
미상(Unknown)

✧ 효과적 사례

Apple의 iPhone 출시

상황: Apple이 새로운 iPhone 모델을 출시할 때마다 매장 밖에는 열렬한 고객의 긴 줄이 형성된다.

적용: Apple은 독점성과 바람직성에 대한 인식을 창출함으로써 밴드웨건 효과를 활용한다. 사람들은 최신 모델을 소유하려는 추세에 동참한다.

예: iPhone X 출시 기간 동안 Apple은 기대감과 사회적 화제에 힘입어 처음 24시간 이내에 300만 건이 넘는 사전 주문을 보고했다.

소셜 미디어 인플루언서 마케팅

상황: 인플루언서는 제품과 서비스를 선보이고 팔로워가 이를 사용해 보도록 권장한다.

적용: 브랜드는 인기 인물과 제품을 연관시킴으로써 영향력 있는 사람의 선택을 모방하려는 추종자의 욕구를 활용한다.

예시: 메이크업 인플루언서의 화장품 브랜드 홍보 영상 조회수가 50만 회에 달해 해당 제품의 매출이 30% 증가했다.

온라인 리뷰 및 평점

상황: 웹사이트는 제품이 받은 긍정적인 리뷰의 수를 표시한다.

활용도: 소비자들은 인지된 인기로 인해 평점이 높은 제품을 신뢰하는 경향이 있다.

예: 리뷰 플랫폼에서 별 4.8개를 받은 레스토랑은 평점이 낮은 유사한 레스토랑에 비해 예약이 20% 더 많았다.

기간 한정 혜택

상황: 브랜드는 기간 한정 할인이나 프로모션을 제공한다.
적용: 긴박감은 거래를 놓치지 않기 위해 고객이 구매하도록 유도한다.
예: 전자상거래 사이트에서 24시간 동안 반짝 세일을 진행하여 웹사이트 트래픽이 50% 증가하고 매출이 25% 증가했다.

정치 캠페인

상황: 정치 후보자들은 점점 늘어나는 지지 기반을 강조한다.
적용: 폭넓은 지지자 기반을 입증하면 결정을 내리지 못한 유권자들이 승리하는 쪽에 합류하도록 유도할 수 있다.
예: 한 후보자의 집회에 10,000명의 참석자가 모여 더 많은 사람들이 후속 행사에 참석하도록 영향을 미치는 언론 보도를 얻게 되었다.

"사회적 증거는 침묵하는 영업사원이다.
말로 설득하지 못할 때 설득력을 발휘한다.."
다름쉬 샤(Dharmesh Shah)

■   밴드웨건 효과(Bandwagon effect)를 활용한 긍정적 사례

✧   새로운 피트니스 프로그램을 위한 영업 프레젠테이션

피트니스 트레이너가 새로운 피트니스 프로그램을 위한 대면 영업 프레젠테이션을 진행하고 있다. 다음은 그들이 Bandwagon 효과를 어

떻게 효과적으로 활용하는지에 대한 사례이다.

성공 스토리 강조(Highlight Success Stories): 프레젠테이션 중에 피트니스 트레이너는 이미 이 프로그램에 참여한 고객들의 추천사례와 이전과 후의 사진을 보여준다. 그들은 피트니스 목표를 달성하고 삶을 변화시킨 개인들의 영감을 주는 이야기를 공유한다.

그룹 참여 강조(Emphasize Group Participation): 트레이너는 프로그램이 지역 주민들 사이에서 엄청난 인기를 얻고 있으며, 많은 사람들이 이미 등록했다고 강조한다. 그들은 개인들이 서로 지원하고 동기부여를 위해 그룹으로 참여하고 있다고 언급한다.

제한 시간 그룹 할인 제공(Offer Limited-Time Group Discounts): 즉시 조치를 촉구하기 위해 트레이너는 친구나 가족과 함께 그룹으로 등록하는 사람들에게 제한된 시간 동안 할인 혜택을 제공한다. 이것은 긴급성을 느끼게 하며 이미 많은 사람들이 기회를 활용하고 있다는 생각을 강화한다.

실시간 데모(Live Demonstrations): 트레이너는 이전 세션에서 열정적인 참가자들과 함께 실시간 피트니스 데모를 진행한다. 참가자들 간의 에너지와 친목을 보고 잠재적인 고객들은 프로그램에 참여하기로 더 확신한다.

사회적 증거(Social Proof): 과거 참가자의 성공을 보여주고 그룹 참여의 이점을 강조함으로써 트레이너는 Bandwagon 효과를 활용한다. 잠재적인 고객들은 피트니스 목표를 달성하고 지원적인 커뮤니티의 일원이 되는 다른 사람들을 보기 때문에 더 많이 등록할 가능성이 높다.

긴급성과 FOMO(Urgency and FOMO; fear of missing out) : 제한된

시간 그룹 할인은 긴급성을 느끼게 하고 놓칠까 두려워하는 상황 (FOMO)을 만든다. 사람들은 인기가 있고 특별한 혜택을 제공하는 기회를 놓치고 싶지 않아한다.

커뮤니티와 책임감(Community and Accountability): 이 경우 Bandwagon 효과는 인기뿐만 아니라 커뮤니티와 책임감을 만들어낸다. 사람들은 다른 이들이 같은 일을 하고 있음을 알 때 더 많은 동기부여를 받으며, 다른 사람들과 함께하게 됨으로써 약속을 지키려는 경향이 있다.

윤리적 고려(Ethical Consideration): Bandwagon 효과를 사용할 때 프로그램이 진정한 가치를 제공하고 고객의 피트니스 요구와 선호도가 일치하는지를 확인하는 것이 중요하다. 진정성과 투명성은 신뢰를 유지하는 데 중요하다.

시사점 : Bandwagon 효과는 피트니스 프로그램에 참여하는 개인들을 설득하기 위해 인기, 성공 스토리 및 그룹 참여의 이점을 강조하는 데 효과적으로 사용된다. 이것은 고객들이 피트니스 목표를 달성하면서 지지적인 커뮤니티의 일원이 된다는 느낌을 만들어낸다.

✧ 새로운 레스토랑 그랜드 오프닝

한 도시에 새로운 레스토랑이 열리고, 그들은 그랜드 오프닝을 위해 큰 관심을 끌고 다양한 손님들을 유치하려 한다. 이 레스토랑이 Bandwagon 효과를 활용한 사례는 다음과 같다.

그랜드 오프닝 이전의 소셜 미디어 캠페인(Pre-Opening Social Media Campaign): 그랜드 오프닝을 앞두고, 레스토랑은 소셜 미디어 캠페인을 시작한다. 그들은 매력적인 게시물을 만들고 입맛 돋우는 음식 사진과 요리사의 숙련된 솜씨를 보여주는 동영상을 게시한다.

"대세 일부가 되세요" 슬로건("Be Part of Something Big" Slogan): 레스토랑은 "대세 일부가 되세요" 또는 "요리 혁명에 참여하세요" 와 같은 슬로건을 채택한다. 이 슬로건은 이 레스토랑이 새롭고 흥미로운 인기 목적지임을 강조한다.

VIP 테이스팅 이벤트(VIP Tasting Event): 그랜드 오프닝 이전에, 레스토랑은 지역 음식 블로거, 인플루언서 및 지역 사회 리더들을 위한 VIP 테이스팅 이벤트를 개최한다. 이 인플루언서들은 소셜 미디어에서 자신들의 긍정적인 경험을 공유하며 그들의 팔로워들 사이에서 기대감과 호기심을 일깨운다.

제한된 시간의 오프닝 스페셜(Limited-Time Opening Special): 그랜드 오프닝 날, 레스토랑은 처음 100명의 고객을 위한 제한된 시간의 특별한 메뉴를 할인된 가격으로 제공한다. 이는 긴급성을 느끼게 하고 새로운 레스토랑을 체험하기 위해 가장 먼저 찾아오고자 하는 욕구를 유발한다.

라이브 엔터테인먼트(Live Entertainment): 오프닝 날에 레스토랑은 현지 밴드나 재능 있는 마술사와 같은 라이브 엔터테인먼트를 선보였다. 이러한 엔터테인먼트는 전체 다이닝 경험을 향상시키며 기억에 남도록 만들어 고객들이 재방문 하도록 격려한다.

소셜 미디어 홍보(Social Media Buzz): Bandwagon 효과는 소셜 미디어 캠페인을 통해 활용되며, 사람들이 자신의 친구들과 인플루언서들이 레스토랑의 그랜드 오프닝에 대해 이야기하는 것을 보고 흥미를 느끼게 한다.

슬로건이 인기를 강화(Slogan Reinforces Popularity): 선택한 슬로건은 레스토랑의 인기를 강화시키고 도시에서 꼭 방문해야 할 장소로 각인시킨다.

인플루언서 마케팅(Influencer Marketing): 지역 인플루언서를 초대함으로써 레스토랑은 소셜 프루프의 힘을 활용한다. 신뢰할 수 있는 인물들의 긍정적인 리뷰와 경험은 다른 사람들에게 영향을 미치게 한다.

긴급성과 독점성(Urgency and Exclusivity): 제한된 시간의 스페셜 메뉴와 VIP 이벤트는 긴급성과 독점성을 조성하여 많은 사람들이 레스토랑을 조기에 방문하도록 유도한다.

기억에 남는 경험(Memorable Experience): 라이브 엔터테인먼트는 전체 다이닝 경험을 향상시켜 기억에 남도록 만들며 고객들이 재방문할 동기를 부여한다.

시사점 : Bandwagon 효과는 새로운 레스토랑의 그랜드 오프닝을 둘러싼 관심을 유발하기 위해 사용된다.

✧ 기술 제품 런칭

한 기술 회사가 새로운 스마트폰을 출시했다. 이 회사가 Bandwagon 효과를 효과적으로 활용하는 방법은 다음과 같다:

런칭 이전의 티저(Pre-Launch Teasers): 제품 런칭 이전 몇 주 동안, 이 기술 회사는 소셜 미디어에 티저 비디오와 게시물을 게시한다. 이러한 티저들은 제품의 흥미로운 기능을 일부 공개하지만 너무 많이 공개하지 않는다.

카운트다운 타이머(Countdown Timer): 회사는 공식 웹사이트와 소셜 미디어 프로필에 카운트다운 타이머를 만든다. 이로써 팔로워들 사이에서 기대감을 일으킨다. 사람들은 최신 기술 기기를 소유하는 첫 번째 사람 중 하나가 되기를 기대하고 있다.

베타 프로그램(Early Access Beta Program): 회사는 "베타 프로그램"이라는 독점적인 프로그램을 제공한다. 이 프로그램에는 제품이 공식 출시되기 전에 제품을 사용해볼 수 있는 일부 고객들이 포함된다. 이 프로그램에 참여한 사람들이 소셜 미디어에서 자신의 경험을 공유하는 효과가 생긴다.

인플루언서 파트너십(Influencer Partnerships): 이 기술 회사는 기술 커뮤니티에서 큰 팔로워를 보유한 기술 인플루언서와 유튜버들과 협력한다. 이들 인플루언서들은 언박싱 및 리뷰 비디오를 제작하여 구독자들 사이에서 궁금증과 흥미를 불러일으키며 홍보한다.

제한된 시간 런칭 할인(Limited-Time Launch Discounts): 공식 런칭 날에 회사는 초기 사용자들을 위한 제한된 시간 할인과 번들 패키지를 제공한다. 이러한 할인 혜택은 이메일 뉴스레터와 소셜 미디어 채널을 통해 알린다.

기대감과 FOMO(Anticipation and FOMO): Bandwagon 효과는 티저, 카운트다운, 얼리 액세스를 통해 기대감을 일으킴으로써 활용된다. 사람들은 최신 기술 기기를 소유하는 기회를 놓치고 싶지 않은 심리가 작동된다.

사회적 증거(Social Proof): 베타 프로그램과 인플루언서 파트너십은 사회적 증거를 제공한다. 잠재적인 고객들은 다른 사람들이 제품을 공식 출시되기 전에 이미 즐기고 있음을 보고 트렌드를 따르려는 경향이 있다.

바이럴 마케팅(Word-of-Mouth Marketing): 얼리 액세스 프로그램의 참여자들은 제품에 대한 긍정적인 이야기를 통해 브랜드를 홍보하며 바이럴 마케팅을 진행한다.

제한된 시간 혜택(Time-Limited Incentives): 제한된 시간 할인은 사람들이 빠른 결정을 내리도록 자극하며 특별한 혜택을 놓치고 싶지 않아하는 욕구를 유발한다.

브랜드 충성도(Brand Loyalty): 흥미와 독점적인 클럽 일원이 된 느낌을 만들면 장기적인 브랜드 충성도로 이어질 수 있다.

시사점 : Bandwagon 효과는 새로운 기술 제품에 대한 흥미와 관심을 불러일으키기 위해 효과적으로 활용된다. 기대감, 사회적 증거, 독점 액세스를 활용하여 회사는 고객들에게 제품을 첫 번째로 소유하고 트렌드에 합류하도록 격려한다.

"설득의 세계에서는 많은 사람들의 의견이
종종 한 사람의 의견보다 더 큰 비중을 차지한다."
토마스 길로비치(Thomas Gilovich)

- **밴드웨건 효과(Bandwagon effect)를 활용한 부정적 사례**

✦ **인터넷 패키지 영업**

A는 어떤 통신 회사의 영업 대표로서 새로운 인터넷 패키지의 월간 영업 목표를 달성하기 어려워졌다. 그의 상사로부터의 압박을 느끼며, 그는 잠재 고객에게 판매 프레젠테이션 중에 부정적인 밴드웨건 전술을 사용하기로 결정했다.

고객에게 이 지역의 모든 이웃들이 이미 그들의 새로운 인터넷 패키지를 구독하고 번개처럼 빠른 속도와 우수한 서비스를 경험하고 있다고 말했다. 지금 이 기세에 타지 않으면 놓치게 될 것이라고 주장했다.

고객은 이웃들의 경험을 믿으며 그 패키지에 가입하기로 결정했다. 그러나 설치가 완료되고 나서, 약속된 것보다 자주 끊기는 문제와 더 느린 속도를 경험했다.

신뢰 훼손(Loss of Trust): 부정적인 밴드웨건 전술을 사용하면 판매 대표와 고객 사이의 신뢰가 훼손된다. 이웃들의 경험이 판매를 강요하기 위해 왜곡되었다는 것을 깨닫고 배신감을 느꼈다.

고객 불만(Customer Dissatisfaction): A의 서비스에 대한 불만은 분노와 실망을 가져왔다. 속았다고 느껴고 불만족한 고객이 되어 회사의 평판을 손상시키고 부정적인 소문을 낳을 수 있다.

잠재적인 법적 결과(Potential Legal Consequences): 고객들이 판매 프레젠테이션 중에 거짓 주장으로 인해 법적 조치를 취하려고 결정하면 회사와 판매 대표는 벌금과 신용 훼손을 비롯한 법적 결과를 마주할 수 있다.

단기적인 이익, 장기적인 손실(Short-Term Gains, Long-Term Losse): 단기적인 영업 목표를 달성했을 수 있지만, 부정적인 밴드웨건 전술은 회사와 그의 개인적 평판에 장기적인 손실을 초래했다. 지속 가능한 비즈니스 성공을 위해 윤리적이고 투명한 영업 관행을 우선시해야 한다.

시사점 : 대면 영업에서 밴드웨건을 부정적으로 사용하면 단기적인 이익을 가져올 수 있지만 종종 장기적인 부정적인 결과를 초래하며, 신뢰 손실, 고객 불만, 잠재적인 법적 문제 및 평판 훼손을 포함할 수 있다. 지속 가능한 고객 관계 및 명성 있는 비즈니스를 구축하기 위해 윤리적이고 투명한 영업 관행을 우선시해야 한다.

✦ 스킨케어 영업

A는 한 스킨케어 회사의 영업 대표로서 잠재 고객인 B와의 일대일 상담 중 새로운 노화 방지 크림을 홍보하고 있었다. 제품을 구매하도록 압박하기 위해 부정적인 밴드웨건 전술을 사용하기로 결정했다.

프레젠테이션 중에 이 노화 방지 크림이 너무 인기가 많아 지역의 모든 주요 소매점에서 항상 품절이라고 주장했다. 제품이 품절되기 전에 손에 넣으려면 빨리 움직여야 한다고 강조했으며 모든 사람이 그것을 사고 있다고 주장했다.

놓치기 싫어 결국 제품을 구매하기로 결정했다. 그러나 크림을 몇 주 동안 사용한 후에도 피부 상태에 뚜렷한 개선이 없다는 것을 알게 되었다. 실망하고 좌절한 회사에 연락하여 불만을 표현했다.

신뢰 저해(Eroded Trust): 부정적인 밴드웨건 전술은 신뢰를 훼손시켰다. 제품의 인기가 구매하도록 압박하려면 과장되었다는 것을 깨달았을 때 속은 것처럼 느꼈다.

고객 불만(Customer Discontent): 불만은 제품에 대한 분노와 불만을 가져왔다. 자신이 속아 넘어가고 오해를 했으며 불만족한 고객이 되어 회사의 평판에 손상을 입힐 수 있으며 부정적인 입소문을 낼 가능성이 있다.

잠재적인 법적 결과(Potential Legal Consequences): 고객들이 판매 프레젠테이션 중에 거짓 주장으로 인해 법적 조치를 취하기로 결정하면 회사와 판매원은 벌금과 신용 훼손을 포함한 법적 결과를 마주할 수 있다.

단기적인 이익, 장기적인 손실(Short-Term Gains, Long-Term Losses): 단기적인 판매를 달성할 수 있었을지도 모르지만, 부정적인 밴드웨건 전술은 회사와 개인적 평판에 장기적인 손실을 초래했다. 지속 가능한 비즈니스 성공을 위해 윤리적이고 투명한 영업 관행이 중요하다.

시사점 : 대면 영업에서 부정적으로 밴드웨건을 사용하는 것이 신뢰 저해, 고객 불만, 잠재적인 법적 문제 및 평판 훼손을 초래할 수 있다는 것을 보여주며, 지속 가능한 비즈니스 성공을 위해 윤리적이고 투명한 영업 관행이 중요함을 보여준다.

✧ 금융 특정 상호 펀드

A는 금융 자문 회사의 영업사원으로, 특정 상호 펀드에 투자하도록 고

객에게 설득하려고 했다. 미팅 중에 부정적인 밴드웨건 전술을 사용하기로 결정했다.

이미 많은 동료와 친구들이 동일한 상호 펀드에 대규모로 투자하고 놀라운 수익을 보고 있다고 말했다. 이미 밴드웨건에 올라탄 "똑똑한 투자자"들에 합류하지 않고서는 상당한 금전적 이득을 놓치고 있다고 강조했다.

사회적 압박을 느끼고 트렌드에 합류하려는 마음을 느낀 고객은 큰 금액을 상호 펀드에 투자하기로 결정했다. 그러나 시간이 지남에 따라 펀드는 주장한 대로 성과를 내지 못했다. 투자는 손해를 입었고, 그는 속았다고 느꼈다.

신뢰 저하(Eroded Trust): 부정적인 밴드웨건 전술은 신뢰를 훼손시켰다. 다른 사람들의 성공 이야기가 투자를 강요하기 위해 과장되었다는 것을 그가 깨달았을 때 그는 속은 것처럼 느꼈다.

금융 손실(Financial Loss): 거짓 주장에 기반한 투자 결정은 금전적 손실을 초래했다. 그는 판매원이 제공한 잘못된 정보를 신뢰하였으며 금융 상황에 부정적인 영향을 미쳤다.

평판 손상(Damaged Reputation): 속았다고 느껴 동료와 친구들과 부정적인 경험을 공유하여 A의 평판과 금융 자문 회사의 평판을 손상시켰다.

잠재적인 법적 결과(Potential Legal Consequences): 판매 프레젠테이션 중에 거짓 주장으로 인해 금융 자문 회사에 대해 법적 조치를 취하기로 결정하면 법적 결과와 금전적인 처벌을 초래할 수 있다.

시사점 : 대면 영업에서 부정적인 밴드웨건 사용이 신뢰 훼손, 금전적 손실, 평판 손상 및 잠재적인 법적 문제로 이어질 수 있다는 것을 보여준다. 윤리적이고 투명한 영업 관행은 지속 가능한 고객 관계를 구축하고 명성 있는 비즈니스를 유지하기 위해 중요하다.

"미련한 자는 자기 행위를 바른 줄로 여기나
지혜로운 자는 권고를 듣느니라"
잠언 12:15

✧ 그 외 부정적 사례

오해의 소지가 있는 제품 보증(Misleading Product Endorsements): 세간의 이목을 끄는 사례에서 한 유명인은 "90%의 사용자가 일주일에 10파운드를 감량했다"고 주장하면서 체중 감량 보충제를 보증했다. 그러나 나중에 밝혀진 바에 따르면, 작은 표본 크기만 고려되었으며 실제 성공한 사용자 수는 이보다 훨씬 낮은 30% 내외였다. Bandwagon의 이러한 오용은 회사에 대한 법적 조치와 대중의 반발을 불러일으켰다.

소셜 미디어 인플레이션(Social Media Inflation): 한 패션 브랜드는 최신 제품이 인기 해시태그와 함께 '핫케이크처럼 팔린다'고 홍보하는 소셜 미디어 캠페인을 시작했다. 캠페인이 큰 화제를 불러일으켰지만, 제품 매출이 이전 출시에 비해 15%만 증가한 것으로 밝혀져 고객 행동을 조작한다는 과장된 주장이 있다는 비난이 이어졌다.

정치적 투표 호소(Political Voting Appeals): 지방선거에서 후보자의 캠페인 자료에는 "지역사회의 80% 이상이 우리를 지지한다" 고 강조되었다. 그러나 조사 결과 여론조사에는 편향된 샘플링이 포함되어 있었고 실제 지지율은 45%에 가까운 것으로 나타났다. 이러한 Bandwagon의 오용은 잘못된 필연성 감각을 만들어 유권자들을 동요시키려고 시도했다.

경제적 버블 창출(Economic Bubble Creation): 부동산 붐이 일던 시절, 한 부동산 개발업체에서는 "현재 투자자의 95%가 구매하고 있다" 고 광고했다. 이 주장은 개인이 적절한 실사 없이 투자하도록 장려했다. 결국 부풀려진 수요는 부동산 거품으로 이어졌고, 거품이 터지자 많은 투자자들이 손실을 입었다.

긴박감에 대한 잘못된 인식(False Sense of Urgency): 한 온라인 소매업체는 "재고가 2개밖에 남지 않았다!" 와 같은 메시지를 표시하여 밴드웨건(Bandwagon) 기법을 활용했다. 그리고 "오늘 700명이 이걸 샀어요." 라고 했지만, 조사 결과 실제 잔여 재고는 훨씬 더 많았고, 고객이 빠른 결정을 하도록 압력을 가하기 위해 구매 횟수를 과장한 것으로 나타났다.

> "다수를 따라 악을 행하지 말며
> 송사에 다수를 따라 부당한 증언을 하지 말며"
> 출애굽기 23:2

■ 밴드웨건 효과(Bandwagon effect)를 활용한 10가지 방법

사회적 증거(Social Proof)

제품이나 서비스를 지지하는 잘 알려진 회사, 조직 또는 영향력 있는 사람, 다른 사람들이 귀하의 제품 또는 서비스를 선택한 사실을 구체화하고 시각화한다. 기존 기업과 연관시키면 신뢰감과 타당성을 높인다.

예시: 고객의 증언, 리뷰 및 사례 연구를 강조하여 이전 고객들의 긍정적인 경험을 보여준다.

고객 이야기(Customer Stories:)

만족한 고객의 실제 이야기를 공유한다. 만족한 고객의 긍정적인 피드백과 성공 사례를 소개한다. 개인적인 이야기는 잠재적 구매자에게 공감을 불러일으킨다. 특정 결과와 변화를 강조하여 소속감을 조성하고 잠재 고객이 행복한 사용자 그룹에 합류하도록 장려한다.

예시: 특정 고객에게 어떤 문제를 해결했는지를 보여주는 비디오 증언 또는 서면 사례 연구를 작성한다.

인플루언서 인증(Influencer Endorsements)

귀하의 제품을 인증하는 산업 인플루언서와 협력한다. 인플루언서는 신뢰성을 확립하고 그들의 추천을 믿는 팔로워를 가지고 있다.

예시: 관련 있는 소셜 미디어 인플루언서와 협력하여 귀하의 제품을 그들의 대중에게 홍보한다.

한정된 가용성(Limited Availability) 및 기간 한정(Limited-Time Offers)

품절 또는 제한된 기간임을 강조한다. 놓치는 것을 두려워하는 FOMO(놓친다는 두려움)가 행동을 유도한다. 희소성과 인기를 강조하여 고객이 해당 제안의 혜택을 받는 더 큰 그룹의 일원이라고 인식되도록 한다.

예시: "이 가격으로 구입할 수 있는 좌석이 50개뿐입니다. 지금 행동하세요!" "이미 저축한 수천 명의 사람들과 함께 하세요" 또는 "10,000개 이상 판매됨"과 같은 문구

인기 지표(Popularity Metrics) 및 맴버쉽(Membership or Loyalty Programs)

좋아요, 공유 또는 다운로드 횟수와 같은 인기 지표를 표시한다. 현재 서비스를 사용하고 있거나 제품을 보고 있는 사람의 수를 표시하는 카운터를 통합한다. 참여도나 지출에 따라 다양한 수준의 혜택을 회원에게만 제공되는 안을 준비한다. 제품이나 캠페인과 관련된 눈길을 끄는 해시태그를 만들고 소셜 미디어를 활용해 사용자가 자신의 경험을 공유하도록 권장한다. 높은 숫자는 가치와 관련성을 나타낸다. 등급의 이름과 각 등급의 회원 수 증가를 강조하여 고객이 더 높은 지위를 위해 노력하도록 독려하는 효과가 있다. 실시간 업데이트되는 수치는 높은 수요와 인기를 암시해 밴드웨건 효과를 촉발한다. 성장하는 커뮤니티와 고유한 이점을 언급하면 신규 가입을 유도, 사용자 제작 콘텐츠를 소개하면 커뮤니티가 번성하고 있다는 인상을 줄 수 있다.

예시: "이 eBook은 10만 번 다운로드 되었습니다."
예시: "전 세계에서 1,000만 명 이상의 만족한 고객이 선택한 제품입

니다."

커뮤니티 이벤트 및 워크숍(Community Events and Workshops)

고객이 서로 교류하고 배울 수 있는 가상 또는 오프라인 이벤트를 조직한다. 참여를 유도하기 위해 참석자 수와 이전의 성공적인 이벤트를 강조한다.

고객 로고(Customer Logos)

유명한 고객 또는 파트너의 로고를 표시한다. 존경 받는 브랜드와의 연관성은 신뢰를 높인다.

예시: "Google, Microsoft 및 Amazon과 같은 회사들의 신뢰를 받고 있습니다."

동료의 증언(Testimonials from Peers) 및 사례연구(Referral Programs)

비슷한 역할이나 업계의 개인들의 지지를 공유한다. 고객이 제품을 사용하여 달성한 측정 가능한 개선 사항에 대한 자세한 사례 연구를 제시한다. 동료들의 의견은 중요하며 공감을 불러일으킨다. 정량화 가능한 데이터를 보여주고 자신의 삶을 변화시킨 성취자들의 커뮤니티를 강조한다.

예시: "우리의 솔루션이 귀하와 같은 IT 전문가들에 의해 신뢰받고 있습니다."

트렌드와 연계(Trend References)

귀하의 제품을 현재의 트렌드나 움직임과 연계시킨다. 사람들은 "인" 것에 속하고 싶어한다.

예시: "지속 가능한 제품으로 친환경 운동에 동참하세요."

평가 및 수상(Ratings and Awards)

높은 평가, 순위 또는 수상을 강조한다. 외부 검증은 신뢰성을 높인다.

예시: "산업 전문가들에 의해 1위로 선정되었습니다."

**"밴드웨건 효과는 강물의 강한 흐름과 같아서
그 흐름을 거스르며 헤엄치는 것보다 흐름을 따라가는 것이 더 쉽다."**
미상(Unknown)

☞ 밴드웨건 효과(Bandwagon effect) 멘트

"혁신적인 제품을 사용하여 비즈니스를 혁신한 수천 명의 만족스러운 고객들의 반열에 합류하세요."
검증된 많은 고객들 사례에 동참할 것을 호소한다.

"이 제품은 현재 시장의 트렌드를 선도하는 제품으로, 대부분의 업계 리더들이 전환하고 있습니다."

업계 리더와 제품을 일치시킨다.

"우리 서비스는 수많은 고객으로부터 높은 평가와 추천을 받으며 화제가 되고 있습니다."
사회적 증거와 대중성을 강조한다.

"친환경 옵션으로 전환하는 다른 많은 사람들과 마찬가지로 저희 제품을 통해 친환경 혁명에 동참하세요."
대중적이고 사회적으로 책임을 다하는 운동과 제품을 연결한다.

"모두가 주목하는 이 기회를 놓치지 마시고 최첨단 기술로 앞서 나가세요."
긴박감과 FOMO(놓치면 안 된다는 두려움)를 조성한다.

"우리가 제공하는 탁월한 가치를 알아보는 사람들이 점점 더 많아지면서 고객 기반이 작년에 두 배로 증가했습니다."
제품에 대한 인기와 신뢰가 높아지고 있음을 강조한다.

"이웃과 마찬가지로 여러분도 고급 주택 단열 시스템으로 에너지 요금을 낮추고 편안함을 누릴 수 있습니다."
고객이 속한 커뮤니티와 공감할 수 있는 제품임을 강조한다.

"대부분의 고객이 첫 달 안에 놀라운 결과를 경험했습니다. 가입하여 직접 경험해 보세요."
대중적 성공을 예시로 신속한 결정을 촉구한다.

"이 제품은 올해 가장 많이 찾는 품목이며, 그 다양성과 효율성을 칭찬하는 사람들이 점점 더 많아지고 있습니다."
제품의 장점과 효과를 강조한다.

"업계에서 모두가 이야기하는 성공 스토리의 일부가 되세요. 저희의 방식은 많은 기업의 판도를 바꾸고 있습니다."
업계에서 성공적이고 인기 있는 트렌드에 동참할 것을 제안한다.

■ 요약

밴드웨건 기법은 사회적 증거 혹은 군중의 지혜 현상으로 다수를 따르려는 개념이다.
모두가 다 하고 있다는 인상을 주어 설득하는 기법이다.
사회적 수용에 대한 심리적 필요성에 근거가 있다..

■ 핵심키워드

밴드웨건, 사회적 증거, 군중의 지혜, 소속감과 고립, 소외감 회피, 사회적 수용, 다수에게 동조

■ 적용 질문

밴드웨건 기법이 영업과 설득에서 가지는 특징들은 무엇인가?
밴드웨건 기법을 영업과 설득에서 활용하면서 거둘 수 있는 기대효과는 무엇인가?
밴드웨건 기법을 효과적으로 활용하기 위한 10가지 방법은 무엇이고 나에게 있어 강화해야 할 요소는 무엇인가?

제 18 장

미러링(mirroring)

"동질감은 사람을 신바람 나게 한다."
닥터 브라이언(Dr. Brian)

미러링(mirroring)

■ 개념

미러링(Mirroring)은 타인과의 공감대를 형성하고 유대감을 구축하기 위해 설득과 판매에 널리 사용되는 심리적 기법이다. 이 개념에는 상호작용[110] 혹은 자동 모방[111]으로서 사람의 신체 언어, 몸짓, 목소리 톤 및 음성 패턴을 미묘하게 무의식적으로 모방[112]하는 것이 포함된다. 미러링은 사람들이 행동의 유사성을 인식할 때 더 편안하고 수용적인 느낌을 받는 경향이 있다는 생각에 뿌리를 두고 있다. 인지 신경과학의 맥락에서 다른 사람의 감정과 행동을 이해하고 신경학적 기초와 공감과의 연관성을 모색하는 것과 관련이 있고, 뇌의 거울 뉴런 시스템 즉 신경 메커니즘[113]에서 해석될 수 있다. 신경생리학적[114] 기초를 밝히고 근간이 되는 거울 뉴런이 다른 사람의 행동을 모방하고 이해하는데 중요한 역할을 제공하기도 한다.

미러링의 핵심 원리는 개인이 조화와 신뢰감을 조성하기 위해 무의식적으로 서로의 행동을 모방하는 사회적 모방의 원리에 있다. 누군가의 행동을 따라함으로써 잠재의식적인 유대감을 형성하고 상대방이 이해

---

[110] "Mirroring and Interactional Synchrony: A Critical Review of the Evidence and Its Implications" by Alan Costall

[111] "The Chameleon Effect: The Perception-Behavior Link and Social Interaction" by John A. Bargh, Mark Chen, and Lara Burrows

[112] "The Social Function of Imitation" by Andrew N. Meltzoff

[113] "Empathy and Mirroring: Insights from Cognitive Neuroscience" by Marco Iacoboni

[114] "Imitation and the Brain: The Neural Control of Imitation" by Giacomo Rizzolatti and Laila Craighero

받고 받아들여진다는 느낌을 갖게 할 수 있다. 이 기술은 저항을 줄이고 수용성을 높이며 친밀감[115]과 호감도를 높여 전반적인 의사소통 및 관계 구축 과정을 향상시키는 데 도움이 될 수 있다. 낯선 사람[116]과의 의사소통에서 비언어적 신호에 대한 미러링이 효과적으로 구사되기도 한다.

"즐거워하는 자들과 함께 즐거워하고 우는 자들과 함께 울라."
로마서 12:15

미러링에는 상호 작용하는 사람의 신체적 측면(제스처, 자세, 표정), 음성 측면(톤, 속도, 음조) 및 언어적 측면(단어, 문구, 억양 선택)을 모방하는 것도 포함된다. 인위적이거나 조작된 것처럼 보이지 않도록 유사하면서 자연스럽게 실행되어야 한다. 공감의 환경을 조성하여 궁극적으로 더욱 생산적이고 성공적인 설득 또는 판매 대화로 이어질 수 있도록 하는 것이다.

"사람들은 자신과 비슷하게 생각하고 행동하는 사람들을 더 좋아한다."
존 C. 맥스웰 (John C. Maxwell)

---

[115] "The Like Switch: An Ex-FBI Agent's Guide to Influencing, Attracting, and Winning People Over" by Jack Schafer and Marvin Karlins
[116] "Talking to Strangers: What We Should Know About the People We Don't Know" by Malcolm Gladwell

■ 특징

자연스러움: 미러링은 강제적이거나 인위적으로 보이지 않아야 한다. 너무 과도하게 모방하면 상대방이 부자연스럽다고 느낄 수 있다.

관찰: 상대방의 행동, 몸짓, 언어 패턴 등을 세심하게 관찰하고 이해해야 미러링을 효과적으로 수행할 수 있다.

소통의 깊이: 모든 사람이나 상황에 미러링을 적용하는 것이 아니라, 상황과 개인의 특성에 따라 적절한 수준에서 미러링을 해야 한다.

신뢰 구축: 미러링을 통해 상대방과의 교감을 높이면, 그로 인해 상대방의 신뢰를 더 빨리 얻을 수 있다.

비평가적 자세: 미러링은 상대방의 행동이나 생각을 비평하거나 평가하는 것이 아니라, 그저 반영하는 것에 초점을 맞춘다.

영업 및 설득의 효과적 도구: 상대방과의 신뢰 관계를 빠르게 구축할 수 있기 때문에 영업이나 설득의 상황에서 미러링은 매우 효과적인 도구로 사용될 수 있다.

감정의 조절: 상대방의 감정이나 상태를 빠르게 이해하고 조절하는 데 도움을 준다.

시사점 : 미러링은 상대방과의 깊은 연결을 만들어내는 강력한 소통 도구이다. 영업, 설득, 그리고 일상의 다양한 소통 상황에서 상대방과 더 나은 관계를 구축하고 싶다면, 이 기법을 효과적으로 활용해볼 수 있다.

"진정한 경청은 타인의 말을 따라하는 것에서 시작된다."

라리 킹 (Larry King)

■ 미러링(mirroring) 활용 성공 사례

✧ IT 솔루션 영업 상담 사례

A는 몇 년 동안 경력을 쌓은 IT 솔루션 영업사원이었다. 한 중견기업의 IT 담당자인 고객과 만났다. 처음부터 조금 비판적인 태도를 보였다. 상체를 뒤로 약간 제치고 다소 조그마한 목소리였다. "우리 회사에는 이미 비슷한 솔루션을 사용하고 있어요. 왜 그 제품이 더 나은지 설명해보세요." 라며 시작했다.

A는 고객의 태도와 말투를 자연스럽게 따라 하여, 약간 뒤로 상체를 제치고 나지막한 목소리로 대화를 시작했다. "그렇군요, 고객님 회사에서 사용하고 있는 솔루션과 우리의 제품 사이에 어떤 차이점을 발견하실지 궁금하겠네요. 그렇다면, 지금 사용하고 계신 제품에서 느끼는 어려움이나 불만족스러운 부분이 있다면 말씀해주실래요?"

"음, 현재 사용하는 솔루션은 사용자 인터페이스가 복잡해요. 직원들이 사용하는데 어려움을 느낍니다." 라고 답했다.

고객이 언급한 표현에 대해 미러링 기법을 활용해 해당 문제점을 공감하며 말했다. "사용자 인터페이스의 복잡성 때문에 직원들이 어려움을 느낀다는 것, 정말 공감합니다. 우리 제품은 바로 그런 부분을 개선하여 사용자 친화적인 디자인을 갖추고 있어요."

이런 방식으로 대화를 진행하면서 서서히 고객의 신뢰를 얻기 시작했다. 미러링을 통해 그의 문제와 고민을 잘 이해하고 있음을 보여줬기 때문이다. 결과적으로 그 기업에 성공적으로 제품을 판매하게 되었다.

이 일화를 통해 미러링 기법이 어떻게 영업, 설득, 소통의 과정에서 활용될 수 있는지 알 수 있다. 상대방의 불안이나 고민을 직접적으로 반영하며 공감하는 과정을 통해 신뢰를 얻는 것이 중요하다.

✧ 채용이나 직원과의 면접

A는 회사의 HR 담당자로서 새로운 인재를 뽑기 위한 면접을 진행하고 있었다. 어느 날, 한 지원자와 대면했다. 눈에 보일 정도로 긴장한 상태였다.

"최근 프로젝트에서 가장 어려웠던 순간과 그것을 어떻게 극복했는지 설명해 주세요."라고 질문했다.

"사실... 제가 주도적으로 한 프로젝트 경험이 많지 않아서 직접적인 어려움을 극복한 경험이 많지 않습니다."라고 대답했다.

A는 지원자의 표현에 대해 미러링하여 답변했다. "그런 경험이 아직 많지 않군요. 그럼에도 불구하고 당신이 참여한 프로젝트에서의 역할이나, 팀 내에서의 경험 등을 나눠주실 수 있을까요?"

지원자는 공감적인 대응에 조금 더 편안해진 듯하였다. "네, 직접적인 어려움을 극복한 경험은 부족하지만, 팀 프로젝트에서 제가 맡은 부분을 성실히 수행하며 전체 프로젝트를 완료하는 데 기여했습니다."라고 자신감 있게 대답했다.

이를 통해 미러링 기법이 어떻게 대화 상대의 감정을 안정화시키고, 그로 인해 더 생산적인 대화를 이끌어낼 수 있는지 확인할 수 있다. 미러링하여 그의 감정을 공감하며, 그로 인해 B가 더 자신감 있게 자신의 경험과 생각을 나누게 만들었다. 채용뿐 아니라 직원이나 팀원들과의 상담에 있어서 미러링을 통해 보다 생산적이고 건설적인 대화를 통해 풍성한 의사소통이 되도록 돕는다.

✦ 상사와의 미팅 혹은 영업상담

A는 최근에 식품 회사에 입사한 영업사원이었다. 맡은 지역의 큰 마트에서 신제품의 진열과 판매를 위한 협상을 위해 지점장과 만났다.

지점장은 앉자마자 "우리 지점에는 이미 많은 제품들이 진열돼 있어요. 새로운 제품을 넣기 위해선 기존 제품을 빼야 하는데, 그게 쉽지 않아요."라며 걱정스러운 표정을 짓고 오른쪽 손을 책상에 올리기도 하고 팔짱을 끼기도 하며 빠른 톤으로 말했다.

A는 지점장의 걱정스런 표정, 손의 위치, 말의 속도까지 미러링하며 대답한다. "그렇군요, 이미 진열된 제품들 때문에 새로운 제품의 진열에 대한 고민이 크신 거죠? 그럼 우리 제품의 핵심적인 특징과 장점에 대해서 좀 더 구체적으로 설명 드리면서, 어떻게 이 지점의 매출 향상에 도움이 될 수 있는지 알려드릴게요."

이어서, 제품의 독특한 원재료와 최근 트렌드에 맞는 특징, 그리고 다른 지점에서의 판매 실적 등을 자세히 설명했다. 특히, 유사 제품들 중에서도 가장 경쟁력 있는 가격대를 자랑한다는 점을 강조한다.
설명을 듣고 "그렇다면, 일단은 작은 공간에 진열해보고, 반응을 보도록 하자."라며 제안한다.

이를 통해 미러링 기법이 실제 영업 현장에서 어떻게 활용될 수 있는지 보여준다. 상대의 걱정과 고민을 미러링하여 그의 마음을 편안하게 만든 후, 제품의 장점과 특징을 구체적으로 설명하여 협상을 성공적으로 이끌어냈다.

"사람들은 당신이 한 말은 잊고, 당신이 한 행동은 잊지만,
당신이 그들에게 어떤 느낌을 주었는지는 결코 잊지 못한다."
메이아 앤젤루 (Maya Angelou)

■ 미러링(mirroring) 활용 부정적 사례

✧ 자동차 영업 상담

A는 몇 년 동안 경력을 쌓은 자동차 판매사원이었다. 어느 날, 고객이 세단 모델에 대한 문의를 하러 왔다. 처음부터 "이 차의 연비는 정말로 다른 차량보다 좋다고 들었는데, 실제로 그런가요?"라며 의심에 가득 찬 눈빛과 공격적인 톤으로 물었다.

A는 고객과 같이 차갑고 강한 어조로 답변했다. "사실 많은 고객님들이 연비에 대한 의문을 갖곤 해요."

고객은 그 답변에 대해 조금 당황했다. "그럼, 이 차를 사야 할 이유가 없는 건가요?"

미러링의 의도는 고객의 말투와 태도에 맞대응 하면서 분위기를 바꾸려 한 것이지만, 오히려 고객에게 자신이 그 차의 연비에 대해서도 의

심하는 것처럼 비쳤다. "아, 아니요. 이 차의 연비는 실제로 탁월해요."
라고 해명하려 했지만, 이미 불신감을 생겨 버렸다.

결국, 다른 차량을 둘러보기로 하며 떠나버렸다.

이는 미러링 기법이 잘못 사용될 경우, 상대방에게 부정적인 인상이나
불신감을 줄 수 있음을 보여준다. 의도는 상대의 의심을 공감하여 신
뢰를 얻으려는 것이었지만, 그 방식이 상대에게 자신도 해당 차량의
연비를 의심한다는 인상을 주었다.

✧ 부동산 중개 상담

A는 부동산 중개사로 일하고 있었다. 사무실에는 어느 날 젊은 부부가
원룸 구하기를 원해 방문했다. "이 근처에 조용한 곳을 찾고 있어요.
최근에 아기가 태어나서 조용한 환경이 필요하거든요." 라고 설명했다.

A는 말을 미러링하려 하면서 "아, 아기 때문에 조용한 곳을 찾는 거죠?
그럼 여기 근처는 대부분 시끄러운 곳이라서 다른 지역을 추천 드리는
게 좋을 것 같아요."라고 답했다.

A의 말에 놀란 표정으로 "그럼 이 근처에는 조용한 원룸은 없다는 건
가요?"라고 물었다.

잠시 당황한 뒤 "아니요, 그렇진 않은데…"라고 말하려 했으나, 이미
이 근처의 원룸을 소개하기를 원하지 않는다는 인상을 받았다.
결국 부부는 사무실을 빠르게 떠나 다른 부동산으로 가버렸다.

이는 미러링 기법이 부적절하게 적용될 경우, 원하지 않는 결과를 초
래할 수 있음을 보여준다. 의도는 공감하고 그에 맞는 솔루션을 제시

하려는 것이었지만, 부부에게는 그들의 요구에 부응해주기를 원하지 않는 것처럼 비쳤다.

"너희 말을 항상 은혜롭게 하여 소금으로 고르게 함같이 하라
그리하면 각 사람에게 마땅히 대답할 것을 알리라."
골로새서 4:6

✧ 진실하지 못한 허위 미러링

A는 회사에서 새로운 프로젝트 팀의 리더로 임명되었다. 팀에는 다양한 부서에서 온 팀원들이 있었고, 그 중 한 명이 디자인 부서에서 온 팀원이었다.

팀을 더 잘 이해하고 싶었고, 각 팀원과의 개별 면담을 진행하기로 했다. 디자인 부서에서 온 팀원은, "디자인 프로세스 측면에서 볼 때 종종 팀 내에서 무시 받는다고 느껴져서 힘들어요."라고 고백했다.

빠르게 미러링 기법을 활용하려 했으나, 실제로는 디자인 프로세스의 중요성을 크게 인식하지 못했다. 그럼에도 불구하고 "아, 저도 그런 느낌을 받았어요. 정말 디자인이 중요하죠."라고 허위로 답했다.

하지만 이전 회의 때 A가 디자인에 대한 의견을 대충 넘겨버린 것을 떠올렸다. 그로 인해 답변이 진심이 아니라고 느꼈다. "정말 그렇게 생각하시나요? 지난 회의 때는 그렇게 보이지 않았습니다."라며 의심스러운 표정을 지었다.

A는 당황했으며, 허위 미러링의 결과로 B와의 신뢰 관계가 약해지고

머쓱해진 것을 느꼈다.

이는 허위 미러링이 대화 상대와의 신뢰 관계를 손상시킬 수 있음을 보여준다. 진심을 담지 않은 공감은 상대방에게 허위로 느껴질 수 있으며, 그로 인해 신뢰가 무너질 수 있다.

✧ 과도한 미러링 사례

A는 상담사로 일하며 고객들의 문제를 듣고 해결 방안을 제시하는 일을 하고 있었다. 그의 상담 방식 중 하나는 고객의 감정과 문제를 잘 이해하고자 미러링을 활용하는 것이었다.

어느 날, 힘들게 일을 마치고 휴식을 취하고자 상담센터를 찾은 고객이 상담을 받기로 했다. "최근에 일이 너무 많아져서 스트레스를 많이 받고 있어요. 힘들어요."라고 말했다.

말을 듣고 과도하게 미러링을 시작했다. "그래요? 일이 많아져서 스트레스를 많이 받고 있다고요? 그래서 힘들다고요?"라며 상대의 말을 그대로 되풀이했다.

A의 반응에 당황했다. "네, 그렇게 말했잖아요."라고 답했다.

미러링을 계속하며, "그렇게 말했다고요?"라고 물었다.

고객은 점점 불편해지며, "상담사인데 왜 내 말을 계속 반복하나요?"라고 말했다.

이는 미러링 기법을 과도하게 활용할 경우, 상담이나 대화의 효과를 저해할 수 있음을 보여준다. 지나친 미러링은 불편함을 주었으며, 그로 인해 실질적인 상담이 이루어지지 않았다.

✦ 일치 되지 않은 미러링

A는 신입으로 회사에 들어와 한 간부와 첫 1:1 회의를 가졌다. A는 그의 기대와 생각을 잘 파악하고자 하였으며, 그러기 위해 미러링 기법을 활용하기로 마음먹었다.

회의 중, "이번 프로젝트에 대해서는 기대치가 정말 높아요. 신중하게 진행하면서도 빠른 결과를 보여주길 바랍니다."라고 말했다.

A는 간부의 강조와 뉘앙스를 정확히 파악하지 못한 채 미러링을 시도했다. "그러니까, 이 프로젝트에 대해서는 그냥 편안하게 진행하면서도 결과를 내야 한다는 거죠?"라며 대답했다.

간부는 당황했다. "아니, 내 말은 '신중하게'와 '빠르게'라는 부분을 강조한 건데, '편안하게'라는 단어는 어디서 나온 건가요?"라며 질문했다.

A는 자신의 미러링이 상대의 의중과 일치하지 않다는 것을 깨닫고 당황했다. "죄송합니다, 제가 잘못 이해했어요."라고 사과했지만, 이미 그의 경청 능력에 대해 의심을 가지게 되었다.

이는 미러링을 잘못, 혹은 부정확하게 활용할 경우, 대화 상대와의 미스 커뮤니케이션을 초래하고 신뢰 손상을 가져올 수 있음을 보여준다. 상대의 말을 정확히 반영하지 않아 의도치 않은 오해를 불러일으켰다.

✦ 문화적 이해부족 사례

A는 국제 기업에서 근무하며, 세계 각국의 동료들과 자주 협업을 해야

했다. 어느 날, 인도 지사의 파트너와 중요한 비즈니스 미팅을 가졌다.

미팅 중 자신의 문화적인 배경과 관련하여, "저희 나라에서는 사업을 시작하기 전에 종교적인 의식을 갖는 것이 전통입니다. 그것은 우리에게 중요한 의미를 갖죠." 라고 설명했다.

A는 그의 이야기를 듣고 미러링을 활용하려 했다. 그러나 충분한 문화적 이해 없이 접근했다. "아, 그러니까 그냥 사업 시작 전에 좋은 운을 빌기 위한 것 같은 거군요? 여기에서도 그런 것들이 있어요. 행운을 빌기 위한 거잖아요?"라고 답했다.

그의 반응에 당황했다. "아니요, 그것은 단순히 행운을 빌기 위한 것이 아니라, 우리의 신앙과 깊은 전통을 나타내는 중요한 의식입니다."라고 말했다.

그제서야 이해가 부족한 상태에서 대응했다는 것을 깨달았다. "정말 죄송합니다. 제가 잘못 이해했습니다." 라고 사과했지만, 파트저는 이미 그의 태도에 대해 실망감을 느끼고 있었다.

이는 문화적 배경이나 전통을 단순화하거나 잘못 이해하여 미러링을 시도할 경우, 상대방을 기분 나쁘게 하거나 불쾌하게 만들 수 있음을 보여준다. 상대의 문화와 전통을 정확히 이해하고 반영하지 않아 의도치 않은 갈등을 불러왔다.

"먼저 이해하려고 노력한 다음 이해 받기를 구하라."
스티븐 R. 코비(Stephen R. Covey)

■ 미러링(mirroring) 활용 10가지 방법

상대방의 말투 반영하기

고객의 말투나 억양을 반영하여 대화하는 것이다. 고객과의 동질감을 증가시킨다.

사례: 고객이 "이 제품에 대해 어떻게 생각하세요?" 라고 물을 때, 고객의 말투와 억양을 반영해 가급적 유사하게 "이 제품에 대해서는 정말 좋은 피드백을 받았어요." 라고 답변하는 것이다.

몸짓과 표정 모방하기

고객의 몸짓이나 표정을 자연스럽게 따라 하며 공감을 표현하는 것이다. 복장에 대한 스타일도 상대와 적합한 옷을 입으면 유대감과 친밀감이 높아진다. 비언어적인 공감으로 친밀감과 신뢰감을 증가시켜 상호작용이 더욱 편해진다.

사례: 고객이 제품을 보며 흥미로운 표정을 짓는다면, 같은 흥미로운 표정으로 제품에 대한 설명을 시작하고 앞으로 몸을 기울이면 함께 같은 방향으로 기울이는 것이다.

고객의 감정에 공감하기

고객의 감정을 인식하고 그에 따라 감정적 어조를 일치시키고 공감의 말을 전달하는 것. 상대의 어려움과 경험에 집중하고 유사한 일화를 공유하는 것이다. 고객의 불안이나 궁금증을 해소시키며 공감을 형성하고 관계를 강화한다.

사례: 고객이 "이 가격에는 좀 비싼 것 같아요."라고 표현할 때, "가격에 대한 고민이 있으시군요. 어떤 점에서 그렇게 느끼셨는지 들어봐도 될까요?"라고 대응하는 것이다.

"경우에 합당한 말은 아로새긴 은 쟁반에 금 사과니라."
잠언 25:11

대화의 속도와 톤 조절하기

고객의 대화 스타일에 맞춰 자신의 속도와 톤을 조절하는 것이다. 대화의 리듬과 타이밍이 맞춰져 일치감과 친밀감을 형성하고 효과적인 의사소통이 이루어진다.

사례: 고객이 천천히, 여유롭게 말할 때 그에 맞춰 천천히 답변하는 것이다.

고객의 관점에서 생각하기

상품이나 서비스를 고객의 입장에서 바라보고, 그 관점을 반영하여 설득하는 것이다. 고객의 궁극적인 필요와 욕구에 더욱 부합하는 제안을 할 수 있다.

사례: "제품을 사용하면 어떤 점에서 도움을 받을 수 있을까요?"라는 질문에, "이 제품은 고객님께서 특히 필요로 하는 기능을 갖추고 있습니다."라고 답변하는 것이다.

상대방의 의견 반복하기

고객의 말을 중요한 부분만 간략히 반복하여 확인하는 것이다. 핵심사항을 반복해 적극적 경청과 이해를 보여 상대의 우려사항이나 이슈, 목표를 우선적으로 다시 반복하고 그들에게 집중하고 주의를 기울임을 보여준다. 고객의 의견을 잘 듣고 있음을 보여주며, 오해 없이 정보를 이해하도록 돕는다.

사례: "즉, 고객님은 이 제품의 A 기능이 특히 중요하다고 생각하신다는 거죠?"

상황에 따른 미러링 조절하기

과도한 미러링은 부자연스러울 수 있으므로 상황에 맞게 적절히 활용하는 것이다. 자연스러운 대화 흐름을 유지하며, 상대방의 반감을 줄인다.

사례: 고객이 여러 가지 문제를 제시할 때, 모든 문제에 미러링을 사용하기보다는 주요 문제에만 집중하여 미러링하는 것이다.

고객의 용어 사용하기

고객이 사용하는 용어나 표현, 문구를 그대로 사용하여 대화하는 것이다. 고객의 언어와 어휘를 사용함으로써 고객과의 공감대를 높인다.

사례: 고객이 "이 제품의 연비가 어떻게 되나요?" 라고 물었을 때, "이 제품의 연비는 ..."라고 답하는 것이다.

경청의 자세 갖기

고객의 말을 집중적으로 듣는 자세를 갖추는 것이다. 고객의 불만이나 필요를 정확히 파악하여 적절한 제안을 할 수 있다.

사례: 고객이 제품의 문제점을 지적할 때, 해결 방안을 제시하기 전에 "그 부분에 대해 더 자세히 알려주실 수 있나요?" 라고 물어보는 것이다.

진심을 담아 미러링하기

미러링은 기계적이거나 표면적으로만 이루어지면 효과가 없다. 진심을 담아야 한다. 진심이 담긴 미러링은 고객과의 신뢰 관계를 빠르게 구축한다.

사례: 고객이 "이 제품이 정말 내게 필요한 건지 모르겠어요."라고 했을 때, "정말로 그런 고민이 있으시군요. 어떤 부분에서 그렇게 느끼셨는지, 제가 도와드릴 수 있을까요?"라고 진심을 담아 답하는 것이다.

"공감이란 자신에게서 다른 사람의 메아리를 찾는 것이다."
모신 하미드(Mohsin Hamid)

☞ **미러링(mirroring) 멘트**

고객이 "비용 효율적인 것을 찾고 있습니다." 라고 말하면 "물론이죠, 비용 효율적인 솔루션을 찾는 것이 중요합니다." 라고 답해본다. 투자

대비 큰 가치를 제공하는 몇 가지 옵션을 살펴보시지요."라고 답할 수 있다.

고객이 "실행이 효과적일지 잘 모르겠습니다." 라고 우려를 표명하면 "실행의 절차와 효과를 이해하는 것이 중요합니다." 라고 답해본다. 모든 것이 명확하게 이해될 수 있도록 프로세스를 안내해 드리겠습니다." 라고 답할 수 있다.

고객이 특정 전문 용어나 업계 용어를 사용하는 경우에는 해당 용어를 그대로 사용한다. 예를 들어, "네, 장기적인 혜택과 효율성 향상을 고려할 때 이 투자에 대한 ROI는 상당합니다." 라고 설명한다.

고객이 "사용자 친화적인 제품이 필요합니다." 라고 말하면 "저희도 사용자 친화성을 최우선 과제로 삼고 있습니다. 저희 제품은 사용 편의성을 염두에 두고 설계되었습니다." 라고 답할 수 있다.

고객이 매우 열광적인 반응을 보인다면 고객의 열정에 맞춰 "이 제품에 대해 흥분하시다니 정말 기쁘네요! 저도 그렇습니다. 이 제품에는 여러분이 좋아할 만한 놀라운 기능이 몇 가지 있습니다." 라고 답할 수 있다.

좀 더 내성적이거나 분석적인 고객에게는 "세부 사항에 관심을 가져주셔서 감사합니다. 이 제품의 가치를 강조하는 세부 사항과 데이터 자료를 자세히 살펴봅시다." 라고 말한다.

고객이 지원에 대해 우려한다고 언급하면 "신뢰할 수 있는 지원을 받는 것이 중요합니다. 저희는 필요한 모든 지원을 받으실 수 있도록 포괄적인 애프터 서비스를 제공합니다." 라고 답할 수 있다.

고객이 지속 가능성에 초점을 맞추고 있다면 이 가치에 맞춰 "지속 가능성은 저희 정신의 핵심 부분이기도 합니다. 이 제품은 환경을 고려하여 설계되었습니다." 라고 답할 수 있다.

고객이 구어체나 캐주얼 한 어조를 사용하는 경우에는 "네, 이 가젯은 정말 멋지네요. 원하는 모든 최신 기능이 탑재되어 있습니다." 라고 적절히 대응한다.

고객이 신중한 태도로 말하는 경우 "무슨 말씀인지 알겠습니다. 옵션을 신중하게 고려해 봅시다. 저희 제품은 고객의 요구사항에 잘 부합하는 사려 깊은 솔루션을 제공합니다."

■ 요약

미러링은 상호작용, 자동모방으로 유대감과 동질감을 형성한다.
미러링으로 저항을 줄이고 수용성, 친밀감, 호감도를 높인다.
미러링에는 신체적, 언어적 측면이 모두 포함된다.

■ 핵심키워드

미러링, 상호작용, 자동모방, 유사성, 공감, 거울뉴런, 상대관점, 적극적 경청, 진심

■ 적용 질문

미러링이 설득과 영업에 있어 중요한 요소인가?
미러링으로 기대할 수 있는 효과는 무엇인가?
미러링을 효과적을 활용하는 방법 10가지는 무엇이고 나에게 강화되어야 할 요소는 무엇인가?

제 19 장

두운 기법(Alliteration)

———— ❊◇❊ ————

"운율의 리듬은 신명 나게 한다."
닥터 브라이언(Dr. Brian)

두운 기법(Alliteration)

■ 개념

두운 기법(Alliteration)은 언어유사성의 일환으로 두운이나 운율이라고도 하는데, 같은 소리가 연속적이거나 같은 음률의 형태로 단어들의 반복을 활용한 언어기법이다. 영업, 설득, 스피치, 글쓰기 등 의사소통의 기술적 맥락으로 언어적 측면과 문학적 측면에서 활용된다. 보다 명확하고 설득력 있게 전달하기 위한 언어적[117] 장치로 생동감이 있고 풍부한 표현력으로 음악적 감각을 자극하는 수사적 기술이다[118]. 같은 소리들의 패턴으로 전달되어 의미와 감정을 풍성하게 전달한다. 문체[119]의 리듬과 어조를 활용한 연상적인 표현기법으로 기억에 오래 남는 데 유익하고 이야기의 질감과 시적[120] 품질을 높인다. 예를 들어, Rice Krispies의 "Fast and Furious", "Coca-Cola", "Snap, Crackle, Pop", '바람 부는 바닷가', '빛나는 별빛'과 같은 표현이다. 같은 소리나 글자의 반복은 문장을 더 강조하고, 눈에 띄게 한다. 설득, 영업, 광고, 슬로건에서 흔히 사용되며, 상품이나 서비스를 기억하기 쉽게 만든다.

"두운은 매력적인 관심을 불러일으킨다."
브라이언 트레이시(Brian Tracy)

---

[117] "The Sound of Poetry / The Poetry of Sound" edited by Marjorie Perloff and Craig Dworkin
[118] "A Handbook of Rhetorical Devices" by Robert A. Harris (2008)
[119] "Stylistics: A Practical Coursebook" by Kate Burridge and Tonya N. Stebbins
[120] "Rhyme's Reason: A Guide to English Verse" by John Hollander (1989)

■ 특징

문장 또는 표현에 특별한 리듬을 부여하여 내용의 강조나 중요성을 높인다. 같은 소리의 반복은 사람들의 뇌에 강한 인상을 남기므로 정보를 더 오랫동안 기억하는 데 도움을 준다. 두운 기법을 통해 듣고 읽는 이에게 시각적이나 청각적인 즐거움을 제공한다. 상품 이름, 슬로건, 광고 문구 등에서 활용하여 소비자의 관심을 끌고, 기억에 남는 브랜딩을 구축하거나 브랜드의 독특한 이미지나 개성을 구축하는데 효과적이다. 사람들은 언어 유사성이 들어간 문장이나 메시지에 더 강하게 반응하는 경향이 있다. 따라서, 설득의 대상이 해당 메시지나 제안에 더 긍정적으로 반응할 가능성이 높아진다. 정보의 전달이나 스토리텔링에서 활용하면, 메시지의 전달력을 향상시키고, 받는 사람의 관심과 집중도를 높일 수 있다. 다만, 효과적인 커뮤니케이션 도구일 수 있지만, 과도하게 사용될 경우 인위적이고 억지스러운 느낌을 줄 수 있다. 따라서 적절한 상황과 문맥에서 사용하는 것이 중요하다.

"매력적인 의사소통은 창의성과 두운을 결합한다."
지그 지글러(Zig Ziglar)

■ 두운 기법(Alliteration) 활용 사례

✧ '코카-콜라(Coca-Cola)'

'코카-콜라(Coca-Cola)'는 '코'와 '콜'의 반복으로 인해 기억하기 쉽다. "Better Butter makes your batter better"와 같은 슬로건은 제품의 특성을 강조하면서 동시에 청각적인 매력을 더해 소비자의 기억에 오래 남게 한다.

인지도 향상: 두운 기법은 소비자에게 상품이나 서비스를 기억하기 쉽게 만든다. 같은 소리나 글자의 반복은 뇌에 강한 인상을 남기므로, 광고나 판촉 문구에 사용될 때 특히 효과적이다.

감정적 연결: 특정한 리듬과 소리의 반복은 소비자의 감정과 연결될 수 있다. 이로 인해 브랜드나 상품에 대한 긍정적인 감정이 형성될 수 있다.

창의적 활용: 영업과 마케팅 전략에서 두운 기법을 창의적으로 활용하면 브랜드나 상품의 독특한 가치를 전달하는 데 큰 도움이 된다.

소비자의 관심 유도: 현대 사회에서 소비자의 주의를 짧은 시간 안에 끌어들이는 것은 중요한 마케팅 전략이다. 두운 기법은 이러한 목적에 매우 효과적이다.

과도한 사용 주의: 하지만 언어 유사기법을 과도하게 사용하면, 소비자에게 인위적이거나 억지스럽게 느껴질 수 있다. 적절한 균형을 유지하는 것이 중요하다.

✦ M&M's

M&M's는 "Melts in your mouth, not in your hand" 라는 슬로건으로 유명하다. 'Melts'와 'mouth'의 'M' 소리 반복은 청각적인 매력을 더하고 제품의 핵심 특성을 강조하다. 도넛 브랜드인 "Dunkin' Donuts"이나 'Dunkin''과 'Donuts'의 'D' 소리 반복으로 브랜드명을 더 독특하고 기억하기 쉽게 만들었다.

브랜드 인지: "Dunkin' Donuts"와 같은 언어 유사성을 포함한 브랜드명은 소비자들 사이에서 더욱 뚜렷한 이미지를 형성하며, 다른 브랜드들과 쉽게 구분되게 한다.

제품의 특징 강조: M&M's의 슬로건은 제품의 주요 특징을 강조하면서도 청각적인 매력을 더해 소비자에게 기억에 남는 메시지를 전달한다.

감정적 반응 유도: 'Dunkin' Donuts'나 'M&M's'와 같은 브랜드나 제품은 그들의 언어 유사성을 통해 소비자에게 감정적인 반응을 유도하다. 이는 소비자의 구매 결정에 큰 영향을 줄 수 있다.

경쟁에서 구별되는 브랜드 가치: 시장에서 많은 경쟁 브랜드들과 구분되는 독특한 브랜드 이미지나 메시지는 소비자들의 선택에서 우선적으로 고려될 가능성이 높아진다.

과용의 위험성: 언어 유사성의 과용은 소비자에게 반감을 주거나 메시지의 진정성을 떨어뜨릴 수 있다. 따라서 적절하게 활용하는 것이 중요하다.

✦ **"Galaxy Gear"**

삼성의 "Galaxy Gear" 스마트워치. 'Galaxy'와 'Gear'의 'G' 소리의 반복은 'iPhone', 'iPad', 'iPod' 등 Apple의 제품군과 같은 맥락으로 제품 이름에 독특한 리듬을 부여하며, 삼성의 'Galaxy' 라인과의 연계성을 강조한다.

브랜드 일관성: 'Galaxy Gear'는 삼성의 스마트폰 라인업인 'Galaxy'와의 연계성을 강조하여, 브랜드의 일관된 이미지를 전달하고자 했다.

기억하기 쉬운 이름: 'G'의 반복은 제품 이름을 더욱 독특하게 만들어 소비자들이 쉽게 기억하고 구별할 수 있게 했다.

라인업 전략: 브랜드의 다양한 제품군 사이에서 일관성을 유지하는 것은 소비자가 브랜드를 신뢰하고 인식하는 데 중요하다. 언어 유사성은 이러한 전략을 강화하는 데 도움을 준다.

강력한 브랜딩: 'Galaxy Gear'와 같이 강한 언어 유사성을 가진 제품명은 브랜드의 강력한 이미지를 구축하는 데 기여한다.

✧ 자동차 대면 판매

자동차 판매사원이 고객에게 새로운 모델을 소개할 때 "고급스러운 구조, 굉장한 가속성, 그리고 고요한 주행감" 이라는 표현을 사용하는 경우이다.

차량의 특징 강조: 판매사원은 '고급스러운', '굉장한', '고요한' 세 가지 키워드로 차량의 주요 특징을 강조하는 것이다. 'ㄱ' 자의 언어 유사성을 통해 고객의 주목을 집중시킨다.

즉각적인 피드백 활용: 고객의 반응을 살펴보며, 언어 유사성을 활용한 설명을 추가로 제공, 고객의 관심을 유지한다.

인상 깊은 메시지: 언어 유사성을 활용한 표현은 고객에게 더 강렬한 인상을 주며, 제품의 특징을 더욱 뚜렷하게 인식시킨다.

대화의 리드: 판매사원이 리드하는 대화 흐름에서 언어 유사성은 고객과의 소통을 더욱 원활하게 만들며, 고객의 질문이나 관심사를 적극적으로 활용하는 데 도움을 준다.

판매의 성공률 향상: 강조된 제품 특징과 유기적인 소통은 고객의 구매 의사 결정 과정에 긍정적인 영향을 미친다

✧ 화장품 판매 상담

화장품 매장에서 판매원이 고객님께 스킨케어 제품을 소개할 때 "뽀송뽀송한 피부, 빛나는 피부로 가꾸어드립니다." 라는 표현을 사용하는 경우이다.

제품의 주요 효과 강조: '뽀송뽀송'과 '빛나는'이라는 표현을 통해 제품의 주요 효과를 강조한다. '뽀'와 '빛'의 소리의 반복이 고객의 인식에 더욱 강하게 남는다.

고객의 호감 형성: 이러한 표현을 들은 고객은 해당 제품에 대한 호감을 느끼게 되며, 제품을 시도해보고자 하는 마음이 생기게 된다

효과적인 메시지 전달: 언어 유사성을 사용하면 메시지의 전달력이 강화된다. 고객이 메시지를 더 잘 기억하게 되고, 제품에 대한 호감도 형성된다.

판매 성공률 향상: 메시지의 효과적인 전달은 실제 판매로 이어질 가능성을 높인다

"설득의 힘은 두운의 아름다움에 있다."
마야 안젤루(Maya Angelou)

■ 두운 기법(Alliteration) 부정적 활용 사례

❖ "기적적으로 살이 녹는다(Miraculously melting weight)" 문구의 체중 감량 제품

언어 유사성 활용: "기적적으로 살이 녹는다(Miraculously melting weight)"는 문구는 'm' 소리의 반복을 통한 언어 유사성을 포함하고 있다. 이러한 표현은 소비자의 주목을 끄는 효과가 있다.

과장된 주장: "기적적으로"라는 표현은 체중 감량이 아주 빠르고 특별하게 일어난다는 과장된 이미지를 연상시킨다.

부정적 효과의 원인: 두운기법 자체가 문제를 일으키는 것은 아니다. 그러나 "기적적으로 살이 녹는다"라는 과장된 주장과 결합될 때, 소비자들은 제품의 신뢰성에 의문을 가질 수 있다. 실제 제품의 효과와 주장 사이에 큰 차이가 있다면, 고객의 불신이나 불만이 생길 수 있다.

유의사항: 두운기법을 활용하여 강조하거나 주목을 받고자 할 때, 주장의 진실성이나 과장의 정도를 잘 판단해야 한다. 과장된 광고나 주장은 장기적으로 브랜드의 이미지나 신뢰도에 해를 끼칠 수 있다. "기적적으로 살이 녹는다"라는 문구는 언어 유사성을 통해 주목 받을 수 있지만, 과장된 주장이나 실제 제품의 효과와의 일치성을 고려하지 않을 경우 부정적인 결과를 가져올 수 있다. 활용 시 주의사항과 함께 실제 제품의 효과와 주장 사이의 균형을 잘 맞추는 것이 중요하다.

❖ **"완벽하게 모공 없이 완벽하게" 주장하는 화장품 광고에서의 두운기법 활용 사례**

언어 유사성 활용: "완벽하게 모공 없이 완벽하게"라는 문구에서 '완벽하게'의 반복은 언어 유사성을 활용한 부분이다. 이 표현은 제품의 효과를 강조하려는 의도로 사용되었다.

중복 및 과장된 표현: 같은 의미의 단어를 반복적으로 사용하는 것은 메시지의 중복을 초래하며, 과장된 느낌을 줄 수 있다.

메시지의 효과 감소: 보통 메시지의 강조나 기억력 향상을 위해 사용되지만, 불필요하게 중복되거나 과도하게 사용될 경우, 오히려 메시지의 효과가 감소할 수 있다.

소비자의 불신: 과장되거나 중복된 표현은 소비자에게 제품의 신뢰성에 대한 의문을 제기하게 만들 수 있다. 특히 화장품 같은 경우, 효과와 관련된 주장은 소비자의 선택에 큰 영향을 미치기 때문에, 과장된 주장은 부정적인 피드백을 초래할 수 있다. "완벽하게 모공 없이 완벽하게"와 같은 문구는 언어 유사성을 활용해 강조하고자 하는 의도는 있었지만, 중복된 표현과 과장된 느낌으로 인해 소비자에게 부정적인 인상을 줄 수 있다. 활용할 때는 메시지의 진정성과 간결성을 유지하는 것이 중요하다.

❖ **"완벽한 워시, 완벽한 원더! (Perfect Wash, Perfect Wonder)"**

언어 유사성 활용: "완벽한 워시, 완벽한 원더!"에서 '완벽한 워'와 '완벽한 원'은 '완'과 '워', '원'의 소리 반복을 통한 언어 유사성이다. 이런 표현은 세탁 제품이나 청소 장비의 효과를 강조하려는 의도로 사용된 것이다.

불분명한 주장: "완벽한 워시"와 "완벽한 원더"라는 표현은 제품의 세탁 능력이나 청소 효과를 강조하고자 하는 것으로 보이나, 구체적으로 어떤 효과나 기능을 의미하는지에 대한 명확한 정보가 없다.

메시지의 모호성: 강조와 주목을 끌어내려는 시도는 있으나, 메시지가 너무 모호하면 소비자는 구체적인 제품의 특징이나 장점을 파악하기 어려울 수 있다.

기대와 현실의 괴리: 제품을 구매한 후 "완벽한"이라는 주장에 비해 실제 제품의 성능이나 효과가 기대 이하일 경우, 소비자는 불만을 느낄 수 있다."완벽한 워시, 완벽한 원더!" 같은 문구는 언어 유사성을 활용해 강조하려는 의도가 있으나, 주장이 너무 모호하거나 실제 제품의 효과와 주장 사이의 괴리가 클 경우 소비자의 신뢰를 잃을 위험이 있다. 두운기법을 사용할 때는 메시지의 명확성과 제품의 실제 성능이나 효과를 잘 반영해야 한다.

"판매 성공은 노련한 두운으로 노래한다."
토니 로빈스(Tony Robbins)

■　**두운 기법(Alliteration) 활용 방법 10가지**

제품 특징 강조

제품의 주요 특징을 강조하는데 두운기법을 활용한다. 소비자의 주목을 끌며 정보의 기억력을 강화시키는데 도움이 된다.

예시: "뽀송뽀송한 피부" "Silky Smooth Skin"

브랜드명 혹은 제품명에 활용

브랜드나 제품의 이름에 두운기법을 활용한다. 기억하기 쉬운 이름으로 인지도를 증가시킨다.

예시: "코카콜라"(Coca-Cola), "최고의 수면을 위한 SoftSilk 시트."("SoftSilk Sheets for Supreme Sleep.")

광고 슬로건에서 활용

광고 메시지의 강조와 기억력 향상을 위해 두운기법을 사용하여 슬로건에 깊은 인상을 남긴다.

예시: "돈 들이지 말고 돌려받아!" "Buy Now, Benefit Big!", "문 앞까지 신선하고 패스트푸드가 배달됩니다."("Fresh and Fast Food Delivered to Your Doorstep.")

프로모션 이벤트 명에서 활용

이벤트의 특징이나 장점을 강조하기 위해 활용한다. 이벤트에 대한 호기심과 참여 의향을 증가시킨다.

예시: "봄맞이 빅 세일!" "Spring's Super Sale!", "심오한 프로젝트 관리의 3P."("The 3 P's of Profound Project Management.")

제품의 사용 방법 설명

제품 사용 시 주의점이나 장점을 설명할 때 두운기법을 활용한다. 사용 방법의 이해도와 기억력을 향상시킨다.

예시: "쉽게 스윽, 깔끔하게 클린!"

제품 포장 디자인에 활용

제품 포장의 문구나 디자인에서 두운기법을 활용한다. 소비자의 주목을 끌어 판매를 촉진한다.

예시: "풍부한 향, 퍼펙트 패키지!"

상품 설명에서 활용

상품의 특징이나 장점을 소개할 때 두운기법을 활용한다. 설명의 강조와 정보 전달력을 향상시킨다.

예시: "리얼한 로즈의 로맨틱함!" "Swipe Simply, Clean Completely!", "우리의 혁신적인 아이디어는 업계의 관심을 촉발한다."("Our Innovative Ideas Ignite Industry Interest.")

고객 서비스에서 활용

고객 서비스의 슬로건이나 모토에서 두운기법을 활용한다. 고객 서비스의 품질 강조와 신뢰도를 증가시킨다.

예시: "빠르게 반응, 바로 해결!" "Respond Rapidly, Resolve Rightly!"

시즌이나 테마에 맞춘 홍보에서 활용

특정 시즌이나 테마에 맞춰 두운기법을 활용한 홍보 문구 사용이다. 시즌이나 테마에 대한 관심과 연관성을 강조한다.

예시: "여름에 어울리는 옐로우 컬렉션!" "Summer's Suitable Sunshine Collection!", "오늘 무제한의 가능성을 열어보세요!"("Unlock Unlimited Possibilities Today!")

소셜 미디어 포스팅에서 활용

소셜 미디어의 콘텐츠나 해시태그에서 두운기법을 활용하여 포스팅의 주목도를 증가시키고 공유 의지를 향상시킨다.

예시: "#월요일의_매력_만끽" "#MondayMoodMagic", "아침 루틴 마스터하기: 기상, 상쾌함, 활력 충전."("Master the Morning Routine: Rise, Refresh, Revitalize.")

———————✂◇✂———————

"훌륭한 마케팅 담당자는 두운을 사용하여 영향력을 극대화한다."
세스 고딘(Tony Robbins)

☞ **두운법(Alliteration) 멘트**

"수익성 있는 성능의 제품": 제품의 신뢰성과 비용효율적 이점을 강조

한다.

"성공을 위한 지속 가능한 솔루션": 긍정적인 결과를 약속하면서 환경 지속 가능성에 대한 강점을 강조한다.

"품질, 신속성, 기발함": 제품이 고품질이고 효율적일 뿐만 아니라 독창적인 것을 보여준다.

"장차 예산절감을 위한 환상적인 기능": 재정적 측면에서 미래에 긍정적인 영향을 미칠 것이라는 점을 제시한다.

"더 나은 비즈니스, 더 밝은 미래": 개선과 긍정적인 메시지를 전달한다

"신뢰할 수 있는 결과, 놀라운 효율": 제품의 신뢰성과 비용 효율성을 강조한다

"탁월한 서비스, 놀라운 판매효과": 탁월한 서비스가 탁월한 결과로 이어질 것임을 제안한다.

"최고의 성능, 최고의 제품": 제품의 우수성과 우월성을 강조한다.

"최대화, 이동성, 현대화": 향상, 이동성, 현대성을 암시하는 행동촉구(Call to Action)로 구매전환율을 높인다.

"최첨단 장인 정신과 창의적인 컨셉": 제품 디자인 및 개발의 혁신과 독창성을 강조한다.

■ 요약

두운기법은 언어적 유사성으로 두운과 운율을 활용한 언어기법이다.
같은 소리들의 패턴으로 전달되어 의미와 감정을 풍성하게 전달한다.
문제의 리듬과 어조를 활용한 연상적인 표현기법이다.

■ 핵심키워드

두운 기법, 언어유사성, 운율, 수사적 기술, 문체의 리듬, 이야기 질감
과 시적 품질

■ 적용 질문

두운기법이 무엇이며, 어떤 점에서 소통, 영업, 설득에서 효과적인가?
두운기법의 긍정적 효과와 부정적 효과는 무엇인가?
두운기법 10가지는 무엇이고 내가 활용해 볼 만한 부분은 무엇인가?

제 20 장

두려움 조성(Fear Mongering)

———◆———

"적절한 경각심은 결심에 이르게 하는 촉진제이다."
닥터 브라이언(Dr. Brian)

두려움 조성(Fear Mongering)

■ 개념

공포는 인간의 본능적이고[121] 강한 감정 중의 하나이며 위험과 대면하게 되면서 나타나는 감정이다. 일반적으로 인지된 위협을 증폭시키기 위해 경각심을 불러일으키는 언어, 극적인 표현으로 나타난다.

두려움 조성(fear mongering)은 곧 일어날 위험을 예고하고 두려움이나 불안을 이용해 특정[122] 행동을 취하거나 특정 결정을 내리도록 분위기를 조성하는 설득기술이다. 해로움이나 부정적인 결과로부터 자신을 보호하려는 사람들의 자연스러운 본능을 활용한다. 현실의 실질적인 위험요인, 잠재된 취약성을 강조하여 감정적 반응에 따라 사람들의 특정 행동이나 결심을 변화시키기[123] 위해 사용된다. 설득 및 판매의 맥락에서 두려움 조성에는 일반적으로 두려움이나 우려를 생성하거나 증폭시킨 다음 그러한 두려움을 완화하기 위한 수단으로 제품, 서비스 또는 솔루션을 제공하는 것이다.

두려움은 강력한 동기를[124] 부여하는 역할을 할 수 있지만, 두려움을

---

[121] "Fear and Loathing in the Media" by W. James Potter
[122] "Manufacturing Consent: The Political Economy of the Mass Media" by Edward S. Herman and Noam Chomsky
[123] "The Power of Fear: The Political Effectiveness of Emotion" by Robert C. Smith
[124] "Fear Appeal and Persuasion: An Integrative Review" by Kim Witte

조장하므로 사실보다 감정을 강조하거나, 진실을 과장되게[125] 왜곡하거나 거짓에 활용되지 않도록 윤리적[126] 기준의 중요성이 강조된다. 의도적인 감정 조작과 잘못된 정보의 유포는 신뢰를 훼손하고, 불필요한 분열, 관계를 양극화하며, 잘못된 정보로 인해 현명한 의사 결정을 방해할 수 있다. 정치[127]에서는 최악의 시나리오를 강조함으로써 특정 정책이나 후보자에 대한 여론을 형성하기 위해 대중의 공포심을 자극하는데 사용되기도 한다. 현대 사회의 공포 문화[128]로서 감시, 통제 메커니즘, 자유 침해를 합리화 하고 합법화 하기 위해 두려움이 활용되어 공포를 조장하기도 한다. 두려움이 행동과 사회적 규범을 형성하는데 있어서 윤리적인 기준[129]에 의해 긍정적 결과를 창출하는데 기여하기도 한다. 예컨대, 전염병에 대한 공포의 분위기로 인해 인도주의적 대응, 의료 시스템 및 국제 정책에 긍정적인 영향을 주기도 한다.

"인류의 가장 오래되고 가장 강한 감정은 두려움이며,
가장 오래되고 가장 강한 종류의 두려움은 미지에 대한 두려움이다."
H.P. 러브크래프트(H.P. Lovecraft)

---

[125] "The Culture of Fear: Why Americans Are Afraid of the Wrong Things" by Barry Glassner
[126] "Fear and Persuasion: Basic Research and Practical Implications" by Jeffrey W. Knopf
[127] "Fear and Politics" by Corey Robin
[128] "The Age of Fear: Risk, Paranoia, and the New Surveillance" by Frank Furedi
[129] "The Politics of Fear: Médecins sans Frontières and the West African Ebola Epidemic" by Michiel Hofman and Sokhieng Au

■ 핵심 요소

두려움 식별

두려움 조성은 상대의 기존 두려움이나 불안을 확인 하도록 하거나 확대시키는 것에서 시작된다. 건강 문제, 재정적 불안정, 사회적 거부감, 안전 문제 또는 기타 걱정의 원인에 대한 두려움일 수 있다.

공포의 증폭

일단 두려움이 확인되면, 종종 두려움을 증폭시켜 실제보다 더 현실적이고 심각한 것처럼 보이게 만든다. 두려움을 고조시키기 위해 극적인 통계, 생생한 이미지 또는 감성적 언어를 사용한다.

긴박감 조성

두려움을 조성하는 것은 종종 긴박감을 주어 인지된 위협을 완화하기 위해 신속하게 행동하도록 압박을 가한다. 이러한 긴급성은 즉각적이고 신속한 의사결정으로 이어질 수 있다.

솔루션 제시

공포와 긴박감을 심어준 후 확인된 공포를 해결하는 유일하거나 최선의 방법으로 제품, 서비스 또는 솔루션을 소개한다. 제시된 제안은 생명보호책이나 보호 수단이 된다.

감정적 분위기 조성

두려움 조성은 감정적 분위기를 동반한다. 불안, 걱정 또는 불안함을 느끼게 만들게 되면서 제시된 것을 선택하므로 이러한 부정적인 감정을 완화시킨다.

제한된 정보

공포를 조성하는 사람들은 잠재적인 단점이나 대안을 경시하거나 무시하면서 제시된 것을 선택하지 않음으로 도래할 부정적인 측면을 강조하면서 제한적이거나 편향된 정보를 제공하는 경우가 많다.

의존성 고취

끔찍한 결과를 피할 수 있는 유일한 방법으로 솔루션을 제시함으로써 두려움을 조장하는 것은 판매되는 제품이나 서비스에 대한 의존성을 키울 수 있다. 진정한 필요보다는 두려움에 의한 관계로 이어질 수 있다.

윤리적 우려

두려움을 조성하는 것은 심각한 윤리적 우려를 불러일으킬 수 있다. 잘못된 정보를 퍼뜨리거나 거짓으로 착취할 수도 있다. 장기적으로 신뢰를 약화시키고 브랜드 명성을 손상시킬 수 있다.

단기 이익, 장기 결과

두려움 조성은 즉각적인 구매를 강요함으로써 단기적인 결과를 가져올 수 있지만, 종종 구매자의 후회, 불신 또는 구매와 같은 장기적인 결과를 초래한다. 판매자의 명예가 손상될 수 있다.

의사결정에 미치는 영향

두려움을 조성하는 것은 옵션을 신중하게 고려하기보다는 공황이나 불안에 의해 결정을 내릴 수 있다. 합리적이고 정보에 입각한 선택을 하는 개인의 선택 기능을 손상시킬 수 있다.

시사점

두려움 조성(fear mongering)은 행동이나 결정을 내리기 위해 두려움과 불안을 이용하는 설득력 있는 기술이다. 단기적인 결과를 가져올 수 있지만, 윤리적 문제를 중시하지 않는다면 부정적인 장기적 결과를 초래할 수 있다. 윤리적인 설득과 판매 전략은 두려움을 이용하기보다는 정확한 정보를 제공하고 진정한 요구 사항을 해결하며 신뢰를 키우는 데 중점을 두어야 한다.

———— ❖ ————

> "두려움은 눈 앞에 늑대를 더 크게 만든다."
> 독일 속담(German Proverb)

■ 두려움 조성을 활용한 긍정적 사례

❖ 흡연 경고 캠페인

평소에는 공공 건강 캠페인에서 두려움 조장은 윤리적인 이유로 권장되지 않지만, 일부 경우에는 두려움의 정도를 의도적으로 전달하여 실제 위기나 비상 상황에 대한 대중의 인식을 높이고 긍정적인 조치를 촉발시키는 데 사용된 사례가 있다. 이러한 경우는 두려움을 통해 인식을 높이고 패닉을 일으키지 않는 선에서 균형을 잡는 신중함이 필요하다. 흡연에 대한 공공 건강 캠페인에서 정부와 건강 단체는 담배 패키지에 실사 경고 라벨을 사용하여 흡연과 관련된 심각한 건강 리스크에 대해 흡연자에게 알리기 위해 노력하고 있다.

인식 제고

그래픽 실사 경고 라벨은 흡연의 유해한 결과, 예를 들어 질병에 걸린 폐 또는 손상된 건강 상태의 그래픽 이미지 등을 묘사한다. 이러한 이미지는 두려움을 불러일으키지만 흡연의 심각한 건강 리스크에 대한 인식을 높인다.

정보에 기반한 결정

흡연자에게 흡연의 잠재적인 건강 결과에 대한 명확한 정보를 제공함으로써 그들의 선택을 안내하려고 했다. 일부 개인들은 이러한 경고를 본 후 긍정적인 조치를 취하기로 결정하거나 흡연 중단을 위한 도움을 찾을 수 있었다.

흡연 억제

심각한 건강 결과를 두려워하는 사람들은 흡연을 중단하거나 줄일 수 있다. 예를 들어, 그래픽 경고를 보는 젊은 흡연자는 흡연을 억제할 가능성이 높아진다.

흡연 중단을 위한 지원

두려움 기반 캠페인은 종종 흡연 중단을 위한 자원에 대한 정보를 포함한다. 긍정적인 행동을 취하도록 돕기 위해 사용 가능한 자원에 대한 정보를 제공한다. 예를 들어, 상담전화, 지원 그룹 및 니코틴 대체요법을 포함할 수 있다.

윤리적 고려

두려움을 전달하는 의도는 대중에게 흡연이라는 심각한 건강 리스크에 대해 알리고 긍정적인 행동을 촉진하기 위한 것이지만, 윤리적인 기준에 관련된 고려 사항이 있다. 이러한 기법이 자극적이거나 개인적인 자유를 침해한다는 주장도 있다.

장기적 효과

두려움 기반 캠페인의 장기적 효과는 논란의 여지가 있다. 일부 연구는 이러한 캠페인이 단기적으로 효과적일 수 있지만 시간이 지남에 따라 대중이 두려움을 불러일으키는 메시지에 민감도가 감소할 수 있다는 것을 지적한다.

심리적 영향

그래픽 이미지와 두려움 기반 메시지에 노출되면 일부 개인들은 불안, 스트레스 또는 부정적인 감정 반응을 보일 수 있다. 취약한 인구에게 미치는 심리적 영향을 고려하는 것이 중요하다.

시사점

의사소통 도구로서의 두려움 사용은 흡연이라는 심각한 건강 리스크에 대한 대중의 인식을 높이고 긍정적인 조치를 촉발시키기 위한 것이다. 그러나 이러한 캠페인은 인식을 높이고 두려움을 일으킬 가능성과 관련된 윤리적 고려 사항 및 대중에 미칠 수 있는 심리적 영향을 고려하는 것이 중요하다.

✧ 허리케인 경고

재난 대비에서는 불필요한 공포를 유발하지 않고 정확한 정보를 제공하는 것이 필수적이기 때문에 일반적으로 두려움을 조장하는 것보다 책임감 있는 의사소통이 선호된다. 그러나 어떤 경우에는 대중에게 실제 위기나 긴급 상황을 알리고 긍정적인 행동에 동기를 부여하기 위해 일정 수준의 두려움이나 긴급성이 사용된다. 허리케인이 발생하기 쉬운 지역에서 기상청은 긴급하고 때로는 경고적인 언어를 사용하여 대중에게 폭풍이 다가오고 있음을 경고한다.

즉각 대피

기상청이 강한 언어를 사용하여 허리케인 경고를 발령하고 치명적인 피해 가능성을 강조하면 주민들이 대피 명령을 진지하게 받아들이고 취약한 지역을 즉시 떠나도록 동기를 부여할 수 있다.

대비 조치

두렵거나 긴급한 메시지는 개인과 지역사회가 피난처 확보, 비상 물품 수집, 대피 계획 수립 등 즉각적인 대비 조치를 취하도록 유도할 수 있다.

심각성 인식

이러한 메시지는 대중이 임박한 재난의 심각성을 이해하고 안전을 우선시하고 안전 지침을 준수하도록 독려하는 데 도움이 될 수 있다.

사상자 감소

긴급한 의사소통을 통해 사람들이 대피하고, 피난처를 찾고, 기타 보호 조치를 취하도록 유도하여 사상자를 줄일 수 있다.

의사소통 문제

어떤 경우에는 긴급함이 효과적일 수 있지만, 두려움에 기반한 메시지를 과도하게 사용하면 둔감함이나 안일함을 느낄 위험이 있다. 경고 메시지가 너무 많다고 느끼면 사람들은 경고에 덜 반응하게 될 수 있다.

심리적 영향

두려운 메시지는 특히 취약 계층에게 스트레스와 불안을 유발할 수 있다. 이러한 메시지를 받는 사람들의 심리적 안정감을 고려하는 것이 중요하다.

지역사회 대비

두려움을 기반으로 한 의사소통은 지역사회가 재해 대비 계획, 인프라 및 대응 능력을 개선하도록 동기를 부여할 수도 있다.

시사점

허리케인 경고에 두려움이나 긴급성을 사용하는 것은 대중에게 자연재해의 임박한 위험을 알리고 잠재적으로 생명을 구할 수 있는 조치를 취하도록 동기를 부여하기 위한 것이다. 그러나 당국은 긴급성과 과도한 패닉 방지 사이에서 균형을 유지하는 동시에 메시지가 정확한 최신 정보를 기반으로 하는지 확인하는 것이 중요하다. 책임 있는 재난 대비 커뮤니케이션은 불필요한 두려움이나 혼란을 야기하지 않고 생명과 재산을 보호하는 것을 목표로 한다.

"두려움은 마음이 허용하는 만큼만 깊다."
일본 속담(Japanese Proverb)

■ 두려움 조성을 악용한 부정적 사례

✧ 고압적 건강보조식품 판매(Misleading Health Supplement Sales)

한 회사는 온라인 및 소비자 직접 판매를 통해 건강보조식품과 비타민을 판매했다. 고객이 제품을 구매하도록 설득하기 위해 공격적으로 두려움을 조성했다.

과장된 건강 위협

회사의 마케팅 자료는 노화, 체중 증가, 피로 등 일반적인 건강 문제를 과장하여 일반적인 것보다 훨씬 더 심각하고 시급한 것처럼 보이게 했다.

오해의 소지가 있는 주장

회사는 자사의 보충제가 이러한 과장된 건강 문제에 대한 유일한 해결책이라는 근거 없는 주장을 했다. 자사 제품을 복용하지 않으면 건강에 심각한 결과를 초래할 수 있음을 암시했다.

기만적 언어

마케팅 자료에는 "당신은 위험에 처해 있다.", "당신의 건강은 위험에 처해 있다.", "너무 늦을 때까지 기다리지 마시오."와 같은 조작적인 언어가 사용되었다. 이러한 문구는 잠재 고객에게 두려움과 불안을 유발했다.

압박적 판매 전술

회사는 기간 한정 제안과 제품을 구매하지 않으면 고객의 건강에 심각한 결과를 초래할 수 있다는 점을 지속적으로 상기시키는 등 고압적 판매 전술을 사용했다.

고객 불신

많은 고객이 회사의 두려움 기반 전술에 의해 오해를 받고 조작되었다고 느꼈다. 이로 인해 회사와 제품에 대한 신뢰가 무너졌다.

고객 피해

일부 고객은 실제로 필요하지 않은 값비싼 보충제를 구입하여 재정적 손실을 입었다.

부정적인 리뷰 및 불만

만족하지 못한 고객은 부정적인 리뷰를 남기고 회사에 불만을 제기하여 회사의 평판을 손상시켰다.

법적 결과

회사는 허위 건강 주장과 기만적인 마케팅 관행에 가담하여 규제 기관으로부터 법적 조치를 받았다.

단기 이익, 장기 손실(소탐대실)

두려움에 기반한 전술은 단기 이익을 창출했을 수도 있지만 장기적으로는 회사의 신뢰도와 브랜드에 손상을 입혔다.

시사점

회사는 건강보조식품을 판매하기 위해 공포를 조장하는 비윤리적인 행위를 통해 고객의 불신, 일부의 금전적 손실, 법적 문제 및 평판 훼손을 초래했다. 이는 특히 건강 및 웰빙과 관련된 산업에서 판매 및 설득에 두려움 기반 전술을 사용할 때 발생할 수 있는 부정적인 결과를 예시한다.

"두려움은 잔인함 그 이상이다."
제임스 앤서니 프루드(James Anthony Froude)

✧ 홈 보안 시스템 판매(Home Security System Sales)

〈공포 조장에 대한 부정적인 사용〉

과장된 범죄 통계

판매 담당자는 범죄 통계를 자주 인용하고 종종 과장하여 동네가 실제보다 훨씬 더 위험하다는 인상을 심어주었다.

감정적 조작

영업사원은 침입과 절도에 대한 최악의 시나리오를 설명하고 불안감을 고조시키기 위해 감정적 언어를 사용하여 주택 소유자의 두려움을 이용했다.

긴급성과 한시성 이용

두려움과 긴급성을 강화하기 위해 회사에서는 "기간 한정" 할인 및 설치 거래를 제안했는데, 이는 주택 소유자가 가족을 보호하기 위해 즉시 조치를 취해야 함을 암시했다.

취약한 인구에 대한 압박

때때로 안전에 대한 우려를 이용하기 위해 공포 전략을 사용하여 혼자 사는 노인과 같은 취약한 인구를 표적으로 삼았다.

분개와 불신

많은 주택 소유자는 필요하지 않았을 수도 있는 값비싼 보안 시스템을 구매하도록 조종당하고 압력을 받았다고 느꼈다. 이는 회사에 대한 원망과 불신으로 이어졌다.

소비자 피해

공포 전술에 굴복한 일부 주택 소유자는 높은 보안 시스템 및 모니터링 서비스 비용으로 인해 재정적 부담을 겪게 되었다.

취소 및 환불

많은 고객이 정보에 입각한 선택이 아닌 두려움에 기초하여 결정을 내리도록 압력을 받았다는 사실을 깨닫고 취소 및 환불을 요청했다.

평판 훼손

회사의 공격적인 판매 전략과 두려움에 기반한 접근 방식으로 인해 평판이 손상되어 부정적인 리뷰와 불만의 입소문이 퍼졌다.

규제 조사

회사는 사기성 판매 관행에 대한 불만으로 인해 규제의 관심을 끌었으며 조사 및 잠재적인 법적 처벌로 이어졌다.

시사점

홈 보안 시스템 회사는 판매 시 공포 조장을 사용하여 고객 분노, 재정적 피해, 평판 손상 등 부정적인 결과를 초래했다. 이는 두려움 전술보다 정보에 입각한 의사 결정과 고객 신뢰를 우선시하는 윤리적 영업 관행의 중요성을 강조한다.

"두려움은 마음을 죽인다."
프랭크 허버트(Frank Herbert)

■ **두려움 조성이 활용되었던 성경 속 사례**

✧ **노아의 방주와 대홍수(Noah's Ark and the Great Flood)**

신성한 경고

하나님은 인류의 사악함과 부패를 주목하시고 지구를 새롭게 하기 위해 재앙적인 홍수를 보내기로 결정하셨다. 의로운 노아에게 임박한 재난에 대해 경고하시고 자신과 가족, 그리고 선택된 동물들을 구하기 위해 방주를 지으라고 지시하셨다.

방주 건축

노아는 방주의 크기와 방주에 태울 동물의 종류를 포함하여 방주를 만드는 방법에 대해 하나님으로부터 구체적인 지시를 받았다. 그러한 거대한 선박의 건조는 당시 사람들에게 이례적으로 보였고 의구심과 우려를 불러일으키기에 충분했다.

동물 모으기

노아는 홍수 동안 생존을 보장하기 위해 모든 종류의 동물 쌍을 모으는 임무를 받았다. 이는 신중한 준비와 노력이 필요했기 때문에 매우 어렵고 미완수에 대한 두려움을 불러일으키는 작업이었을 수 있다.

상승하는 물

홍수의 물이 상승하기 시작하면 방주에 타지 않은 사람들 사이에는 큰 두려움과 긴박감이 생겼다. 사람들은 자신의 집과 땅이 물에 잠겨 공황과 절망에 빠지는 것을 목격했다.

탈출 없음

대홍수 사건은 인류가 홍수를 피할 수 없는 심판이다. 피할 수 없는 홍수의 멸망은 큰 긴박감과 두려움을 불러일으켰다.

신의 심판

이 사건은 인류의 사악함과 불순종에 대한 하나님의 심판을 표징한다. 도덕적 부패와 불순종의 결과를 강조하고, 심판의 무서움을 보여준다.

회개와 의로움

노아는 의인이었고 하나님의 명령에 순종하는 사람이었다. 심판의 때

라도 회개와 의로운 삶이 구원과 하나님의 은혜로 이어질 수 있음을
시사한다.

생존과 새롭게 함

방주는 지구 생명체의 생존과 새롭게 함의 수단을 나타낸다. 재난 이
후의 구원과 새로운 출발의 가능성을 의미한다.

믿음과 순종

회의나 두려움에 직면하더라도 하나님을 믿는 믿음과 그분의 지시에
순종하는 것의 중요성을 강조한다. 하나님의 경고와 인도에 대한 노아
의 흔들리지 않는 신뢰와 믿음이 모든 두려움을 이기게 했다.

언약

홍수가 그친 후, 하나님은 무지개로 상징된 노아와 언약을 세우시며
다시는 홍수로 땅을 멸하지 않겠다고 약속했다. 이 언약은 희망과 확
신을 준다.

유산

노아와 대홍수 사건은 종교적 및 문화 서사에 지속적인 유산을 남겼다.
이는 죄와 불순종의 결과에 대한 경고의 예시가 되는 사건이다.

시사점

노아의 방주와 대홍수 이야기에는 두려움을 불러일으키는 무서운 사건
이지만, 궁극적으로는 믿음, 순종, 하나님의 심판, 구원의 가능성에 대

한 메시지를 전달하는 이야기이다. 다양한 도덕적, 신학적인 교훈을 강조하는 다양한 해석이 존재한다.

**"내가 네게 명령한 것이 아니냐
강하고 담대하라 두려워하지 말며 놀라지 말라"**
여호수아 1:9

✧ 요셉과 바로의 꿈(Joseph and Pharaoh's dream)

파라오의 불안한 꿈

이집트의 통치자 파라오는 그를 불안하게 만드는 두 가지 괴로운 꿈을 꾸었다. 꿈에서 건강한 소 일곱 마리가 쇠약하고 병든 일곱 마리의 소에게 잡아 먹히고, 이어서 건강한 일곱 이삭이 마르고 시든 일곱 이삭에게 먹히는 것을 본다.

해석을 구함

바로는 이 꿈으로 인해 몹시 괴로워하며 해석을 구했다. 그의 마술사와 현자들은 그를 만족시키는 설명을 제공할 수 없었다.

요셉의 해석

이전에 요셉과 함께 감옥에 갇혔던 술 맡은 관원장은 요셉의 꿈 해석 능력을 기억했다. 요셉은 바로 앞에 끌려가서 그 꿈을 하나님의 계시로 보았다. 애굽의 7년 풍년과 그 뒤를 잇는 7년 흉년에 대한 경고로 해석했다.

바로의 반응

바로는 요셉의 지혜와 분별력에 깊은 인상을 받았다. 하나님은 요셉을 애굽의 두 번째 사령관, 즉 총리로 임명하여 임박한 기근에 대비하는 일을 맡게 했다.

신성한 계시

신성한 계시에 대한 믿음과 하나님이 꿈과 환상을 통해 전달하신다는 것이다. 이는 사건을 해석할 때 영적인 차원을 인식하는 것의 중요성을 강조한다.

지혜와 해석

꿈을 해석하는 요셉의 역할은 지혜와 통찰력의 가치를 보여준다.사건의 의미를 분별하는 능력을 가진 개인이 위기 상황에서 중요한 역할을 할 수 있음을 시사한다.

고난에 대한 준비

이 꿈은 고난이 임박했음을 경고하는 역할을 하며, 풍족한 시기에는 준비의 중요성을 강조한다. 미래를 위한 신중한 계획과 대비를 강조한다.

요셉의 승진

요셉의 꿈 해석은 그를 큰 권위와 책임을 맡는 위치로 승진하게 했다. 위기의 상황에서 두려워하지 않고 자신의 은사를 현명하게 사용함으로 영향력 있고 리더십 있는 위치에 오를 수 있다는 것을 보여주었다.

예언의 성취

이야기의 후속 사건은 바로의 꿈의 성취와 요셉의 해석을 보여주며, 그 꿈이 예언적이며 하나님으로부터 영감을 받았다는 것을 증명했다.

자비로운 리더십

기근 동안 요셉의 리더십은 지혜와 연민이었다. 이집트가 7년 동안의 흉년을 잘 대비하고 식량이 공평하게 분배되도록 경영했다.

시사점

바로의 두려움으로 인해 요셉을 만나게 되고 새로운 기회를 창출했다. 위기의 상황에 처한 요셉은 두려움을 극복하면서, 신성한 의사소통, 지혜, 준비, 그리고 투옥된 위치에서 지도자의 위치로 등극하는 기회가 열렸다. 하나님의 경고는 두려운 예언이었으나 믿음의 사람 요셉은 한 나라를 살리고 총리가 되어 위대한 리더의 삶을 살았다.

———— ✦ ————

"여호와는 나의 빛이요 나의 구원이시니 내가 누구를 두려워하리요"
시편 27:1

■ 두려움 조성을 긍정적이고 효과적으로 사용하는 10가지 방법

통계 및 데이터 제시

관련 통계 및 데이터를 활용하여 제품이나 서비스를 채택하지 않은 것과 관련된 결과나 잠재적 위험을 강조한다. 예를 들어 보안 솔루션의 필요성을 강조하기 위해 증가하는 범죄율을 보여준다.

기간 한정 혜택

기간 한정 거래나 할인을 제공하여 긴박감과 함께 활용한다. 결정을 늦추면 상당한 비용 절감 기회를 놓치게 되어 손실에 대한 두려움과 아쉬움이 생길 수 있음을 암시한다.

고객 사용후기

고객이 제품을 사용하기 전에 겪었던 문제와 제품이 고객의 우려를 완화하는 데 어떻게 도움이 되었는지 강조하는 사용후기를 공유한다. 그들의 두려움이 어떻게 해결되었는지 예를 들어 설명하는 것이다.

경쟁업체와의 비교

다른 대안의 선택에 따른 잠재적인 부정적인 결과에 초점을 맞춰 귀하의 제품을 경쟁사 제품과 비교해보자. 경쟁사 솔루션의 부족한 점이나 약점을 부각시킨다.

취약점 강조

고객의 현재 상황에서 취약점이나 약점을 파악하고 솔루션으로 제품을 제시해보자. 이러한 취약점을 해결하지 않을 경우 발생할 수 있는 결과를 강조한다.

기회를 놓쳤다는 아쉬움

고객이 즉각적인 조치를 취하지 않으면 놓칠 수 있는 잠재적인 기회나 이점을 강조한다. 성장이나 성공의 기회를 놓쳤을 때를 가정하여 강조해보자.

미래 예측

귀하의 제품이 없으면 상황이 악화될 수 있는 미래의 시나리오를 제시한다. 예를 들어, 제품을 채택하지 않을 경우 좋지 않아질 상황들에 대해 설명한다.

사회적 증거 및 FOMO

사회적 증거와 FOMO(Fear of Missing Out)를 사용하여 다른 사람들이 우리 제품으로 혜택을 받고 있음을 보여준다. 성공 사례를 보여주는 것은 뒤쳐지는 것에 대한 불편함을 유발한다.

교육 콘텐츠

상대가 인식하지 못할 수 있는 잠재적인 위험에 대해 교육하는 콘텐츠를 개발한다. 이러한 위험을 해결하는 솔루션을 제시하고 우리 제품을 해답으로 포지셔닝 해보자.

문제 해결 프레임워크

제품이 다루는 문제를 강조하는 명확한 문제 해결 프레임워크를 제시한다. 이러한 문제를 즉시 해결하지 않을 경우 발생할 수 있는 부정적인 결과를 설명한다.

시사점

두려움 기반 전략을 사용할 때 윤리적 고려 사항을 실천하고 제시된 정보가 정확하고 투명하다는 것을 확인하는 것이 중요하다. 책임감 있는 방식으로 두려움을 활용하면 신뢰성을 유지하면서 마음을 얻고 결심을 촉구하는 조치를 취할 수 있다.

"사랑 안에 두려움이 없고 온전한 사랑이 두려움을 내쫓나니"
요한일서 4:18

☞ **두려움 조성(Fear Mongering) 멘트**

"디지털 혁신에 뒤처지지 마세요. 소프트웨어로 경쟁력을 유지하세요."
이는 빠르게 변화하는 디지털 세상에서 뒤처질 수 있는 위험을 강조한다.

"매년 수천 명의 사람들이 사이버 공격으로 데이터를 잃고 있습니다. 사이버 보안 솔루션이 여러분을 보호할 수 있습니다."

사이버 위협의 위험성과 제공되는 보호 기능을 강조한다.

"심장마비 발생 시 대응이 1분만 지연되어도 생존 확률이 낮아집니다. 의료 경보 시스템은 여러분의 생명의 은인이 될 수 있습니다."
적시적 의료 지원의 중요성에 중점을 둔다.

"시장 폭락 시에는 준비되지 않은 포트폴리오가 가장 큰 피해를 입습니다. 이번 재무 계획은 여러분의 투자를 보호할 수 있습니다."
시장 변동에 따른 위험에 대해 경고한다.

"보안 시스템이 없는 주택은 침입할 가능성이 3배 더 높습니다. 저희와 함께 집을 안전하게 보호하세요."
보안 시스템이 없는 주택의 취약성을 강조한다.

"교육 비용이 상승하고 있습니다. 자녀의 미래를 보장하기 위한 재정 패키지로 계획을 세우세요."
향후 교육 비용에 대한 우려를 해결한다.

"예상치 못한 법적 문제는 언제든지 발생할 수 있습니다. 당사의 법률 서비스를 통해 항상 대비할 수 있습니다."
법적 문제의 예측 불가능성을 강조한다.

"정기적인 유지보수를 받지 않으면 차량이 고장으로 인해 많은 비용이 발생할 위험이 있습니다. 저희 서비스 플랜은 이를 방지합니다."
차량 방치로 인한 잠재적인 재정적 부담의 가능성을 제기한다.

"불충분한 보험 보장은 질병 발생 시 재정적 재앙으로 이어질 수 있습니다. 올바른 플랜을 선택할 수 있도록 도와드리겠습니다."
불충분한 보험의 위험성을 강조한다.

"자연재해는 예측할 수 없습니다. 비상 키트는 위기 상황에서 생명줄이 될 수 있습니다."
예기치 못한 자연재해에 대비하는 데 중점을 둔다.

■   요약

두려움 조성은 감정적 반응을 불러 행동이나 결심을 변화시킨다.
두려움은 강력한 동기를 부여하지만 사실과 진실에 기반해야 한다.
두려움이 조장되거나 왜곡되지 않도록 윤리적 기준이 중요하다.

■   핵심키워드

두려움, 공포, 경각심, 긴박감, 강력한 동기, 윤리적 기준

■   적용 질문

두려움 조성을 설득과 영업에 효과적으로 사용한 사례는 무엇인가?
두려움 조성을 진실과 사실에 기반한 윤리적 기준을 지켜 사용해야 하는 이유는 무엇인가?
두려움 조성을 효과적으로 활용할 수 있는 10가지 방법이 무엇이고 나에게 강화해야 할 요소는 무엇인가?

제 21 장

강한 어법(Loaded Language)

———————— ❖ ————————

"단호함은 마음을 정하게 하는 활력소이다."
닥터 브라이언(Dr. Brian)

강한 어법(Loaded Language)

■ 개념

강한 어법(Loaded Language)는 특정 단어나 문구가 내포하는 강한 감정적 색채나 의미를 활용하는 것으로 부정적 또는 긍정적 의미가 강하게 포함된 언어나 표현을 통해 상대 또는 상황에 대한 감정적인 반응을 유발하고 인식에 영향을 주는 기법이다. 광고, 정치[130], 논설을 포함해 설득과 영업의 현장에서 효과적인 결과를 얻기 위해 사용된다. 언어 및 비언어를 통한 조작기술[131]의 형태로 상대의 행동에 인지적 편향[132]으로 작용하고 영향을 미치는 메커니즘을 불러일으킨다. 강한 어법은 프레이밍 기술[133]과 같은 맥락으로 구사되는데 부정적 편향이나 잠재적으로 부정적 결과를 일으키기도 한다.

"유순한 대답은 분노를 쉬게 하여도
과격한 말은 노를 격동하느니라."
잠언 15:1

---

[130] "The Power of Words in Political Speech: Verbal Categories and Persuasion Strategies" by Anne Maass, Chiara Volpato, and Jolanda Jetten (2007)
[131] "Language in Thought and Action" by S.I. Hayakawa and Alan R. Hayakawa
[132] "Language and Manipulation: Using Psychological Techniques for Persuasion" by Steven R. Smith (2008)
[133] "Manufacturing Consent: The Political Economy of the Mass Media" by Edward S. Herman and Noam Chomsky(1988)

대체로 강한 감정적 의미를 내포한 단어나 표현을 사용한다 보니 상황에 따라 더욱 긍정적이거나 더욱 부정적일 수 있다. 예를 들면, "귀찮다" 대신 "짜증난다"와 같이, "불쾌" 대신 "고통스럽다"와 같이, "나쁘다" 대신 "극악한"과 같이 형태이다. 예컨대, 정치권[134]에서 많이 사용하는 형태로, 특정 인물, 정당 또는 집단에 대해, "악당", "범죄자", "배신자"와 같은 단어들이 사용되어 부정적인 인상을 강하게 인식시킨다. 광고의 경우, 상품이나 서비스를 강조하는 동시에 경쟁 업체를 비하하는 언어를 사용하는데, "최고의"와 같은 단어를 사용하여 상품이나 서비스를 강조하고, "매우 불편한"과 같은 단어를 사용하여 경쟁 업체를 비하한다.

"말의 힘은 얼마나 심도 있게
사람들의 감정을 자극하는지에 있다."
로버트 그린 (Robert Greene)

■ 핵심 요소

감정의 활용: Loaded Language는 주로 사람들의 감정을 활용하여 특정 주제나 아이디어에 대한 강한 반응을 유도하고자 할 때 사용된다.

긍정적 & 부정적 언어: 부정적 또는 긍정적 의미를 담은 언어가 모두 포함되며, 그 의도와 문맥에 따라 다양하게 사용될 수 있다.

---

[134] "Framing Public Life: Perspectives on Media and Our Understanding of the Social World" by Stephen D. Reese, Oscar H. Gandy Jr., and August E. Grant (2001)

편향된 정보 제공: 영업과 설득의 맥락에서 Loaded Language는 종종 고객에게 특정 정보나 관점을 강조하거나 숨기기 위해 사용된다.

의사결정 영향: Loaded Language는 수신자의 의사결정에 큰 영향을 줄 수 있다. 그것은 감정적 반응을 유도하여 사람들이 논리적이지 않은 결정을 내릴 수 있게 만든다.

비평적 사고 필요성: Loaded Language를 인식하는 능력은 매우 중요하다. 편향된 정보나 광고 전략이 되지 않도록 해야 한다.

효과적인 설득 도구: Loaded Language는 고객의 결정을 크게 영향을 줄 수 있으므로, 영업인이나 마케터는 이를 효과적으로 활용할 수 있어야 한다.

부정적 반응의 위험성: 과도하게 사용될 경우, Loaded Language는 고객에게 부정적인 반응을 유발할 수 있다. 따라서 적절하게, 그리고 투명하게 사용하는 것이 중요하다.

고객과의 신뢰 관계: Loaded Language를 사용할 때는 항상 고객의 관점에서 생각해야 한다. 오해의 소지가 있는 표현이나 과장된 정보 제공은 고객과의 신뢰 관계를 손상시킬 수 있다.

시사점 : Loaded Language는 영업 및 설득에 있어 강력한 도구일 수 있다. 그러나 그것을 적절하게 활용하려면 그 의미와 영향을 정확히 이해하고, 고객의 반응과 요구에 민감하게 대응할 준비가 되어 있어야 한다.

> "사람들에게 원하는 것을 주는 것이 아니라,
> 원하도록 만드는 것이 중요하다."
> 헨리 포드 (Henry Ford)

■ 강한 어법(Loaded Language)을 활용한 긍정적 사례

✧ 화장품 회사의 주름 개선 크림 출시

한 화장품 회사가 주름 개선 크림을 새롭게 출시하려 했다. 이 제품의 특징은 특별한 천연 성분을 통해 피부 재생을 촉진하는 것이었다. 하지만 이미 시장에는 수많은 주름 개선 제품들이 존재했기 때문에, 어떻게 이 제품을 시장에서 독특하게 소개할지 고민이 되었다.

마케팅 팀은 제품의 특별한 천연 성분에 주목하여 "자연의 힘으로 주름을 지우다"라는 슬로건을 도입하기로 결정했다. 이 슬로건에는 '자연의 힘'이라는 Loaded Language가 포함되어 있어, 고객들에게 이 제품이 천연 성분으로 안전하고 효과적이라는 강력한 메시지를 전달하고자 했다.

제품 출시 후, 이 슬로건은 큰 호응을 얻었다. 고객들은 '자연의 힘'이라는 표현에 매력을 느끼며, 화학 성분을 원하지 않는 사람들 사이에서 특히 인기를 얻었다. 결과적으로, 이 화장품은 많은 판매량을 기록하게 되었다.

시사점

타깃 고객의 욕구 파악: 시장에 존재하는 타깃 고객의 욕구와 트렌드를 파악하고, 이에 맞는 Loaded Language를 사용하면 효과적인 마케팅이 가능하다.

차별화된 메시지 전달: '자연의 힘'이라는 단어를 통해 경쟁 제품들과의 차별화된 메시지를 전달할 수 있었고, 이는 제품의 판매 촉진에 큰 역할을 했다.

과장과 현실 사이의 균형: Loaded Language를 사용할 때는 그 표현이 제품의 실제 특성과 부합하는지 확인해야 한다. 고객의 실망을 초래하는 과장된 광고는 장기적으로 브랜드에 해로울 수 있다.

✧ 진공청소기 영업

A는 최근에 하이엔드 진공청소기를 판매하는 대표적인 회사에서 대면 영업직원으로 일하게 되었다. 그는 여러 집을 방문하여 직접 제품을 시연하며 판매를 진행했다.

한 번, 그는 일반적인 진공청소기보다 3배나 높은 가격의 진공청소기를 어떻게 팔아야 할지 고민하게 되었다. 이를 위해 A는 제품의 강력한 흡입력을 강조하기로 결정했다. 그는 "초강력 흡입으로 미세먼지까지 완벽 제거"라는 구호를 사용하면서 집의 각 구석구석에서 먼지와 알레르기 원인 물질들을 효과적으로 제거하는 모습을 직접 보여주었다.

또한, A는 제품의 필터에 대해서도 "초미세 필터로 숨겨진 미세먼지도 놓치지 않는다"라는 구호로 강조하며, 고객의 건강을 위한 필수 아이템임을 강조하였다.

그 결과, 여러 고객들은 진공청소기의 가격에도 불구하고 그 효능에 크게 인상을 받아 구매를 결정하였다.

시사점

감정적 연결의 중요성: 대면영업에서는 고객의 직접적인 반응을 볼 수 있기 때문에, 그들의 감정과 연결된 Loaded Language를 사용하는 것이 중요하다. A는 고객의 건강 걱정을 해소하기 위한 언어 선택으로 그들의 신뢰를 얻었다.

제품의 장점을 강조: 대면영업에서는 제품의 장점을 강조하며 이를 시연하는 것이 중요하다. A는 "초강력 흡입"과 "초미세 필터"라는 표현을 통해 제품의 특징을 강조하였다.

고객의 욕구와의 동질화: 고객의 실제 욕구와 제품의 장점을 연결 짓는 언어의 선택은 대면영업의 성공을 위해 필수적이다. A는 미세먼지 문제와 관련하여 고객의 건강에 대한 걱정을 해소하는 방향으로 영업하였다.

"선한 말은 꿀송이 같아서 마음에 달고 뼈에 양약이 되느니라"
잠언 16:24

✧ 스킨케어 브랜드 영업

A는 고급 스킨케어 브랜드에서 대면 영업직원으로 일하고 있었다. 어느 날, 대형 백화점에서 시연 행사를 진행하게 되었다. 그날 방문한 고객 중 한 여성은 나이로 인한 피부 노화에 대한 큰 걱정을 하고 있었으며, 다양한 브랜드의 안티에이징 제품을 사용해봤지만 만족하지 못

했다고 했다.

이 기회에 그 제품의 핵심 성분인 '콜라겐 부스터'를 중심으로 설명하기 시작했다. "이 제품은 '콜라겐 부스터'가 함유되어 있어, 피부의 탄력을 '극대화'시키고 주름 형성을 '방지'합니다. 사용하면 '부드럽고 젊은' 피부를 경험하실 수 있다." 라며 설명했다.

'극대화', '방지', '부드럽고 젊은' 등의 Loaded Language는 고객의 피부 걱정에 대한 해결책을 제시하였다. 그 결과, 그 여성은 제품을 직접 사용해본 후 그 차이를 확연히 느끼며 바로 구매를 결정하였다.

시사점:

고객의 문제 해결: 고객의 피부 걱정을 바탕으로 Loaded Language를 사용하여 제품의 효능을 강조하였다. 이로써 고객의 문제를 해결해주는 제품임을 명확히 전달할 수 있었다.

강조의 중요성: '극대화', '방지', '부드럽고 젊은' 등의 단어는 제품의 특별한 효과를 강조하였으며, 이로써 고객에게 그 효과를 체감시켰다.

체험의 효과: Loaded Language만을 사용하는 것이 아니라 고객에게 제품을 직접 체험하게 함으로써 그 효과를 실질적으로 느끼게 하였다.

✧ **향수 브랜드 영업**

A는 고급 향수 브랜드에서 대면 영업직원으로 일하며, 특별 이벤트를 위해 대형 백화점에 설치된 부스에서 고객들을 상대했었다. 그날 향수의 특별한 향과 그 뒤에 숨겨진 이야기를 소개하는 임무를 가지고 있

었다.

한 젊은 여성이 부스에 다가왔다. 특별한 날을 위해 자신만의 독특하고 기억에 남는 향수를 찾고 있었다. 새로 출시된 향수를 소개하면서 "이 향수는 '숲 속의 휴식'이라는 컨셉으로 만들어졌다. '풍부하고 싱그러운' 나무의 향과 함께 '따스한 햇살' 아래에서 피어나는 꽃의 향이 조화를 이룹니다."라고 설명했다.

'숲 속의 휴식', '풍부하고 싱그러운', '따스한 햇살' 등의 Loaded Language를 사용하여 향수의 향을 시각적, 감각적으로 전달하려 했다. 그 결과, 그 여성은 설명을 듣는 내내 눈이 빛나며 향수를 시향했고, 그 독특한 향에 마음을 빼앗기게 되어 구매를 결정했다.

시사점

감각적 표현의 효과: 향수의 특징을 감각적으로 표현하는 Loaded Language를 사용하여 고객의 흥미를 끌었다. 이러한 표현은 고객에게 제품을 직접 경험하도록 유도하는 효과가 있다.

이야기의 중요성: 고객에게 제품의 뒤에 숨겨진 이야기나 컨셉을 소개함으로써, 제품에 대한 깊은 이해와 연결감을 형성시킬 수 있다.

체험과 설명의 조합: Loaded Language를 통한 설명과 함께 향수를 직접 시향시키는 체험의 기회를 제공함으로써, 고객의 구매 결정을 촉진하였다.

"사람들을 설득하는 가장 좋은 방법은
그들의 생각에 도달하는 것이다."
블레즈 파스칼 (Blaise Pascal)

■ 강한 어법(Loaded Language)을 활용한 부정적 사례

✧ 모바일 보호 필름

A는 모바일 기기 보호 필름을 판매하는 회사에서 대면 영업직원으로 일하며, 스마트폰 액세서리 매장에서 고객들에게 제품을 직접 소개하곤 했다. 어느 날, 고객에게 새로운 보호 필름을 소개하면서 "이 제품은 '초강력 방어' 기술이 적용되어 '어떠한 충격에도' 휴대폰 화면을 지켜준다."라며 강조하였다.

그 말을 들은 한 손님은 제품에 크게 호감을 보이며 즉시 구매를 결정했다. 그러나, 몇 일 후 그 고객이 다시 매장을 찾아왔다. 그는 실제로 핸드폰을 실수로 떨어트렸을 때 화면이 깨진 상태였다. 그는 A의 설명에 기대하고 제품을 사용했지만, '어떠한 충격에도'라는 표현 때문에 화면이 깨질 줄은 상상도 못했다며 실망감을 표현하였다.

시사점

과장된 표현의 위험성: Loaded Language는 강력한 표현으로 제품의 특징을 강조할 수 있지만, 과장된 표현을 사용할 경우 고객의 기대치와 실제 제품의 성능 사이에 괴리가 발생할 수 있다.

고객의 신뢰를 잃어버릴 위험: 고객의 기대를 충족시키지 못할 경우, 단순한 제품의 불만족을 넘어 회사나 브랜드 전체에 대한 신뢰를 잃게 될 수 있다.

✧ 천연성분 스킨케어

A는 천연 성분을 활용한 스킨케어 제품을 판매하는 회사에서 대면 영업직원으로 활동하고 있었다. 어느 날 한 백화점에서 이벤트를 진행하게 되었고, 다가오는 고객에게 제품을 열정적으로 소개했다.

A가 소개한 제품 중 하나는 "100% 천연 성분"을 강조하며, "화학 성분 '전혀' 포함되지 않았다"고 설명하였다. 이러한 설명을 듣고 한 여성 고객은 피부가 민감하여 화학 성분을 피해야 하는 상황이었기에 제품을 구매했다.

그러나 몇 일 후, 그 여성은 피부 발진이 생기는 사건이 발생했다. 병원에 가서 검사한 결과, A가 소개한 제품에 포함된 천연 성분 중 하나에 알레르기 반응을 보였던 것으로 밝혀졌다. 이에 A에게 상황을 알리며, "화학 성분이 없다고 해서 모든 사람에게 안전하다는 보장은 없다"며 불만을 표현하였다.

시사점

단순화된 표현의 함정: "100% 천연 성분"이라는 Loaded Language는 화학 성분이 없음을 강조하지만, 그렇다고 해서 모든 사람에게 안전하다는 것을 의미하지는 않는다. 천연 성분도 개인의 체질에 따라 알레르기 반응을 일으킬 수 있다.

정보의 왜곡: "화학 성분 '전혀' 포함되지 않았다"는 표현은 고객에게 제품이 완전히 안전하다는 오해를 줄 수 있다.

✧ 고성능 청소기 브랜드 영업

A는 고성능 청소기 브랜드에서 대면 영업직원으로 일하고 있었다. 어느 날 그는 고객에게 새롭게 출시된 청소기 모델을 소개하는 기회를 얻게 되었다. 이 청소기의 가장 큰 특징은 '고성능 필터'로, 미세먼지를 '100% 제거'한다는 것이었다.

한 가족이 A의 상품 설명을 들었다. 이 가족의 아이는 미세먼지 알레르기가 있어, 집 안의 공기 품질이 중요했다. "이 청소기는 고성능 필터로 미세먼지를 '100% 제거'하여 집안의 공기를 '청정하게' 유지해준다."라며 강조하였다.

그 가족은 크게 호응하며 청소기를 구매했다. 그러나, 몇 주 사용 후, 아이의 알레르기 증상이 개선되지 않았던 것이 아니라 더 악화되었다. 가족은 전문가에게 공기 질을 테스트해본 결과, 청소기가 광고한 것처럼 미세먼지를 100% 제거하지 않았던 것을 알게 되었다.

시사점

과장된 광고의 위험성: '100% 제거'라는 Loaded Language는 청소기의 성능을 과장하여 표현하였으나, 실제 성능과는 차이가 있었음을 보여준다.

제품의 기능과 실제 성능: 제품의 기능이나 성능을 광고할 때는 실제로 검증된 내용을 바탕으로 해야 한다. 고객의 기대를 저버리면 신뢰도 함께 잃게 된다.

---✦---

"말과 행동이 하나가 되어야 한다."
마히트마 간디 (Mahatma Gandhi)

■ 강한 어법(Loaded Language)이 적용된 성경 속 사례

✦ 아담과 이브의 유혹(창 3:1-6)

아담과 이브의 유혹 이야기에서 뱀은 금지된 열매를 먹도록 이브를 조종하고 속이기 위해 과장된 언어를 사용했다. 뱀은 이브에게 "하나님께서는 정말로 모든 나무의 열매를 먹으면 안 된다고 하셨느냐?"라고 물어보았다. 이브는 "정원의 나무의 열매는 먹어도 좋지만, 정원 가운데에 있는 나무의 열매는 하나님께서 먹지 말라 하셨다. 먹거나 만지면 죽을 것이라 하셨죠."라고 답했다. 그러자 뱀은 "당신이 그 열매를 먹는다고 해서 반드시 죽는 것은 아니다."라며 반박한다. 뱀은 추가로 "하나님은 그것을 먹으면 그 날에 너희 눈이 뜨여 너희가 하나님처럼 선악을 알게 되기를 원하지 않는다는 것을 아시기 때문이다."라며 말했다. 이브는 뱀의 말에 혹하게 되고, 그 나무의 열매가 먹기에 좋고, 눈에도 아름답게 보이며, 지혜롭게 할 것 같아 그 열매를 딴 뒤 먹고, 아담에게도 주어 먹게 했다.

강한 어법(Loaded Language) : 뱀은 하나님의 명령에 의문을 제기하고 그분의 의도에 의심을 던짐으로써 교묘한 언어를 사용했다. 뱀은 하와에게 "하나님이 참으로 동산 모든 나무의 실과를 먹지 말라 하시더냐"라고 물었다.

기만적인 책략: 뱀은 하나님께서 하와에게 뭔가 가치 있는 것을 보류하고 계시다는 것을 암시함으로써 하와를 속이기 위해 과장된 언어를 사용했다. 뱀은 또한 그들이 금지된 열매를 먹으면 "하나님과 같이" 될 것이라고 말했다.

이브의 응답: 강한 언어는 이브의 호기심을 자극하고 그녀로 하여금 하나님의 명령을 의심하게 만든다. 그녀는 뱀의 말을 고려하기 시작하고 금지된 열매를 탐스러운 것으로 여겼다.

결과: 이브는 뱀의 조종에 굴복하여 금지된 열매를 먹었다. 그녀는 또한 그것을 먹은 후 아담에게도 약간을 주었다. 그들의 행동의 결과로 아담과 이브의 불순종은 에덴동산에서의 목가적인 삶을 잃는 것을 포함하여 그들 자신과 모든 인류에게 결과를 가져왔다.

"무릇 더러운 말은 너희 입 밖에도 내지 말고 오직 덕을 세우는데
소용되는 대로 선한 말을 하여 듣는 자들에게 유익을 끼치게 하라."
에베소서 4:29

■ 강한 어법(Loaded Language) 활용 10가지 방법

긍정적인 프레이밍 : 성공, 행복, 성취와 관련된 감정을 불러일으키는 긍정적인 단어와 문구를 사용한다. 예를 들어, "평균적인 결과"라고 말하는 대신 "놀라운 결과"를 사용하면 더 매력적인 분위기를 만들 수 있다.

혜택 강조 : 가치와 개선을 전달하는 표현을 사용하여 제품이나 서비스의 이점과 장점에 중점을 둔다. 고객의 삶이나 비즈니스에 어떻게

긍정적인 영향을 미칠 수 있는지 강조한다.

비교 사용 : 비교 언어를 사용하여 다른 제품보다 제품의 우수성을 강조한다. 두 개 이상의 대상을 비교하여 하나의 대상의 우위나 특징을 강조하는 것이다. 부정적인 정보나 상황을 긍정적인 방향으로 해석하거나 표현하는 것도 좋다. "경쟁사보다 뛰어난 성능을 발휘합니다" 또는 "탁월한 품질","다른 제품들과는 '차원이 다른' 성능을 자랑합니다!" "이 제품은 '무첨가'입니다!" 대신 "이 제품은 화학 첨가물이 없습니다."

긴급성 조성 : 즉각적인 조치를 취하도록 시간에 긴급함을 유발한다. 무언가가 한정적이거나 드물다는 것을 강조하여 그 가치나 중요성을 부각시키는 것이다. "이 기회는 '한번뿐'입니다. 놓치지 마세요!""한시적 제안", '한정된 시간' 동안만 특별 할인가!"와 같은 표현은 긴박감을 자극하여 더 빠른 결정을 내리도록 동기를 부여될 수 있다.

배타성과 권위 강조: 독점성 또는 한정 그룹에 속함을 암시하는 언어를 사용한다. '단독 한정판' 또는 '선택된 소수를 위한'과 같은 문구는 고객이 특별하고 가치 있는 존재라는 느낌을 갖게 할 수 있다. 특정 제품, 서비스 또는 제안의 가치나 신뢰도를 강조하기 위해 권위 있는 대상이나 전문가의 의견을 인용하는 것도 효과적이다. "이 제품은 전문가들에게도 '인정받은' 최고의 선택입니다!"

감정에 호소 : 감정과 개인적 가치를 활용하는 언어를 만든다. 스토리텔링과 공감할 수 있는 일화는 공감대를 형성하고 의사결정에 영향을 미칠 수 있다.

두려움과 우려 사항을 해결 : 안심시키는 언어를 사용하면서 잠재적인 우려 사항과 반대 의견을 직접 해결한다. 공감을 표현하고 걱정을 완화하는 솔루션을 제공한다.

파워 워드 사용 : "혁명적", "비할 데 없는" 또는 "변혁적"과 같이 주의를 끄는 강력하고 설득력 있는 단어를 포함한다. 더욱 명확한 이미지나 정보를 제공하기 위해 구체적인 표현을 사용하는 것이다. "이 책은 당신의 인생을 '바꿀' 것입니다!"

열망 불러오기 : 고객의 열망 및 목표에 부합하는 언어를 사용한다. 감정적 반응을 유도하기 위해 강한 뉘앙스의 단어를 선택하여 사용한다. "이 제품은 '혁명적'입니다!" 대신 "이 제품은 혁신적 기능을 가지고 있습니다."

행동 촉구 : 고객이 원하는 결과를 얻을 수 있도록 행동 촉구에 단호한 언어를 사용한다. 고객의 관심을 끌거나 특정 주제에 대한 생각을 유도하기 위해 질문 형태로 표현하는 것도 효과적이다. "차이를 경험해 보세요", "지금 '바로' 구매하세요!" "당신도 '완벽한' 피부를 원하지 않나요?"와 같은 문구는 행동에 동기를 부여할 수 있다.

"너희 말을 항상 은혜롭게 하여 소금으로 고르게 함같이 하라
그리하면 각 사람에게 마땅히 대답할 것을 알리라."
골로새서 4:6

☞ 강한 어법(Loaded Language) 멘트

"우리의 혁신적인 제품은 업계의 판도를 바꾸고 다른 사람들이 따라야 할 새로운 표준을 제시합니다."
'혁명적'과 '게임 체인저'는 상당한 영향력을 시사한다.

"경쟁사가 따라올 수 없는 프리미엄 서비스가 제공하는 비교할 수 없는 편안함과 고급스러움을 경험하세요."
'비교할 수 없는 편안함'과 '럭셔리'는 특별함을 연상시킨다.

"이 최첨단 기술은 효율성과 신뢰성을 선도하는 혁신의 신호등입니다."
'최첨단'과 '혁신의 등대'는 진보적이고 선도적인 자질을 암시한다.

"최첨단 솔루션으로 이미 비즈니스를 혁신한 엘리트 대열에 합류하세요."
'엘리트'와 '최첨단'은 우월성과 높은 지위를 암시한다.

"우리의 획기적인 접근 방식은 빠른 성장과 지속 가능성을 원하는 기업에게 생명줄과도 같습니다."
'획기적'과 '생명선'은 중요하고 선구적 에너지를 강조한다.

"일생에 단 한 번뿐인 이 기회를 포착하여 비즈니스를 성공과 번영의 영역으로 끌어올리세요."
'일생에 단 한 번'과 '성공과 번영'은 긴급하고 의미 있는 발전을 촉구한다.

"친환경적이고 혁신적인 제품으로 미래를 포용하여 더 친환경적인 지구를 만드는 데 앞장서세요."
'미래를 포용한다'와 '선도한다'는 미래지향적인 사고와 리더십을 강조한다.

"이 독점 혜택은 경쟁업체가 꿈꿀 수 없는 탁월한 효율성과 생산성을 향한 관문입니다."
'독점'과 '관문'은 놓칠 수 없는 특별한 기회를 암시한다.

"전담 팀이 프리미엄 서비스를 제공하여 처음부터 끝까지 탁월한 고객 경험이 보장됩니다."
'프리미엄 서비스'는 탁월한 관리와 고품질 서비스를 의미한다.

"이 획기적인 도구를 활용하여 업계 표준을 재정의하는 선구자 커뮤니티에 가입하세요."
'선구자 커뮤니티'와 '획기적'이라는 단어는 이 제품이 혁신적이고 시대를 앞서가는 제품이라는 것을 의미한다.

■ 요약

강한 어법은 강한 감정적 색채나 의미를 활용해 감정적인 반응을 유발하는 기법이다.
언어 및 비언어를 통한 조작기술의 형태로 인지적 편향으로 작용한다.
프레이밍 기술과 같은 맥락으로 부정적 결과를 일으키지 않도록 해야 한다.

■ 핵심키워드

강한 어법, 감정적 반응, 긍정적 프레이밍 기술, 긴급성 강조, 배타성과 권위, 감정에 호소, 파워워드, 열망 불러오기, 행동촉구

■ 적용 질문

강한 어법이 영업과 설득에서 가지는 핵심 특징은 무엇인가?
강한 어법으로 기대할 수 있는 효과와 주의해야 할 요소는 무엇인가?
강한 어법을 활용하는 10가지 방법이 무엇이고 나에게 강화되어야 할 요소는 무엇인가?

제22장

가치동인(Value Drivers)
'설득포인트 찾기'

<hr />

"설득의 시작은 고객의 핵심 가치동인을 찾는 것 부터이다."
닥터 브라이언(Dr. Brian)

가치동인(Value Drivers)
'설득포인트 찾기'

■ **개념**

설득포인트는 핵심가치[135], 가치동인, 핵심동력, 설득요인이라고 하기도 한다. 마음을 움직이고 설득하기 위해 결정적으로 영향을 미치는 핵심 요소에 초점을 맞추어 전략적으로 접근하는 기법이다. 고객에게 가장 관련성이 높고 매력적인 제품 또는 서비스의 측면을 식별해내고 이 부분을 강조한다. 고객의 욕구와 그 우선순위는 다양하다는 이해를 바탕으로 하여 핵심 설득포인트를 압축해 동의와 공감을 이끌어내는 기법이다. 해당 고객마다 가슴을 뛰게 하는 핵심요인[136]이 있다. 받게 될 제품이나 서비스로부터 받게 될 무언가 즉 인지된 핵심요인을 기반으로 구매결정을 내리는 것이다. 인지되고 내재된 핵심가치는 외부로 드러나기도 하고 숨겨져 있기도 하다. 그러니 일률적인 접근방식으로 그 베일을 벗기고 파악해내기란 어렵다. 다양한 욕구가 있고 천천히 조심스럽게 핵심요인을 찾기 위해 고객 고유의 욕구와 구매동기를 터치하면서 전략적 가치프레임워크[137]를 통해 접근하고 파악해 낼 필요가 있다.

---

[135] "Creating and Delivering Value in Marketing" Adrian Payne and Pennie Frow (2005)

[136] "Customer Value Propositions in Business Markets" James C. Anderson, James A. Narus, and Wouter van Rossum (2006)

[137] "Customer Value: The Next Source for Competitive Advantage" Bradley T. Gale (1994)

■ 기본원칙

고객중심접근

모든 판매원칙은 제품이나 서비스나 기능도 아니고 고객 자체를 중심에 두어야 한다. 기술과 서비스의 우수성에 함몰되지 않도록 한다. 판매접근 절차나 전략도 고객이 중심이 되어 고객의 생각, 선호도, 욕구, 구매패턴 등을 통해 핵심구매포인트와 동력이 무엇인지 파악해내는 것이다.

핵심 설득요인 제시

기술이나 서비스 혹은 어떤 요인이 고객의 마음을 움직이는 실질적이고 구체적인 요인인지 파악하면, 그 포인트를 기반으로 그 고객에 적합한 제시를 [138]해야 한다. 어느 한 기술 때문에 구매를 결정할 수 도 있고, 특정 디자인이나 서비스절차가 될 수도 있다.

욕구분석

설득요소를 파악하고 제시하기 전에 고객의 욕구를 면밀하고 철저히 분석하는 것이 중요하다. 적절한 질문을 하고 고객의 응답을 적극적으로 경청하고 다시 되묻고 [139]하는 과정을 통해 고민하는 부분, 요구사항 등 핵심설득요소를 포착해 낼 수 있다.

---

[138] "Value Proposition Design: How to Create Products and Services Customers Want" by Alexander Osterwalder, Yves Pigneur, Gregory Bernarda, and Alan Smith
[139] "The Lean Startup: How Today's Entrepreneurs Use Continuous Innovation to Create Radically Successful Businesses" by Eric Ries

맞춤화

핵심 설득포인트를 일회적으로 제시하는 것도 좋지만 핵심요인에 맞춤화가 된 홍보전략이 이루어져야 한다. 한번 파악된 설득요인은 가변적일 수도 있기 때문에 맞춤화되어 구사하는 홍보전략도 변화무쌍 해야 한다.

■ 기대 요인

더 높은 설득 성공률

과녁 중에서도 가장 중앙에 맞추는 것이다. 핵심 설득요인을 공략하므로 가렵고 아픈 부분을 해결하므로 설득을 완수하고 거래를 성공으로 마무리할 가능성을 높일 수 있다. 고객은 자신의 요구사항이나 욕구에 부합하고 명확하게 일치될 때 구매가능성이 높아진다.

고객만족도 증가

핵심가치요인으로 고객이 자신의 요구사항이 충족되었다고 느끼기 때문에 구매 만족도는 높아진다. 높은 만족도는 충성도에 긍정적인 영향을 주고 재구매나 추천으로 이어질 수 있다.

장기적인 관계

나를 이해하고 안다는 자체가 깊은 인상과 신뢰를 주며 긍정적 관계를 촉진시킨다. 고객이 자신의 최선의 이익을 얻고 있다고 느낄 때 보다 오랫동안 누리고 싶어하고 장기적으로 관계로 이어지도록 한다.

경쟁 우위

고객의 핵심요구사항을 이해하고 해결하는데 탁월한 영업인과 기업은 경쟁우위[140]에 있다. 고객과의 탄탄한 충성관계는 그 어떤 진입장벽보다 강력하다.

효과적인 의사소통

한번 형성된 신뢰관계 위에 소통은 훨씬 부드럽고 물 흐르듯 원활하다. 기본적인 소통이 적극적으로 경청하고 공감하고 모든 소통의 중심이 고객욕구에 있으므로 더욱 그러하다.

"마케팅의 목표는 고객을 잘 알고 이해하여
고객에게 맞는 제품이나 서비스를 만들어 판매하는 것이며,
제품이 스스로 팔리도록 하는 것이다."
피터 드러커(Peter Drucker)

■ 가치 동인 적용 예시

❖ 전자제품 매장에 고객이 새 스마트폰을 사려고 온 상황

---

[140] "Blue Ocean Strategy: How to Create Uncontested Market Space and Make Competition Irrelevant" by W. Chan Kim and Renée Mauborgne

대화

고객의 선호도와 요구사항을 파악하기 위해 고객과 대화를 시작한다. 가벼운 대화로 시작해 개방형 질문을 통해 현재 휴대폰에 대한 정보, 기존 사용 시 사용패턴, 선호하는 기능이나 디자인, 불편했던 것 그리고 새 기기에서 고려하고 원하는 것이 무엇인지 확인한다.

핵심요인 식별

고객의 응답을 기반으로 여러 핵심가치 중에 가장 중요한 요인을 포착해낸다. 한 두 번의 질의와 소통으로 파악이 안 되는 경우도 간혹 있다. 오히려 좁혀진 범위에서 예상되는 요인들을 제시해보면서 보다 구체적으로 접근이 가능할 수 있다.

카메라품질 : 고객이 사진 촬영을 좋아하고 특히 인스타그램을 한다거나 고화질 사진을 중요하게 생각하는 경우
배터리 수명 : 바쁜 일상으로 인해 하루 종일 지속적으로 휴대폰 사용이 필요한 경우
성능 : 게임이나 기타 기술적인 작업을 휴대폰으로 사용하는 경우
가격[141] : 특정 예산안에서 고려하는 경우 그 범위 내에서 찾는 경우
브랜드 충성도 : 특정 스마트폰 브랜드에 대한 선호도가 있는 경우

영업 접근 전략

고객이 카메라 품질을 우선시 한다면, 고해상도 렌즈, 저조도 성능, 다

---

[141] "Value-Based Pricing: Drive Sales and Boost Your Bottom Line by Creating, Communicating and Capturing Customer Value" by Harry Macdivitt and Mike Wilkinson

양한 촬영 모드, 편집기능 등 스마트폰의 첨단 카메라 기능을 강조해 본다. 배터리 수명이 중요한 경우 휴대전화의 오래 지속되는 배터리와 급속 충전기능을 강조한다. 성능을 중시한다면, 스마트폰의 강력한 프로세서와 그래픽 처리기능을 강조한다. 가격의 한계가 있다면, 예산 친화적인 옵션이나 진행중인 프로모션이나 할인을 집중한다. 특정브랜드에 충성도가 높은 경우, 해당 브랜드 제품군내 생태계 호환성, 지원과 사후관리 등 해당 브랜드의 이점과 장점을 강조한다.

입증 자료 및 사례 제시

제품사양, 고객리뷰, 데모 등의 입증 가능한 자료와 함께 제시한다. 구체적으로 핵심설득요인이 고객에게 어떻게 충족하고 부합하는지 보여주고 만져지도록 돕는다

우려사항 극복(거절처리)

고객이 가질 수 있는 우려사항이나 질의, 반대급부 등을 미리 준비해 둔다. 예컨대, 가격에 대한 우려를 표명하는 경우, 할부 옵션이나 보상 판매프로그램을 제사하여 가격이슈를 해결하고 거절할 수 없는 제안으로 변모시킨다.

클로징

핵심가치요인에 맞춰 효과적으로 제시하고 거절처리를 완료한 후 결정을 요청해보자. '이 스마트폰이 고객에게 적합해 보이네요 어떠세요?'

> "가치 동인은 고객중심으로 이루어져야 한다.
> 무언가를 하는 것보다 고객을 위해 무엇을 하느냐가 중요하다."
> 리사 스톤(Lisa Stone)

■ 가치동인 대표적 사례

✧ Apple의 Steve Jobs와 iPhone 출시

2007년 1월 어느 화창한 날, 스티브 잡스는 세상을 바꿀 제품을 공개하기 위해 샌프란시스코 모스콘 센터 무대에 섰다. 당시의 부피가 큰 스마트폰과는 전혀 닮지 않은 검정색의 아담한 기기를 손에 들고 있었다. 프레젠테이션을 시작하면서 잡스는 애플 성공의 핵심이라고 믿었던 가치 동인(Value Drivers)을 강조했다.

잡스는 Apple이 항상 집중해 온 세 가지 핵심 가치 동인, 즉 혁신, 디자인, 생태계를 강조하면서 시작했다.

혁신

스티브 잡스는 진정한 획기적인 제품을 만들기 위해서는 Apple이 점진적인 개선을 넘어서는 방식으로 혁신해야 한다는 점을 인식했다. iPhone이 어떻게 진화해왔는지, iPod 및 인터넷 기반 기기들을 하나의 완벽한 단일 플랫폼으로 결합한 수년간의 연구 개발의 결과인지 설명했다. Apple은 멀티 터치 스크린과 새로운 운영 체제인 iOS를 포함한 최첨단 기술에 막대한 투자를 하여 iPhone을 경쟁사와 차별화시켰다.

디자인

잡스는 디자인에 대한 남다른 애착으로 유명했으며 미학과 사용자 편의의 중요성을 강조했다. iPhone을 들고 사용된 소재부터 버튼 배치까지 디자인의 모든 측면이 얼마나 세심하게 고려되었는지 설명했다. 디자인은 제품의 외관뿐만 아니라 작동 방식에 관한 것이며 Apple을 차별화하는 중요한 가치 동인이라고 주장했다.

생태계

iPhone을 중심으로 포괄적인 생태계를 통합화하는 것에 대해 중요하다고 인식했다.이 장치가 iTunes 및 App Store와 같은 Apple의 다른 제품 및 서비스와 어떻게 원활하게 통합되는지 설명했다. 이러한 생태계는 아이폰을 단순한 휴대폰이 아닌 다양한 애플리케이션과 콘텐츠를 위한 플랫폼으로 만들어 고객에 대한 가치를 더욱 높였다.

Jobs는 이러한 가치 동인이 고객을 위한 실질적인 혜택으로 어떻게 전환되는지 보여주었다. 터치 인터페이스, 시각적 음성 메일, Safari 웹 브라우저 등 iPhone의 혁신적인 기능을 선보였다. 아이폰이 단순한 휴대폰이 아니라 사람들이 살고, 일하고, 서로 연결되는 방식을 변화시킬 수 있는 기기임을 강조했다. 이러한 가치 동인이 Apple의 제품 개발 접근 방식의 핵심이라는 점을 반복하여 프레젠테이션을 마무리했다. 혁신과 디자인에 집중하고 견고한 생태계를 구축함으로써 Apple이 고객의 요구를 충족할 뿐만 아니라 고객의 기대를 뛰어넘는 제품을 만들 수 있다고 믿었다.

시사점

아이폰의 출시는 엄청난 성공을 거두었고, 이는 곧 문화가 되었다. 가치 동인에 대한 스티브 잡스의 강조는 Apple이 혁신적인 제품을 만드는 데 도움이 되었을 뿐만 아니라 기업이 기술 산업에서 가치를 창출할 수 있는 방법에 대한 기준을 설정했다. 아이폰의 성공은 기능에만 국한되지 않았다. 고객에게 최대의 가치를 제공하기 위해 이러한 기능을 어떻게 신중하게 제작했는지에 대한 것이었으며, 이는 현재까지 제품 개발에 계속 영향을 미치는 교훈이었다.

✦ Toyota의 하이브리드 기술 추진

2000년대 초반, 토요타는 자동차 산업에 혁명을 일으킬 잠재력을 지닌 하이브리드 전기 자동차인 2세대 토요타 프리우스(Toyota Prius) 출시를 준비하고 있었다. Toyota 전략의 중심에는 가치 동인의 통합이 있었다.

환경적 책임

Toyota는 환경에 대한 관심이 전 세계적으로 소비자에게 점점 더 중요해지고 있음을 인식했다. 친환경 차량에 대한 수요 증가에 맞춰 하이브리드 기술을 조정할 수 있는 기회를 보았다. 이를 통해 고객의 요구를 충족할 뿐만 아니라 지속 가능한 모빌리티 분야의 선두주자로 자리매김하는 것을 목표로 삼았다.

연료 효율성

연료 효율성은 Toyota의 중요한 가치 동인이었다. 소비자들이 연료 소비와 운영 비용을 줄일 수 있는 방법을 찾고 있다는 것을 알고 있었다. 프리우스는 이러한 측면에서 탁월하도록 설계되어 기존 가솔린 구동 자동차에 비해 훨씬 더 나은 연비를 제공한다.

기술 혁신

혁신은 Toyota 접근 방식의 특징이었다. 가솔린 엔진과 전기 모터를 완벽하게 결합한 첨단 하이브리드 기술 개발에 많은 투자를 했다. 배기가스 및 연료 소비를 줄이는 것뿐만 아니라 독특한 운전 경험을 제공하기 위한 것이었다.

비용 절감

Toyota의 또 다른 중요한 가치 동인은 비용 절감 가능성이었다. 하이브리드 기술이 처음에는 개발 비용이 많이 들지만 생산이 확대됨에 따라 더욱 비용 효율적이 될 수 있다는 것을 이해했다. 이를 통해 하이브리드 자동차를 경쟁력 있는 가격으로 제공할 수 있게 되어 더 다양한 고객이 접근할 수 있게 된다.

Prius가 대중에게 공개되면서 Toyota가 이러한 가치 동인을 강조하는 것이 분명해졌다.

환경에 대한 책임

Toyota는 Prius를 환경적으로 책임 있는 선택으로 선정하여 낮은 배기가스 배출과 탄소 배출량 감소를 강조했다. 지속 가능성에 대한 약속을 분명히 밝혔다.

연료 효율성

프리우스의 획기적인 연료 효율성은 핵심 판매 포인트다. 인상적인 주행거리 수치를 선보이며 주유비를 절약하려는 소비자의 관심을 끌었다.

기술 혁신

토요타는 프리우스를 구동하는 하이브리드 기술을 강조했다. 프리우스를 최첨단 차량으로 강조하면서 시스템 작동 방식과 그 특장점에 대해 소비자에게 인식시켰다.

비용 절감

시간이 지남에 따라 Toyota는 하이브리드 구성 요소의 생산 비용을 줄이기 위해 부지런히 노력하여 유사한 기능을 갖춘 기존 차량에 비해 합리적인 가격으로 Prius를 제공할 수 있었다.

시사점

Value Drivers에 대한 이러한 전략적 강조의 결과로 Toyota Prius는 일본뿐만 아니라 전 세계적으로 큰 성공을 거두었다. 하이브리드 기술의 대명사가 되었으며, 친환경 자동차의 기준을 세웠다. 올바른 가치 동인을 식별하고 통합함으로써 Toyota와 같은 기업은 고객 요구 사항을 충족할 뿐만 아니라 혁신을 주도하고 사회적 가치에 부합하며 업계 리더로 자리매김할 수 있는 제품을 만들 수 있다. 프리우스의 성공은 자동차 산업을 형성하고 소비자 선호도에 영향을 미치는 이러한 가치 동인의 힘을 입증하는 역할을 한다.

✧ Dove의 "Real Beauty" 캠페인

Dove의 "Real Beauty" 캠페인은 브랜드 이미지를 재구성하고 더 깊은 수준에서 소비자와 연결하기 위해 Value Drivers 개념이 어떻게 적용되었는지 보여주는 주목할만한 예이다. 2000년대 초반, 유니 레버(Unilever) 산하에 있는 브랜드 도브(Dove)는 '리얼 뷰티(Real

Beauty)' 캠페인을 시작했다. 이 캠페인은 광고 업계에 널리 퍼져 있는 기존의 아름다움 기준에 도전하고 아름다움에 대한 보다 포용적이고 진실하며 긍정적인 인식을 장려하는 것을 목표로 했다.

진정성

Dove가 이 캠페인에서 채택한 핵심 가치 동인 중 하나는 진정성이었다. 많은 뷰티 광고가 종종 비현실적이고 고도로 포토샵 처리된 모델 이미지를 묘사하여 여성들 사이에 부정적인 자아상을 형성할 수 있다는 점을 인식했다. 이에 대응하여 캠페인의 일환으로 실제 일반여성고객을 대상으로 했다. 다양한 체형, 크기, 연령의 여성들을 초대하여 사진 촬영에 참여했다. 이 여성들은 전문 모델이 아닌 일반인들이었으며, 그들의 사진은 수정되지 않은 채 도브의 광고에 사용되었다. 이러한 접근 방식은 진정성과 진정한 아름다움에 대한 Dove의 철학과 가치를 강조했다.

자존감과 역량 강화

Dove의 캠페인은 또한 여성의 자존감과 역량 강화에 중점을 두었다. 여성과 소녀들이 자신감을 키우고 사회적 아름다움의 규범을 재정의 하도록 돕기 위해 학교와 지역사회에서 워크숍과 교육 프로그램을 시작했다. 이러한 더 깊은 감정적, 심리적 요구를 해결함으로써 Dove는 보다 의미 있는 수준에서 소비자와 소통하고 참여시켰다.

사회적 책임

사회적 책임이라는 가치 동인은 Dove의 캠페인에서 중요한 역할을 했다. 비현실적인 미용 기준이 사회에 미치는 영향에 대한 인식을 높이고 광고에 대한 보다 책임감 있는 접근 방식을 장려하려고 노력했다. 신체 이미지와 자기 가치에 관한 토론에 적극적으로 참여하여 더 넓은 사회적 대화가 이루어지도록 노력했다.

소비자 참여

Dove는 소비자가 캠페인을 통해 개인적인 이야기와 경험을 공유하도록 장려했다. 여성들이 아름다움, 자존감, 신체 긍정성에 대한 자신의 견해를 토론할 수 있는 플랫폼을 만들었다. 이러한 참여를 통해 Dove는 고객의 의견을 경청할 뿐만 아니라 아름다움을 재정의하는 대화에 고객을 참여시킬 수 있었다.

시사점

가치 동인에 대한 전략적 강조의 결과로 Dove의 "Real Beauty" 캠페인은 상당한 성공을 거두었다. 소비자들이 진정성과 긍정적인 메시지에 대한 브랜드의 헌신을 높이 평가하면서 Dove의 매출이 크게 증가했다. 이 캠페인은 광범위한 언론 보도와 찬사를 받았으며, 수익 그 이상을 고려하는 브랜드로서 Dove의 입지를 강화했다. "리얼 뷰티(Real Beauty)" 캠페인은 신체 이미지와 미용 기준에 대한 더 큰 사회적 대화를 촉발하여 해당 분야에 대한 인식과 지지가 높아졌다. 자존감 프로젝트를 통해 자존감과 권한 부여를 촉진하려는 Dove의 지속적인 노력은 이러한 가치 동인에 대한 브랜드의 장기적인 헌신을 보여주었다. 결론적으로 Dove의 "Real Beauty" 캠페인은 진정성, 자존감, 사회적 책임, 소비자 참여와 같은 가치 동인을 전략적으로 사용하여 브랜드 이미지를 재구성하고 소비자와 강력한 정서적 관계를 구축할 수 있는 방법을 보여주었다. 더 깊은 가치와 사회적 관심에 부응함으로써 Dove는 시장 점유율을 높였을 뿐만 아니라 아름다움과 자기 가치에 대한 더 넓은 담론에 긍정적으로 기여했다. 캠페인은 기업이 올바른 가치 동인의 우선순위를 지정하여 의미 있고 지속적인 영향력을 창출할 수 있는 방법에 대한 강력한 사례 연구 역할을 한다.

"사람들은 논리적인 이유로 구매하지 않고
감정적인 이유로 구매한다."
지그 지글러(Zig Ziglar)

■ 가치동인 부정적 사례

✧ 담배업계 부정적 광고(Tobacco Industry and Misleading Advertising)

조 카멜 캠페인(Joe Camel Campaign)(R.J. 레이놀즈)

1980년대 후반과 1990년대 초반, R.J. 주요 담배 회사인 Reynolds 는 자사의 Camel 브랜드 담배를 홍보하기 위해 "Joe Camel" 광고 캠 페인을 도입했다. 이 캠페인에는 만화 캐릭터인 조 카멜(Joe Camel) 이 등장했는데, 이 캐릭터는 어린이와 청소년에게 어필한다는 비판을 받았다. 여기서 암시하는 바는 조작된 가치 동인으로 흡연이 건강에 미치는 영향을 무시한 채 브랜드 이미지와 젊은 층에 대한 호소하려고 한 것이다.

말보로 맨(필립 모리스)Marlboro Man (Philip Morris)

말보로 담배 제조사인 필립 모리스는 "말보로 맨"을 주인공으로 하는 오랫동안 광고 캠페인을 진행했다. 거친 카우보이 이미지는 남성다움 과 흡연에 대한 모험심을 조성하기 위해 사용되었다. 이 캠페인은 건 강 위험을 경시하면서 흡연을 자립성 및 야외 활동 방식과 연관시키는 것을 목표로 했다.

건강 및 안전 무시

담배 업계는 오해를 불러일으키는 광고를 통해 가치 동인을 조작함으로써 흡연과 관련된 심각한 건강 위험을 효과적으로 경시하거나 무시했다. 브랜딩과 호소력 있는 이미지에 초점을 맞춤으로써 담배 사용이 폐암, 심장병, 호흡기 질환 등 예방 가능한 질병의 주요 원인이라는 사실을 모호하게 만들었다.

청소년의 매력

"Joe Camel"과 같은 많은 담배 광고 캠페인은 젊은 소비자의 관심을 끌기 위해 고안되었다. 이는 새로운 세대를 흡연의 위험에 노출시켰을 뿐만 아니라 평생 고객을 창출하기도 했다. 중독과 건강 문제를 지속화하는데 기여했기 때문에 공중 보건에 대한 영향은 부정적이었다.

규제 회피

담배 업계는 담배 마케팅에 대한 규제 및 법적 제한의 영향을 회피하거나 최소화하기 위해 오해의 소지가 있는 광고를 자주 사용했다. 라이프스타일이나 브랜드 이미지와 같은 특정 가치 동인을 강조함으로써 공중 보건 조치를 우회하면서 시장 점유율과 이익을 유지하는 것을 목표로 했다.

정보에 근거한 선택의 부족

오해를 불러일으키는 광고는 소비자가 자신의 건강에 대해 정보를 바탕으로 선택하는 능력을 손상시켰다. 건강 정보보다 화려함, 자립심 또는 세련미와 같은 가치 동인이 홍보될 때 개인은 담배 제품 사용으로 인해 발생하는 위험을 완전히 이해하지 못할 가능성이 높았다.

시사점

담배 업계가 오해를 불러일으키는 광고에 가치 동인을 적용한 것은 공중 보건에 심각한 결과를 가져왔다. 건강 문제보다 브랜드 이미지, 청소년 매력, 라이프스타일 연관성을 우선시함으로써 심각한 건강 위기를 지속시키는 데 기여했다. 이러한 전술은 소비자를 오도했을 뿐만 아니라 윤리적, 규제적 우려를 불러일으켰고 결과적으로 많은 국가에서 담배 광고 및 포장 경고에 대한 규제가 더욱 엄격해졌다.

"듣기는 속히 하고 말하기는 더디 하며 성내기도 더디 하라."
야고보서 1:19

✧ 폭스바겐 배기가스 스캔들(The Volkswagen emissions scandal)

"디젤게이트"라고도 알려진 폭스바겐 배기가스 스캔들은 가치 동인이라는 개념이 기업 환경에서 어떻게 부정적으로 적용될 수 있는지에 대한 사례이다.

배출가스 부정 행위 소프트웨어

Volkswagen(VW)은 VW Jetta 및 Passat와 같은 인기 모델은 물론 Audi 및 Porsche 차량을 포함한 디젤 차량에 소프트웨어 프로그램을 설치했다. 이 소프트웨어는 자동차가 배기가스 배출 테스트를 받는 시기를 감지하고 엔진 성능을 조정하여 질소산화물(NOx) 배기가스를 법적 수준으로 줄이도록 설계되었다. 그러나 정상적인 주행 조건에서는 배출가스 제어 기능이 비활성화되어 차량이 유해한 대기 오염 물질인 NOx를 상당히 높은 수준으로 배출하게 되었다.

거짓 환경 주장

VW는 디젤 차량을 "청정 디젤"이라고 마케팅하고 환경 친화적이라고 주장하면서 가치 동인으로서 낮은 배출을 강조했다. 이 주장을 사용하여 환경에 관심이 있는 소비자에게 어필하고 연료 효율성과 배출가스 감소를 주요 판매 포인트로 강조했다.

글로벌 영향

이 스캔들은 광범위한 영향을 미쳤다. 전 세계적으로 약 1,100만 대의 차량에 영향을 미쳤으며 리콜, 소송 및 VW 주가의 급격한 하락으로 이어졌다. 자동차 산업 전체의 평판에도 손상을 입혔다.

소비자 기만

환경적 책임, 낮은 배출과 같은 가치 동인의 조작으로 인해 광범위한 소비자 기만이 발생했다. 폭스바겐 디젤 차량 구매자들은 자신들이 보다 환경 친화적인 선택을 하고 있다고 믿었지만 실제로는 더 높은 수준의 대기 오염에 기여하고 있었다.

환경 피해

가치 동인의 부정적인 적용은 환경 지속 가능성 목표와 직접적으로 모순된다. 배기가스 테스트를 부정하고 과도한 오염 물질을 대기로 방출함으로써 VW의 행동은 대기 오염에 기여했으며 이는 건강과 환경에 심각한 영향을 미친다.

신뢰 상실

이 스캔들은 폭스바겐뿐만 아니라 자동차 산업 전체에 대한 신뢰를 약화시켰다. 소비자와 규제 기관은 배출가스 및 환경적 책임에 대한 자동차 제조업체의 주장의 신뢰성에 의문을 제기하여 조사가 강화되고 규제가 더욱 엄격해졌다.

법적 및 재정적 결과

VW는 이번 스캔들로 인해 심각한 법적, 재정적 결과를 겪었다. 그들은 합의금, 벌금, 차량 환매 등으로 수십억 달러를 지불했다. 이는 재무 성과와 평판에 상당한 영향을 미쳤다.

윤리적 및 규제적 우려

배출 스캔들은 기업의 책임과 투명성에 대한 윤리적 우려를 불러일으켰다. 또한 더 엄격한 배출 테스트 및 보고 요구 사항을 포함하여 향후 유사한 사기 행위를 방지하기 위한 규제 변경을 촉발했다.

시사점

폭스바겐 배기가스 스캔들은 단기 이익을 위해 환경적 책임, 배기가스 감소와 같은 가치 동인을 조작하는 것이 어떻게 심각하고 광범위한 부정적인 결과를 초래할 수 있는지를 보여주는 극명한 예이다. 이 스캔들은 VW의 명성을 훼손하고 환경에 해를 끼치며 재정적, 법적으로 상당한 영향을 미쳤다. 이는 특히 소비자의 공감을 불러일으키는 가치를 홍보할 때 비즈니스의 윤리적 관행과 투명성을 유지하는 것의 중요성에 대한 경고의 역할을 한다.

> "유순한 대답은 분노를 쉬게 하여도 과격한 말은 노를 격동하느니라."
>
> 잠언 15:1

✧ 엘리자베스 **홈즈** 테라노스 스캔들(The Theranos scandal involving Elizabeth Holmes)

엘리자베스 홈즈(Elizabeth Holmes)와 관련된 테라노스(Theranos) 스캔들은 비윤리적인 비즈니스 관행 및 사기와 관련된 개념이 어떻게 부정적으로 적용되었는지 보여주는 놀라운 예를 제공한다.

허위 기술 주장

Elizabeth Holmes는 Theranos가 손가락 끝에서 채취한 혈액 몇 방울을 사용하여 광범위한 의료 테스트를 수행할 수 있는 획기적인 기술을 개발했다고 주장했다. 이 기술은 의료 분야의 혁명적인 발전으로 제시되어 빠르고 정확한 결과를 약속했다. 그러나 현실적으로 테라노스의 기술은 신뢰성이 낮았고, 부정확한 결과를 낳는 경우가 많았다.

기만적인 마케팅

Theranos는 자사 기술을 투자자, 의료 서비스 제공자 및 대중에게 공격적으로 마케팅하여 의료 산업을 혼란에 빠뜨릴 수 있는 잠재력을 강조했다. 혁신의 매력과 향상된 환자 치료에 대한 약속을 전략적으로 활용하여 상당한 투자와 파트너십을 유치했다.

투명성 부족

테라노스 내부에는 비밀 유지 및 비공개 계약 문화가 있었다. 직원들은 회사의 기술에 대해 논의하거나 그 효율성에 대한 우려를 제기하는 것을 꺼려했다. 이러한 투명성 부족은 외부 이해 관계자에게까지 확대되어 누구도 테라노스의 주장을 면밀히 조사하기 어렵게 만들었다.

규제 기관에 대한 허위 정보

Holmes와 기타 Theranos 경영진은 기술 승인을 얻기 위해 FDA를 포함한 규제 기관에 잘못된 정보를 제공했다. 회사가 많은 테스트에 그들이 주장했던 독점 기술 대신 전통적인 실험실 장비를 사용하고 있다는 사실을 공개하지 않았다.

환자 안전

테라노스 기술의 부정적인 적용은 환자를 위험에 빠뜨렸다. 부정확한 검사 결과는 오진, 잘못된 치료, 치료 지연으로 이어질 수 있었다. 환자 안전이 항상 최우선 과제인 의료 산업에서 윤리와 투명성의 중요하다.

투자자 손실

저명한 개인 및 조직을 포함한 투자자들은 거짓 약속과 기만적인 마케팅을 바탕으로 Theranos에 수백만 달러를 쏟아 부었다. 회사의 기술과 관행에 대한 진실이 밝혀졌을 때, 이들 투자자들은 상당한 금전적 손실을 입었다.

혁신에 대한 피해

Theranos 스캔들은 헬스케어 스타트업과 해당 분야의 혁신에 대한 신뢰를 손상시켰다. 이로 인해 투자자와 규제 기관은 새로운 의료 기술을 지지하고 승인하는 데 더욱 주의를 기울이게 되었고, 잠재적으로 진정한 발전을 늦추게 되었다.

법적 결과

Elizabeth Holmes와 전 Theranos 사장 Ramesh "Sunny" Balwani 는 Theranos에서의 행동과 관련하여 사기 및 음모를 포함한 형사 고발을 받았다. 법적 절차는 사업상의 비윤리적 행동이 가져올 심각한 결과를 강조했다.

평판 손상

Theranos 스캔들은 Elizabeth Holmes뿐만 아니라 더 광범위한 생명공학 및 의료 산업의 명성을 손상시켰다. 윤리적 행동, 투명성 및 엄격한 감독의 필요성을 극명하게 일깨워주었다.

규제 변경

Theranos 사례로 인해 의료 테스트 및 생명공학 부문에 대한 조사가 강화되고 규제가 더욱 엄격해졌다. FDA와 같은 규제 기관은 새로운 의료 기술을 평가하고 승인하는 데 더욱 주의를 기울이게 되었다.

시사점

테라노스 스캔들과 엘리자베스 홈즈의 행동은 속임수 및 비윤리적 관행과 관련된 개념의 오용이 의료 및 비즈니스에 어떻게 심각한 결과를 초래할 수 있는지를 보여준다. 환자 안전에 해를 끼치고 재정적 손실을 초래했으며 향후 유사한 사고를 예방하기 위한 규제 변경을 촉발했다. 이 사례는 모든 산업, 특히 공중 보건 및 복지와 관련된 산업에서 윤리, 투명성 및 책임의 중요성을 일깨워주는 경고 사례이다.

"당신이 고객을 돌보지 않으면 경쟁자가 할 것이다."
밥 후이

■ 가치동인 성경 속 사례

✧ 오병이어 기적 마태복음 14장 13-21절

이 이야기에서 예수님과 제자들은 그분의 가르침을 듣기 위해 모인 많은 군중을 만난다. 저녁이 다가오자 제자들은 멀리 떨어진 곳에 있기 때문에 군중이 배고픈 것에 대해 우려를 표명한다. 그러나 예수께서는 제자들에게 그들이 가지고 있는 음식을 가져오라고 지시하시며, 결과적으로 빵 다섯 개와 물고기 두 마리만 가져왔다. 그런 다음 예수께서는 이 빈약한 오병이어를 축복하시고 빵을 떼어 기적적으로 늘려서 남자와 여자와 어린이를 포함하여 5,000명의 무리 전체를 먹이시고 남은 음식을 많이 먹게 하셨다.

긍휼과 배려

이 이야기는 타인에 대한 동정심과 배려의 가치 동인을 강조한다. 예수의 행동은 그분의 말씀을 듣기 위해 모인 사람들의 배고픔에 대한 그분의 깊은 관심을 보여준다. 그는 단지 그들을 가르치는 것이 아니라 그들이 먹을 것을 충분히 보장하면서 즉각적인 필요 사항을 해결하는 것의 중요성을 강조한다.

풍성함과 관대함

빵과 물고기를 늘리는 예수님의 능력은 풍요의 개념을 상징한다. 자원이 제한되어 있는 것처럼 보일 때에도 관대함과 나눔의 행동이 풍요를 가져올 수 있다는 점을 가르쳐준다. 이 개념은 단순한 물질적 부를 초월하여 하나님의 은혜와 공급의 영적 풍성함을 의미한다.

필수적 필요 충족

배고픔과 같은 필수 필요 충족의 중요성을 강조한다. 영적인 가르침도 중요하지만, 즉각적인 육신의 필요 사항을 해결하는 것도 연민의 행위이다. 이는 가치 동인이 자신의 즉각적인 목표를 넘어 다른 사람에게까지 확장해야 한다는 점을 강조한다.

신앙과 기적

기적적인 결과를 달성하는 데 있어서 신앙과 믿음의 역할을 강조한다. 예수의 제자들은 처음에 자신들의 빈약한 식량으로 많은 사람을 먹일 수 있을지 의심했다. 그러나 예수께서는 한계에 직면하더라도 믿음이 놀라운 결과를 가져올 수 있음을 보여 주셨다.

나눔에 대한 교훈

나눔과 헌신의 중요성에 대한 강력한 교훈을 제공한다. 작은 점심을 제공한 이의 가장 작은 기여라도 다른 사람의 유익을 위해 사용되면 얼마나 큰 영향을 미칠 수 있는지를 보여주는 예이다.

시사점

예수님의 5,000명을 먹이신 이야기는 긍휼, 풍요, 필수 요구 사항 충족, 신앙 및 나눔과 관련된 가치 동인의 적용을 보여준다. 이는 사랑과 공감에 뿌리를 둔 가치를 바탕으로 다른 사람을 돌보고, 즉각적인 필요 사항을 해결하며, 기적을 일으킨다는 메시지를 전달한다.

"너희 말을 항상 은혜 가운데서 소금으로 맛을 냄과 같이 하라
그리하면 각 사람에게 마땅히 대답할 것을 알리라."
골로새서 4:6

■ 가치동인 활용하는 10가지 방법

고객 중심 접근

대상 고객의 고민점을 이해하고 제품이나 서비스가 어떻게 고유의 문제를 해결하는 가치인지 보여주고 관련하여 맞춤화하여 보여주고 제공한다. 고객 중심 접근은 개인적이고 친밀한 공감대를 형성하며 관련성과 공감을 강화시킨다. Amazon의 브라우징 기록을 기반으로 한 맞춤형 상품 추천이 그 예시이다.

스토리텔링

실제 사례나 사례 연구를 사용해 제품이 다른 사람에게 이야기를 공유하면서 가치의 실제 적용을 보여주고 어떻게 긍정적인 영향을 미쳤는지 전달하는 것이다. 스토리텔링은 결정을 좌우하는 핵심 감정들을 움직이고 받을 혜택들에 대해 깊은 관련성을 느끼게 한다. Nike의 운동선수들의 여정과 성취를 다룬 캠페인이 그 예이다.

데이터를 바탕으로 한 제시

구체적인 데이터와 통계자료로 가치를 뒷받침한다. 숫자는 신뢰성을 부여하며 제품이나 서비스가 제공할 수 있는 구체적인 효과를 생생하게 보여준다. 데이터기반제안은 신뢰성을 높이고 효과를 생동감 있게 증빙한다. Apple이 iPhone 카메라 사양을 경쟁사와 비교하는 것이 그 예이다.

명확한 커뮤니케이션

제품의 독특한 고유의 기능과 장점을 명확하게 전달한다. 경쟁사와 어떻게 다른 지와 어떻게 고객의 특정 고민점을 충족시키는지 강조한다. 명확한 소통은 혼동을 잠재우고 차별화를 시킨다. Google의 검색을 강조하는 간결하고 명확한 홈페이지가 그 예이다.

시범

실시간 시범행사나 무료 평가판, 무료버전, 무료시식을 제공함으로 제품을 실제로 보여주는 것이다. 이러한 실제 경험을 통해 잠재 고객들이 제품의 가치를 시각화할 수 있고 오감으로 경험하게 한다. Tesla의 전기 자동차를 시범 운전하는 것이 그 예이다.

추천 및 리뷰

만족한 고객의 긍정적인 피드백과 리뷰, 그리고 고객추천을 공유하는 것이다. 사회적 증거는 제품의 가치를 강화하고 신뢰를 쌓는데 도움이 되고 싶은 신뢰를 구축하게 한다. 호텔에 대한 여행자 리뷰를 다양하게 이야기와 평점으로 공유하는 TripAdvisor가 그 예이다.

제한된 기간의 제안

한시적 특가 거래나 할인을 제공하여 시급성의 분위기를 조성하는 것이다. 긴박감은 더 빠른 결정을 촉진하며 지불해야 할 투하금액에 대한 절약에 호소하게 한다. 제한된 시간 할인으로 이어지는 블랙 프라이데이 판매 이벤트가 그 예이다.

개인화

개인화 기법을 사용하여 고객의 선호도에 맞추어 콘텐츠를 제공하는 것이다. 선호도에 맞추어진 개인화로 고객들이 이해 받는 느낌을 받게 하고 충성도를 유지하게 한다. 음악 기록을 기반으로 한 Spotify의 맞춤형 재생 목록이 그 예이다.

교육적 콘텐츠

블로그 글, 비디오 또는 웨비나와 같은 가치 있는 콘텐츠를 제공하여 산업 동향과 지식에 대한 정보를 전달한다. 양질의 콘텐츠는 권위 있는 전문가로 인식하게 하고 전문성의 가치를 보여주며, 신뢰의 관계를 견고하게 한다. 마케팅 팁과 동향을 다루는 HubSpot의 블로그가 그 예이다.

보증

고객들의 인식되고 예측된 위험을 줄이기 위해 환불 보증과 같은 보증을 제공한다. 보증은 제품이나 서비스가 제공하는 가치에 대한 신뢰를 높이고 강화시킨다. 신발에 대한 무사고 반품 정책을 갖춘 Zappos가 그 예이다.

"가장 불만이 많은 고객은 가장 큰 학습의 원천이다.
빌 게이츠(Bill Gates)

☞ 가치동인(value drivers) 멘트

"프리미엄 서비스 패키지는 장기적으로 시간과 비용을 절약할 수 있도록 보장하며 최고의 가치를 제공합니다."
비용 효율성과 시간 절약을 핵심 가치 동인으로 강조한다.

"최첨단 기술을 통해 업계에서 경쟁 우위를 확보하고 앞서 나갈 수 있습니다."
기술 및 경쟁에서 앞서 나가는 가치에 중점을 둔다.

"우리 제품의 내구성은 수년간 교체할 필요가 없다는 것을 의미하며, 장기적인 신뢰성과 안심할 수 있습니다."
내구성과 신뢰성을 주요 가치로 강조한다.

"이 솔루션은 고객의 고유한 요구사항에 맞게 맞춤화할 수 있으므로

타협 없이 원하는 것을 정확하게 얻을 수 있습니다."
커스터마이징과 개인화의 가치를 강조한다.

"당사의 친환경 제품은 고객의 요구를 충족시킬 뿐만 아니라 환경 보호에도 긍정적으로 기여할 수 있습니다."
제품 가치와 환경적 책임을 연결한다.

"연중무휴 24시간 고객 지원을 통해 항상 전문가의 도움을 받을 수 있어 지속적이고 안정적인 서비스를 보장합니다."
지속적인 지원과 신뢰성의 가치를 강조한다.

"사용자 친화적인 디자인으로 사용 편의성을 보장하여 시간을 절약하고 일상 업무의 불편함을 줄여줍니다."
사용자 경험과 단순함에 중점을 둔다.

"이 제품을 선택하면 뛰어난 성능과 수명을 제공하는 최고 품질의 소재에 투자하는 것입니다."
재료의 품질과 성능을 핵심 가치 측면으로 강조한다.

"당사의 포괄적인 교육과 리소스를 통해 제품의 유용성과 이점을 극대화할 수 있습니다."
활용도를 극대화하기 위한 추가 리소스 및 교육을 통해 가치를 제공한다.

"당사의 제품은 고객의 현재 요구 사항을 충족할 뿐만 아니라 향후 요구 사항에 따라 유연하게 진화할 수 있습니다."
중요한 가치 동인으로 적응성과 미래 대비를 강조한다.

■ 요약

가치동인은 핵심설득포인트로서 동의와 공감을 이끌어 낸다.
가치동인은 고객의 욕구와 우선순위의 다양성에 대한 이해에서 시작된다.
고객마다 서로 다른 전략적 가치프레임워크를 통해 대응해야 한다.

■ 핵심키워드

설득포인트, 가치동인, 핵심동력, 설득요인, 가치 프레임워크, 고객중심, 욕구분석, 맞춤화

■ 적용 질문

가치동인이 동의와 공감을 이끌어내는 이유가 무엇인가?
가치동인을 포착해 내기 위해 집중해야 되는 것이 무엇인가?
가치동인을 활용하는 10가지 방법은 무엇이고 내가 집중해야 될 요소는 무엇인가?

제 23 장

풋 인 더 도어(foot-in-the-door)
'작은 것부터'

"작은 예스(Yes)들은 문턱을 넘어가게 하는 힘이 있다."
닥터 브라이언(Dr. Brian)

풋 인 더 도어(foot-in-the-door)

■ 개념

"Foot-in-the-Door"(FITD) 기술은 사회 심리학 영역에서 잘 연구된 원리이며 특히 설득 및 판매 분야와 관련이 있다. 이 기술의 핵심은 먼저 더 작은 관련 요청에 대한 동의를 얻어 더 큰 요청에 대한 수용을 얻는 것이다. 작은 행동과 합의를 통해 친밀감[142]과 신뢰를 구축하면 더 큰 요청이나 제안을 위한 길을 열 수 있다는 것이다. 초기 요청이 작으면서, 후속 큰 요청과 관련[143]이 있었을 때 더 효과적이다. 오히려 초기 요청이 너무 크다고 인식이 되면 FITD효과가 감소[144]하는 것으로 나타났다. 제품에 대한 작은 체험에 참여한 고객이 그렇지 않은 고객보다 높은 기대치와 수요[145]를 가지며 기꺼이 더 높은 가격을 지불할 의향을 보였다. 사소[146]해 보이는 초기 요청으로 시작하여 관련된 더 큰 요청에 대한 준수율이 32% 이상 증가하는 것으로 나타났다.

여기에 기본이 되는 심리적 메커니즘은 개인이 처음에 작은 행동이나 합의에 전념하면 내부적으로나 외부적으로 그 약속에 따라 일관되게 행동하라는 일정한 압력을 느낀다는 것이다. 이렇게 하면 후속 큰 요

---

[142] "How to Win Friends and Influence People", Dale Carnegie

[143] "A comparison of the foot-in-the-door technique and the door-in-the-face technique", Robert B. Cialdini and David W. Schroeder, 1976.

[144] "Sequential-request strategy effects: The role of donation size and solicitor gender", Stephen J. Heishman, 1993.

[145] "The effects of product trial on consumer expectations, demand, and prices", R. Andrew Muller, Stuart Mestelman, John Spraggon, and Rob Godby, 2006.

[146] "The Small Big: Small Changes That Spark Big Influence", Steve J. Martin, Noah J. Goldstein, and Robert B. Cialdini

청을 더 쉽게 수락할 수 있다. 최초 수용은 상대를 보는 방식과 태도를 바꿀 수 있으며, 더 큰 후속 조치가 별도의 더 중요한 요청이 아닌 자연스러운 진행처럼 느껴지도록 만든다.

FITD의 증거는 경험적 연구에 기초를 두고 있다. 기초 연구 중 하나에는 주택 소유자에게 창문에 안전 운전을 지원하는 작은 표지판을 배치하도록 요청했다. 동의한 사람들은 처음에 작은 요청을 받지 않은 사람들에 비해 나중에 자신의 앞마당에 훨씬 더 큰 간판을 받아들일 가능성이 훨씬 더 높았다.

FITD 기술의 주요 내용은 점진적 약속의 힘이다. 판매 및 설득의 맥락에서 작은 합의나 행동을 얻는 것은 더 큰 약속을 위한 길을 열어줄 수 있으며 이 기술은 결정에 영향을 미치려는 사람들에게 귀중한 도구가 된다. FITD와 관련된 설득 기술은 초기 수용했던 것과 일치[147]하려하고 장기적인 관점에서의 행동변화를 수반시킨다. 먼저 제시된 작은 요청이 후속 큰 요청의 결과를 미리 유도하게 하는 마중물(Friming)[148]의 역할을 하기 때문이다. 압박이 없이 수용하고 따르게 하는 수용 심리학과 맥을 같이 한다. FITD 기술을 사용했을 때 더 큰 요청에 대한 수용율[149]이 400% 증가한 것으로 나타났다.

풋 인 더 도어(foot-in-the-door) 기법은 'Slow to Fast'와 같은 맥락으로 작은 요청이 먼저 이루어진 후 더 큰 요청이 이어지는 설득 전략이다. 그 생각은 사람들이 이미 작은 요청에 동의한 후에 더 큰 요

---

[147] "Commitment and behavior change: Evidence from the field", Sebastien Chassang, 2010.
[148] "Pre-Suasion: A Revolutionary Way to Influence and Persuade", Robert B. Cialdini
[149] "Influence: The Psychology of Persuasion", Robert B. Cialdini

청에 동의할 가능성이 더 높다는 것이다.

예를 들어, 관리자가 팀이 처음에는 관심이 없는 추가 프로젝트를 맡도록 설득하려고 한다고 가정해 보겠다. 관리자는 팀에게 전체 프로젝트를 맡으라고 요구하는 대신 프로젝트를 논의하기 위한 회의에 참석하도록 요청하는 것으로 시작할 수 있다. 팀이 미팅에 참석하기로 동의하면 관리자는 프로젝트를 더 자세히 발표하고 팀이 이를 맡을 의향이 있는지 물어볼 수 있다.

작은 요청으로 시작하여 점차 확대함으로써, 관리자는 팀이 더 큰 요청에 동의하도록 할 가능성이 더 높다. 이 기술은 사람들이 일반적으로 자신의 과거 행동과 약속에 일치하는 것을 좋아하기 때문에 처음 요청에 동의하면 더 큰 요청에 동의할 가능성이 더 높기 때문에 효과가 있다.

이 기술은 윤리적으로 사용되어야 하며 조작적으로 사용되어서는 오히려 혐오감[150]을 유발하기도 한다. 요청은 합리적이어야 하며 궁극적인 목표는 양 당사자 모두에게 이익이 되는 것이어야 한다. 조작적인 요구로 비칠 경우 신뢰를 훼손하고 의도했던 것과 정반대의 효과를 낼 수 있다.

아울러, 설득 기술은 조작적으로 사용되지 않고 윤리적으로 사용되어야 한다는 것에 주목하는 것이 중요하다. 판매 담당자가 어려운 고객을 설득하여 고가의 제품을 구매하려고 한다고 가정해 보겠다. 고객은 망설이고 있고 그 생각에 저항하는 것처럼 보인다. 판매 담당자는 고객이 동의할 가능성이 더 높은 작은 요청부터 시작하여 풋 인 더 도어

---

[150] "The 'foot-in-the-door' technique and its aversive effects: A cognitive explanation.", Boucher, J., & Guéguen, N. (2008)

기법을 사용할 수 있다.

예를 들어, 판매 담당자는 고객에게 제품에 대한 무료 평가판 또는 저렴한 제안에 가입하도록 요청할 수 있다. 고객이 더 작은 요청에 동의하면 판매 담당자가 전체 제품 오퍼링을 제시하고 고객이 더 비싼 제품을 구매할 의향이 있는지 여부를 물어볼 수 있다.

고객은 작은 요청부터 시작하면 위험 부담[151]이 적은 것처럼 보이기 때문에 예라고 대답할 가능성이 높다. 가정용품에 대한 설문의 경우, 이전에 작은 요청에 응했던 사람들에게서 좀 더 큰 요청에도 응하는 비율이 22%에서 53% 증가하는 결과가 보였다. 일단 그들이 그 약속을 한 후에, 그들은 더 큰 요청을 고려하는 것에 더 수용적일 수 있다. 또한 고객은 더 작은 요청으로 제품을 경험함으로써 그 가치를 확인하고 전체 제품의 구매를 고려할 가능성이 높아진다.

작은 규모의 요청이 고객에게 여전히 가치를 제공해야 하며 시간 낭비나 미끼와 호객 전략으로 간주되어서는 안 된다는 점에 유의해야 한다. 궁극적인 목표는 고객과 비즈니스 모두에게 이익이 되는 것이어야 한다. 고객이 조작된 것처럼 느낄 경우 비즈니스와의 관계와 신뢰가 손상될 수 있다.

---

[151] "Compliance without pressure: The foot-in-the-door technique", Jonathan L. Freedman and Scott C. Fraser, 1966.

"작은 약속은 큰 약속을 여는 열쇠이다."
로버트 시알디니(Robert Cialdini)

■ 핵심 특징

일관성 원칙(Consistency Principle): FITD는 일관성 심리학 원칙을 활용한다. 사람들은 과거의 행동과 수용에 부합하는 방식으로 행동하는 자연스러운 경향이 있다. 누군가가 작은 요청에 동의하면 그 결정과 일관성을 유지하려고 한다.

신뢰 구축(Building Trust): FITD는 잠재적인 고객 또는 소비자와의 신뢰와 관계 구축에 활용될 수 있다. 작고 동의하기 쉬운 요청으로 시작하면 긍정적인 상호 작용을 만들고 더 큰 수용에 대비한 준비를 할 수 있다.

점진적 수용(Gradual Commitment): 이 기술은 점진적 수용의 개념을 기반으로 한다. 작은 요청에서 시작하여 점차 큰 것으로 이동한다. 이러한 점진적 접근은 저항을 줄이고 사람들이 최종적인 큰 요청에 동의하기 쉽게 만든다.

인식된 압박 감소(Reducing Perceived Pressure): FITD는 작은 요청으로 시작하기 때문에 종종 사람에게 덜 위협적이거나 압박을 주지 않는 것처럼 느껴진다. 이것은 더 느긋하고 긍정적인 상호 작용을 유발할 수 있다.

영업에서의 적용(Applicability in Sales): 판매에서 FITD는 먼저 고객이 뉴스레터를 가입하거나 무료 웨비나에 참석하는 것과 같은 작은 동작에 동의하도록 요청함으로써 적용될 수 있다. 이러한 단계를 밟은 후에는 구매와 같은 큰 수용에 더 수용적일 가능성이 높아질 수 있다.

맞춤화(Customization): FITD는 다양한 상황과 업계에 맞게 맞춤화될 수 있다. 초기 요청은 목표나 요청과 관련이 있어야 한다.

윤리적 고려사항(Ethical Considerations): FITD를 윤리적으로 사용하는 것이 중요하다. FITD의 부적절한 사용 또는 조작적인 사용은 평판과 고객과의 관계에 손상을 줄 수 있다.

추적과 측정(Tracking and Measurement): FITD를 사용하는 판매 및 마케팅 캠페인에서는 기술의 효과를 추적하고 측정하는 것이 중요하다. 이는 변환율 및 수용의 진행 상황을 분석하는 것을 포함한다.

후속 조치 및 가치 제공(Follow-Up and Delivering Value): 초기 수용을 확보한 후에는 후속 조치를 취하고 약속을 이행하는 것이 중요하다. 이는 신뢰를 강화하고 미래의 요청에 동의할 가능성을 높일 수 있다.

한계(Limitations): FITD는 모든 상황에서 동작하지 않을 수 있다. 일부 개인은 어떤 형태의 설득에도 저항할 수 있으며, 기술이 매우 회의적이거나 정보를 잘 알고 있는 상대에게는 효과적이지 않을 수 있다.

시사점 : "Foot-in-the-Door" 기법은 설득과 판매 전략의 중요한 도구이다. 이것은 일관성의 원리와 점진적 수용의 개념을 활용하여 초기 동의를 한 사람이 큰 수용에 더 쉽게 동의할 가능성을 높이는 데 기반

한다. 그러나 특정 상황과 상대에 맞게 윤리적으로 사용되어야 한다.

"천 마일의 여정은 한 걸음부터 시작된다."
라오 츠(Lao Tzu)

■ 풋 인 더 도어(foot-in-the-door) 대표적인 사례들

긍정적으로 활용된 대표적인 사례는 아래와 같다.

자선 기부 시나리오(Charitable Donations): 자선 단체는 이웃 주민들에게 특정 활동을 지지하는 작은 표지판을 창문에 표시하도록 요청하는 것으로 시작했다. 몇 주 후, 같은 주민들은 자신의 앞마당에 훨씬 더 큰 표지판을 배치하라는 요청을 받았다. 연구에 따르면 작은 표시에 동의한 사람들은 처음에 큰 요청만 받은 사람들에 비해 더 큰 요청을 수락할 가능성이 훨씬 더 높았으며 때로는 76%까지 높은 비율로 나타났다.

시장 조사 설문조사 시나리오(Market Research Surveys): 한 소비재 회사는 먼저 쇼핑몰에 있는 쇼핑객에게 쇼핑 습관에 대한 한두 가지 짧은 질문에 대답하도록 요청했다. 일주일 후, 동일한 응답자들은 훨씬 더 길고 상세한 설문조사를 완료해 달라는 요청을 받았다. 초기 질문에 응답한 사람들 중 상당한 비율(종종 50% 이상)이 긴 설문조사를 완료하는 경향이 있는 반면, 예비 질문 없이 긴 설문조사만 진행했을 때는 준수율이 훨씬 낮았다.

구독 모델 시나리오(Subscription Models): 스트리밍 서비스는 콘텐츠에 대한 액세스가 제한된 30일 무료 평가판을 제공한다. 평가판 종료가 가까워지면 사용자에게 할인된 3개월 정기구독권이 제공된다. 평가판을 시작한 후 할인된 구독으로 전환하는 사용자의 전환율은 처음부터 전체 구독을 제공하는 사용자의 전환율보다 낮은 비율에 비해 종종 65%를 초과했다.

소매 상향 판매 시나리오(Retail Upselling): 옷 가게에서 신발을 구매하는 고객은 처음에 신발 끈이나 작은 액세서리와 같은 저가 품목을 구매에 추가할지 묻는 질문을 받았다. 동의하면 어울리는 가방이나 재킷과 같이 더 비싼 품목이 표시된다. 판매 데이터에 따르면 더 작은 추가 옵션에 동의한 후 더 높은 가격의 품목을 구매할 확률이 최대 30% 증가한 것으로 나타났다.

건강 캠페인 시나리오(Health Campaigns): 지역사회 주민들은 먼저 더 건강한 생활방식에 대한 약속을 나타내는 서약서에 서명하도록 요청 받았다. 몇 주 후, 동일한 주민들에게 엄격한 피트니스 프로그램에 참여해 달라는 요청이 왔다. 연구에 따르면 FITD 전략을 접한 지역사회에서는 건강 계획 참여율이 약 40% 증가할 수 있는 것으로 나타났다.

"FITD 기술은 강력한 도구이지만, 큰 책임이 따른다."
익명(Unknown)

반대로, 부정적으로 사용된 대표적인 사례는 아래와 같다.

공격적인 시간 공유 판매(Aggressive Time-share Sales): 휴가객에게는 아무런 조건 없이 "무료" 주말 휴가가 제공되었다. 일단 도착하면 그들은 할부로 구매하도록 유도하기 위해 고압적인 영업 프레젠테이션을 받게 되었다. 일부 참석자는 결국 할부로 구매하게 되지만 많은 참석자는 속고 조종당했다고 느꼈다. 이벤트 후 설문 조사에 따르면 참석자 중 불만족 비율이 70% 이상으로 나타났다.

오해의 소지가 있는 온라인 시험 (Misleading Online Trials): 소비자에게 온라인 서비스에 대한 "무료" 1개월 평가판이 제공된다. 그러나 작은 글씨로 된 항목에서 취소하지 않는 한 자동으로 1년 요금이 청구된다고 명시되어 있다. 이로 인해 소비자 플랫폼에서 수많은 불만이 제기되었으며, 80% 이상의 사용자가 명세서에서 예상치 못한 청구 금액을 발견하면서 속았다고 느꼈다.

공격적 조사 (Invasive Surveys): 회사는 거리에서 두 가지 질문으로 구성된 작은 설문조사로 시작한 다음 완료되면 개인에게 더 개인적이고 민감한 정보를 요구했다. 이는 신뢰 상실로 이어질 수 있다. 어떤 경우에는 후속 피드백에 따르면 최대 90%의 참가자가 개인 정보가 침해되었다고 느꼈다.

압박적 자선 기부(High-pressure Charity Donations): 개인은 처음에 목적을 지원하기 위해 손목 밴드를 착용하도록 요청 받았다. 나중에, 이 동일한 개인들은 큰 금전적 기부를 위해 공격적으로 요청되었다. 이러한 전술은 역효과를 낳을 수 있으며, 자선 단체에서는 이러한 방식으로 접근한 사람 중 최대 60%가 향후 조직을 지원할 가능성이 낮다는 사실을 발견했다.

오해의 소지가 있는 판매 전술(Misleading Sales Tactics): 한 매장에서 새로 구입한 전자제품에 대해 저렴한 유지 관리 패키지를 고객에게 제공한다. 구매 후 고객은 초기 패키지에 중요한 서비스가 포함되어 있지 않다는 사실을 알게 되고 훨씬 더 비싼 요금제로 상향 판매되었다. 이는 상당한 고객 불만으로 이어질 수 있다. 고객이 자신의 오해를 깨닫게 되면 반품 및 불만 사항이 50% 증가할 수 있다.

"전체 계단을 보지 않아도 첫걸음을 내디딜 수 있다."
마틴 루터 킹 주니어(Martin Luther King Jr.)

■ 풋 인 더 도어(foot-in-the-door)를 활용한 대면영업 사례

✧ 성공적인 사무용품 거래

A는 사무용품 회사의 영업 대표로서, 명문 변호사 사무소와의 대규모 계약을 체결하려고 했다. 변호사 사무소가 지출에 대해 보통 주의성을 가지고 있기 때문에, 그들의 약속을 점차적으로 얻고자 했다.

단계 1: 작은 부탁(Small Request)
변호사 사무소에 연락을 취하고, 사무용품 선호도에 대한 간단한 설문조사에 참여할 의사가 있는지 물어보았다. 이것은 변호사 사무소에게 큰 약속을 요구하지 않는 작고 사소한 부탁이었다.

결과: 긍정적인 응답(The Positive Response)
변호사 사무소는 그들에게서 잠재적인 공급 업체에게 미니멀한 요청에
대해 설문 조사에 참여하기로 합의했다.

단계 2: 약속 증진(Building on the Commitment)
변호사 사무소가 설문 조사를 완료했고, 그들의 참여에 대한 감사의
표시로 브랜드 제품의 책상 정리함과 같은 작은 선물을 제공했다.

결과: 증가하는 참여(Increased Engagement)
변호사 사무소는 선물에 감사하게 생각하고 회사와의 점차적인 참여에
대한 긍정적인 느낌을 가졌다.

단계 3: 큰 부탁(The Big Request)
긍정적인 유대감과 상호간의 신뢰가 형성된 상태에서 그들에게 본 제
안을 했다. 그것은 그들의 전체 사무실에 대한 포괄적인 사무용품 제
안이었다.

결과: 성공적인 계약(The Successful Deal)
놀랍게도, 상호간의 신뢰와 호의가 발전한 동안 변호사 사무소는 이러
한 제안에 대해 진지하게 고려하였다. 협상 이후에, 회사와의 유리한
계약을 체결했다.

시사점

점진적인 약속(Gradual Commitment): FITD 기법은 큰 요청에 앞서
작은 요청으로 시작하는 것이다. 이러한 점진적인 진행은 신뢰와 약속
을 구축하는 데 중요하다.

상호간의 호의(Reciprocity): 초기 요청 이후에 작은 선물이나 감사의 표시를 제공함으로써 상호간의 친밀감을 만들 수 있다.

고객 이해(Relationship Building): 고객의 필요와 우려에 대한 이해를 보여줌으로써 고객에게 맞게 조정했다.

관계 구축(Understanding the Client): 이 기법은 고객과의 긍정적인 관계 구축에 중점을 둔다. 강력한 관계는 더 큰 약속으로 이어질 수 있다.

인내(Persistence): FITD는 효과적이지만 인내와 끈기가 필요하다. 큰 부탁으로 급히 넘어가지 않고 관계가 자연스럽게 발전할 수 있도록 했다.

FITD 기법은 존이 고객의 약속과 신뢰를 점차적으로 얻음으로써 가치있는 계약을 보호하도록 도왔다. 이것은 관계 구축과 대면 영업에서 시스템적인 접근을 사용하는 능력의 힘을 나타내는 사례이다.

✧ IT 솔루션 업그레이드

A는 IT 솔루션 회사의 영업 대표로 중소 규모의 제조 회사와 예정된 미팅이 있었다. 회사가 그들의 기존 IT 인프라를 업그레이드하는 것을 설득하려고 했으며, 이는 상당한 투자가 필요한 작업이었다.

단계 1: 초기 상담(Initial Consultation)
먼저 그들의 현재 IT 인프라를 평가하는 무료 초기 상담을 제공하여 시작했다. 이 초기 상담은 그들의 해결과제 포인트를 식별하고 개선 가능한 영역을 확인하는 것을 포함했다. 회사는 큰 시간과 노력이 필요로 하지 않기 때문에 이러한 초기 요청에 동의했다.

결과: 신뢰 구축(Establishing Trust)
초기 상담을 통해 신뢰를 구축하고 IT 솔루션에 대한 전문가로서 자신을 입증할 수 있었다. 고객은 그의 전문 지식과 철저한 분석을 긍정적으로 평가하였다.

단계 2: IT 감사 및 권장 사항(Audit and Recommendations)
초기 상담 후 IT 감사를 실시하여 개선이 필요한 여러 영역을 식별했다. 문제점을 강조하고 솔루션을 권장하는 자세한 보고서를 회사에 제공했다. 이러한 권장 사항은 서버 업그레이드, 사이버 보안 강화 및 효율적인 소프트웨어 구현과 같은 것들을 포함하고 있었다.

결과: 일련의 작은 헌납(A Series of Small Commitments)
제안된 해결책 중 일부를 처음 단계로 시행하기로 한 제조 회사는 서버 인프라 업그레이드 및 사이버 보안을 향상시키는 것과 같은 것을 시행하기로 결정했다. 이것들은 관리 가능한 단계로 여겨졌다.

단계 3: 종합적인 IT 솔루션(Comprehensive IT Solutions)
초기 업그레이드가 성공적으로 시행되고 회사의 IT 성능이 향상되자 종합적인 IT 솔루션 패키지를 제안했다. 이에는 전체 IT 인프라 업그레이드, 클라우드 통합 및 지속적인 IT 지원이 포함되었다.

결과: 성공적인 업그레이드(A Successful Upgrade)
초기 업그레이드의 혜택을 보고 효율성이 향상되자 제조 회사는 종합 IT 솔루션 패키지에 동의했다. 그들은 이 패키지가 그들의 업무에 가져올 장기적 가치와 장점에 대해 이해했다.

시사점

단계적인 헌납(Gradual Commitment): FITD 기술은 큰 제안에 이르기 전에 관리 가능한 작은 요청으로 시작하는 것을 포함한다. 이 경우 초기 상담 및 작은 업그레이드가 중요한 IT 솔루션 패키지로 이어졌다.

신뢰 및 전문 지식(Trust and Expertise): 초기 단계에서 가치 있는 정보를 제공하고 전문성을 나타내면 고객과의 신뢰를 구축할 수 있다.

구체적인 혜택(Tangible Benefits): 작은 제안의 혜택을 보여주고 이로 인한 개선 사항을 경험하면 더 큰 투자에 대한 동의를 얻을 가능성이 높아진다.

고객 중심 접근(Client-Centered Approach): 해결책을 고객의 개선 포인트와 요구 사항에 맞게 맞추는 것이 중요하다.

관계 구축(Relationship Building): FITD 기술은 판매만 하는 것이 아니라 고객과의 장기 관계를 구축하는 것과 관련이 있다.

FITD 기술을 효과적으로 사용하여 제조 회사를 중요한 IT 인프라 업그레이드로 안내하였으며, 성공적이고 상호 이익적인 협력 관계를 이끌었다.

<hr>

"작은 '동의'로 시작하고 큰 '요청'으로 나아가는 것은
성공적인 설득의 열쇠이다."
익명(Unknown)

- ■ 풋 인 더 도어(foot-in-the-door)를 오용한 대면영업 사례

✧ 주택 안전 시스템의 과한 FITD 접근 방식

집 안전 시스템 회사의 영업사원인 A는 잠재 고객의 집을 방문했다. 종합적인 안전 시스템을 판매하려 했지만 FITD 기법을 오용했다.

대화를 시작할 때 집 안전 팁 브로셔를 무료로 받아보고 싶냐고 물었다. 간단한 요청이라고 생각해 동의했다. 그러나 여기서 멈추지 않고 곧 바로 다른 요청을 계속해서 했다. 무료 안전 평가 신청, 안전 시스템 시연 참석 및 최종적으로 안전 시스템 계약에 서명하도록 압박했다.

지속적인 요청으로 인해 일방적이고 조종당한 느낌을 받았다. 처음에는 작은 요청(브로셔)에 동의했지만 더 크고 비용이 드는 약속에 동의하도록 강요 받았다. 이로 인해 오히려 화가 나고 영업사원과 회사에 대한 불신을 품게 되었다.

시사점

경계 존중(Transparency Matters): FITD 기법은 고객의 지켜야 할 선을 존중하며 사용해야 한다. 점점 더 큰 약속을 지속적으로 요구하면 압박을 당하는 느낌이 들 수 있다.

투명성이 중요(Build Trust Gradually): 고객에게 투명성은 중요하다. 처음부터 안전 시스템을 판매하려는 의도를 고객에게 알려줬다면 불신을 품는 대신 신뢰를 구축하는데 도움이 될 수 있었을 것이다.

단계적으로 신뢰 구축: FITD는 작은 합리적인 요청으로 시작하여 고객

의 편안함을 고려하지 않고 너무 과격하게 사용할 경우 신뢰를 쌓는데 도움이 되지 않을 수 있다.

장기 관계(Long-Term Relationships): 영업은 단기 이익에만 초점을 두는 대신 상호 이익과 신뢰를 기반으로 장기 관계를 구축해야 한다.

고객의 편안함을 고려하지 않고 지속적으로 요청을 과도하게 증가시킴으로써 FITD 기법을 오용했다. 이 기법을 사용할 때 고객의 필요와 선호도를 고려하여 미덕과 윤리적으로 사용해야 함을 상기시키는 중요한 사례이다.

✧ 강압적인 구독 판매원

A는 피트니스 매거진의 구독 판매원으로, 잠재 고객의 집을 방문했다. 연간 구독을 판매하려고 했지만 FITD 기술을 오용하게 되었다.

피트니스 매거진의 무료 1개월 체험 구독을 제공하면서 설명을 시작했다. 피트니스에 관심이 있어 이를 받아보기로 동의했다. 그러나 거기서 그치지 않았다. 다음 몇 분 동안 고객을 압박하여 할인 혜택과 무료 선물을 약속하며 2년 구독에 가입하도록 했다.

결과: 초기에 1개월 체험을 받아보는 것이 합리적이라 생각했지만, 강압적인 접근으로 불편함을 느꼈다. 마침내 2년 구독에 동의했지만 나중에 후회하게 되었다. 자신이 준비하지 않은 약속을 받아들이게 된 것처럼 느꼈으며, 결국 구독을 해지했다.

시사점

경계 존중(Respect Boundaries): FITD 기술은 잠재 고객의 경계와 편안함을 존중해야 한다. 고객에게 더 큰 약속에 대해 압박하는 것은 구매 후 후회의 원인이 될 수 있다.

정직의 중요성(Honesty Matters): 판매에서의 정직함과 투명성은 중요하다. 처음부터 2년 구독에 대해 솔직히 말했다면 해당 정보를 기반으로 한 결정을 내릴 수도 있었을 것이다.

장기 만족도(Long-Term Satisfaction): FITD는 장기 고객 만족도를 목표로 해야 한다. 고객이 후회하는 약속을 강요하는 것은 회사의 평판을 손상시킬 수 있다.

신뢰 구축(Building Trust): 고객과의 신뢰 구축은 매우 중요하다. 강압적인 접근은 신뢰를 흔들어 놓고 고객이 미래 상호 작용을 경계하게 만들 수 있다.

FITD 기술을 오용하여 더 큰 제안을 압박 한 결과, 단기적인 판매는 이루어졌지만 결국 고객 불만과 구독 취소로 이어졌다. 이것은 윤리적이고 존중 받는 판매 방법이 지속적인 고객 관계 구축에 필수적임을 상기시키는 사례이다.

"작은 요청에 동의하도록 누군가를 설득하는 것은 씨앗을 심는 것과 같다. 시간이 지남에 따라 훨씬 큰 열매로 자라날 수 있다."

로버트 시알디니(Robert Cialdini)

■ 풋 인 더 도어(foot-in-the-door)를 활용하는 10가지 방법

작은 요청으로 시작(Start Small)

쉽게 동의할 수 있는 작은 요청으로 시작한다. 사람들은 미미한 것에 동의한 후에 더 큰 요청에 동의할 가능성이 높다.

예시 : 고객에게 유료 구독 옵션을 제안하기 전에 무료 뉴스레터에 가입하도록 요청한다.

단계적인 약속(Gradual Commitment)

점진적으로 더 큰 요청으로 나아간다. 작은 약속으로 시작하여 점차적으로 더 중요한 행동을 요청할 수 있다.

예시 : 고객이 기본 소프트웨어 패키지를 구매한 후에 업그레이드나 추가 기능을 제안한다.

적극적인 참여 유도(Active Participation)

고객이 활동적으로 과제에 참여하도록 유도한다. 적극적인 참여는 고객이 소속감과 동질감을 더 많이 느끼게 한다.

예시 : 구매를 하기 전에 고객에게 체험을 진행하거나 피드백을 제공하도록 요청한다.

일관성(Consistency)

이전에 받았던 동의와 행동을 강조한다. 이전 약속을 상기시켜서 동의를 강화시킨다.

예시 : 특정 제품에 관심을 표했던 고객이 있었다면 그 사실을 언급한다.

긍정적 피드백(Positive Feedback)

초기 동의에 대한 긍정적인 피드백을 제공한다. 고객의 행동을 인정하고 그들의 결정을 강화한다.

예시 : 웹 세미나에 가입해 주셔서 감사하다고 말하고 어떤 가치를 얻게 될지 강조한다.

적절한 시점(Timing)

초기 요청을 적절한 시점에 한다. 요청이 고객의 현재 마음가짐이나 상황과 일치하도록 한다.

예시 : 운동을 시작하고 싶다는 의사를 표명한 사람에게 특별 할인을 제안한다.

맞춤형 접근(Customization)

요청을 개인의 선호도에 맞게 맞춘다. 맞춤화된 호소는 동의를 더 획득하기 쉽게 만든다.

예시 : 이전 구매 내역을 기반으로 고객에게 제품 추천을 제공한다.

순차적 접근(Sequential Approach)

큰 요청을 더 작고 관리 가능한 단계로 나눈다. 복잡한 결정을 단계별 접근으로 안내하여 고객이 결정하기 쉽게 한다.

예시 : 중요한 금융 결정을 할 때 고객이 따라가야 할 체크리스트를 제공한다.

사회적 증거(Social Proof)

다른 사람이 동의한 사실을 제시한다. 다른 사람의 행동이 영향을 미친다.

예시 : 이미 여러 명의 고객이 해당 서비스로 전환했던 것을 강조한다.

독점성(Exclusivity)

이번 제안을 독점적 기회로 제시한다. 고유한 것으로 모든 사람에게 제공되지 않는 제안에 사람들은 더 많은 관심을 두게 된다.

예시 : 일부 충성 고객을 위한 제한적 할인을 제공한다.

"작은 'Yes'로 시작하고 그것을 크게 키워나가라."

익명(Unknown)

☞ 풋인더도어(Foot-in-the-door) 멘트

초기 요청: "저희 제품을 일주일 동안 무료 체험해 보시겠습니까?"
후속 요청: "이제 혜택을 보셨으니 연간 패키지에 가입해 보시면 어떨지요?"

최초 요청: "귀하의 요구 사항을 논의하기 위해 15분 정도의 짧은 미팅을 예약할 수 있을까요?"
후속 요청: "필요한 사항을 확인했으니 이제 본격적인 상담을 진행해보면 어떨까요?"

초기 요청: "신제품 브로셔에 대한 피드백을 주시겠습니까?"
후속 요청: "브로셔가 마음에 드셨으니 전체 제품 라인에 대한 자세한 프레젠테이션을 보시면 어떠실까요?"

최초 요청: "지금 바로 저희 소프트웨어의 간단한 데모를 보여드릴 수 있을까요?"
후속 요청: "저희 데모가 흥미로우셨군요. 전체 기능이 포함된 무료평가버전은 어떠실까요?"

최초 요청: "소셜 미디어를 팔로우하여 저희 서비스에 대한 최신 소식을 받아보실 수 있나요?"
후속 요청: "이제 저희 서비스에 대한 최신 소식을 받으셨으니, 저희 전용 뉴스레터를 구독해보시는 것은 어떠세요"

최초 요청: "저희 제품 샘플을 보내드릴까요?"
후속 요청: "샘플이 마음에 드셨으니 전체 세트에 관심을 가져 보시는 것은 어떠세요?"

최초 요청: "업계 인사이트를 무료로 받아볼 수 있도록 메일링 리스트에 등록해 주시겠습니까?"
후속 요청: "저희 인사이트가 유용하다고 생각하시니, 심층 시장 분석 서비스에도 관심을 가져주시면 어떨지요?"

최초 요청: "새로운 모델의 기능에 대해 설명해 주시겠습니까?"
후속 요청: "이제 기능을 이해하셨으니 업그레이드를 고려해 보시면 어떨까요?"

최초 요청: "쇼핑 선호도에 대한 간단한 설문조사를 작성해 주시겠습니까?"
후속 요청: "설문조사 결과를 바탕으로 전문가와 함께 맞춤형 쇼핑 경험을 제공해 드리면 어떨까요?"

최초 요청: "재무 계획에 관한 무료 워크샵에 참석하시겠습니까?"
후속 요청: "워크숍이 도움이 되셨기를 바랍니다. 프리미엄 재무 자문 서비스를 받아보는 건 어떨지요?"

■ 요약

FITD기술은 작은 요청에 동의를 얻어 더 큰 요청에 대한 수용을 얻는 것이다.
작은 합의를 통해 친밀감과 신뢰를 구축하고 더 큰 요청이나 제안을 위한 길이 열린다.
점진적인 약속의 힘이고, 후속 요청과 관련이 있을 때 효과적이다.

■ 핵심키워드

Foot-in-the-Door(FITD), Slow to Fast, 작은 요청, 최초 수용, 마중물, 점진적 수용, 점진적 약속, 순차적 접근

■ 적용 질문

FITD가 설득과 영업에서 가지는 특징들은 무엇인가?
FITD으로 설득과 영업에서 거둘 수 있는 기대효과는 무엇인가?
설득과 영업에서 FITD를 효과적으로 활용할 수 있는 10가지 방법은 무엇이고 나에게 강화해야 할 요소는 무엇인가?

제 24 장

패러프레이징(Paraphasing)
'바꿔 말하기'

─────━━◆◆━─────

"패러프레이징은 적극적 공감과 경청의 산물이다."
닥터 브라이언(Dr. Brian)

패러프레이징(Paraphasing)

■ 개념

패러프레이징(Paraphasing) 기법은 들은 말을 다른 말로 의역하는 것으로, 다른 사람의 말이나 아이디어의 본질을 유지하면서 다른 사람의 말이나 아이디어를 바꿔 쓰는 것을 목표로 하는 설득 및 판매 영역에서 필수적인 도구이다. 이러한 기술은 친밀감을 형성하고, 이해를 명확히 하며, 효과적인 의사소통을 촉진하는 데 도움이 된다. 다른 말로 표현함으로써 적극적인 경청[152]과 공감을 보여주고 상대는 어떻게 보답하려는 의무감과 의지로 이어져 전반적인 상호작용[153]을 향상시킨다.

핵심 원리는 이해와 참여를 반영하는 방식으로 화자의 메시지를 다시 설명하는 것이다. 여기에는 동의어를 사용하고, 문장 구조를 바꾸고, 핵심 사항에 초점을 맞추는 것이 포함된다. 그렇게 함으로써, 말하는 사람의 관점을 인정하고 더 자세히 설명하도록 독려한다.

패러프레이징(Paraphasing)은 영업사원이 잠재 고객의 요구 사항과 우려 사항을 확인하고 공감할 수 있는 솔루션을 제공함으로써 영업 및 설득에 중요하게 활용된다. 다른 표현을 사용하면 오해를 명확히 하고 반대 의견을 효과적으로 해결할 수 있는 기회를 제공하므로 반대 의견 처리에도 도움이 된다. 패러프레이징 기반의 효과적인 질문[154]을 통해 고객의 불만 사항과 요구 사항을 명확히 하고 확인하는데 유용하다. 고객의 관점을 이해하고 관계를 구축하기 위해 적극적으로 경청하고

---

[152] "To Sell Is Human", Daniel H. Pink
[153] "Influence: The Psychology of Persuasion", Robert B. Cialdini
[154] "SPIN Selling", Neil Rackham

그 경청한 것을 다른 말로 바꾸어 다시 상대에게 표현하는 것이 설득력 있는 의사소통을 위해 중요하다

고객의 우선순위[155]를 이해하고 그 우선순위에 대한 것에 맞추어 가는 과정을 도와 거래성사 확률을 높이는데 효과적이다

고객의 감정을 확인하고 이해하는 폭을 넓혀 주고 고객과의 추가 대화[156]를 촉진하도록 돕는다

요약하면, 패러프레이징 기법은 적극적인 경청, 공감, 말하는 사람의 관점을 이해하려는 진정한 욕구를 보여줌으로써 의사소통을 향상시킨다. 이는 영업 및 설득 전문가의 강력한 도구 역할을 하며 의미 있는 연결을 조성하고 성공적인 결과를 이끌어낸다.

"패러프레이징하는 능력은 영업에서 강력한 기술이다. 이것은 재고객에게 진정으로 듣고 그들의 필요를 이해하고 있다는 것을 보여준다."

미상(Unknown)

■ 핵심 특징

적극적인 듣기(Active Listening): 패러프레이징은 적극적인 듣기를 나타내며, 영업에서의 근본적인 기술이다. 당신이 상대방의 발언을 반복하면 그들의 요구사항과 우려를 진정으로 주의 깊게 듣고 있다는 것을

---

155 "The Psychology of Selling", Brian Tracy
156 "Yes!: 50 Scientifically Proven Ways to Be Persuasive", Robert B. Cialdini, Noah J. Goldstein, and Steve J. Martin

보여준다.

명확화(Clarification): 패러프레이징을 통해 오해를 해소할 수 있다. 상대방이 말한 내용을 당신 자신의 말로 다시 표현함으로써 그들의 의견을 올바르게 이해했는지 확인할 수 있다.

공감(Empathy): 패러프레이징은 공감을 전달할 수 있다. 상대방의 발언을 다시 말하면 당신이 그들의 상황에 공감하고 그들의 시각에서 상황을 이해하려고 노력하고 있다는 것을 보여준다.

인간관계 구축(Building Rapport): 패러프레이징은 상대방과 인간관계를 구축하는 데 도움이 된다. 이는 당신과 상대방 간의 조율된 관계를 만들어줄 뿐만 아니라 두 사람 사이에 일치감을 조성한다.

메시지 맞춤(Tailored Messaging): 패러프레이징을 통해 메시지를 상대방의 특정한 요구사항과 고통점에 맞출 수 있다. 그들의 말을 반복함으로써 당신은 그들의 우려에 직접 대응하는 응답을 만들 수 있다.

질문 기법(Questioning Technique): 패러프레이징은 질문 기법으로 사용될 수 있다. 상대방의 발언을 다시 말한 후에는 개방형 질문을 통해 그들의 요구사항과 동기에 대해 더 깊게 파고들 수 있다.

갈등 해결(Conflict Resolution): 긴장이나 불일치가 있는 상황에서는 패러프레이징이 유용한 갈등 해결 도구가 될 수 있다. 그들의 시각을 인정하고 공통적인 지점을 찾을 수 있도록 도와준다.

의사소통 향상(Enhanced Communication): 패러프레이징은 명확하고 효과적인 의사소통을 촉진한다. 의사소통 오해의 가능성을 최소화하고 당신과 상대방이 같은 입장에 있음을 보장한다.

혜택 강조(Highlighting Benefits): 패러프레이징을 할 때 당신은 상대방이 표현한 우려사항과 일치하는 방식으로 제품 또는 서비스의 혜택을 강조할 수 있다. 이를 통해 상대방에게 당신이 제공하는 가치를 보여줄 수 있다.

판매 클로징(Closing the Sale): 패러프레이징은 상대방을 결정으로 이끌기 위해 전략적으로 사용될 수 있다. 상대의 요구사항을 재확인하고 해당 솔루션이 그들의 요구사항을 충족시킨다는 것을 보여줌으로써 구매 결정을 내리도록 안내할 수 있다.

"영업에서 패러프레이징은 효과적인 의사 소통의 문을
열어주는 열쇠와 같다."
브라이언 트레이시(Brian Tracy)

■ 패러프레이징(Paraphasing)의 대표적인 사례들

성공적으로 적용된 대표적인 사례이다.

복잡한 거래 협상(Negotiating a Complex Deal): 한 영업사원이 잠재 고객과 복잡한 거래를 협상하고 있었다. 고객은 가격 구조와 계약 조건에 대해 우려를 표시했다.

적용: 영업사원은 고객의 우려 사항을 바꾸어 문제를 다시 설명하고

논쟁점을 명확히 했다. 영업사원은 적극적인 경청과 이해를 보여줌으로써 친밀감을 형성하고 고객의 구체적인 우려 사항을 해결하여 성공적인 협상과 계약 체결로 이어졌다.

고액 판매 성사(Closing a High-Value Sale): 한 영업사원이 기업 고객에게 높은 가치의 소프트웨어 솔루션을 소개하고 있었다. 클라이언트는 소프트웨어의 확장성과 통합에 대해 의구심을 갖고 있었다.

적용: 프레젠테이션이 진행되는 동안 영업사원은 고객의 우려 사항을 다시 언급하며 고객이 예상한 과제를 재확인했다. 고객은 자신의 요구 사항을 이해하려는 영업사원의 세심함과 의지를 높이 평가했다. 이를 통해 고민사항에 대한 자세한 논의가 이어졌고, 결국 성공적인 매각으로 이어졌다.

회의적인 전망을 설득(Convincing a Skeptical Prospect): 한 영업사원이 회의적인 잠재 고객에게 신기술 제품에 투자하도록 설득하려고 했다. 잠재 고객은 그 기능에 대해 의구심을 갖고 있었다.

적용: 영업사원은 잠재 고객의 의심을 다시 설명하여 회의를 유발하는 특정 측면을 이해했는지 확인했다. 잠재 고객의 구체적인 우려 사항을 설명하고 해결함으로써 영업사원은 모든 불확실성을 해결하려는 의지를 효과적으로 보여 주었고 잠재 고객이 제품을 더 깊이 탐색하려는 의지를 갖게 되었다.

부동산에 대한 반대 극복(Overcoming Objections in Real Estate): 부동산 중개인이 부동산의 위치와 가격에 대해 예약을 한 잠재적 구매자와 협력하고 있었다.

적용: 대리인은 구매자의 반대 의견을 다시 언급하며 구매자가 주저하

는 이유를 재확인했다. 에이전트는 구매자의 우려 사항을 인정하고 다른 말로 설명함으로써 관련 정보와 잠재적인 솔루션을 제공할 수 있었고 궁극적으로 구매자가 구매를 진행하기로 결정하게 되었다.

금융 서비스에 대한 신뢰 구축(Building Trust in Financial Services):
금융 자문가가 과거의 부정적인 경험으로 인해 금융 상품 투자에 신중한 신규 고객을 만나고 있었다.

적용: 고문은 고객의 이전 경험과 예약을 인정하면서 고객의 우려 사항을 다른 말로 표현했다. 금융상담사는 고객의 고민을 의역하고 공감함으로써 신뢰를 구축하고 고객의 목표에 부합하는 맞춤형 투자 계획을 수립하여 성공적인 장기 파트너십을 맺을 수 있었다.

반면, 부정적으로 적용된 사례이다.

판매 손실로 이어지는 잘못된 의사소통(Miscommunication Leading to Lost Sale): 영업사원이 제품 기능에 대한 우려를 제기한 잠재 고객에게 제품을 소개하고 있었다. 영업사원이 우려 사항을 오해하고 부정확하게 설명했다. 잘못된 의사소통으로 인해 고객은 더욱 혼란스러워졌고 영업사원이 자신의 요구 사항을 이해하는 능력에 대한 불신이 생겼다. 잠재 고객은 구매를 진행하지 않기로 결정했다.

주요 우려 사항을 해결하지 못함(Failing to Address Key Concerns):
마케팅 서비스에 대한 영업 홍보 중에 고객이 캠페인의 ROI와 효율성에 대한 우려를 표명했다. 영업사원은 우려 사항을 다른 말로 표현했지만 적절하게 해결하지 못했다. 고객은 자신의 우려가 무시되었다고 느꼈고 영업사원이 반응이 없는 것으로 인식했다. 이로 인해 서비스의 잠재력에 대한 확신이 부족해졌고 고객은 구매를 반대하기로 결정했다.

문화적 민감성을 간과(Overlooking Cultural Sensitivity): 한 영업사원이 특정한 문화적 고려 사항을 갖고 있는 해외 고객과 협상 중이었다. 영업사원은 문화적 차이를 고려하지 않고 고객의 의견을 다른 말로 표현했다. 잘못된 표현은 문화적 민감성 부족으로 인해 오해를 불러일으키고 상대를 불쾌하게 만들었다. 거래가 실패하여 비즈니스 관계가 손상되었다.

저항으로 이어지는 의역(Paraphrasing Leading to Resistance): 한 영업사원이 데이터 보안에 대해 우려하고 있는 잠재 고객에게 새로운 소프트웨어 솔루션을 제안하고 있었다. 영업사원은 우려 사항을 의역했지만, 의역된 반응은 예행 연습을 하고 성실하지 않은 것처럼 보였다. 잠재 고객은 진정한 이해가 부족하다는 것을 느꼈고, 이로 인해 제품에 대한 거부감이 커졌다. 잠재 고객은 영업사원이 자신의 반대 의견을 신중하게 해결하기보다는 조작하려고 한다고 느꼈다.

적절한 지식 없이 다른 말로 표현하기(Paraphrasing Without Adequate Knowledge): 영업사원이 특정 기술 관련 질문이 있는 잠재 고객과 기술 제품에 대해 논의하고 있었다. 영업사원은 질문을 다른 말로 표현했지만 정확한 답변을 제공할 수 있는 기술 지식이 부족했다. 부정확한 표현과 그에 따른 잘못된 응답으로 인해 영업사원의 전문 지식에 대한 고객의 신뢰가 침식되었다. 고객은 다른 곳에서 정보를 찾기로 결정했고 그 결과 기회를 놓쳤다.

"성공한 영업사원은 패러프레이징이 고객이 말한 것과
그들이 필요로 하는 것을 연결해주는 다리라는 것을 안다."
지그 지글러(Zig Ziglar)

■ 패러프레이징(Paraphasing)의 대면영업 사례들

✧ 패러프레이징을 통한 신뢰 구축

A는 사이버 보안 회사의 영업 대표로서 큰 금융 기관과의 회의를 가졌다. 고객은 자신들의 금융 데이터의 보안에 대한 우려를 표명하고 보안 문제를 근본적으로 해결해야 한다고 강조했다.

고객: "우리의 주요 관심사는 고객의 금융 정보를 보호하는 것입니다. 데이터 침해나 보안 결함은 용납할 수 없어요."

긍정형 패러프레이징(Building Trust through Paraphrasing)

"좋은 말씀입니다. 고객의 금융 정보를 보호하는 것이 최우선 과제이며 어떠한 보안 침해는 용납해서는 안됩니다"라고 대답했다.

명확화 패러프레이징(Clarifying Paraphrasing)

대화가 계속됨에 따라 고객은 금융 업계와 관련된 특정 규제 요구 사항을 언급했다.

고객: "데이터 보안과 관련하여 엄격한 규제 기준을 준수해야 합니다."

"그렇군요, 제대로 이해한 것이 맞다면 가장 중요한 것은 규제 기준인데 데이터 보안과 관련하여 엄격한 규제 기준을 준수하는 것이군요."

요약 패러프레이징(Summarizing Paraphrasing)

회의 막바지에 고객은 사이버 보안 솔루션에 대한 기대치를 설명했다.

고객: "우리는 신뢰성 있는 사이버 보안 솔루션을 찾고 있으며, 새로운 위협에 적응하고 실시간 모니터링 기능을 제공해야 합니다."

"요약하면 유연하면서 안정적인 사이버 보안 솔루션을 구축하고, 신뢰성 있는 모니터링 기능을 제공하면서 새로운 위협에도 대응할 수 있어야 하구요."

능동적이고 적극적인 청취와 고객의 특정 우려요인에 대한 적절한 대응을 보여주었다. 패러프레이징은 회의 중에 신뢰와 상호작용을 촉진하는 데 도움이 되었다.

시사점

능동적 청취(Active Listening): 패러프레이징은 능동적 청취의 중요한 구성 요소로서 대화에 완전히 참여하고 있다는 것을 나타낸다.

이해(Understanding): 패러프레이징은 토론된 주제에 대한 양쪽의 명확한 이해가 근간이 된다는 것을 보여준다.

명확성(Clarity): 패러프레이징은 복잡하거나 기술적인 세부 정보를 명확히 하여 오해가 없도록 한다.

신뢰 구축(Trust-Building): 효과적인 패러프레이징은 고객의 우려 사항과 요구 사항을 효과적으로 해소하겠다는 헌신을 나타내므로 신뢰를 구축하는 데 도움이 된다.

조율(Alignment): 패러프레이징은 고객이 표현한 우려와 요구 사항을 반영하여 회사가 제공하는 솔루션을 조율하는 데 도움이 되며 판매 성공 가능성을 높인다.

✧ 고객의 우려 해결하기

A는 보험 회사의 영업 대표로, 잠재적인 고객과의 미팅을 가졌다. 보험 정책의 복잡성과 관련된 비용에 대한 우려를 표현했다. 이러한 우려를 효과적으로 해결하여 거래를 성사시키기 위해 노력해야 했다.

미러형 패러프레이징(Reflective Paraphrasing)

고객: "보험 정책이 어려워서 복잡한 수수료에 대한 걱정이 있어요."

"이해했어요. 보험 정책의 복잡성과 예상치 못한 수수료에 대한 우려가 있으시군요."

명료화 패러프레이징(Clarification Paraphrasing)

대화 도중 고객이 가족의 의료 비용에 대한 특별한 우려를 언급했다.

고객: "보험 상품이 가족의 의료 비용을 모두 포함하는지 확실하지 않아요."

"확인을 위해 제가 정확히 이해했으면 하는데요, 가족의 의료 비용을 포함하는 것을 보장받고 싶으시군요, 맞는지요?"

요약 패러프레이징(Summarizing Paraphrasing)

미팅 끝에 고객은 저렴한 가격, 포괄적인 보장 및 필요에 따라 조정할 수 있는 유연성을 포함한 기능에 대해서 언급했다.

고객: "저는 저렴한 가격, 포괄적인 보장을 제공하고 필요에 따라 조정할 수 있는 유연성을 갖춘 보험 상품을 찾고 있어요."

"요약하자면, 저렴한 가격뿐만 아니라 포괄적인 보장을 제공하고 필요에 따라 조정할 수 있는 유연성을 갖춘 보험 정책을 찾고 계신다는 것이 맞나요?"

패러프레이징을 효과적으로 활용함으로써 고객으로부터 듣고 있으며 고객의 우려와 우선 순위를 깊이 이해한 것을 보여주었다. 이로써 자신의 의견이 존중 받고 중요하게 생각된다는 느낌을 받았다. 이는 최종적으로 성공적인 판매로 이어졌다.

시사점

적극적인 청취(Active Listening): 패러프레이징을 사용하면 고객으로부터 경청 받고 있다는 것을 보여줌으로써 관계와 신뢰를 구축할 수 있다.

이해(Understanding): 패러프레이징을 통해 고객의 우려와 요구 사항을 명확하게 이해할 수 있다.

솔루션 맞춤화(Tailoring Solutions:): 패러프레이징을 사용하면 고객의 특정한 요구 사항과 우려에 맞게 프레젠테이션을 맞춤화할 수 있다.

고객 중심 접근(Customer-Centric Approach): 효과적인 패러프레이징은 고객 중심의 접근을 보여주며 전반적인 고객 경험을 향상시킬 수 있다.

> "영업에서 패러프레이징은 단순히 말로 표현하는 것뿐만이 아니라
> 공감과 유대감을 나타내는 것이다."
> 미상(Unknown)

■ 패러프레이징(Paraphasing)의 대면영업 오용 사례들

✧ 잘못된 패러프레이징 사용

전화 통신 회사의 영업 대표인 A는 잠재 고객과 거래를 마무리하려고
했다. 통신 요금제에 숨겨진 수수료에 대한 우려가 있었지만, 고객의
우려를 해결하기보다는 어떻게든 판매를 하려고 했다.

부정적인 패러프레이징 기술(Negative Paraphrasing Technique):

"귀사의 통신 요금제에는 여러 수수료가 있다고 들었다. 모두 정확히
알고 싶네요."

"모든 수수료들에 대해 명확한 요금체계를 원하신다는 것을 이해합니
다. 안심하세요, 우리의 요금제는 명확하며 숨겨진 요금이 없어요."

기만적인 패러프레이징(The Deceptive Paraphrasing)

숨겨진 수수료 문제에 대한 대응 대신 고객의 우려를 숨겨진 요금이
없는 것처럼 만들기 위해 패러프레이징을 사용했다.

고객은 대답을 듣고 요금제에 동의했다. 그러나 첫 번째 청구서를 받았을 때, 판매 상담 중에 알려지지 않았던 여러 숨겨진 요금을 발견했다. 그는 속았다고 생각했고 분노했다.

시사점

정직이 중요(Honesty is Key): 패러프레이징을 사용하여 고객을 속이거나 기만하는 것은 신뢰 문제를 야기하고 영업 대표와 회사의 평판을 훼손시킬 수 있다.

고객 우려 해결(Address Customer Concerns): 패러프레이징은 고객의 우려를 이해하고 해결하기 위해 사용되어야 하며 고객을 조작하거나 속이기 위해 사용해서는 안 된다.

투명성이 중요(Transparency Matters): 고객은 투명성을 중요 시 한다. 수수료나 잠재적 문제에 대해서는 정직해야 한다.

장기적인 관계(Long-term Relationships): 장기적인 고객 관계 구축은 단기적인 이익보다 더 중요하다. 기만적인 영업전술은 이러한 관계에 해를 끼칠 수 있다.

패러프레이징을 부정적으로 사용하면 단기적인 판매가 이루어지지만 고객의 신뢰를 훼손하고 불만족을 초래한다. Paraphrasing은 항상 고객을 속이기 위해 아니라 의사 소통을 높이기 위해 윤리적으로 사용되어야 한다.

✧ 부적절한 개략적 표현의 오용

A는 부동산 대리인으로서 잠재적인 구매자와의 부동산 거래를 마무리하려고 노력하고 있었다. 부동산의 상태에 대한 우려를 표명하고, 재건축이나 수리가 필요한지 물었다.

잘못된 개략적 표현 기술(Misleading Paraphrasing Technique):

"집에 어떤 다른 문제나 이슈는 있나요?"

"아니요, 이 집은 거의 완벽한 상태입니다. 걱정할 것이 없어요. 즉시 이사할 수 있어요."

혼돈을 유발하는 개략적 표현(Deceptive Paraphrasing):

개략적 표현을 사용하여 고객이 집에 문제가 없다고 오해하게 했으며 실제로 중요한 문제가 있음에도 불구하고 부동산의 상태를 과장하여 거래를 마무리하려고 했다.

확언을 기반으로 부동산을 구입했으나 이사한 후 집의 중요한 구조적 문제와 비용이 드는 수리가 필요하다는 사실을 발견했다. 속았다고 느끼며 부동산 회사에 항의했다.

시사점

정직은 중요(Honesty Matters): 개략적 표현은 고객에게 정보를 전달하기 위한 도구로 사용되어야 하며 고객을 속이거나 오도하려고 사용해서는 안 된다. 신뢰를 구축하는 데에는 정직함이 중요하다.

기대치 관리(Managing Expectations): 부적절한 개략적 표현 대신 부동산의 상태를 정직하게 말하고 고객의 기대치를 관리하는 방법을 모색할 수 있었다.

장기적 명성(Long-Term Reputation): 부적절한 개략적 표현은 단기적 이익을 가져올 수 있지만 판매자의 평판을 손상시킬 수 있으며 장기적 비즈니스 관계에 해를 끼칠 수 있다.

윤리적 커뮤니케이션(Ethical Communication): 개략적 표현을 사용하여 고객의 우려를 명확하고 정직하게 설명하고 재확인하여 명확하고 윤리적인 커뮤니케이션을 목표로 해야 한다.

개략적 표현의 오용은 거래를 성사시켰지만 불만족스러운 고객과 전문적인 평판에 대한 잠재적 손상을 초래했다.

"패러프레이징의 예술을 숙달한 영업인은
우려를 기회로 변화시킬 수 있다."
제프리 지토머(Jeffrey Gitomer)

■   패러프레이징(Paraphasing) 활용하는 효과적인 10가지 방법

능동적 청취(Active Listening)

패러프레이징은 상대방의 말을 능동적으로 듣고 그것을 본인의 말로

다시 표현하는 것을 의미한다.
상대방을 이해하겠다는 의지를 나타낸다.

예시: "우리는 성장에 따라 확장 가능한 솔루션을 원해요." "성장하면서 조직을 확장할 수 있는 솔루션을 찾고 계신 거죠?"

명확화(Clarification)

패러프레이징을 사용하여 모호하거나 복잡한 발언을 명확하게 해야 한다.
양 측이 대화 내용을 명확하게 이해하도록 보장한다.

예시: "프로젝트 일정에 대한 우려가 있습니다." "프로젝트 일정에 대한 우려가 있으신 거군요. 그 우려를 좀 더 구체적으로 얘기해주실 수 있을까요?"

공감 표현(Empathy)

패러프레이징을 사용하여 상대방의 감정이나 어려움을 인정하고 나타낼 수 있다.
상대방의 관점을 이해하고 신뢰를 구축한다.

예시: "현재 소프트웨어를 관리하는 게 정말 힘들어요." "현재 소프트웨어를 관리하면서 정말 여러 이슈와 난관들이 있으시군요."

맞춤화(Customization)

패러프레이징을 사용하여 상대방의 특정 요구 사항에 맞게 응답한다.
맞춤화 접근을 통해 상대방의 요구와 솔루션을 조율한다.

예시: "이메일 시스템과 연동이 되는 CRM 솔루션을 찾고 있어요." "이메일 시스템과 원활하게 통합되는 CRM 솔루션을 찾고 계시다는 거죠?"

합의 구축(Building Consensus)

패러프레이징을 사용하여 대화 중 합의된 부분을 강조한다.
공통된 의견을 강조하고 상대방의 신뢰를 강화한다.

예시: "비용이 적절히 사용되는 것이 우리에게 중요해요." "비용 효율성이 중요하다는 점을 이해했습니다. 그것은 솔루션을 제공하므로 효율성을 최대화 했습니다"

반박 대응(Responding to Objections)

이의를 제기할 때 상대방의 의견을 듣고 그것에 대응하기 위해 패러프레이징을 사용한다.
의견에 공감하면서 이의를 극복하려는 의지를 보여준다.

예시: "학습 곡선이 높아 걱정이에요." "학습 곡선이 가파르다는 점이 걱정되는군요. 전환을 더 원활하게 만들기 위해 종합적인 교육을 제공하고 있습니다."

결심 요청(Gaining Commitment)

패러프레이징을 사용하여 헌신을 요청할 때 솔루션의 이점과 가치를 요약한다.
상대방에게 솔루션을 통해 얻게 될 가치를 강조한다.

예시: "저희 소프트웨어를 도입함으로써 프로세스를 최적화하고 생산성을 향상시킬 수 있습니다." "그래서 소프트웨어를 사용함으로써 효율성과 생산성을 향상할 수 있게 됩니다. 계약을 진행할 준비가 되셨나요?"

경쟁 상황 다루기(Handling Competitive Situations)

패러프레이징을 사용하여 경쟁사와 비교할 때 특별한 장점을 강조한다. 특장점을 강조하고 대안에 대한 상대방의 우려를 해소한다.

예시: "당신의 가격이 X 회사보다 높아요." "당사의 가격은 높을 수 있지만, 우수한 고객 지원을 제공하여 장기적으로 시간과 리소스를 절약하실 수 있습니다."

후속 조치 및 요약(Follow-up and Recap)

후속 이메일이나 대화에서 핵심 포인트를 요약하기 위해 패러프레이징을 사용한다.
중요한 세부 사항을 강조하고 누락되지 않도록 보장한다.

예시: (후속 이메일): "미팅에서 서로 다루었던 내용에 따르면, 비용 절감과 확장성을 최우선적으로 고려하고 계시죠."

장기적인 관계 구축(Building Long-Term Relationships)

패러프레이징은 상대방의 지속적인 요구 사항을 이해하는 데 공감을 나타내고 신뢰를 구축하는 데 도움이 된다.
거래만 하는 것이 아니라 장기적인 고객 관계를 유지하려는 의지를 나타낸다.

예시: "우리 이전 대화에서 신뢰성이 중요하다는 것을 기억하고 있습니다. 그 이후로 추가로 고려하고 계신 사항이 있나요?"

───────────✦───────────

> "패러프레이징은 메시지를 변경하는 것이 아니라
> 더 명확하고 효과적으로 표현하는 것이다."
> 미상(Unknown)

☞ 패러프레이징(Paraphasing) 멘트

고객 "비용 효율적이고 효율적인 제품이 필요합니다."
영업 담당자: "성능 저하 없이 큰 가치를 제공하는 솔루션을 찾고 계신 거죠?"

고객: "구현의 복잡성이 걱정됩니다."
영업사원: "구현하기 쉬운 사용자 친화적인 옵션을 찾고 계신 다는 말씀이군요?"

고객: "저희 예산에 맞는지 잘 모르겠습니다."
영업사원: "재정적 제약 조건에 맞는 솔루션을 찾는 것이 우선순위이신 거죠?"

고객: "비즈니스 성장에 따라 확장할 수 있는 솔루션이 필요합니다."
영업 담당자: "기본적으로 비즈니스 성장에 따라 확장 가능한 솔루션을

찾고 계신다는 말씀이신데, 제가 제대로 이해했나요?"

고객: "장기적인 지원과 서비스가 걱정됩니다."
영업사원: "제 말이 맞다면, 안정적이고 지속적인 지원을 받는 것이 이 결정을 내리는 데 중요한 요소라는 말씀이시죠?"

고객: "제품이 현재 사용 중인 시스템과 원활하게 통합되는 것이 중요합니다."
영업 담당자: "기존 인프라와의 원활한 통합이 중요하다는 말씀이시죠?"

고객: "상당한 투자 수익률을 어느 정도 확인해야 합니다."
영업사원: "높은 투자 수익을 보장하는 솔루션을 찾는 데 집중하고 계시는군요?"

고객: "환경 친화적인 옵션을 찾고 있습니다."
영업사원: "제품이 효과적일 뿐만 아니라 친환경적이어야 한다는 것이 중요한 부분이군요?"

고객: "사용과 유지 관리가 쉬운 제품이 필요합니다."
영업사원: "제가 올바르게 이해했다면 유지보수가 적은 사용자 친화적인 솔루션에 관심이 있으신 거죠?"

고객: "저희에게는 신뢰성은 타협할 수 없는 문제입니다."
영업사원: "제품의 신뢰성을 보장하는 것이 최우선 과제인 것 같군요, 그렇죠?"

■ **요약**

패러프레이징은 다른 사람의 말의 본질을 유지하면서 바꿔 쓰는 것으로 효과적인 의사소통을 촉진한다.
다른 말로 표현함으로 적극적인 경청과 공감을 보여주고 상대에게 보답하려는 의무감과 의지로 이어지게 한다.
패러프레이징 기반의 질문으로 고객의 불만 사항과 요구사항을 명확히 확인하는데 유용하다.

■ **핵심키워드**

패러프레이징(Paraphasing), 의역, 바꿔 말하기, 적극적 경청과 공감, 명확화, 합의 구축, 반박 대응, 장기적 관계

■ **적용 질문**

패러프레이징가 설득과 영업에서 가지는 특징들은 무엇인가?
패러프레이징으로 설득과 영업에서 거둘 수 있는 기대효과는 무엇인가?
설득과 영업에서 패러프레이징을 효과적으로 활용할 수 있는 10가지 방법은 무엇이고 나에게 강화해야 할 요소는 무엇인가?

제 25 장

질문의 기술(Question)

—————◆◆◇◆◆—————

"질문은 설득을 위한 마법지팡이다."
닥터 브라이언(Dr. Brian)

질문의 기술(Question)

■ 개념

영업과 설득에서의 질문 기술은 질문을 전략적으로 활용하여 대화 상대나 잠재 고객을 설득의 장에 참여시키고 실질적인 욕구를 이해하며 결심에 이르도록 영향을 미치는 기법이다. 본래 질문이라는 것은, 인식과 지식 탐구 과정[157]에서의 핵심적인 요소로 사람이 인지하고 탐색하도록 하는 기본적인 원리인데 이를 소통과 영업에서 효과적인 전달과 설득의 언어학적[158] 도구의 기본원리로 활용되는 것이다. 적극적으로는 유도질문[159](Question Begging)의 형태로도 확장된다. 원하는 답변이나 결과를 전제하거나 가정하는 방식으로 논리적 프레임[160]으로 구성된 질문을 구사하는 기술이다.

주요 목표는 대화를 이끌어가고, 필요성과 우려를 파악하고, 관계를 구축하며 최종적으로 원하는 결과물, 예를 들어 구매를 하거나 제안을 수락하는 데 이끌어가는 것이다. 유도질문(Question Begging) 은 본래 '안이한 전제' 라는 뜻으로, 논리적 오류[161] 중 하나이며 간접적 전달 수단이기도 하다. 설득 기법 중 하나로, 상대방에게 논쟁을 막기 위해 미리 전제되어야 하는 사실을 미리 받아들이게 만드는 것이다. 예를 들어, "왜 이 색깔의 구두를 구입해야 할까요?" 라는 질문에 대해 "

---

[157] "The Interrogative Model of Inquiry as a General Theory of Everything" by Peeter Müürsepp

[158] "The Pragmatics of Questions and the Slurs of Silence" by Kent Bach

[159] "Question-Begging and Epistemic Circularity" by Gilbert Harman

[160] "The Logic of Questions" by Nicholas Rescher

[161] "Fallacies and Argument Appraisal" Christopher W. Tindale

이 구두는 누가 봐도 예쁘지요!" 라고 답하는 것은 질문을 회피하는 것이다. 이러한 답변은 이미 구두가 아름다운 것이라는 것을 전제로 하고 있다. 이와 같이, 내포된 맥락[162]에서 질문의 전제를 미리 받아들이게 만들어, 상대방의 반박을 불가능하게 만드는 것이 유도질문(Question Begging)의 특징이다. 따라서, 이 기법은 반박이 불가능한 논쟁의 형태를 취할 수 있기 때문에, 비판[163]을 막고, 상대방을 속이는데 이용될 수 있다. 또한 '질문을 거듭하는 것'으로, 이미 상대방이 받아들이기로 한 전제를 계속해서 반복하는 방법이다. 예를 들어, "왜 이 옵션을 선택하지 않겠어요? 이 옵션은 매우 좋은 선택지인데요." 와 같이 이미 옵션을 선택하지 않을 이유가 없는 상황에서도 선택하지 않겠다는 이유를 묻는 질문을 반복하는 것이다. 이는 상대방이 이미 받아들인 전제를 더 강조함으로써 상대방의 의사결정을 이끌어내는 방법이다. 이러한 방법은 상대방이 충분한 근거가 없이 이미 받아들인 전제를 계속 강조함으로써 오해를 유발할 수도 있으므로 사용에 주의가 필요하다. 판매나 설득 과정의 신뢰성을 떨어뜨리는 논리적 오류로[164], 상대방을 진정으로 참여시키지 않고 조작적인 것으로 인식될 수 있다.

질문의 기술을 적절히 구사하면, 원하는 응답이나 결과를 장려하는 방식으로 대화를 이끄는 데 사용되는 잘 구성된 질문을 전략적으로 활용하는 기술로 활용할 수 있다. 제품이나 제안의 가치를 인식하게끔 설계되며, 결국 상대방의 시각을 제시된 혜택과 조화롭게 만드는 데 효과적이다.

---

[162] "Questions and Answers in Embedded Contexts" by Craige Roberts

[163] "Critical Thinking: A User's Manual" Debra Jackson and Paul Newberry

[164] "The Fallacy of Begging the Question" by William L. Reese (1970), "Critical Thinking: The Nature of Critical and Creative Thought" by Daniel J. DeWispelare (2016)

"질문은 심리의 비밀 문들을 열게 하는 열쇠이다."
클라리사 핑콜라 에스테스(Clarissa Pinkola Estés)

■ 핵심 요소

개방형 vs 폐쇄형 질문 : 영업과 설득에서는 개방형 및 폐쇄형 질문을 혼용하는 것이 중요하다. 개방형 질문은 상대방이 자세한 답변을 제공하도록 유도하며 가치 있는 정보와 통찰력을 수집하는 데 도움이 된다. 반면 폐쇄형 질문은 종종 예/아니오 또는 간단한 답변을 가져오며 이해를 확인하거나 대화를 전개하는 데 사용될 수 있다.

능동적 청취 : 효과적인 질문은 능동적인 청취를 필요로 한다. 상대방의 응답에 주의 깊게 주목하고, 응답에 대한 후속 질문을 사용하여 상대방의 생각, 필요 및 이의를 더 깊이 파고들도록 한다. 이는 상대방의 의견을 존중하고 그들의 우려를 진지하게 다루고 있다는 것을 보여준다.

문제 식별 : 숙련된 질문은 잠재 고객이나 상대방이 직면한 고통 포인트나 과제를 식별하는 데 도움을 준다. 현재 상황이나 필요에 관한 탐구적인 질문을 통해 당신의 제품이나 서비스가 문제를 해결할 수 있는 솔루션으로 인식하도록 한다. 이로써 제품을 그저 제품이 아니라 해결책으로 각인시킨다.

특징 대 혜택 : 질문을 사용하여 제품의 특징을 논의하는 것에서 혜택을 강조하는 것으로 전환한다. 예를 들어 "저희 제품의 고급 기능에 관심이 있으신가요?" 대신 "이러한 고급 기능을 가지고 있으면 어떻게 시간을 절약하고 업무 효율을 향상시킬 수 있을까요?" 와 같은 질문을 할 수 있다.

이의 처리 : 잠재 고객이 이의나 우려 사항을 제기할 때, 명확한 질문을 통해 그들의 이의 근본을 이해할 수 있도록 한다. 한 번 이해되면 그들의 우려를 효과적으로 해결하기 위해 응답을 맞춤화할 수 있다.

관계 구축 : 숙련된 질문은 상대방과의 신뢰감을 유도한다. 사람들이 자신의 의견에 대해 이해 받았다는 느낌을 받을 때, 그들은 당신의 메시지나 제안을 받아들일 가능성이 높아진다.

맞춤형 솔루션 : 효과적인 질문을 사용하면 제품 또는 서비스를 개별의 독특한 필요와 선호도에 맞게 맞춤화할 수 있다. 이 맞춤화는 성공 가능성을 높이다.

저항 극복 : 이의나 우려 사항이 제기될 때, 질문을 통해 효과적으로 저항을 극복할 수 있다. 이는 원활한 영업 프로세스와 더 높은 전환율로 이어질 수 있다.

설득력 강화: 질문은 잠재 고객의 사고 과정을 이끌어내어 당신이 원하는 결과와 일치하는 결론에 도달할 가능성을 높인다. 개인이 스스로 결론을 내리면 그 결론을 준수하기 쉬워진다.

지속적인 개선 : 영업 전문가는 상호 작용에서의 피드백과 데이터를 사용하여 시간이 흐름에 따라 질문 기술을 개선할 수 있다. 이 지속적인 개선은 영업 효율성과 성공률을 높일 수 있다.

전략적 탐구 : 신중하게 질문을 구성함으로써 영업인과 설득자는 대화를 제품이나 제안의 장점과 혜택을 강조하는 주제로 이끌 수 있다.

공감적 이해 : 질문을 구성하기 전에 잠재 고객의 필요와 우려를 이해하는 것을 포함한다. 이 공감적 이해를 통해 개별의 특정 상황과 resonance(공감)하는 질문을 만들 수 있으므로 제안서 또는 제품에 대한 수용성이 향상된다.

일치감 형성 : 긍정적인 방식으로 질문을 제기함으로써 목표는 잠재 고객의 목표와 욕구와 일치하도록 하는 것이다. 이러한 질문은 해당 사람이 제안된 해결책이나 제품이 그들의 최선의 이익에 부합한다는 것을 깨달을 수 있도록 설계되어 있으며 조작이 아닌 협력 관계를 유도한다.

신뢰 구축 : 긍정적으로 질문을 구성하면 잠재 고객에게 신뢰감을 심어줄 수 있다. 질문이 제품이나 제안의 강점과 이점을 강조하면, 잠재 고객은 자신의 결정에 대한 확신을 가지게 되며 활기찬 심리 상태를 유지할 가능성이 높아진다.

관계 강화 : 긍정적으로 질문을 제기함으로써 판매인 또는 설득자와 잠재 고객 간의 관계와 협력감을 증진시킨다. 개인들이 자신의 관점이 존중된다는 느낌을 받을 때, 건설적인 대화에 참여할 가능성이 더 높아진다.

수용성 향상 : 긍정적인 질문은 잠재 고객이 전달되는 메시지에 더 수용적으로 반응할 수 있도록 도와준다. 질문을 잠재 고객의 관심사와 필요에 부합하도록 조정하면 제안의 관련성과 가치를 더 잘 인식할 수 있다.

효과적인 설득 : 긍정적인 방식으로 전략적 질문을 사용하면 설득력 있는 도구로 활용할 수 있다. 이를 통해 판매인과 설득자는 잠재 고객을 자신의 최선의 이익과 일치하는 결론에 이끌어, 그들로 하여금 동의하고 행동을 취할 가능성을 높일 수 있다.

장기적 관계 : 긍정적인 질문 기술은 고객 또는 이해관계자와의 장기적 관계 구축에 기여한다. 이해관계의 이익을 조화시키고 일치시키는 데 초점을 맞추면 신뢰와 충성을 구축할 수 있다.

자신감 증대 : 질문이 제안 또는 제품의 긍정적인 측면을 강조할 때, 잠재 고객은 결정에 대한 자신감을 느낄 가능성이 높아져 신속하고 단호한 조치를 취할 수 있다.

윤리적 고려사항 : 판매와 설득에서 윤리적 고려는 중요하다. 고객이나 이해관계자와의 장기간 관계를 구축하는 것은 종종 정직하고 투명한 의사 소통을 필요로 한다.

영업과 설득에서의 질문 기술은 신중하고 전략적인 질문을 사용하여 상대방을 이해하고 참여시키며 긍정적으로 영향을 미치는 것이다. 효과적인 질문은 더 나은 관계, 수용성 향상, 효과적인 설득, 장기적인 관계 및 자신감 증대로 이어지고 더 높은 설득력을 도모하며 다양한 맥락에서 성공적인 결과에 기여한다.

"질문의 질이 삶의 질을 결정한다."
토니 로빈스(Tony Robbins)

■ 질문의 기술 활용 긍정적 사례

✧ 소프트웨어 솔루션 영업

A는 경험 많은 영업 대표로, 회사의 소프트웨어 솔루션을 고려 중인 잠재 고객인 B와 만나기로 했다. 비즈니스 필요성을 더 잘 이해하기 위해 대화를 시작했다. 제품의 특징을 즉시 설명하지 않고 다음과 같은 개방형 질문을 했다:

"회사의 현재 도전 과제와 목표에 대해 더 자세히 얘기해주실 수 있을까요?"
"소프트웨어 솔루션을 통해 어떤 작업이나 프로세스를 개선하고 싶으십니까?"
"이상적인 소프트웨어 솔루션이 팀에 어떤 이점을 제공할 것으로 기대하십니까?"
응답을 주의 깊게 듣고, 고통 포인트와 목표를 더 깊이 파악하기 위해 그에 따른 후속 질문을 세웠다. 그는 요구 사항을 완전히 이해했는지 확인하기 위해 질문을 더 했다.

요구 사항을 명확히 파악한 후, 그는 소프트웨어 솔루션이 회사의 독특한 도전 과제를 어떻게 해결하고 목표를 달성하는 데 도움을 줄 수 있는지에 대한 프레젠테이션을 구성했다. 그는 사라와의 회의 중에 계속해서 참여하도록 유도하기 위해 질문을 전략적으로 사용했다:

"우리가 지금까지 논의한 내용을 기반으로 소프트웨어가 현재 프로세스를 어떻게 효율화시킬 수 있는지 상상하실 수 있나요?"
"저희 솔루션의 어떤 측면이 귀하의 비즈니스 목표와 공감되나요?"
"더 자세히 탐구하고 싶은 부분이나 해결하고 싶은 우려 사항이 있으신가요?"

회사의 성공을 진심으로 걱정하며 맞춤형 솔루션을 제공하려는 것을 느꼈다. 이 접근 방식은 강요적인 영업 전달이 아닌 협력적인 파트너십 느낌을 조성했다.

신뢰 구축: 효과적인 질문은 잠재 고객과의 신뢰와 화합을 구축한다. 고객의 요구 사항을 이해하려는 진정한 관심을 나타내면 신뢰성이 강화된다.

맞춤형 솔루션: 신중한 질문을 통해 구체적인 고통 포인트와 목표를 발견하고 고객의 고유한 요구 사항을 충족시키기 위해 제품을 맞출 수 있다.

향상된 의사 소통: 숙련된 질문 기술은 양방향 의사 소통을 촉진한다. 고객을 대화에 능동적으로 참여하도록 유도하여 정보 교환을 더 의미 있게 만든다.

고객 전환율 증가: 고객의 특정 요구 사항과 우려 사항을 다루면 영업인은 잠재 고객을 만족한 고객으로 전환할 가능성을 높일 수 있다. 고객이 자신의 우려가 철저히 다루어질 때 결정을 내리는 경향이 높다.

장기적인 관계: 고객의 변화하는 요구 사항을 이해하기 위해 질문 기술을 사용하면 장기적이고 상호 이익적인 관계를 구축할 수 있다. 고객 피드백을 기반으로 접근 방식을 지속적으로 조정할 때 반복 비즈니스와 추천을 확보할 수 있다.

시사점: 효과적인 질문 기술을 사용하여 사라와의 신뢰 관계를 구축했으며, 성공적인 판매와 장기적인 협력 가능성을 창출했다. 이것은 대면

영업에서 전략적인 질문의 힘과 관련된 긍정적인 시사점을 보여주며 양측에게 긍정적인 영향을 미치는 것을 보여준다.

✧ 인테리어 가구 영업

A는 가구 회사의 영업 대표로, 새 집을 꾸미려는 B부부와의 미팅을 가졌다. 바로 다양한 가구 세트를 소개하기보다는 그들의 선호도와 필요 사항을 이해하기 위해 질문을 시작했다:

"새 집 인테리어에 어떤 스타일이나 테마를 생각하고 계신가요?"
"가구로 꾸밀 특정한 방이 있나요?"
"가구에 대한 색상이나 재료 선택에 관한 구체적인 생각이 있으신가요?"
현대적이고 미니멀한 인테리어에 중립적인 색상과 친환경 재료에 중점을 둔다는 비전을 공유했다. 그들의 선호도를 주의 깊게 듣고 정확한 요구 사항을 파악하기 위해 추가 질문을 했다.

대화가 진행되면서 그들에게 가구 선택 과정을 안내하기 위해 질문을 사용했다:

"스타일 선호도를 고려하면 '현대 컬렉션'을 고려해보셨나요? 이것은 현대적 인테리어 감각이 적용되었습니다."
"다루고 싶은 특정한 가구 조각, 예를 들면 식탁이나 소파 같은 것을 좀 더 자세히 살펴보고 싶으신가요?"
"거실 배치에 대해 생각해보셨나요? 우리에게는 여러분의 관심을 끌 수 있는 공간 절약 솔루션도 있습니다."
이러한 특정 질문을 통해 그들의 비전과 요구 사항과 일치하는 가구

조각을 좁히도록 도왔다. 그들의 응답을 기반으로 통찰과 제안을 제공하여 선택 프로세스를 더 쉽고 즐겁게 만들었다.

맞춤형 추천: 효과적인 질문을 통해 영업인은 고객의 선호도와 요구 사항을 기반으로 맞춤형 추천을 제공할 수 있다.

고객 만족도 증대: 고객을 의사 결정 과정에 적극적으로 참여시킴으로써 영업 대표는 고객의 만족도를 향상시킬 수 있으며 그들이 자신의 욕망과 일치하는 선택을 하도록 돕는다.

효율적인 의사 결정: 잘 구성된 질문은 고객이 자신의 기준과 일치하는 옵션으로 안내하여 효율적으로 의사 결정을 내릴 수 있도록 돕는다.

영업 프로세스 개선: 질문 기술은 영업 프로세스를 효율적으로 만들어 모두에게 원활하고 즐거운 경험을 제공할 수 있다.

신뢰 구축: 고객은 그들의 요구 사항을 이해하려는 시간을 내주는 것을 감사히 여기며, 이로 인해 더 강한 신뢰와 신뢰성을 형성할 수 있다.

시사점 : 능숙한 질문 기술은 다윗과 리사에게 만족스러운 가구 선택 프로세스를 안내했다. 이것은 맞춤형 추천과 효율적인 의사 결정의 힘을 보여주며 대면 영업에서 고객의 만족도와 긍정적인 판매 경험에 대한 긍정적인 결과를 나타낸다.

명철한 자의 마음은 지식을 얻고
지혜로운 자의 귀는 지식을 구하느니라
잠언 18:15

✦ IT 인프라 업그레이드 영업

경험 많은 영업 대표인 A는 잠재적인 고객인 B와 만나게 되었다. 회사의 IT 인프라를 업그레이드하려는 관심을 표명했지만, 전환 프로세스와 비즈니스 운영에 미치는 잠재적인 중단에 대한 우려가 있었다.

B의 우려를 이해하고 IT 업그레이드의 이점에 대한 사고를 이끌어내기 위해 설계된 유도질문으로 대화를 시작했다:

" 더 효율적인 IT 시스템이 회사의 일상 영업을 어떻게 간소화하고 시간과 자원을 절약할 수 있는지 상상해 볼 수 있을까요?"
"업그레이드의 장기적인 이점, 예를 들어 향상된 보안 및 확장성을 고려해 보셨나요?"
"현재의 IT 인프라로 직면한 구체적인 도전 과제는 무엇이며, 그것들을 어떻게 해결하길 원하십니까?"
이러한 방식으로 질문을 구성함으로써 IT 업그레이드의 긍정적인 결과를 상상하도록 유도하려고 했다. 이에 대한 응답으로 생산성 향상, 다운 타임 감소 등의 잠재적 이점과 해결해야 할 구체적인 문제에 대해 이야기하기 시작했다.

대화가 진행됨에 따라 계속해서 유도질문을 전략적으로 활용했다:

"우리가 논의한 이점을 고려하면 귀하의 팀이 더 안정적인 IT 시스템을 감사하게 생각할 것 같나요?"
"귀하가 언급한 도전 과제를 고려하면 업그레이드된 IT 솔루션의 기능을 더 자세히 살펴보는 것이 합리적일까요?"
" 이 IT 업그레이드가 다음 몇 년 동안 회사의 성장에 긍정적인 영향을 미칠 것으로 생각하십니까?"
대화가 진행됨에 따라 IT 업그레이드를 긍정적인 투자로 간주하게 되었고, 회사에 대한 가치 있는 투자로 보게 되었다.

긍정적인 프레임: 유도질문 사용을 통해 알렉스는 초기 우려 사항 대신 잠재적인 이점과 해결책을 강조하여 대화를 프레임화했다.

설득 효과: 유도질문은 사라의 사고 과정을 부드럽게 긍정적인 방향으로 이끌어내어 IT 업그레이드를 해결책으로 고려할 가능성을 높였다.

이의 제기 처리: 이 기술은 이의를 다루는 데 도움을 주었으며, 잠재적인 이점과 해결책을 탐색하도록 유도하여 건설적인 대화로 이어졌다.

수용성 향상: 대화를 유도하면서 아이디어를 수용하고 반대를 최소화했다.

정보에 기반한 결정: 잠재적 이점과 해결책에 대한 포괄적인 이해를 가지게 되어 더 많은 정보를 바탕으로 더 나은 결정을 내릴 수 있었다.

시사점: 유도질문 기술을 효과적으로 활용하여 잠재적으로 어려운 대화를 나열하고 IT 인프라 업그레이드의 이점을 설득했다. 이것은 대면

영업에서 전략적인 질문의 힘과 이의 제기를 다루고 수용성을 향상시키는 데의 시사점을 보여주며, 최종적으로 성공적인 결과로 이어졌다.

✧ 고급 스포츠카 영업

A는 고급 자동차 딜러쉽의 영업 대표로, 고객인 B가 고급 스포츠카를 구매하는 것을 고려 중인 경우를 돕고 있었다. 관심을 표시했지만 이러한 중요한 구매를 고민하고 있었다.

자동차에 대한 혜택과 특징을 강조하고 유도질문을 하면서 대화를 시작했다:

"이 고급 스포츠카를 운전하면 특히 강력한 엔진과 세련된 디자인으로 어떻게 느끼게 될 것 같나요?"
"이 아름다운 차에 타고 다닐 때 친구들과 동료들로부터 어떤 주목과 찬사를 받게 될 것 같은지 생각해보셨나요?"
"이처럼 고성능 차량을 소유하면 어떤 생활을 상상하시나요?"
이러한 방식으로 질문을 구성함으로써 상상력과 자동차에 대한 욕망을 자극하고자 했다. 이 차량을 운전하는 즐거움과 연관된 명예에 대해 이야기하기 시작했다.

대화가 계속됨에 따라 사라는 전략적으로 유도질문을 계속 사용했다:

"이 차량의 탁월한 안전 기능을 고려할 때 자신감 있게 운전할 수 있다는 생각이 드시나요?"
"고급 스포츠카를 소유하면 귀하의 비전과 라이프스타일과 어떻게 부합될 것으로 보시나요?"
"제공하는 다양한 결제 옵션에 대해 논의해보겠다. 다양한 결제 계획에 얼마나 편안하신가요?"

유도질문을 사용하여 우려 사항을 다루고, 차량의 특징을 강조하며, 구매를 그의 욕망과 라이프스타일에 부합하도록 조율했다.

감정적 연결: 유도질문을 사용함으로써 고객과 차량 사이에 감정적 연결을 만들었으며, 그의 욕망과 감정을 자극했다.

혜택 강조: 유도질문을 사용하여 차량의 혜택을 강조했으며, 구매의 가치를 보여주어 존이 더욱 가치 있는 결정을 내릴 수 있도록 도왔다.

고민 해소: 이 기술을 사용하여 고민 사항을 다루고 긍정적인 측면을 강조함으로써 그의 고민을 덜어주었다.

욕망 형성: 존이 차량을 소유하고 싶어하는 욕망을 형성하도록 돕기 위해 그를 상상하도록 유도하는 질문을 사용했다.

판매 성공: 대화 종료 시점에서 차량에 대한 열정을 더 높이고 결제 옵션을 논의할 준비가 되었다.

시사점: 유도질문 기술을 효과적으로 활용하여 고급 스포츠카의 혜택과 매력을 설득했다. 이것은 감정적 연결과 고민 해소를 대면 영업에서 어떻게 활용할 수 있는지를 보여주며, 최종적으로 성공적인 결과와 만족스러운 고객을 이끈 사례이다.

"질문은 지성의 창조적인 행위이다."
프랭크 킹던(Frank Kingdon)

■ 질문의 기술 활용 부정적 사례

✧ 소프트웨어 영업

소프트웨어 회사의 영업 대표인 A는 잠재 고객인 B와 미팅하였다. 그들의 제품에 관심을 표시했지만 가격에 대한 우려가 있었다.우려를 다루거나 의심을 완화할 정보를 제공하는 대신, 부정적인 질문 기술을 사용했다:

"우리 소프트웨어에 투자하지 않을 경우 어떤 결과가 발생할 수 있는지 상상해보셨나요? 경쟁사가 사용하는 도구를 갖지 않을 때의 결과를 생각해보세요."

"당신의 현재 구식 소프트웨어로 인해 얼마나 많은 시간과 비용을 낭비하고 있는지 생각해보셨나요? 우리 솔루션은 그 문제를 해결할 수 있습니다."

"결정을 내릴 때 무엇이 당신을 막고 있나요? 대부분의 성공적인 비즈니스를 위해서 우리가 제공하는 가치를 주저하지 않습니다."

질문은 부정적이고 대립적인 방식으로 구성되어 방어적인 입장으로 몰아넣고 불편하게 만들었다.

우려감 증가: 부정적인 질문 기술은 우려를 해소하는 대신에 높여놓았다. 협력적인 대화가 아닌 대립적인 분위기를 만들었다.

신뢰 상실: 대립적인 질문을 사용함으로써 신뢰를 훼손시켰다. 어떤 영업 관계에서도 신뢰는 중요하며, 이러한 접근은 이를 손상시켰다.

고객 참여 부진: 방어적이고 불편한 상태에 놓인 대화에서 이탈하게 되어 소프트웨어를 고려할 가능성을 줄였다.

기회 놓침: 가격에 대한 우려를 다루고 가치 중심의 설명을 제공하는 기회를 놓쳤으며, 이는 성공적인 판매의 기회를 놓치게 한 것이다.

부정적인 브랜드 인식: 부정적인 경험을 통해 회사 전체에 대한 인식에 영향을 미칠 수 있으며, 잠재적인 향후 비즈니스에도 영향을 미칠 수 있다.

시사점: 부정적인 질문 기술은 영업 대화에 부정적인 영향을 미쳤다. 우려를 다루지 않고 대립적인 접근을 사용하여 이의를 높여놓고 신뢰를 훼손하며, 최종적으로 성공적인 판매 기회를 놓치게 한 것이다. 이것은 대면 영업에서 긍정적이고 건설적인 질문 기술을 사용하여 신뢰를 구축하고 이의를 효과적으로 다루는 중요성을 강조한다.

✧ 가구 매장 영업

가구 매장의 영업 대표인 A는 잠재 고객인 B를 설득하여 비싼 거실 가구 세트를 구매하도록 하려고 노력했다. 그러나 B의 선호도를 이해하고 맞춤형 추천을 제공하는 대신, 부정적인 유도질문을 사용했다:

"당신은 현재 가구가 구식이고 낡아 보이지 않는다고 생각하지 않나요? 우리의 거실 가구 세트로 개선이 되지 아니겠어요?"

"당신은 이전 소파가 얼마나 불편해졌는지 못 느꼈나요? 우리의 새로운 세트는 훨씬 더 편하지 않을까요?"

"당신은 이 가격이 예상보다 비싸더라도 이런 고급 거실 가구 세트는 투자할 가치가 있다고 동의하지 않으시나요?"

A의 질문은 부정적으로 구성되어 있었으며, B의 현재 가구에 대한 불만을 인정하도록 압박하고 비싼 구매에 동의하도록 유도하려고 했다.

분노와 방어감: 부정적인 유도질문은 방어적이고 분노스러운 기분을 불러일으켰으며, 현재 가구에 대한 불만을 인정하기 위해 압박 받는다고 느꼈다.

신뢰 저해: 이런 질문 접근 방식으로 매장의 진실성에 대한 신뢰를 훼손시켰으며, 이후 매장과의 신뢰관계에 영향을 미칠 수 있었다.

고객 참여 부진: 부정적인 질문은 대화에서 격리시키는 결과를 가져와 판매 촉구에 덜 반응하도록 만들었다.

판매 기회 상실: 가구를 구매하는 데 관심이 있을 수 있었지만, A의 접근 방식은 낙담시키고 판매 기회를 놓치게 할 수 있다.

부정적인 평판: 부정적인 경험은 부정적인 입소문을 낳을 수 있으며, 매장의 평판을 손상시킬 수 있다.

요약: 유도질문 기술의 부정적인 사용은 판매 대화에 해로운 영향을 미쳤다. 요구 사항을 이해하고 가치 중심의 추천을 제공하는 대신, 이러한 접근 방식은 분노를 불러일으키고 신뢰를 훼손하며 판매 기회를 상실할 가능성을 야기했다. 이것은 대면 영업에서 윤리적이고 긍정적인 질문 기술을 사용하여 신뢰를 구축하고 성공적인 거래를 촉진하는 중요성을 강조한다.

✦ 통신사 영업

통신 회사의 영업 대표인 A는 잠재 고객에게 자신의 휴대전화 요금제를 업그레이드하도록 설득하려고 노력했다. 명확한 정보를 제공하거나 밥의 우려를 다루지 않고 부정적인 질문을 구실로 하는 기술을 사용했다:

"우리의 프리미엄 요금제로 업그레이드 하는 것이 옳은 선택임이 분명하지 않나요? 모든 훌륭한 기능을 놓치고 싶지 않으실 거 아니죠?"

"당신은 분명히 우리의 경쟁사가 우리의 서비스 품질을 따라갈 수 없다는 것을 이해했죠. 다른 요금제로 변경하는 것은 실수일 것 같지 않나요?"

"당신의 돈으로 최고의 서비스를 찾는 사람들을 위한 완벽한 선택이 우리의 프리미엄 요금제라고 동의하지 않으세요? 이것은 분명 현명한 선택입니다."

A의 질문은 자신의 의견에 동의하도록 조종하고 다른 합리적인 선택이 없는 것처럼 느끼게 하려는 목적으로 설계되었다.

고객 저항감: 압박적이고 조종적인 접근으로 밥은 그의 제안에 저항감을 느꼈다. 그는 자신의 우려가 다루어지지 않는 것 같이 느껴졌다.

신뢰 훼손: 질문을 부정적으로 활용한 것은 신뢰를 훼손시켰다. 강압적이고 불성실한 판매 대표로 인식했다.

기회 상실: 명확한 정보를 제공하고 고객의 우려를 다루는 대신 조종적인 접근 방식을 사용하여 판매 기회를 놓칠 가능성이 높았다.

고객 불만족: 영업적 소통에 대한 불만은 고객 만족도를 낮출 수 있으며, 회사의 평판에 영향을 미칠 수 있다.

판매 상실: 부정적인 접근 방식은 아마도 조종적인 전술 때문에 요금제를 업그레이드 하지 않기로 결정한 판매 기회의 상실로 이어졌을 것이다.

시사점: 부정적인 기술은 판매 대화에 해로운 영향을 미쳤다. 우려를 다루고 명확한 정보를 제공하는 대신, 조종적인 접근 방식은 저항감을 일으키고 신뢰를 훼손시키며 판매 기회를 놓칠 가능성이 높았다. 이것은 대면 영업에서 윤리적이고 긍정적인 의사소통 기술의 중요성을 강조한다.

사람의 마음에 있는 모략은 깊은 물 같으니라
그럴지라도 명철한 사람은 그것을 길어 내느니라
잠언 20:5

■ 질문의 기술 활용 방법 10가지

개방형 질문(Open-Ended Questions)

단순한 "예" 또는 "아니오" 대답을 피하고 상세한 답변을 유도한다. 개방형 질문은 깊은 대화를 촉진하여 더 많은 정보를 수집하고 상대방의 필요를 더 잘 이해할 수 있게 도와준다.

예시: "다가오는 해에 당신의 비즈니스 목표는 무엇인가요?"

탐색 질문(Probing Questions)

상대방의 필요와 도전 과제에 대한 추가 정보를 파악하기 위해 사용된다. 탐색 질문은 고객의 고통 포인트와 기회를 파악하고 솔루션을 효과적으로 맞춤화하는 데 도움이 된다.

예시: "귀사의 현재 소프트웨어로 겪는 도전 과제에 대해 더 자세히 얘기해주실 수 있을까요?", "귀하의 상황으로 볼 때 [기능]이 어떤 영향을 미칠 것이라고 생각하시나요?"

가정 질문(Hypothetical Questions)

고객이 제품 또는 서비스의 혜택을 상상하도록 하기 위해 가상 시나리오를 제시한다. 가정 질문을 통해 고객은 제공되는 가치를 시각화할 수 있으므로 더 매력적으로 느낄 수 있다.

예시: "만약 당사 제품이 작업 비용을 20% 절약할 수 있다면, 예산에 어떤 영향을 미칠 것 같나요?", "...을 달성할 수 있다면 그것은 당신에게 무엇을 의미할까요?"

명확화 질문(Clarifying Questions)

상대방의 발언이나 필요를 명확히 이해하기 위해 사용된다. 고객이 자신의 요구 사항을 고려하도록 유도하여 솔루션을 위한 문을 열어준다. 명확성은 효과적인 의사소통에 중요하며, 명확화 질문은 오해를 방지한다.

예시: "'효율성 문제'라는 말씀하신 내용을 명확히 설명해주실 수 있을까요?", "...로 인해 어려움을 겪은 적이 있나요?"

감정적 질문(Emotional Questions)

고객의 감정과 동기에 접근하여 더 깊은 연결을 만든다. 이러한 접근 방식은 공감을 촉진하고 공유된 문제를 기반으로 연결을 생성한다. 감정적인 반응을 불러일으켜 솔루션을 더욱 매력적으로 만든다. 감정적 A는질문은 고객과의 관계를 더 깊게 형성하고 개인적인 연결을 확립하는 데 도움이 된다.

예시: "업무 프로세스를 간소화하고 스트레스를 줄일 수 있는 솔루션을 마침내 갖게 된다면 어떤 느낌일까요?", "어떨 때 좌절감을 느껴본 적 있으신가요...?", "드디어 [도전]을 극복한 기분이 어떤가요?"

소크라틱 질문(Socratic Questions)

상대방이 스스로 결론에 도달하도록 하기 위해 자문과 질문을 통해 비판적 사고와 자기 발견을 촉진한다. 소크라틱 질문은 고객이 문제 해결에 적극적으로 참여하도록 도와 영업 제안을 더욱 수용할 만한 상태로 만든다.

예시: "이 문제를 해결하는 가장 효과적인 방법은 무엇일 것 같나요?"

유도형 질문 (긍정적) (Leading Questions (Positive))

긍정적으로 제시된 질문은 긍정적인 응답을 유도하기 위해 사용된다. 잠재 고객이 업계 전문성과 권위를 인정하도록 유도하는 것도 효과적이다. 고객이 솔루션의 성공을 시각화하도록 장려한다. 긍정적인 유도형 질문은 제품 또는 서비스에 대한 긍정적인 인식을 형성하는 데 도움이 된다.

예시: "우리 제품의 기능이 인상적이고 귀사의 요구와 일치한다고 생각하지 않으실까요?", "[업계 선두]가 유사한 전략을 사용하는 것을 본 적이 있습니까?", "... 혜택을 받기 시작하는 가장 좋은 시기는 언제입니까?", "다음과 같은 경우 귀하의 생활/사업이 어떻게 개선될지 상상할 수 있습니까?"

유도형 질문 (부정적) (Leading Questions (Negative))

부정적으로 제시된 질문은 상대방의 현재 솔루션이 불만족스러운 것처럼 암시한다. 부정적 유도형 질문은 고객이 현재 솔루션을 재고하도록 유도하며, 제품 또는 서비스로의 입구를 열 수 있다.

예시: "당신의 현재 소프트웨어가 기대한 결과를 제공하지 않을 때 분명히 실망스러울 것 같지 않나요?"

역전형(이의제기형) 질문(Reversal Questions)

상대방의 가정이나 이의를 역전시키는 방식으로 도전한다. 우려사항을 해결하는 질문을 하여 반대 의견을 선제적으로 대응하는 효과도 있다. 솔루션의 혜택과 이점을 간접적으로 비교하는 기능도 있다.

역전형 질문은 고객에게 이의나 우려를 다른 각도에서 재고하도록 유도한다.

미래형 질문(Trial Close Questions)

체험판종료의 개념으로 고객이 다음 단계로 나아갈 준비가 되었는지를 확인하기 위해 사용된다. 고객이 판매 과정의 다음 단계를 얼마나 진행하고자 하는지를 평가하는 데 도움이 된다.

예시: "우리의 대화를 기반으로 보면 당신의 요구와 우리의 솔루션이 일치하는 것 같나요?", "만약 당사의 가격 정책이 시간이 지남에 따라 돈을 절약할 수 있는 방법이라고 말한다면 어떨까요?", "[경쟁사의 기능]보다 [이점]을 제공하는 솔루션을 선호하지 않습니까?"

시사점

영업 전문가가 효과적으로 고객과 상호작용하고 필요를 파악하며 이성적인 결정을 내릴 수 있도록 포괄적인 도구 상자를 제공한다. 이러한 기술들을 구체적인 맥락과 고객의 성향 및 필요에 맞게 적응하고 결합하는 것이 성공적인 영업과 설득의 핵심이다.

"질문을 하는 기술은 모든 지식의 원천이다."
토마스 버거(Thomas Berger)

☞ **질문의 기술(Question) 멘트**

"*현재 비즈니스에서 직면하고 있는 주요 과제는 무엇인가요?*"
고객의 불만 사항을 파악하는 데 도움이 된다.

"*이 문제를 신속하게 해결하는 것이 얼마나 중요한가요?*"
긴급성을 측정하고 요구의 우선순위를 정한다.

"*저희 제품이 어떤 방식으로 도움이 될 수 있다고 생각하십니까?*"
고객이 제품의 영향력을 시각화하도록 유도한다.

"*염두에 두고 있는 이상적인 솔루션을 설명해 주시겠습니까?*"
고객의 기대치를 이해하고 맞춤형 프레젠테이션을 할 수 있도록 도와
준다.

"*과거에 유사한 제품이나 서비스를 사용해 본 경험이 있으신가요?*"
고객의 선호도와 과거 결정에 대한 인사이트를 제공한다.

"*이와 같은 솔루션이 성공적으로 구축되면 어떤 점이 좋아질까요?*"
성공 기준과 벤치마크를 명확히 한다.

"*솔루션에서 어떤 특정 기능을 찾고 계신가요?*"
관련 제품 기능에 집중할 수 있도록 도와준다.

"*다른 가족이든 누가 이 의사 결정 과정에 참여해야 하나요?*"
다른 주요 의사 결정권자를 식별한다.

"*이러한 종류의 솔루션에 고려하시는 예산은 얼마인가요?*"

재정적 능력과 제약 조건을 평가한다.

"언제까지 준비되시면 되는지요?"
시간 프레임과 긴급성을 이해하는 데 도움이 된다.

■ 요약

질문의 기술은 인식과 지식 탐구과정에서의 핵심 요소이다.
질문은 원하는 답변이나 결과에 대한 논리적 프레임으로 구성되어 구사될 수 있다.
내포된 맥락에서 질문의 전제를 미리 받아들이게 해 반박을 불가능하게 하기도 한다.

■ 핵심키워드

질문, 유도질문, 지식탐구과정, 논리적 프레임, 내포된 맥락, 개방형 질문, 폐쇄형 질문, 소크라틱 질문, 역전형질문, 미래형 질문

■ 적용 질문

질문의 기술이 영업과 설득에서 어떤 특징들이 있는가?
질문의 기술로 영업과 설득에서 거둘 수 있는 기대요소는 무엇인가?
질문의 기술을 효과적으로 활용하는 10가지 방법이 무엇이고 나에게 있어 강화해야 할 요소는 무엇인가?

에필로그

저 또한 수많은 영업의 현장에서 시행착오를 겪었고
그 이유와 근거를 알고 싶었습니다.

마음을 얻는 비결과 비법과 관련된 지구상의
거의 모든 관련 도서와 논문을 찾고 연구했습니다.
유.무형의 상품영업, 대면영업, 기술영업, 법인영업, B2B, B2C, 온.오프라인,
SNS영업, 팀 영업, 특수영업부터 가장 최악의 조건의 영업들을
일부러 찾으면서까지 절절한 현장영업을 경험했습니다.
현장 경험들을 통해 얻은 소중한 보석들을 차곡 차곡 담았고 숙성시켰습니다.

중학생 때가지 오줌싸개, 잔병치레, 골골한 심신, 사람이 두렵고
마음이 어두운 시절을 보냈으나 다행이 이를 극복해왔습니다.
단순히 기술로 사람의 마음을 얻는 것은 한계가 있다는 것입니다.
사람에 대한 그에 앞서 나에 대한 진지한 성찰을 통해 허울과 약함의
껍데기를 벗어내고 위대한 잠재성을 깨운 경험을 나누고 싶었습니다.
누구든 위대한 잠재력과 천재성을 가지고 있다는 명확한 진리를 발견했습니다.

지금도 어느 한 켠에서 웅크리고 자신감을 상실하고 고개를 떨구는
누군가에게 작은 힘과 등불이 되었으면 합니다.
그 자리를 박차고 일어나 저마다의 자리에서 위대한 일생을
살아가는데 도움을 준다면 너무 기쁠 것 같습니다.

저와 같이 약한 자리, 힘겨운 자리에 있던 분이 곧 힘찬
날개 짓을 통해 비상하는 모습을 보고 싶습니다.

설특과 영업 초고수 실행노트

PERSUATION SECRET

설득술 '25 기법'

마음을 얻으면 천하를 얻는다.

"단순한 무용담도 설명서도 아닙니다"

"실전 노하우와 탄탄한 이론적 근거로
하나 하나 정성껏 곱씹고 글로 옮겼습니다"

"두고 두고 참고할 만한 설득과 영업의 실전 실행노트입니다"

닥터브리